国家出版基金项目
NATIONAL PUBLICATION FOUNDATION

『十四五』时期国家重点图书出版专项规划

中国考古发掘报告提要

报告提要

史前卷（上册）

刘庆柱 ◎ 总主编

丁晓山 ◎ 主编

中国文史出版社

图书在版编目（CIP）数据

中国考古发掘报告提要：全 10 卷：1—16 册 / 刘庆柱总主编；丁晓山主编 . —北京：中国文史出版社，2021.10

ISBN 978-7-5205-3105-4

Ⅰ. ①中… Ⅱ. ①刘… ②丁… Ⅲ. ①考古发掘－发掘报告－汇编－中国－1928-2015 Ⅳ. ① K870.4-53

中国版本图书馆 CIP 数据核字（2021）第 150650 号

出品人：彭远国

责任编辑：窦忠如

特约编辑：窦广利　张幼平　邓文华

出版发行：中国文史出版社
地　　址：北京市海淀区西八里庄路 69 号　邮编：100142
电　　话：010-81136602　81136603　81136606（发行部）
传　　真：010-81136655
制　　版：北京方舟正佳图文制作有限公司
印　　装：廊坊市海涛印刷有限公司
经　　销：全国新华书店
开　　本：889 毫米×1194 毫米　1/16
印　　张：537
字　　数：10200 千字
版　　次：2024 年 9 月北京第 1 版
印　　次：2024 年 9 月第 1 次印刷
定　　价：2980.00 元（10 卷 16 册）

序

记得是在 2013 年初夏的一天，首都师范大学丁晓山先生因公事到六里桥中华书局来找我。办完公事后我们就坐在中华书局一楼大厅里聊了会儿天，晓山先生告诉我，他想编《中国考古发掘报告提要》。我深表赞同，但又觉得兹事体大，任务繁重，恐怕会和许多听上去不错的想法一样，最终也只能停留在策划阶段，无疾自终。没有想到时隔不到两年，晓山先生竟抱着十几册书稿来找我写序了。按说考古方面的著述本不该由我来写序的，但我首先是被晓山先生的实干精神所感动，感到没有理由拒绝如此埋头苦干的后辈学者；其次从考古与文献的结合角度，也还确实有些话想说，便欣然答应了下来。

夜深人静，我翻阅着堆满了小半个书桌的书稿，当然最先翻看的是我比较感兴趣的隋唐五代卷。真的是如入宝库，目不暇接。记得曾有学者讲过，考古是坐在前排看戏。的确如此，考古是跟古人直接对话，你会看到古人穿着什么样的盛装出现在社交场合，你会触摸到古人曾经喝过酒的酒盏，你会站立在当年宫女们居住的寝室，你甚至会行走在一千年前古人曾经走过的街道上……借用时下流行的词语讲，真的是让人有"穿越"之感了。这是阅读古代文献很难获得的一种体验。

正是因为考古资料如此无可替代，20 世纪 20 年代王国维先生就提出了"二重证据法"，以考古资料与传世文献相印证，并将此提高到了方法论的高度。20 世纪 60 年代，沈从文先生甚至说过要想做好学问，最好"老老实实去故宫各库房学三五年文物"[①]的话。然而，结果又如何呢？约 30 年前，张光直先生就指出："考古学与历史学不能打成两截，那种考古归考古，历史归历史，搞考古的不懂历史，搞历史的不懂考古的现象，是一种不应有的奇怪现象，说明了认识观的落后。"[②]李学勤先

---

① 沈从文：《花花朵朵坛坛罐罐——沈从文文物与艺术研究文集》，外文出版社，1994 年版，第 76 页。
② 见《中国社会科学》杂志社编《未定稿》，1988 年第 4 期。

生在约20年前讲："我们学术界的习惯，是把历史学和考古学截然分开。""学历史的专搞文献，学考古的专做田野，井水不犯河水，大多不相往来。我看这对历史学、考古学双方都没有好处。"[①]10年前，石兴邦先生还引用张光直先生的话讲："中国古史研究与考古学的发现成果的间距，比海峡两岸的距离还远。"[②]时至今日，这一状况应该说，有所改观，但恐怕还不好说已有了实质性的改观。

那么，怎么才能让历史学、考古学双方都有好处呢？这就需要沟通。而考古发掘报告，恰恰是双方有望沟通的一个很好的现实选择。从考古学来说，考古发掘报告是发现、发掘、整理、研究这一系列考古活动的最后结晶，是考古发掘过程中必不可少的关键一环。从历史学的角度看，考古发掘报告几乎是认识考古发掘的唯一文字凭证，历史学者不可能老是如同考古学者一样坐在前排看戏，他们在绝大多数情况下，只能通过发掘报告，来了解他们关心的考古事实（或许以后还可以通过网播、专题片等视频来了解）。应该说，考古界、史学界双方都很重视考古发掘报告。

然而，考古发掘报告似乎并不是准备给考古圈以外的人看的，专业词汇触目皆是，叙述过程长篇大论。不用说厚度令人生畏的考古详报，就是所谓考古发掘简报，也是动辄几十页，简报不"简"，难以卒读。李学勤先生曾谈到，早在1955年《考古》杂志开第一次编委会时，夏鼐先生就郑重其事地提出办刊的四项任务。头一条任务居然是"普及"[③]。我理解这个"普及"，不仅仅是向群众普及考古知识，提高文物意识，也理应包括向非考古专业的其他学科学者，介绍考古成果，传播相关信息。也早有学者呼吁，考古发掘报告专业性太强，必须加以改进，"使学科内、学科外的读者都可以直接阅读和使用可靠资料"[④]。也曾有学者强调"考古界应该更快地从迷恋于资料信息的占有，转入对资料信息的共享、共商、共研"[⑤]，而《中国考古发掘报告提要》所做的，不正是这样一种"普及"和改进工作吗？不正是这样一种"共享、共商、共研"吗？

说实话，如果说考古学和中国传统的金石学还勉强沾上点边的话，那么考古发掘报告，可就是完完全全、百分之百的舶来品了。中国传统文献里没有这种写法，也难怪国人读起来不太熟悉。而提要，则是我们十分熟悉的写法了，姚名达先生甚至说中国古代目录"优于西洋目录者，仅特解题一宗"[⑥]。打个比方，如果说考古发

① 李学勤：《走出疑古时代》，辽宁大学出版社，1994年版，第62页。
② 张得水：《"文明探源：考古与历史的整合"学术研讨会综述》，《中原文物》2006年第1期。
③ 《〈考古〉50年笔谈》，《考古》2005年第4期。
④ 谢尧亭：《从〈天马——曲村〉谈考古资料的整理和报告的编写》，《考古》2005年第3期。
⑤ 张忠培：《中国考古学：九十年代的思考》，文物出版社，2005年版，第5页。
⑥ 《中国目录学史》，上海古籍出版社，2002年版，第346页。

掘报告是道洋味扑鼻的"西餐"，而"提要"则有如"西餐中做"。《中国考古发掘报告提要》煌煌十卷本，收录自1928年至2015年80多年间出版和专业刊物上的考古发掘报告13000多种，超过《四库全书总目》收书10000出头的规模了。而每种发掘报告，又力求用最简洁的语言，讲清楚发现、发掘的时间、地点，发现的过程，发掘出什么，属于什么时代或年代，墓主身份，遗址的性质，遗物的价值等。其实非专业学者，也许只需要了解这些基本信息就够了。其写法，又像是《四库全书简明目录》的路数。考古发掘报告这道"西餐"，经过中国传统目录学的改造，终于比较适合国人的胃口，能够满足读者的初步诉求了。

翻阅一过，却又感到《中国考古发掘报告提要》所包含的信息十分丰富。如编者比较注重趣味，一般人感兴趣的信息会予以收录。编者比较注重考证，凡有通过与文献对读并由此得出结论的部分，大多予以保留。编者还比较注重信息，尽可能多地提供了一些相关学术信息。在细节上，有些地方也做得很好。如某篇发掘报告是否有照片（彩照还是黑白照片）、拓片，如出土有墓志等是否转录全文，都一一予以交代。这些都是做得不错的地方，是为本书加分的地方。

说完为本书加分的地方，也应说说为本书减分的地方。主要是工程浩大，书出众手，各人取舍标准有宽严之别，难免会出现漏收、误收现象；对内容的把握有高下之分，也会有该"提"的"要"而未"提"或错"提"的情况。至于录校方面的漏网之鱼、分卷方面的可议之处等等，还在其次。但扪心自问，不论是谁来编纂这样一部大书，上述问题几乎可以说是在所难免。

当然，学术型工具书也如同学术专著一样，最大的"加分"还在创新。如《中国丛书综录》（上海古籍出版社1959年版、1982年版），收录丛书2797种，遗漏错讹甚多，以至有阳海清先生的《中国丛书综录补正》（广陵书社1984年版）问世。日后又扩充成《中国丛书广录》（湖北人民出版社1999年版）上、下两册，声称收录《综录》未收或与《综录》有所不同的丛书3279种。施廷镛先生的《中国丛书知见录》（北京图书馆出版社2005年版）6册，共收丛书近2000种，据称其中700种是《综录》失收的。当然这几部书是"知见"性质，与《综录》是依托图书馆藏书的"目睹"性质有所不同。尽管《中国丛书综录》有着种种不足和缺憾，甚至被人讥笑为"大跃进"的产物。但效果如何呢？公道自在人心。可以说，《中国丛书综录》的问世，极大改变了丛书的利用状况。以往即便是学问大家，都很少利用丛书；而此后哪怕是一篇普普通通的毕业论文，都会用到丛书。因为要用什么丛书，一查便知，十分方便。晓山先生和我讲过一个观点，我很赞同。他说学术积累到一定程度，会促使相关工具书的出现；而一部优秀的学术工具书，反过来又会促进学术的发展。

丛书的利用是如此，考古发掘报告呢？我们期待也是如此。

《中国考古发掘报告提要》的创新之处，在我看来，主要就在为中国考古发掘报告算了次总账。台湾"中央研究院"院士周法高先生讲，他研究学问，用的是"结账式的研究方法"。周先生所编《金文诂林》《金文诂林补》和《金文诂林附录》计22册，500万字，就是将容庚《金文编》所收18000多个例字原来的出处一一查出，并登录原出处的句子、器名和器号。这是非常费时劳神的工作，等于是替金文研究贡献了一部"算总账"式的著述，且已成为研究金文不可或缺的工具书。据悉已有数位博士、硕士生以此为题来作学位论文。一部工具书居然有人来写学位论文，可见内涵十分丰富。事实上，各个学科、各个门类都应有这种"算总账"的著述才好。而《中国考古发掘报告提要》，不正是在这一领域的一部"算总账"式的工具书吗？

在开学术会议时，我私下曾请教过考古界的朋友：已发表的考古发掘报告到底有多少？结果说法不一，相差甚远，从几千到上万个都有。而《中国考古发掘报告提要》却首次给出了一个数字，这个答案当然还不能说是标准答案，但至少是向最终答案"逼近"和"靠拢"了一大步。在这一点上，编者是有首创之功的。季羡林先生曾讲过："专就学术界而言，编纂目录或者索引，就是积累功德。"①在我看来，这种花了大力气的"算总账"式的工具书，可真是积了大功德了。

对于这部功惠学界的书应如何利用呢？除了通常的查阅和翻阅外，我想至少还有以下几种读法。

其一，通读。即老老实实、认认真真地一本一本、一篇一篇地把《中国考古发掘报告提要》通读一过，这当然要费上一番功夫，花上一点时间。但这么读下来，对全国从史前到明清的主要考古发掘成果都会大致有个印象，这不也算是前辈学者提到的"遇到问题会冒出来"的底子吗？晓山先生有一比，他说《中国考古发掘报告提要》，就好比是地下的《四库全书总目》提要。我倒是很欣赏这个提法。其实，不要说《四库全书总目》提要，如果能够认认真真地把《四库全书简明目录》通读一过，脑子里不就有了3000多种书的信息吗？如果再把《中国考古发掘报告提要》通读一过，脑子里不就又有了13000多条考古信息了吗？二者相加，差不多是小20000条信息了，"存储量"不可谓不大。遇到什么问题，"数据库"里总会调出几条相关信息。这也应算是一种学术功底吧。

其二，对读。所谓的"对读"，当然是指传世文献与考古材料的对读。但以往似乎是以传世文献为本的成果多一些，王国维先生的大作、陈直先生的《汉书新证》，

---

① 季羡林：《西文中国学研究图书目录·序》，王树英编。《季羡林序跋集》，新世界出版社，2008年版，第757页。

都是如此。如果把考古材料比作"六经"，把传世文献比作"我"，以往大多是"六经注我"。我们在这里提倡的"对读"，是"我注六经"，即用文献来诠释、印证考古材料。或许还可以借用陈佩斯、朱时茂的小品《主角与配角》来打比方：以往我们一般是以传世文献来充当主角，以考古资料来当配角；而今应该倒过来，让考古资料来当主角，以传世文献来当配角，以传世文献来诠注考古资料。而欲这么做，考古资料总得有个文字凭证才行，而这个文字的凭证，只能是考古发掘报告。

其三，核读。"核"是核校的意思。我们可以拿考古发掘报告原文，甚至用出土遗物原件来核校，我们还可以用其他考古研究成果来核校。攻其过，补其阙。最终也形成如同余嘉锡先生的《四库提要辨证》，胡玉缙、王大隆先生的《四库全书总目提要补正》那样的成果，使《中国考古发掘报告提要》更趋完善。当然在这个过程中，自己的学术水平也终会得到提高。

其四，译读。现在不少青年学子都很重视英语。眼下考古发掘报告，往往都有英文书名或刊名，甚至还有英文的内容简介。这样我们不妨通过译读，一方面学习考古知识，一方面提高英语水平。即一边读一边将书名、篇名和内容译成英语，再与专家译的进行比较，在比较中看到自己的不足，达到学习考古、英文的双重目的。据说英国考古学家格林·丹尼尔（Glyn Daniel）讲过"未来的世界考古学要看中国"[①]一类的话，中国青年学子要向世界介绍中国考古学成果，当然免不了要谈到考古发掘报告。

其五，解读。《中国考古发掘报告提要》已尽量少用隐晦难懂的专业词汇，但仍然难免有一些词语非专业读者难辨其意。如青铜器名称、墓葬形制等，这就需要解读。可以上网搜一搜图片；还不清楚，有条件的话可以上博物馆看一看实物；如果有点绘画基础的话，可以试着自己画一画复原图、示意图。一个难点一个难点地去克服，一个词语一个词语地去弄懂。学问也会在这个过程中一点一滴地积累起来了。

其六，走读。这个"走读"，不是指改革开放之初"走读大学"那个"走读"，而是指依照《中国考古发掘报告提要》的方位指引，实地去踏察一番。考古仅仅坐在家里是不行的，一定要走出书斋。何况有些事情真的是只可意会无法言传，写得再好的报告，也无从传达。只有去实地看一看，才能更多地理解先民传递给我们的信息。

其七，群读。可以通过兴趣小组、QQ、微信群等方式组织起来，一起来攻读某一类、

---

① 转引自对俞伟超先生的访谈，见《考古与文化续编》，曹兵武编著，中华书局，2012 年版，第 348 页。

某一地甚至某一篇考古发掘报告。这也可以说是一种集体研读。好处是可以互相学习，相互激励。

　　行文至此，我想到了一个词：落地。考古与文献相结合说得很不少了，历史与文物相对应也喊了很多年了，大方向当然是没有问题的，但为什么一直效果不是那么明显呢？原因之一，恐怕就在于缺少一个"抓手"，而《中国考古发掘报告提要》，不正是这样一个"抓手"吗？它有助于将考古与文献相结合，扎扎实实地落到实处。当然，这还仅是第一步，甚盼日后有《中国考古发掘报告提要补正》《中国考古发掘报告提要·补编》《中国考古发掘报告提要·续编》等陆续推出，如同《四库提要》一样形成一个系列。这就需要众人拾遗补阙，共襄盛举。

　　最后想到的一个词，在文章开始时已提到过，那就是：感动。这部书的篇幅不小，隐藏在其后的工作量更大。听晓山先生介绍，每篇考古发掘报告，要经过初选、确认、撰写、审定、分卷和汇总共6道程序。一篇报告，要翻来覆去地看好几遍，阅读量之大，可以想见。更难能可贵的是，晓山先生没有申报任何一级课题，而是不等不靠，先干起来再说。近日偶然读到兰州大学历史系赵俪生先生的集子，赵先生说："我们这些干了一辈子的人的眼睛是比较清楚的，知道谁在搞腐败，谁在规规矩矩地干活计。"[1]的确，我们这些人是知道的。

　　拉杂写来，暂且就说这些，是以为序。

傅璇琮[2]

2015 年 1 月于北京

---

①　赵俪生：《赵俪生文集》第一卷，兰州大学出版社，2002 年版，第 119 页。
②　傅璇琮（1933－2016），浙江宁波人，历任中华书局总编辑、国务院古籍整理出版规划小组秘书长、副组长，清华大学古典文献研究中心主任等职，博士生导师。

本书说明

一、编纂《中国考古发掘报告提要》的目的，在于为读者提供了解中国考古成果的简便途径。从这一意义上讲，或可视其为"地下的《四库全书总目》提要"（见本书"序"）。

二、《中国考古发掘报告提要》，收录20世纪20年代至2015年1月在中国大陆正式出版的考古详报和考古专业核心期刊登载的考古简报，共计收书1008部、文12242篇，合计13250种。

三、考古发掘报告，包括以书籍形式出版的考古详报，以文章形式发表的考古简报。仅限中文报告，外文报告不收；仅限中国境内，涉及外国不收；仅限出土文物，征集、捐献等无明确出土地点的不收。

四、每一报告，给出作者、出处（出版社及出版年、刊物名称、期数），述其所在地点、发现经过、发掘时间、主要发现、重大价值等。

五、《中国考古发掘报告提要》共计10卷：

史前卷

夏商西周卷

春秋战国卷

汉代卷

魏晋南北朝卷

隋唐五代卷

宋·西夏卷

辽金元卷

明清卷

综合卷

六、涉及两个或两个以上时代内容的报告，收入"综合卷"。

七、另有《总目》一册，包括目录汇总、参考文献和后记等内容。

八、详情请参阅各卷前的"本卷说明"。

本卷说明

一、此卷为《中国考古发掘报告提要》中的史前卷，共收录以书籍形式出版的考古详报 165 部，以文章形式发表的考古简报 1416 篇，二者合计 1581 种。

二、本卷分为上、下编，上编收录考古详报，下编收录考古简报。

三、上编下依 34 个省级行政区排列，省级行政区下依出版年为序。同一出版年的，依文物出版社、科学出版社、中国大百科全书出版社及其他出版社的顺序排列。涉及两个或两个以上省市自治区的考古详报，列于 34 个省级行政区之前。

四、下编下依 34 个省级行政区排列，每一省、自治区下再列地级市（州、盟）及省、自治区直管市。涉及两个或两个以上地级市（州、盟）的考古简报，列于该省、自治区之首。

五、其他相关事宜，请参阅"本书说明"。

目录

上编　考古详报

北京市

天津市

河北省

山西省

江苏省

浙江省

安徽省

福建省

江西省

山东省

河南省

湖北省

湖南省

广东省

广西壮族自治区

海南省

重庆市

四川省

贵州省

云南省

西藏自治区

陕西省

甘肃省

青海省

宁夏回族自治区

新疆维吾尔自治区

香港特别行政区、澳门特别行政区、台湾省

下编　考古简报

北京市

天津市

河北省

山西省

内蒙古自治区

呼和浩特市

包头市

乌海市

赤峰市

吉林省

江苏省

舟山市

台州市

丽水市

安徽省

合肥市

芜湖市

蚌埠市

淮南市

马鞍山市

淮北市

铜陵市

安庆市

河南省

湖北省

襄樊市

十堰市

恩施州

仙桃市

潜江市

天门市

神农架林区

湖南省

长沙市

广西壮族自治区

贺州市

玉林市

百色市

河池市

钦州市

防城港市

贵港市

海南省

海口市

三亚市

三沙市

重庆市

四川省

成都市

自贡市

攀枝花市

泸州市

德阳市

绵阳市

宝鸡市

咸阳市

青海省

宁夏回族自治区

新疆维吾尔自治区

香港特别行政区、澳门特别行政区、台湾省

参考文献

后记

上编　考古详报

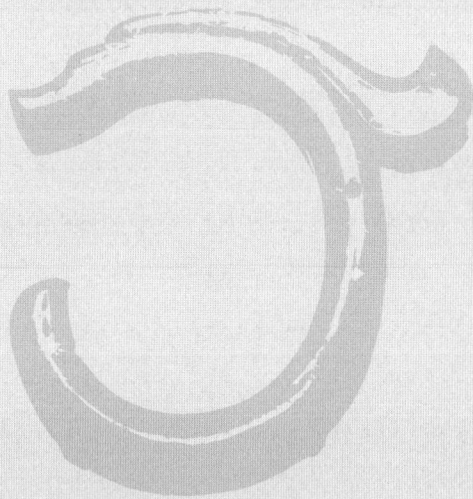

北京市

1.周口店发掘记

作　者：贾兰坡、黄慰文　著

出　处：天津科学技术出版社 1984 年版

该书不是严格意义上的考古发掘详报。但系当事人回忆震惊世界的北京周口店猿人发掘的过程，内有不少具体、生动的细节颇值一读。从专业角度看，有些照片和文件是从未发表过的。

2.周口店洞穴层采掘记

作　者：裴文中　著

出　处：地震出版社 2001 年版

该书 16 开平装一册，详细记载了周口店早期发掘工作（1928 年至 1933 年）的工作过程。对周口店考古发掘工作的重要节点以及一些重要遗物的回忆与叙述，都十分珍贵。

3.周口店：北京人遗址

作　者：高　是　编著

出　处：北京美术摄影出版社 2004 年版

该书 32 开精装一册，介绍了北京市房山区周口店北京人遗址的发现、发掘过程。这一发现对于了解距今 1.8 万至 1.1 万年左右晚期智人的情况，具有划时代的意义。简目如下：

周口店遗址

一、发现与研究

二、遗址的科学价值和社会意义

三、遗址主要地点

第 1 地点
第 13 地点
第 15 地点
第 4 地点
山顶洞
田园洞

天津市

河北省

4.正定南杨庄——新石器时代遗址发掘报告

作　　者：河北省文物考古研究所　编著

出　　处：科学出版社 2003 年版

该书为 16 开精装一册，共 117 页，有黑白图版 32 幅。

该书为河北省正定县南杨庄新石器时代遗址的考古发掘详报。该遗址地层堆积厚，出土遗物丰富，时代特点鲜明。详报运用地层学和类型学的方法，将该遗存分为五期。

该详报为研究华北地区考古学文化谱系、构建这一地区新石器时代考古学文化编年提供了不可多得的一批实物资料。

5.泥河湾

作　　者：谢　飞　著

出　　处：文物出版社 2006 年版

该书 16 开精装一册。吕遵谔先生所作序中讲："'泥河湾'这三个字分量很重，含金量很高且纯。""泥河湾已成为我国北方旧石器时代考古学、第四纪地质学、古哺乳动物学的科学代名词。"泥河湾位于河北省阳原县大田洼乡，20 世纪 20 年代外国人发现，20 世纪六七十年代、八九十年代，中国考古工作者在此做了大量工作，一般认为，泥河湾是东方人类起源地之一。本书收录了作者所撰相关发掘报告及研究文章共 23 篇。

文物出版社 1989 年出版有卫奇、谢飞编《泥河湾研究论文选编》一书，可参阅。

6.北福地——易水流域史前遗址

作　　者：河北省文物研究所　编著

出　　处：文物出版社 2007 年版

本书为 16 开精装一册，有正文 356 页，文后有彩色图版 16 页，黑白图版 92 页。

北福地遗址所在的太行山东麓地区史前时期考古工作起步较早，其中重要的有北京周口店遗址的发掘、河南安阳后岗遗址的发掘和河北武安磁山遗址的发掘。1985年北福地遗址被发现，2003年和2004年，河北省文物研究所对北福地遗址进行了发掘。本书即是北福地遗址2003至2004年考古发掘资料的全部汇集。本书共分12章：

第一章　自然环境

第二章　考古工作概况

第三章　地层堆积与遗址分期

第四章　第一期遗迹

第五章　第一期遗物

第六章　祭祀场

第七章　第二期遗迹

第八章　第二期遗物

第九章　第三期遗存

第十章　第四期遗存

第十一章　汉墓

第十二章　结语

前面有前言，后面有8个附表和5个附录，之后还有后记和英文提要。

张弛先生写有书评，见《文物》2008年第6期。

7.北城村——冀中平原的新石器时代文化

作　者：中央民族大学、涿州市文保所　编

出　处：科学出版社2014年版

该书为16开精装一册。2006年4～7月，为配合河北省南水北调中线天津干渠工程建设，考古人员对容城县容城镇北城村遗址进行了发掘，发现了新石器时代和金元明时期两个阶段的文化遗存，其中新石器时代文化遗存最为丰富，是这次发掘最重要的收获。本报告介绍了该遗址发现的107个遗迹单位（属金、元等时期的有井3口、沟4条和墓葬1座，属新石器时代的有房址15座、灰坑82个、沟2条）和5000余件出土器物。从所发现的新石器时代遗迹、遗物特征判断，其文化面貌属于北福地二期文化，可能属于向后冈一期文化过渡的阶段。这一发现为冀中平原乃至华北地区新石器时代早期中期文化发展演变提供了新的材料，并有助于推进这一地区早期不同文化之间相互关系的研究。

8.河北省第三次全国文物普查主要新发现：史前遗址

作　者：河北省文物局　编著
出　处：科学出版社 2015 年版

此书汇集了相关发现 192 处，包括旧石器时代地点 117 处（其中化石地点 3 处），新石器时代地点 75 处。

山西省

9.西阴村史前的遗存

作　者：李　济　著
出　处：1927年"清华学校研究院丛书"本

该书为16开一册，88页，有照片。系李济先生1925～1926年参加山西省夏县西阴村新石器时代遗址考古发掘的发掘报告。简目如下：

一、序言
二、挖掘的经过
三、储积的内容
四、遗存的大概情形
五、陶片
六、带彩的陶片
七、石器及杂件
八、结论

附有译自袁同礼先生英文著作的《山西西南部的地形》一文。

今有《鹿鸣集：李济先生发掘西阴遗址八十周年》（科学出版社2009年版）一书，可参阅。

10.山西襄汾县丁村旧石器时代遗址发掘报告

作　者：中国科学院古脊椎动物研究所　编著
出　处：科学出版社1958年版

该书为16开一册，分精装、平装两种，是1954年山西省襄汾县丁村旧石器时代遗址的考古详报。简目如下：

第一编　总说
第一章　发现与发掘的经过
第二章　丁村各地点的地质和地层的观察

11.山西旧石器

作　　者：贾兰坡等　著
出　　处：科学出版社 1961 年版

该书为 16 开一册，系山西省旧石器时代石器的专题报告。

12.匼河

作　　者：中国科学院古脊椎动物与古人类研究所　编著
出　　处：科学出版社 1962 年版

该书为 16 开一册，系山西省西部匼（kē）河旧石器时代初期文化遗址考古发掘详报。匼河遗址是山西旧石器时代早期的 1 处代表遗址，距今约 80 万年，晚于距今约 180 万年的山西芮城县西侯度遗址。位于芮城县黄河东岸的风陵渡镇匼河村附近。为河湖相沉积，东北高西南低，冲沟多作"T"字形，与黄河相接。遗址以匼河为中心，北至独头村北沟，南迄涧口南沟，西至黄河岸，东至华望村，长达 13.5 公里。有时代相同、性质一致的石器和化石地点 17 处。1959～1980 年期间在遗址的 11 个地点做过调查发掘。出土有 13 种哺乳动物化石及 160 多种由人工打制的大型尖状器、砍砸器、刮削器、石球等。匼河石器以石片石器为主，多以石英岩为原料，亦有以脉石英为原料者。以锤击法、碰砧法和投制法打制，且多不经第二步加工即行使用。遗址保存完整。2013 年 5 月，被国务院公布为第七批全国重点文物保护单位。

匼河文化上与西侯度文化、下与丁村文化有一定的渊源关系。其地质时代，约与陕西蓝田猿人时代相当。

13.西侯度：山西更新世早期古文化遗址

作　者：贾兰坡、王　建　著
出　处：文物出版社 1978 年版

该书为 16 开一册，正文有 85 页，另有图版 29 页。该书简目如下：
前言
一、西侯度附近新生代地质概况
二、古脊椎动物
三、文化遗物
四、结语
据介绍，西侯度遗址遗存，距今约 180 万年。闻毅先生有书评，载 1979 年 4 月 21 日《山西日报》。李炎贤先生也写有书评，载《古脊椎动物与古人类》1979 年 7 月第 17 卷第 3 期。

14.翼城枣园

作　者：山东省考古研究所　编著
出　处：科学技术文献出版社 2004 年版

本书为 16 开精装一册，共 226 页，附图版 28 版、线图 93 幅。
该书是一部田野考古发掘详报。书中对发现于山西省翼城县枣园遗址的新石器时代遗存进行了详细报道，发表了 1991 年调查和 1999 年发掘的全部资料，并对该遗址主要遗存的特征、时代、文化归属和源流等问题作了客观的论述。枣园遗址是迄今为止山西省发现年代最早的新石器时代遗址，为研究山西及其周边地区史前文化的演变机制、发展规律和文化交流提供了重要资料。

15.丁村旧石器时代遗址群：丁村遗址群 1976 ～ 1978 年发掘报告

作　者：山西省考古研究所　编著
出　处：科学出版社 2014 年版

该书为 16 开精装一册，是山西省襄汾县丁村旧石器时代遗址群 1976 ～ 1980 年的考古发掘详报。首次公开了石制品的分类体系、观察测量方法、测量数据。该书简目如下：
第一编　概述

第二编　地质地貌和动物化石

第三编　人类化石

第四编　文化遗物

附有表格及相关文章 6 篇。

三晋出版社 2017 年出版了《砥砺集：丁村遗址发现 60 周年纪念文集》一书，可参阅。

16.襄汾陶寺：1978～1985 年发掘报告

作　者：中国社会科学院考古研究所、临汾市文物局　编著

出　处：文物出版社 2015 年版

该书为 16 开计 4 册，是 1978～1985 年山西临汾陶寺遗址的考古发掘详报。有图版 1800 张、表 139 种。

考古学家一般认为：陶寺文化具有南北文化碰撞的特点：肥足鬲、斝具有北方色彩，釜灶、罐具有中原因素。考古学家何驽先生指出：陶寺已具有都城的所有特征，称之为"国"应是不成问题的。何驽先生还提到，陶寺晚期几乎每个灰坑中都有被肢解的人，重要的建筑也全部毁坏了，似发生了激烈的矛盾与混战。

17.新绛孝陵陶窑山址

作　者：山西省考古研究所　编著

出　处：上海古籍出版社 2016 年版

该书 16 开精装一册，是山西省新绛县孝陵陶窑山址的考古发掘详报。涉及庙底沟二期文化时期墓葬 40 余座。为研究庙底沟文化与陶寺文化的关系，提供了新的材料。该书简目如下：

第一章　概述

第二章　地层堆积与文化分期

第三章　庙底沟二期文化遗存

第四章　陶寺文化遗存

第五章　结语

附有"山西新绛孝陵遗址出土动物遗存研究"。

内蒙古自治区

18.敖汉赵宝沟：新石器时代聚落

作　者：中国社会科学院考古研究所　编著
出　处：中国大百科全书出版社 1997 年版

该书为 16 开精装一册，系 1986 年内蒙古敖汉旗高家窝铺乡赵宝沟村新石器时代晚期居住遗址的考古详报。该遗址发掘面积约 2000 平方米，发现多处遗迹，获取了丰富的遗物。简目如下：

前言
第一章　单位遗存详述
第二章　文化遗物分述
第三章　聚落综论
第四章　赵宝沟文化的命名和时空框架
结语

据介绍，该遗址属新石器时代晚期，距今约 6800 年，共发现 80 余座半地穴房址，清理了 17 座墓葬、1 座灶址、5 个灰坑及 1 个石头堆等。陶器表面几何形纹饰与他处不同。本书对研究中国新石器时代聚落形态，探讨燕山南北长城地带的考古学文化谱系，以及认识陶器纹饰所反映的相关问题，都有着重要的参考价值。

19.老虎山文化遗址报告集

作　者：内蒙古文物考古研究所　编著
出　处：科学出版社 2000 年版

本书 16 开精装一册，为内蒙古凉城县岱海地区龙山文化遗址群的考古报告合集，列为"岱海考古"系列的第一辑。重点介绍了老虎山、园子沟等五处遗址及先民留下的窑洞、房屋、石城墙等遗迹。

20.庙子沟与大坝沟

作　者：内蒙古文物考古研究所　编著
出　处：中国大百科全书出版社 2003 年版

该书为 16 开精装一册，全书文字共 650 页，文后有图版 136 页。

全书计分五章：

第一章是庙子沟遗址。本章对庙子沟遗址的遗址状况，房址、灰坑和墓葬的形制及各遗迹内出土的器物进行了详细的报道。

第二章是大坝沟遗址 I 区。本章对遗址概况，房址、灰坑、围沟以及遗迹内出土的器物进行了报道。

第三章报道的是大坝沟遗址 II 区。该章亦报道了遗址概况，房址、灰坑、墓葬及出土器物。

第四章是对遗存进行分期和年代推断，并对文化进行了命名。

第五章则对聚落形态及文化源流诸相关问题进行了探讨。

该详报除以文字、插图和照片方式按遗址、按单位发表了发掘所见资料外，还发表了涉及留存遗存的主人、石制品原料、动物遗骸与环境等内容的 9 个附录。

该详报的出版，为研究庙子沟及大坝沟遗存和庙子沟文化及其相关问题提供了较为充分的资料。

21.白音长汗——新石器时代遗址发掘报告

作　者：内蒙古自治区文物考古研究所　编著
出　处：科学出版社 2004 年版

本书为 16 开精装一册，共 604 页，彩色图版 20 幅、黑白图版 112 幅。

内蒙古自治区赤峰市林西县白音长汗遗址经过 3 次发掘，发现了小河西、兴隆洼、赵宝沟、红山、小河沿文化等 5 个时期 7 个类型的文化遗存，为同时期遗址中所仅见。其中，兴隆洼文化白音长汗类型有两处环壕聚落，并列分布在同一坡面上，每处聚落内有成排排列的 30 座左右的房址，附近并有同时期墓地，布局井然有序。这是研究原始社会时期聚落考古和社会组织非常有价值的资料。本书作为一部考古发掘详报，尽可能地对各个不同时期、不同类型的各类遗存作了全面介绍，并就不同考古学文化之间的关系展开了讨论。

该书简目如下：

第一章　概述

第二章　遗迹的层次关系与分期

第三章　各期遗存详述

第四章　结语

附有表格 15 种、文章 2 篇，前有张忠培先生序。

据该书第 500 页给出的年代：

兴隆洼文化：前 6200 ～前 5400 年；

赵宝沟文化：前 5200 ～前 4470 年；

红山文化：前 4710 ～前 2920 年；

小河沿文化：前 2920 年。

白音长汗遗存的年代，应是从公元前 6000 多年至公元前 3000 年左右。

22.小黑石沟：夏家店上层文化遗址发掘报告

作　　者：内蒙古自治区文物考古研究所、宁城县辽中京博物馆　编著

出　　处：科学出版社 2009 年版

该书为 16 开精装一册，正文共 488 页，约 76 万字，文后附有彩色图版 40 页、黑白图版 16 页。

本书以内蒙古宁城县小黑石沟遗址历年发掘获得的资料为主，加上历年征集、采集的实物资料，对这一遗址的主要文化内涵夏家店上层文化作了详细的介绍和总结。

本书简目如下：

第一章　概述

第二章　居住址内遗迹及遗物

第三章　墓葬及随葬品

第四章　结语

附有"小黑石沟历年征集和清理墓葬遗物列表"等 12 种。

23.哈克遗址：2003 ～ 2008 年考古发掘报告

作　　者：中国社会科学院考古研究所、内蒙古自治区文物考古研究所、内蒙古自治区呼伦贝尔民族博物馆、内蒙古自治区呼伦贝尔市海拉尔博物馆编著

出　　处：文物出版社 2010 年版

该书为 16 开精装一册，系内蒙古呼伦贝尔哈克乡北哈克遗址考古发掘详报。这是 1 处以新石器时代为主的先民聚落遗址，对研究北方草原早期文化和古代游牧民

族的形成发展具有重要的学术价值。简目如下：

前言

第一章　呼伦贝尔的自然环境和历史沿革

第二章　遗址概况

第三章　地层堆积与遗迹

第四章　遗物

第五章　遗迹和遗物的分析与研究

第六章　人类遗骸

第七章　动物遗骸

第八章　孢粉分析

第九章　结语

附有《哈克遗址大事记》等文章 4 篇。

24.科尔沁文明：南宝力皋吐墓地

作　者： 内蒙古自治区文物考古研究所、扎鲁特旗人民政府　编著

出　处： 文物出版社 2010 年版

该书为 16 开精装一册，系扎鲁特旗鲁北镇南宝力皋吐墓地的考古专题图录。这一墓地的年代，为新石器时代晚期。2008 年发掘，清理墓葬 395 座，出土各类随葬品 1500 余种，其中骨器品种之多，以往不多见。该书简目如下：

概述

一、陶器

二、玉、玛瑙、绿松石器

三、石器

四、骨角、蚌器

25.赤峰上机房营子与西梁

作　者： 内蒙古自治区文物考古研究所、吉林大学边疆考古研究中心　编著

出　处： 科学出版社 2012 年版

该书 16 开精装一册，是对赤峰上机房营子与西梁 2 处遗址的考古发掘详报，涉及红山文化、夏家店下层文化、夏家店上层文化等。对阴河、英金河流域史前文明的研究，提供了实证材料。

辽宁省

26.奉天锦西县沙锅屯石穴层遗址

作　者：（瑞典）安特生　著；袁同礼　译
出　处：1925 年出版

该书为 16 开一册，95 页，为辽宁省锦西县沙锅屯史前遗址的发掘报告，有图。

27.庙后山——辽宁本溪市旧石器文化遗址

作　者：辽宁省博物馆、本溪市博物馆　编著
出　处：文物出版社 1986 年版

该书为 16 开精装一册，系辽宁省本溪市庙后山旧石器文化遗址的考古发掘详报。简目如下：

前言
一、地层
二、人类化石
三、旧石器文化
四、动物化石
五、孢粉分析
六、年代测定

前有贾兰坡先生序，后附有《东洞遗址》等文。

28.辽东半岛石棚

作　者：辽宁省文物考古研究所　编著
出　处：辽宁科学技术出版社 1994 年版

该书 16 开平装一册，系对辽东半岛石棚遗存的考古研究报告。辽东半岛石棚，主要集中在盖州市一带，修建于新石器时代或稍晚，是我国现存最早地上建筑，属巨石文化杰作。

该书分为三章：

第一章　辽东半岛石棚

第二章　辽东半岛石棚与国内石棚及其他巨石建筑（石柱子）关系

第三章　辽东半岛石棚与国外石棚及其他巨石建筑关系

科学出版社 2011 年出版有《中国东北地区石棚研究》一书，可参阅。

29.小孤山：辽宁海城史前洞穴遗址综合研究

作　者：辽宁省文物考古研究所　编著

出　处：科学出版社 2009 年版

该书为 16 开精装本一册，正文共 192 页，约 30 万字，文后附有彩色图版 12 页、黑白图版 4 页。

本书是关于辽宁海城小孤山史前洞穴遗址的综合性研究报告。小孤山遗址自 20 世纪 80 年代以来进行过多次发掘，从下部堆积层中出土了上万件石制品、一批制作精美的骨角制品，以及由 40 个个体组成的含猛犸象——披毛犀的晚更新世哺乳动物群，同位素测定其年代约为距今 8 ～ 1.7 万年，涵盖了旧石器时代中期和晚期，在上部地层堆积中发现了新石器时代人类骨骸及陶片、磨制石器等文化遗物，同位素测定的年代约为距今 9000 ～ 4000 年。本书是研究辽宁地区史前历史的重要文献。该书简目如下：

导论

第一章　地理概况与第四纪地质环境

第二章　年代测定

第三章　哺乳动物化石

第四章　旧石器工业

第五章　骨角工具和垂饰

第六章　新石器时代

第七章　讨论与结论

后记

30.查海：新石器时代聚落遗址发掘报告

作　者：辽宁省文物考古研究所　编著

出　处：文物出版社 2012 年版

本书为 16 开精装上、中、下 3 册，是辽宁省文物考古研究所 1986 ～ 1994 年间发掘阜新蒙古族自治县沙拉乡查海聚落遗址的考古报告。遗址属于新石器时代较早期，年代距今约8000年，遗址保存较完好，面积10000多平方米，遗存典型而丰富，是一批全新的重要考古学资料。该书采取了将每个单元全部发表的办法，特别是房址材料占了大部分篇幅。报告中对资料的综合分析及所提出的观点都是初步的。

该报告将考古所获遗迹、遗物及研究成果，分为上、中、下3卷，总18章14节。对于研究中国新石器时代聚落形态，探讨北方考古学文化谱系以及龙文化、玉文化，具有重要的参考价值。

31.牛河梁：红山文化遗址发掘报告

作　者：辽宁省文物考古研究所　编
出　处：文物出版社2012年版

该书为16开精装，一函上、中、下3册，是1983～2003年度辽宁省牛河梁红山文化遗址的考古发掘详报。共分7章，详细介绍了遗迹、遗物，讨论了牛河梁遗址在红山文化分布区的位置、当地社会变革、等级分化，以及史前祭祀中心的形成。还介绍了遗址环境、制玉技术、石料加工、出土人骨等方向的研究。后附有《牛河梁遗址考古大事记》等。

简目如下：
第一章　总述
第二章　第二地点
第三章　第三地点
第四章　第五地点
第五章　第十六地点
第六章　遗址区采集的红山文化玉器
第七章　综合与讨论

牛河梁的考古发掘具有重大的意义。著名考古学家苏秉琦先生曾讲过，牛河梁的发现与发掘，"把中国文明史提前了一千多年"。（《我的父亲苏秉琦：一个考古学家和他的时代》，页299，苏恺之著，三联书店2015年版）

吉林省

黑龙江省

32.阎家岗：旧石器时代晚期古营地遗址

作　者：黑龙江文物管理委员会哈尔滨市文化局、中国科学院古脊椎动物与古
　　　　人类研究所　编著

出　处：文物出版社 1987 年版

该书为 16 开精装一册，系黑龙江省哈尔滨市西南 25 公里阎家岗旧石器时代晚期遗址 1982 年的考古发掘详报。贾兰坡先生作序。该遗址有两个由数百块动物骨骼筑成的半圈形堆积，详报认为系古代人类的营地，距今约两万年。

刘景芝先生的书评载《考古》1991 年第 11 期；张森水先生的书评载《北方文物》1991 年第 2 期。

上海市

33.崧泽——新石器时代遗址发掘报告

作　者：上海市文物保管委员会　编著
出　处：文物出版社 1987 年版

该书为 16 开精装一册，系上海市崧泽遗址的考古发掘详报。该遗址 20 世纪 60 年代发现，经试掘及两次正式发掘，共发现、清理新石器时代墓葬 100 座，出土石、玉、陶、骨器 621 件。本书介绍了有关资料，并对崧泽文化的特征、分期等进行了分析、研究。最后附有相关的鉴定报告。

王仁湘先生写有书评，载《考古》1989 年第 11 期。

34.福泉山——新石器时代遗址发掘报告

作　者：上海市文物保管委员会　编著
出　处：文物出版社 2000 年版

该书为 16 开精装一册，系上海市青浦县重固镇福泉山遗址的考古发掘详报。遗址为一土墩，面积约 7000 平方米。1962 年发现，1979 年试掘。1982、1983、1980 ～ 1987 年 3 次正式发掘。详报包括了 1 次试掘和 3 次正式发掘的资料。出土有陶器、玉器等。玉器中有罕见的精品。简目如下：

第一章　遗址的发现与发掘经过；
第二章　地层概况；
第三章　遗迹与遗物；
第四章　讨论。

附有表格及年代测定 6 种、相关鉴定报告等 8 篇。

据该书第 130 页介绍，该遗址包括有崧泽晚期、良渚文化遗存，时间为距今 5200 ～ 4200 年，共延续 1000 年左右。

江苏省

35.南京人化石地点：1993 ～ 1994

作　者：南京市博物馆、北京大学考古学系、汤山考古发掘队　编著
出　处：文物出版社 1996 年版

该书为 16 开精装一册，系 1993 ～ 1994 年考古人员对南京汤山古人类化石地点进行考古发掘的详报。汇集了前期采集及发掘资料，以及孢粉、沉积物分析、测年标本取样等。贾兰坡先生为本书作序。

简目如下：

一、概述
二、洞穴堆积
三、人化石
四、动物化石
五、结语

36.龙虬庄：江淮东部新石器时代遗址发掘报告

作　者：龙虬庄遗址考古队　编著
出　处：科学出版社 1999 年版

该书为 16 开精装一册，系 1993 ～ 1995 年考古人员对江苏省高邮市龙虬庄新石器时代遗址进行四次发掘的考古详报。

《龙虬庄：江淮东部新石器时代遗址发掘报告》为荣获"1993 年中国十大考古新发现"之一的江苏省高邮市龙虬庄新石器时代遗址的发掘报告。其内容涉及考古学、人类学、环境科学、生物学、农学等，重点解决了介于海岱地区与太湖地区之间的江淮东部考古学文化的性质、年代、源流、与周边地区原始文化的关系、古环境的变迁及稻作农业在江淮东部的演化与发展等课题，是一部跨学科研究的综合性报告。另外，本报告为日本弥生时代"渡来人"和稻作农业东传的研究增添了重要的新资料。

该书简目如下：

第一章　概说

第二章　地层堆积

第三章　文化遗迹

第四章　文化遗物——生活用品

第五章　文化遗物——随葬用品

第六章　自然遗物——土壤

第七章　自然遗物——人骨

第八章　自然遗物——植物

第九章　自然遗物——动物

第十章　结语

附表

参考资料

后记。

37.南京直立人

作　者：吴汝康、李星学　主编

出　处：江苏科学技术出版社 2002 年版

该书为 16 开一册，系 1992 ～ 1993 年南京汤山葫芦洞史前遗址的考古发掘详报，发现有直立人化石等。

38.花厅——新石器时代墓地发掘报告

作　者：南京博物馆　编著

出　处：文物出版社 2003 年版

该书为 16 开精装一册，配有彩色图版 16 页、黑白图版 48 页。介绍了新石器时代花厅遗址的发掘情况。

花厅遗址是建国之初就开始进行发掘的重要新石器时代遗址之一，1952 ～ 1989 年南京博物院先后四次对其南区和北区墓地进行了重点发掘，共发现墓葬 87 座。许多重要发现引起考古界较大的反响，如发现良渚文化与大汶口文化两类不同文化遗存共存的"文化两合现象"、墓葬中发现的人殉现象等。本考古详报第 1 次对这批资料进行了全面的报道。

39.祁头山

作　者：南京博物院、无锡市博物馆、江阴博物馆　编著
出　处：文物出版社 2007 年版

该书为 16 开精装一册，系江苏省江阴市城东新区夏家村（又名"绮山村"）祁头山遗址的考古发掘详报。2000 年发掘，共发掘 132 座墓和 39 座灰坑，出土大量陶器、玉器、石器。其中玉器质地精良。

简目如下：

第一章　概述

第二章　遗址概况与地层堆积

第三章　生活遗存

第四章　墓葬

第五章　结语

附有统计表、登记表、墓葬关系表等 5 种，相关文章 3 篇。

据介绍，祁头山遗址遗存属马家浜文化。一般认为，马家浜文化的年代为距今约 7000 ~ 5800 年，属新石器时代文化。

40.南京驼子洞早更新世哺乳动物群

作　者：南京博物院　编著
出　处：科学出版社 2007 年版

该书 16 开精装一册，系 2000 年对南京市江宁区汤山镇驼子洞史前哺乳动物群的发掘报告。这一遗址是长江下游地区少见的早更新世遗址，对研究我国乃至世界古生态、古环境等，均提供了珍贵的实物资料。

简目如下：

第一章　地质地貌与发掘

第二章　动物群分类记述

第三章　年代学研究

第四章　环境背景研究

第五章　结语

41.高城墩

作　　者：南京博物院、江阴博物馆　编著
出　　处：文物出版社 2009 年版

该书为 16 开精装一册，是江苏省江阴市石庄乡大坎村高城墩自然村良渚文化遗址考古发掘详报。1999 ～ 2000 年发掘。该书简目如下：

第一章　概述
第二章　地层与遗迹
第三章　墓葬
第四章　研究

附有表格 10 种及玉器检测分析报告。第一章下有"江苏省良渚文化发现、研究的简要回顾"一节，第三章介绍了 14 座墓的资料。

42.邱承墩——太湖西北部新石器时代遗址发掘报告

作　　者：南京博物院、江苏省考古研究所、无锡市锡山区文物管理委员会　编著
出　　处：科学出版社 2010 年版

该书正文 238 页，附有图版 53 页。

该考古详报系统报道了 2003 ～ 2005 年在无锡市锡山区发掘的邱承墩遗址。发掘出良渚文化、崧泽文化、马家浜文化 3 个时期的遗存。报告介绍了遗址的形成过程、居址、墓葬、祭祀遗迹。出土了玉器、石器、陶器。对各个时期文化的性质、年代展开了讨论与分析。

43.赵陵山：1990 ～ 1995 年度发掘报告

作　　者：南京博物院　编著
出　　处：文物出版社 2012 年版

本书为 16 开精装上、下两册，正文 748 页，文后有彩色图版 246 页。

赵陵山遗址位于江苏省昆山市张浦镇赵陵村，是江苏省最重要的良渚文化遗址，遗址的发掘曾被评为"1992 年度全国十大考古新发现"之一。20 世纪 80 年代以来，南京博物院又对遗址进行过多次调查。1990 ～ 1995 年，南京博物院与苏州博物馆、昆山市文物管理委员会等对遗址进行了 3 次发掘，发掘面积 1215 平方米，出土了高土台、祭台、红烧土堆积、灰坑、墓葬等遗迹以及陶器、石器、玉器等遗物，本报

告即是这三次考古发掘的介绍，共分五章：

第一章详细介绍了昆山的历史与环境、张浦镇与赵陵山的概况以及遗址的调查与发掘。

第二章从主体地层的结构划分和典型地层剖面分析等两方面介绍了赵陵山遗址的地层堆积。由于历年的考古发掘对地层的划分不尽相同，报告先对历年来对地层的划分情况进行了介绍，并在此基础上以表格的形式对这些地层逐一进行了对应，以还原遗址的地层堆积原貌。

第三章介绍了赵陵山遗址的新石器时代文化遗迹及其出土遗物，遗迹主要有高土台、祭台、红烧土堆积、灰坑和墓葬。

第四章介绍了历史时期的文化遗迹和出土遗物。

第五章对赵陵山遗址新石器时代的地层堆积过程、各文化遗存之间的关系、墓葬等性质进行了初步分析，对土台与墓葬的相对年代进行了推论，对与各类文化遗存相关的问题进行了讨论，并对历史文化时期的遗存进行了分析。

正文后有8个附录，其中有当时的发掘日志和回忆录，使本书的内容更加生动、翔实和丰富，另外还分类收录了历年采集的文化遗物、出土玉石器的化学成分和微量元素分析报告，人骨的鉴定报告和与赵陵山相关的历史文献、碑记、诗词以及近年对赵陵山遗址出土文物的研究等。

赵陵山遗址是良渚文化中最早普遍发现人殉现象的遗址，深刻反映了良渚文化的宗族关系，被誉为我国最早的"土筑金字塔"。它的发掘，对总体考察良渚文化的社会面貌和探索中华文明起源有着重要的意义。

44.常州新岗：新石器时代文化遗址发掘报告

作　者：常州市博物馆　编著
出　处：文物出版社 2012 年版

该书为16开精装一册，系江苏省常州市新岗遗址的考古发掘详报。该遗址早在20世纪70年代已被发现，2002～2004、2008、2009年进行了多次发掘。共发掘墓葬118座，其中新石器时代墓葬115座、春秋时期墓葬1座、汉墓1座、宋墓1座，还有房址4座、灰坑13座、水井3座、灰沟3条。出土各类遗物1000余件。该书简目如下：

第一章　概述
第二章　地层堆积与遗物
第三章　马家浜文化墓葬
第四章　崧泽文化遗迹

第五章　崧泽文化墓葬

第六章　春秋时期生活遗迹

第七章　晚期文化遗存

第八章　结语

附有登记表 3 种及文章 2 篇。

45.梁王城遗址发掘报告·史前卷

作　者：南京博物院、徐州博物院、邳州博物馆　编著

出　处：文物出版社 2013 年版

该书为 16 开精装上、下两册，系江苏省邳州市西北戴庄镇李圩村梁王城遗址的考古发掘详报系列中的史前部分。据龚良先生序言介绍，"梁王城遗址文化堆积特别深厚，从大汶口文化、龙山文化、岳石文化到商周、北朝、宋元、明清时期的文化遗存都非常丰富"。此卷主要反映史前的大汶口文化、龙山文化部分。遗存有墓地、作坊、住宅、道路等。出土遗物 1170 多件。

简目如下：

第一章　概述

第二章　地层堆积

第三章　大汶口文化生活遗存

第四章　大汶口文化墓地

第五章　龙山文化遗存

第六章　史前动物遗存分析

第七章　结语

附有文章一篇。

46.藤花落：连云港市新石器时代遗址发掘报告

作　者：南京博物院、连云港市博物馆　编著

出　处：科学出版社 2014 年版

该书 16 开精装一册，系 1996 ~ 2003 年对江苏省连云港市藤花落遗址 4 次考古发掘的详报。简目如下：

解剖龙山时代城址的结构——江苏连云港藤花落古城址（代序）

第一章　概述

第二章　遗址概况与发掘经过

第三章　地层堆积

第四章　北辛文化遗存

第五章　龙山文化遗存

第六章　岳石文化遗存

附有表格及文章。

47.顺山集：泗洪县新石器时代遗址考古发掘报告

作　　者：南京博物院、泗洪县博物馆　编著

出　　处：科学出版社 2016 年版

该书为 16 开精装一册，系 2010 ～ 2013 年江苏省泗洪县梅花镇顺山集遗址的考古发掘详报。该遗址为距今 8500 ～ 7500 年淮河下游地区已发现的面积最大的环壕聚落地。

该书简目如下：

第一章　概述

第二章　地层堆积与文化分期

第三章　第一期文化遗存

第四章　第二期文化遗存

第五章　第三期文化遗存

第六章　晚期单位出土及采集所得早期遗物

第七章　结语

附有登记表、统计表 5 种及文章 6 篇。

浙江省

48.杭县良渚镇之石器与黑陶

作　者：何天行　著

出　处：上海吴越史地研究会 1937 年版

该书为 16 开一册，仅 36 页，有照片 80 余幅。主要叙述了 1935 年作者在浙江省良渚镇发现的打制石器、刻有文字的黑陶等。该报告简目如下：

绪言

一、遗址的发见

二、地层的大概

三、遗物的种类

四、结语

附有卫聚贤先生《中国最早的文字已发现》一文。书名为蔡元培先生题写。

49.良渚——杭县第二区黑陶文化遗址初步报告

作　者：施昕更

出　处：浙江省教育厅民国二十七年（1938 年）版

该书为 12 开一册，仅 46 页，有照片近百幅。

1936 年 5 月至次年 3 月，原西湖博物馆的施昕更先生在其家乡良渚镇进行多次调查和试掘，发现棋盘坟、茅庵里、荀山、钟家村等 12 处遗址。本书是有关良渚文化的最早研究专著之一。简目如下：

绪言

遗址

地层

遗物

结论

附有地图 2 幅，测绘图 9 幅。

50.好川墓地

作　者：浙江省文物考古研究所、遂昌县文物管理委员会　编著
出　处：文物出版社 2001 年版

该书为 16 开精装一册，前有毛昭晰、石兴邦、李伯谦先生序。据介绍，浙江省遂昌县岭头岗好川墓地，是浙西南地区发现的最重要的史前文化遗存，共有墓葬 80 座。

简目如下：

上篇

第一章　地理环境与墓地发现、发掘概况
第二章　墓地综述
第三章　好川墓地的文化面貌与内涵特征
第四章　好川文化与周邻文化的关系

下篇

第一章　好川墓地 M1 ～ M80 资料介绍
第二章　与好川墓地相关的遗迹和遗物

附有闻广先生《遂昌好川玉器地质考古学研究》一文。

51.河姆渡：新石器时代遗址考古发掘报告

作　者：浙江省文物考古研究所　编著
出　处：文物出版社 2003 年版

该书为 6 开精装上、下 2 册，上册为文字，下册为图版；是 20 世纪 70 代浙江省河姆渡遗址两次大规模考古发掘的详报；发现有木结构建筑、木结构水井遗迹及骨器、石器、木器、陶器等遗物；讨论了古环境、古气候、文化特征、先民的经济生活等问题。附有表格 7 种、文章 10 篇。

52.瑶山

作　者：浙江省文物考古研究所　编著
出　处：文物出版社 2003 年版

《瑶山》是良渚遗址群考古报告之一，为大 16 开精装一册，全书共 343 页，其中文字 207 页，文后有彩色图版 652 幅。

瑶山位于浙江省余杭市，瑶山的发掘开始于 1987 年，1987、1996 ～ 1998 年又

进行了多次发掘。它与反山的发现同时被评为"七五"期间全国十大考古新发现之一。该书共分五章：

第一章是绪言，对余杭的历史沿革与良渚遗址群、瑶山遗址的发现经过进行了介绍。

第二章报道了遗址在 1987～1998 年的发掘情况。

第三章是墓葬部分，对遗址内一号至十二号墓、十四号墓的墓葬形制以及随葬器物进行了详细的报道。

第四章对采集遗物及地层出土的遗物进行了报道。

第五章是研究认识。该章对墓葬的器物组合及年代进行了研究，还对遗址内出土的玉器、祭坛与墓地进行了综合研究。

良渚遗址群是良渚文化最重要的分布区域，瑶山遗址则是良渚遗址群乃至整个良渚文化中等级最高的墓地之一。该书的出版，有益于将良渚文化的研究引向深入，并会推进中国文明起源课题的研究。

53.跨湖桥：新石器时代遗址考古报告

作　者：浙江省文物考古研究所、萧山博物馆　编著
出　处：文物出版社 2004 年版

该书为 16 开精装一册，系浙江省萧山市萧山区城厢街湘湖村跨湖桥遗址的考古发掘详报。1990 年第 1 次发掘，2001 年第 2 次发掘，2002 年第 3 次发掘，曾入选"2001年中国十大考古新发现"。简目如下：

第一章　前言
第二章　遗址
第三章　遗迹
第四章　遗物
第五章　年代与分期
第六章　生态与经济
第七章　下孙遗址——附近地区同时期的新石器时代遗址
第八章　总论

附有出土头骨片鉴定、陶器鉴定、水牛遗存鉴定报告等共 3 篇。

详报称，跨湖桥遗址的年代应早于河姆渡遗址，距今约 8000～7000 年。其文化面貌独树一帜，不同于中国东南沿海地区原有的其他考古学文化，内涵丰富，特征明显，对研究东南地区沿海新石器文化具有重要意义。

54.良渚遗址群

作　者：浙江省文物考古研究所　编著
出　处：文物出版社 2005 年版

本书为 16 开精装一册，正文 441 页，文后有彩色图版 48 页、黑白图版 80 页。

浙江良渚遗址群位于浙江省杭州市余杭区中部，地跨瓶窑、良渚两镇，遗址群面积近 50 平方公里，在遗址分布范围内分布有 130 多处良渚文化遗址。这 130 多处遗址中，有 25 处已经经过不同规模的考古发掘，有 30 多处进行了不同程度的试掘，其他遗址也进行了一定的钻探。

《良渚遗址群》先分四部分对良渚遗址群的基本情况进行了描述。第五部分是良渚遗址群的聚落考察，在这一部分中，作者把 130 多处遗址分成礼制性工程、祭坛、墓地、居址、作坊和土垣 6 类，并根据遗址面积的大小把遗址分成了 3 个等级，把遗址群分成早、中、晚 3 个时期，对遗址的年代进行了推定，对遗址的聚落演变、遗址内涵所反映的社会形态进行了探讨。

作为良渚文化分布区最具规模和档次的遗址聚落群，良渚遗址代表了良渚社会发展的最高成就，代表了良渚文化最先进的主流文化。对这一遗址的考察，对于了解该地区乃至人类史前文明的发展，均有意义。有考古学家指出：良渚文化对中原的影响是很大的。在山西、河南、陕西等省若干地点，都发现有良渚文化风格的玉琮或 V 字形石刀。甚至有人认为，陶寺的龙，也是良渚文化传过去的。马黎先生有《看见 5000 年：良渚王国记事》（浙江古籍出版社 2020 年版）一书，可参阅。更专业一些的书，有《良渚考古八十年》（文物出版社 2016 年版）等。

55.南河浜——崧泽文化遗址发掘报告

作　者：浙江省文物考古研究所　编著
出　处：文物出版社 2005 年版

本书为 16 开精装一册，正文共 424 页，约 100 万字，文后附有彩色图版 204 页。

南河浜遗址位于崧泽文化和良渚文化遗址分布的密集地区，面积约 2 万平方米。1996 年发掘了 1000 平方米，发现的新石器时代遗存包括良渚文化的 4 座墓葬、60 件遗物，以及崧泽文化的 92 座墓葬、23 座灰坑、7 座房址、1 座祭台和近 700 件遗物。其中，祭台在崧泽文化遗址中的发现尚属首次，而且这次发掘较好地揭示了这一祭台的形成过程。

本详报全面系统地介绍了上述重要发现，并将崧泽文化遗存分为二期五段，认为早期一段紧接马家浜文化，晚期二段处于良渚文化出现的前夜，所以这五段经历了崧泽文化的整个时期。如此完整的分期序列在以往发掘的崧泽文化遗址中从未见过。因此，南河浜遗址崧泽文化遗存的分期，为探讨该文化的分期树立了较为完整的标尺。

南河浜遗址的发掘是继上海青浦崧泽遗址发掘之后关于崧泽文化的一次最重要的田野考古工作。本详报的出版，为研究马家浜文化、崧泽文化和良渚文化这一文化谱系中诸文化的关系以及浜泽文化本身的分期与类型，提供了不可多得的实物资料。

该书简目如下：

第一章　概述

第二章　地层堆积

第三章　崧泽文化生活遗存

第四章　崧泽文化墓葬

第五章　良渚文化墓葬

第六章　结语

附有墓葬资料汇编、表格 4 种、文章 10 篇。张忠培先生为本书作序，称："南河浜遗址的发掘是继上海青浦崧泽遗址发掘之后，关于崧泽文化的一次最主要的考古工作。"

56.庙前

作　者：浙江省文物考古研究所　编著

出　处：文物出版社 2005 年版

此书属"良渚遗址群考古报告之四"，为 16 开精装一册，正文 372 页，文后有彩色图版 109 版。

庙前遗址位于杭州市西北余杭区良渚文化遗址保护区东南角。

在良渚文化遗址群中，庙前遗址是目前发掘面积最大、工作时间最长的遗址。庙前遗址文化层堆积的年代跨度较长，从马家浜文化一直到良渚文化晚期阶段，可为良渚遗址群提供一个相对完善的陶器分期表。本书对庙前遗址第一、二次发掘，第三、四次发掘，第五、六次发掘，马家坟遗址的发掘、苟山东坡遗址的试掘等分别进行了报道，主要内容包括对地层堆积、遗迹、遗物的详细报道。书中还从墓葬分期与年代、陶器反映的文化面貌和相关问题、聚落形态的讨论等几方面对庙前遗址进行探讨。

本书对于探讨这一区域不同时段的聚落形态及变迁提供了很有价值的资料，同时对探讨、总结这一时期聚落的分布规律，对整个良渚遗址群考古工作的进一步开展均有十分重要的意义。

本书简目如下：

概述

第一章　庙前遗址第一、二次的发掘

第二章　庙前遗址第三、四次的发掘

第三章　庙前遗址第五、六次的发掘

第四章　马家坟遗址的发掘

第五章　荀山东坡遗址的试掘

第六章　金霸坟遗址的发掘

第七章　茅庵里遗址的试掘

第八章　庙前遗址若干问题的认识和讨论

57.反山

作　者：浙江省文物考古研究所　编著

出　处：文物出版社 2005 年版

该书为 16 开精装上、下两册，系"良渚遗址群考古报告之二"。简目如下：

第一章　概述

第二章　墓葬

第三章　结语

反山位于浙江省余杭区良渚遗址偏西地区，是良渚文化中地位、等级最高的贵族墓地，其中心莫角山，是超巨型的礼仪中心。1986 年发掘。

58.毘山

作　者：浙江省文物考古研究所、湖州市博物馆　编著

出　处：文物出版社 2006 年版

本书为 16 开精装一册，正文 502 页，文后有彩色图版 176 页。

毘山遗址位于浙江省湖州市东郊的毘山周围，1957 年发现。本书计分六章：

第一章是绪论，对湖州市的自然环境和历史沿革进行了叙述。

第二章是对地层堆积和堆积过程的分析。

第三章为"新石器时代文化遗存",对西区墓葬和东区墓葬及其他相关遗迹和遗物进行了详尽的描述。

第四章为"高祭台类型时期遗存",对建筑遗迹、灰坑、沟及其他相关遗迹和地层出土遗物等进行了描述和分析。

第五章是历年来对昆山遗址的调查资料。有历年来调查的新石器时代遗物和高祭台类型时期的遗物,还有 2004 年在昆山四个区块进行的调查资料。

第六章是"若干问题的认识和讨论",主要是对新石器时代文化遗存的讨论和对高祭台类型时期文化的讨论。

正文后有 13 个附表、4 个附录。

昆山遗址的发掘,为浙江省史前文明的研究提供了珍贵的实物资料。

59.新地里

作　者：浙江省文物考古研究所、桐乡市文物管理委员会　编著

出　处：文物出版社 2006 年版

该书为 16 开精装上、下 2 册,系 2001 年浙江省桐乡市新地里遗址考古发掘的详报。此次发掘共清理良渚文化墓葬 140 座,灰坑、灰沟、水井、红烧土建筑遗址 40 余处,出土遗物近 2000 件。详报还分析了新地里良渚文化遗址在良渚文化中的定位、地域特色等。附录有测试报告等多篇。

60.七里亭与银锭岗

作　者：浙江省文物考古研究所、长兴县文物保护管理所　编著

出　处：科学出版社 2009 年版

此书为 16 开精装一册,是关于浙江省长兴县七里亭、银锭岗这两处旧石器时代遗址的考古发掘详报。

该书简目如下：

第一篇　七里亭

第一章　浙江省旧石器考古简要历程

第二章　长兴县的地理位置与地质环境

第三章　七里亭遗址的发现与发掘

第四章　七里亭遗址的地层堆积

第五章　七里亭遗址的村本的埋藏状况

第六章　上文化层石制品

第七章　中文化层石制品

第八章　T8 出土石制品

第九章　桥边出土石制品

第十章　中文化层石制品特征

第十一章　下文化层石制品

第十二章　七里亭遗址采集石制品

第十三章　石制品微痕观察研究

第十四章　结语

附录　浙江七里亭剖面磁性地层年代学及其对中国南方红土年代学研究的意义

第二篇　银锭岗

第一章　地理位置与地貌

第二章　发现与发掘经过

第三章　地层堆积

第四章　石标本埋藏情况

第五章　土文化层石制品

第六章　下文化层石制品

第七章　结语

61.楼家桥、螺塘山背、尖山湾

作　者：浙江省文物考古研究所、诸暨博物馆、浦江博物馆　编著

出　处：文物出版社 2010 年版

该书为 16 开精装一册，系浙江省诸暨楼家桥、浦江县螺塘山背遗址和尖山湾遗址的考古发掘详报。1999 年、2000 年发掘。

简目如下：

第一章　前言

第二章　楼家桥遗址

第三章　螺塘山背遗址

第四章　尖山湾遗址

第五章　综论

附有《杭州市萧山区茅家山遗址发掘报告》一文。

一般认为，这几处遗址应属新石器时代早期。

62.文家山

作　者：浙江省文物考古研究所　编著
出　处：文物出版社 2011 年版

该书为 16 开精装一册，系"良渚遗址群考古报告之五"。简目如下：
第一章　概述
第二章　文家山地层堆积
第三章　文家山良渚文化墓地
第四章　文家山其他良渚文化遗迹与遗物
第五章　相关认识
第六章　仲家山良渚文化遗址
附有《文家山、仲家山出土石器鉴定》《良渚"南瓜黄"古玉器的玉料鉴定与玉石类型》《文家山历史时期的墓葬与遗物》3 文。

63.傅家山——新石器时代遗址发掘报告

作　者：宁波市文物考古研究所　编著
出　处：科学出版社 2013 年版

本书为 16 开精装一册，正文 178 页，约 26.4 万字，文后附有彩色图版 112 幅。

傅家山遗址位于浙江省宁波市江北区慈城镇八字村，属于新石器时代河姆渡文化的 1 处重要遗址。为配合杭州湾跨海大桥南岸连接线工程建设，2004 年宁波市文物考古研究所对该遗址进行了抢救性发掘，揭露出聚落中的干栏式建筑遗迹，并出土了大量的陶器、玉石器、骨器、木器和象牙器等生产工具、生活用具、雕刻艺术品。

傅家山遗址的发现丰富和发展了河姆渡文化的内涵，并为宁绍平原的区域文化研究提供了更为翔实的考古资料。

该书简目如下：
前言
第一章　概况
第二章　地层堆积与成因
第三章　文化遗存
第四章　动植物遗存与古环境
第五章　结语
附表一　陶片可辨器型与陶系关系统计总表

附表二　北京大学加速器质谱（AMS）碳十四测试报告
附录一　动物骨骼遗存鉴定意见
附录二　宁绍平原傅家山遗址的孢粉分析及其人地关系
后记

64.浙北崧泽文化考古报告集（1996～2014）

作　者：浙江省文物考古研究所　编著
出　处：文物出版社 2014 年版

本书为 16 开精装一册，共收录相关发掘简报 19 篇，都未公开发表过，系 2014 年"崧泽文化学术研讨会"会议论文集。后附"崧泽文化考古目录索引"。

65.良渚遗址群考古报告：卞家山

作　者：浙江省文物考古研究所　编著
出　处：文物出版社 2014 年版

本书为 16 开精装上、下 2 册。卞家山遗址处于浙江良渚遗址群的南缘。经过 2002、2003、2005 几个年度数次的考古发掘，发现了良渚文化时期的墓地、大型水沟、水滨埠头及码头等重要遗迹。发掘出土的遗物非常丰富，其中漆木器的大量发现成为卞家山遗址考古发现的亮点，也成为良渚文化考古发现的亮点。此报告主要介绍了遗址概述、地层堆积、墓地、随葬品分类描述、墓地研究、大型灰沟、码头遗迹、其他遗迹等。

66.小兜里

作　者：浙江省文物考古研究所、海宁市博物馆　编著
出　处：文物出版社 2015 年版

该书 16 开精装一册，是浙江省海宁市小兜里崧泽文化晚期至良渚文化早中期遗址的考古发掘详报。共发掘 4 次。
简目如下：
一、概述
二、西区地层堆积和遗址堆积过程
三、西区新石器时代墓葬

安徽省

67.和县人遗址

作　者：郑龙亭、黄万波等　著

出　处：中华书局 2001 年版

该书为 16 开精装一册，系安徽省和县龙潭洞庭湖史前人类遗址的考古发掘详报。遗址发现有直立人化石、脊椎动物化石、骨角器等。详报利用铀系法测定了年代，分析了和县人及其生活的时代。一般认为，和县人生活在距今 30 多万年前。现和县人遗址，已被国务院公布为第三批全国重点文物保护单位。

68.凌家滩：田野考古发掘报告之一

作　者：安徽省文物考古研究所　编著

出　处：文物出版社 2006 年版

该书为 16 开精装一册，系安徽含山县凌家滩遗址的考古发掘详报。前有严文明先生序，称此处"是以出土玉器出名的"。1985 年发现，1987、1998 年发掘。凌家滩遗址的年代，为距今 5600 ～ 5300 年左右。

该书简目如下：

第一章　自然环境与历史沿革

第二章　发现经过与发掘过程

第三章　地层堆积和出土遗物

第四章　祭祀遗迹

第五章　墓葬

第六章　凌家滩遗存的文化性质和年代

第七章　玉器的研究

附有"凌家滩遗存登记表"和"墓葬出土玉石器产地"两表及相关测试报告等文章 5 篇。

69.蒙城尉迟寺：皖北新石器时代聚落遗存的发掘与研究

作　者：中国社会科学院考古研究所　编著

出　处：科学出版社 2001 年版

该书为 16 开精装一册，系 1989～1995 年安徽省蒙城县尉迟寺新石器时代遗址的考古发掘详报。这是 1 处大汶口文化晚期的聚落遗址，有建筑、农作物、刻划符号等遗存。

《蒙城尉迟寺》正文部分包括四章。第一章介绍了地理环境、工作概况和地层堆积。第二章全面公布了大汶口文化晚期遗存，是报告的主要部分，其篇幅约占全书的五分之四。第三章报告了龙山文化遗存。第四章是对遗址收获的总体考察和论述。

该书的 6 个附表对全部大汶口文化和龙山文化的编号遗迹进行了详细而全面的记录，特别是对房址资料记录得最为详细。6 篇附录包括了目前国内利用现代自然科学技术分析考古学资料的几个主要方面，如人骨的形态分析、动物骨髓研究、植物硅酸体和孢粉的检测和分析、彩画颜料的化学成分分析和陶器烧成温度测试、石器原料的鉴定等。图版由 12 幅彩色图版和 114 幅黑白图版组成，质量上乘，内容几乎涉及各个时间段的各个方面。

栾丰实先生写有书评，载《考古》2004 年第 7 期。指出该书仍存在叙述前后不一致、引文不准确等问题。

70.蒙城尉迟寺（第二部）

作　者：中国社会科学院考古研究所、安徽省蒙城县文化局　编著

出　处：科学出版社 2007 年版

本书为 16 开精装一册，有正文 498 页，文后有彩色图版 20 版、黑白图版 156 版。

《蒙城尉迟寺》（第二部）为中国田野考古报告集考古学专刊丁种第七十八号。本报告报道了安徽省蒙城县尉迟寺史前聚落遗址 2001 年春季至 2003 年秋季第二阶段发掘的全部材料，并公布了多学科研究的成果，是尉迟寺遗址发掘和研究的第二部报告。全书分为五章：第一章为"发掘的学术目的"，第二章为"大汶口文化遗存"，第三章为"龙山文化遗存"，第四章为"尉迟寺新石器时代遗存的研究"，第五章为"尉迟寺新石器时代遗迹、遗物分析测试与研究"。其中第二、三、四章系统地公布了尉迟寺遗址第二阶段的发掘材料，并对遗址中大汶口文化的特征与分期、龙山文化的特征与性质进行了深入的研究。第五章对尉迟寺遗址出土人骨、动物骨骼、植物遗存、石器以及遗址地层的磁化率与元素地球化学记录等进行了鉴定、

分析与研究，并探讨了尉迟寺遗址红烧土排房工艺、人口等相关问题。文后附有"尉迟寺遗址大事记""尉迟寺遗址发表文章目录"，为深入了解尉迟寺遗址提供了便利。

经过第二阶段的四次大规模发掘，尉迟寺遗址围壕内的红烧土建筑得到了全面揭露，完整地再现了聚落的整体建筑格局，其发掘成果在诸多方面填补了第一阶段九次发掘的空白，为研究大汶口文化、中国史前聚落文化、江淮地区史前文化等提供了珍贵的实物。

71.蚌埠双墩：新石器时代遗址发掘报告

作　者：安徽省文物考古研究所、蚌埠市博物馆　编著
出　处：科学出版社 2008 年版

本书为 16 开精装上、下两册，是对蚌埠市内 1 处距今 7300 多年前新石器时代台地遗址的考古发掘详报。简目如下：

第一章　概述

第二章　地层堆积

第三章　遗迹

第四章　遗物

第五章　刻划符号

第六章　1986 年试掘材料整理

第七章　文化特征讨论

第八章　刻划符号讨论

第九章　结语

附有表格 3 种及文章 8 篇，有"本报告出版前已发表的与双墩遗址相关的文章目录"。

72.安徽繁昌人字洞：早期人类活动遗址

作　者：金昌柱、刘金毅　主编
出　处：科学出版社 2009 年版

该书为 16 开精装一册，系 1998 ～ 2002、2005 年安徽省繁昌县孙村镇人字洞旧石器时代遗址的考古发掘详报。遗址出土了大量石制品、骨制品及数万件脊椎动物化石标本。其时代约在距今 200 ～ 240 万年前。该书简目如下：

前言

第一章　遗址及周边地区新生代地质概况
第二章　人字洞遗址的发掘工作
第三章　文化遗物研究
第四章　哺乳动物化石
第五章　人字洞哺乳动物群的性质和动物地理区系划分的意义
第六章　人字洞动物群的环境和它在进化事件中的地位

73.蚌埠禹会村

作　者：中国社会科学院考古研究所、安徽省蚌埠市博物馆　编著
出　处：科学出版社 2013 年版

本书为 16 开精装一册，正文 486 页，约 73 万字，文后附彩色图版 28 版、黑白图版 82 版。

本书详细报道了安徽蚌埠市禹会村遗址 2006 年勘察、钻探和 2007～2011 年发掘的全部资料，并公布了多学科测试研究的最新成果。作为淮河中游地区龙山文化阶段发掘规模大、研究领域广泛的考古遗存，禹会村遗址以特征明显的祭祀遗迹和遗物，显现出这处龙山文化晚期遗存的重要学术价值。遗址中经过人工堆筑铺垫的大型祭祀台基、专属的祭祀通道、不同类型的祭祀坑、简易式工棚建筑和特征明显的祭祀器具等，对考证具有地域之争的涂山地望、解读“禹会诸侯”事件有一定的意义。禹会村遗址的考古资料，不仅填补了龙山文化的地域性空白，而且确立了龙山文化一个新的地方类型——禹会村类型。同时，对龙山文化中晚期阶段南北文化的交流、碰撞和融合，也有了更详尽的了解。

本书目次如下：
第一章　绪论
第二章　蚌埠历史沿革
第三章　蚌埠地区史前遗址的调查与勘探
第四章　禹会村遗址的发掘
第五章　遗迹
第六章　出土遗物
第七章　综合研究
第八章　自然科学的测试和研究
第九章　结语
附有表格和编后记。

福建省

74.闽侯昙石山遗址第八次发掘报告

作　者：福建省文物局、福建博物馆　编著

出　处：科学出版社 2004 年版

该书为 16 开精装一册，128 页，有彩色图版 8 幅、黑白图版 16 幅。

该书是福建闽侯昙石山遗址的第八次发掘详报。此次发掘是昙石山遗址历次发掘中面积最大的 1 次，所获考古资料也最丰富。清理了灰坑、壕沟、火膛灶坑、陶窑等遗迹和墓葬，出土了陶器、原始瓷器、石器、骨器、贝器、玉饰等遗物，其中完整或可复原的陶器有 500 多件。该书所记录的这些珍贵资料对于昙石山遗址及昙石山文化的深入研究具有重要意义。

75.福建三明万寿岩旧石器时代遗址 1999 ～ 2000、2004 年考古发掘报告

作　者：福建省文物局、福建博物院、三明市文物管理委员会　编著

出　处：文物出版社 2006 年版

该书为 16 开精装一册，系福建省三明市万寿岩等旧石器时代遗址的考古发掘详报，曾被评为"2000 年我国十大考古发现"之一。

简目如下：

序言

第一章　万寿岩旧石器时代遗址概况

第二章　灵峰洞的石制品及文化层的埋藏

第三章　船帆洞遗迹、遗物及文化层埋藏

第四章　船帆洞 3 号支洞的石制品及其埋藏

第五章　船帆洞洞外岩棚地段的石制品

第六章　万寿岩旧石器时代遗址的哺乳动物化石

附有《古代人类生存环境的分析》及评审意见、分析报告等 8 篇文章。

76.福建第四纪哺乳动物化石考古发现与研究

作　　者：福建省文物局　编著
出　　处：科学出版社 2006 年版

该书为 16 开一册，配图 160 幅，附表 31 种。汇集了福建省第四纪哺乳动物化石的考古发掘及初步研究成果。

77.莲花池山遗址：福建漳州旧石器遗址发掘报告（1990～2007）

作　　者：福建博物院　编著
出　　处：科学出版社 2013 年版

本书为 16 开一册，是漳州市北郊莲花池山旧石器时代早期遗址的考古发掘详报，前有尤玉柱先生序。

简目如下：

绪言

第一章　漳州地区自然地理与地质概况

第二章　莲花池山遗址第一次试掘（1990 年）

第三章　莲花池山遗址第二次试掘（2005～2007 年）

第四章　莲花池山遗址若干问题的探讨

第五章　莲花池山遗址文化的基本性质及其与相关地点的比较

第六章　关于中国南方砖红土、红土和网纹红土的划分及时代探讨

附有《参考文献》及相关文章 4 篇。据该书，莲花池遗址距今约 40 万年。

江西省

78.仙人洞与吊桶环

作　者：北京大学考古文博学院、江西省文物考古研究所　编著
出　处：文物出版社 2014 年版

该书为 16 开精装一册，系江西省万年县仙人洞、吊桶环遗址考古发掘详报。遗址于 1993 ～ 1995 年发掘，1999 年又进行了补充发掘，考古队由中、美学者组成。发现了从旧石器时代末向新石器时代过渡期间遗存，发现有超过 1 万年的陶、稻谷遗存。

该书简目如下：

第一章　地理环境与考古工作概况

第二章　仙人洞遗址

第三章　吊桶环遗址

第四章　植物与生态环境研究

结语

详报称：遗址时代在距今 2 万～ 1.5 万年的旧石器时代末期和距今 1.4 万～ 0.9 万年的新石器时代早期。共出土 625 件石器、318 件骨器、26 件穿孔蚌器、516 件原始陶片、20 余片人骨及大量兽骨。两处遗址相距约 800 米。详报认为，吊桶环遗址是仙人洞居民狩猎的临时性住所和屠宰场。

山东省

79.城子崖

作　者：傅斯年等　著

出　处："国立中央研究院"历史语言研究所 1934 年版

该书为 8 开一册，105 页，有图表及照片。当年被列入李济先生主编的"中国考古报告集"丛书。城子崖是位于济南市章丘龙山镇龙山村的 1 处著名的龙山文化遗址。

80.大汶口：新石器时代墓葬发掘报告

作　者：山东省文物管理处、济南市博物馆　编著

出　处：文物出版社 1974 年版

该书为 16 开一册，分精装、平装两种。1959 年，考古人员对山东省泰安、宁阳大汶口氏族公共墓地进行了发掘，共发掘墓葬 133 座，出土遗物十分丰富。

该书简目如下：

第一章　大汶口遗址的发现和发掘

第二章　墓葬概述

第三章　墓葬类型

第四章　随葬工具

第五章　随葬陶质生活器皿

第六章　随葬装饰品、雕刻物及其他遗物

第七章　墓葬分期

第八章　陶窑和遗址采集遗物

第九章　关于大汶口墓群文化性质和社会性质的考察

结束语

附有《大汶口墓群的兽骨及其他动物骨骼》《我国首次发现的地平龟甲壳》两文。

81.邹县野店

作　　者：山东省博物馆、山东省文物考古研究所　编著
出　　处：文物出版社 1985 年版

该书为 16 开精装一册，系 1971 ～ 1972 年山东省邹县野店大汶口文化遗址的考古发掘详报，探讨了母系氏族向父系氏族的转变过程。简目如下：
一、概述
二、遗址
三、大汶口文化墓葬综述
四、大汶口文化典型墓例
五、大汶口文化墓葬分期与年代
六、结语
附有各种表格 20 种及《山东野店新石器时代人骨的研究报告》一篇。

82.胶县三里河

作　　者：中国社会科学院考古研究所　编著
出　　处：文物出版社 1988 年版

该书为 16 开一册，分精装、平装两种，系 1974、1979 年山东省胶县三里河遗址的考古发掘详报。该遗址的文化遗存主要为大汶口文化和龙山文化。该书简目如下：
一、地理环境与工作经过
二、文化堆积
三、居住遗址和出土遗物
四、墓葬
五、墓葬分期
六、结束语
附录有三里河遗址植物种籽、鱼骨、鱼鳞、贝、残石器、铜器的鉴定报告。
据介绍，该遗址的发掘资料相当丰富，尤其是 98 座龙山文化墓葬的发现，在山东地区尚属首次。遗址下层是大汶口文化，上层是龙山文化，这种清晰的叠压关系也是三里河遗址的最新发现。这些基本的材料，对潍坊地区原始文化发展的深入研究具有重要意义。
严文明先生有书评，见《考古》1990 年第 7 期。

83.枣庄建新：新石器时代发掘报告

作　者：山东省文物考古研究所、枣庄市文化局　编著
出　处：科学出版社 1996 年版

该书为 16 开精装一册，系 1992 ～ 1993 年为配合济枣公路建设发掘的枣庄建新遗址的考古详报。简目如下：

第一章　枣庄建新的地理环境与遗址发掘过程
第二章　地层堆积
第三章　大汶口文化遗存
第四章　龙山文化遗存
第五章　结语
附有表格及相关文章。

84.大汶口续集：大汶口遗址第二、三次发掘报告

作　者：山东省文物考古研究所　编著
出　处：科学出版社 1997 年版

此书为 16 开精装一册，系山东省宁阳县大汶口遗址 1974 年第 2 次发掘、1978 年第 3 次发掘的考古详报。阐述了大汶口文化早期墓地情况，论证了北辛文化与大汶口文化的承袭关系等问题。

85.胶东半岛贝丘遗址环境考古

作　者：中国社会科学院考古研究所　编著
出　处：社会科学文献出版社 1999 年版

该书为 16 开精装一册，系 1994 ～ 1998 年考古人员对山东胶东半岛贝丘遗址进行环境考古的详报。涉及胶东半岛新石器时代自然环境的演变、海岸线的迁移与海平面的变化、植被与气候演变等，还与日本贝丘遗址作了比较研究。通过对分布在胶东半岛南北两岸的 20 处贝丘遗址的调查、试掘、整理和研究，具体归纳出胶东半岛距今 6000 ～ 4860 年左右的古代人类和自然环境的相互关系。报告还归纳出当时大陆沿海地区不同人群适应环境、影响环境的共性和个性，探讨了东亚沿海地区古代人类和自然环境的相互关系，总结了古代人类适应环境、影响环境的规律。

86.山东王因：新石器时代遗址发掘报告

作　　者：中国社会科学院考古研究所　编著
出　　处：科学出版社 2000 年版

该书为 16 开精装一册，系 1975 ～ 1978 年山东省兖州市王因村新石器时代遗址的考古发掘报告，时代包括北辛文化晚期和大汶口文化早期两个时期。有大量的房址、灰坑以及 899 座大汶口文化墓葬，是山东也是全国最大的史前墓地之一。遗址中出土的生产工具、生活用具、墓葬随葬品以及亚热带动物遗骸，为研究史前生活习俗、埋葬方式、人类体质特征和史前环境提供了重要资料。

简目如下：

绪言

壹　遗址概况与文化层堆积

贰　北辛文化遗存

叁　大汶口文化遗存

肆　大汶口文化墓葬

伍　结语

有附表及附录。

河南省

87.舞阳贾湖

作　者：河南省文物考古研究所　编著

出　处：科学出版社 1999 年版

该书为 16 开精装上、下 2 册，是河南省舞阳县贾湖遗址的考古发掘详报。简目如下：

上册

序

前言

第一章　自然环境与历史沿革

第二章　发现、发掘与资料整理

第三章　地层堆积

第四章　居址与窑址

第五章　墓葬

第六章　遗物

第七章　分期研究

第八章　碳十四年代学研究

第九章　文化性质与周围文化的关系

附有表格 20 种。

下册

第一章　古环境研究

第二章　人类学研究

第三章　稻作农业

第四章　渔猎采集与家畜饲养

第五章　技术、工艺研究

第六章　贾湖遗址聚落形态

第七章　原始宗教

第八章　契刻符号研究

第九章　骨笛研究

附有《贾湖遗址人类的体质特征及与其他地区新石器时代人和现代人的比较研究》一文。

贾湖遗存的年代大致在距今 9000～7800 年之间，20 世纪 80 年代发掘。俞伟超先生在序中称其是 20 世纪 80 年代以来我国新石器考古中最重要的工作。

《考古》2001 年第 6 期有石兴邦先生《喜读〈舞阳贾湖〉》一文，可参阅。

88.黄河小浪底水库考古报告（一）

作　　者：河南省文物管理局　编著

出　　处：中州古籍出版社 1999 年版

本书 16 开精装一册，系对即将被黄河小浪底水库淹没的新安县盐东遗址的考古发掘详报。该遗址存有新石器时代和少量秦汉时期的聚落遗址，出土有陶器工具等遗物。属抢救性发掘。

89.黄河小浪底水库考古报告（二）

作　　者：河南省文物管理局　编著

出　　处：中州古籍出版社 2006 年版

该书 16 开精装一册，系 1996 年对黄河小浪底水库淹没区——河南省孟津县妯娌、寨根两处新石器时代遗址的考古发掘详报。简目如下：

第一编　妯娌新石器时代遗存

第一章　概述

第二章　地层剖析与文化分期

第三章　妯娌第一期文化遗存

第四章　妯娌第二期文化遗存

第五章　妯娌第三期文化遗存

第六章　墓地与墓葬

第七章　结语

第二编　寨根新石器时代遗存

第三编　周代与汉代遗存

90.禹州瓦店

作　者：河南省文物考古研究所　编著
出　处：世界图书出版公司 2004 年版

本书为大 16 开精装一册，有正文 190 页，文后有彩色图版 8 版、黑白图版 60 版。

本书是 1997 年考古工作的发掘详报，为保证瓦店遗址考古报告资料的完整性，也收入了 20 世纪 80 年代初该遗址的发掘资料。该遗址出土有河南龙山文化晚期（王湾三期文化晚期）的遗迹、遗物等丰富的实物资料，遗迹中发现有房址、灰沟、灶坑、奠基坑、窖穴和墓葬等；遗物有陶酒器、玉器和大卜骨等，这是目前河南境内龙山时代最精致的器物。该遗址是学术界公认的中原地区河南龙山文化时期最重要的遗址之一。

91.黄河小浪底水库考古报告集（三）

作　者：河南省文物管理局、河南省文物考古研究所　编著
出　处：大象出版社 2008 年版

该书 16 开精装一册，系对河南省新安县荒坡遗址的考古发掘报告。该遗址位于新安县西沃乡荒坡村以南一片台地上，面积约 9600 平方米，1996、1997 年进行了 2 次发掘，发现了裴李岗文化、仰韶文化和东周时期的遗存。其中尤以仰韶文化遗存最为丰富。发现了属仰韶文化早期的环壕、房基、灰坑、墓葬等遗迹，以及大批陶器、石器等遗物，年代应与半坡文化相当或稍早。

92.三门峡南交口

作　者：河南省文物考古研究所　编著
出　处：科学出版社 2009 年版

该书为 16 开精装本，正文 462 页，约 73.6 万字，文后附有彩色图版 32 页、黑白图版 44 页。

本书系统报道了河南省三门峡市南交口遗址和古墓葬的发掘成果。该遗址包含有仰韶文化一期、二期、三期和二里头文化的遗存，尤其以仰韶文化一、二期遗存最为丰富，为进一步认识豫、陕、晋交界地带的考古学文化面貌，研究仰韶文化各阶段的特征及其发展演变规律提供了一批重要资料。所清理古墓葬的时代属东周和

汉代。汉墓中有1座带有土冢和围墓沟，在墓底还发现具有镇墓性质的5个朱书陶瓶，这为道教起源与发展的研究提供了新的实物资料。

93.灵宝西坡墓地

作　者：中国社会科学院考古研究所、河南省文物考古研究所　编著
出　处：文物出版社 2010 年版

本书为 16 开精装一册，有正文 311 页，文后有彩色图版 96 版。

2000～2006 年，中国社会科学院考古研究所等对灵宝西坡墓地共进行了 6 次发掘，本书即是这 6 次发掘的报告和研究成果。全书共分七章：

第一章从自然环境与历史沿革、西坡墓地发掘的学术背景以及西坡墓地田野工作和整理工作经过等 3 方面，对遗址进行了概述。

第二章是墓葬分述，对墓地中发掘的 34 座墓葬进行了详细的描述。

第三章从性别年龄、体质特征、身高、肢骨、骨骼上反映的疾病与创伤、牙齿磨耗、人骨上其他特征、人骨病理等 8 方面，对墓地内出土的人骨进行了综合研究。

第四章从人骨碳十三、氮十五同位素，牙结石内的淀粉颗粒，锶同位素和人骨腹中的寄生物等 4 方面，对当时人的食性进行了详细的分析。

第五章对 M27 填泥中出土的植物印痕的种属进行了鉴定，并对墓主人下葬的时间进行了探讨，对泥里为何加入植物叶子进行了研究，并对当时的生态环境进行了分析。

第六章对墓地出土容器内存积土的土样进行了分析。

第七章是结语，对墓葬进行了分期，讨论了墓葬的年代与文化性质，对墓葬下葬前和下葬时的丧葬礼仪进行了研究，从性别差别、年龄差别和社会等级差别等方面分析了西坡丧葬礼仪所反映的社会问题。

正文之后是西坡墓葬登记表以及大口缸（M27:1）口沿部分红色物质的检测报告、陶釜（M27:8）烧成温度测定报告和象牙镯（M11:3）的保护等 3 个附录。最后有后记和英文提要。

灵宝西坡墓地是目前在仰韶文化中期核心地区经过发掘的第一处该时期墓地，填补了庙底沟类型考古资料的空白，对深入研究庙底沟类型的社会结构有重要的价值。有考古学家指出：良渚、大汶口、红山文化时代，中原地区最重要的考古发现之一，就是西坡遗址。因为在那里找到了仰韶文化末期规格较高的墓地和带有回廊的大房子。

94.庙底沟与三里桥

作　者：中国社会科学院考古研究所　编著
出　处：文物出版社 2011 年版

该书为 16 开精装一册，分精装、平装两种。初版于 1959 年，是中国社会科学院考古研究所最早的几本考古发掘报告之一，此次再版，改为中英双语版。该书简目如下：

一、序言
二、庙底沟
三、三里桥
四、文化性质及年代
五、结束语
参考文献

据陈星灿先生 2011 年 6 月 19 日所写后记讲："《庙底沟与三里桥》是第二部被美国考古学家翻译的中国考古报告。第一部是《城子崖》，曾于 1956 年在美国出版。《城子崖》是中国的第一部田野考古报告，也是迄今为止唯一被翻译成英文在国外出版的考古发掘报告，不过，由于流传不广，国内很少有人知道。"

此详报是 1956 ～ 1957 年配合三门峡水库修建工程，在河南陕县庙底沟和三里桥发现发掘的两个新石器时代遗址的整理报告。庙底沟有仰韶文化、龙山文化和东周时期的三层堆积，其中仰韶到龙山的过渡遗迹是重点。三里桥也同样是三层堆积，但与庙底沟有所不同，可能是代表着比较进步的形态。报告特别指出仰韶和龙山之间有着相继承的关系，对于豫西地区新石器时代文化的性质和它的发展研究，具有重要的意义。

95.伊川考古报告

作　者：河南省文物考古研究所　编著
出　处：大象出版社 2012 年版

本书为 16 开精装一册，有正文 346 页，文后有彩色图版 18 版、黑白图版 116 版。
本书共分五章：

第一章是绪论，主要介绍了伊川的地理位置、自然环境、历史沿革以及在伊川境内进行的考古调查。

第二章是"南寨遗址"，主要对遗址的概况、地层堆积以及遗址中的龙山文化遗存和二里岗文化遗存进行叙述，最后对遗址进行小结。

第三章是"北寨遗址"，主要对遗址的地理环境和发掘经过进行了概括，对遗址的地层堆积进行了介绍，对遗址中的龙山文化遗存、二里头文化遗存和二里岗文化遗存进行了详细的描述，最后进行小结。

第四章是"白土疙瘩遗址"，对遗址位置及保存状况进行了介绍，对遗址的地层堆积进行了叙述，对遗址内的裴李岗文化遗存、龙山文化遗存和二里头文化遗存进行详细的描述，最后进行小结。

第五章是结语，主要是对这些遗址中的裴李岗文化遗存、龙山文化遗存、二里头文化遗存和二里岗文化遗存进行分析。

正文后有 10 个附表，主要是这些遗址各个时期的灰坑、墓葬和陶系、陶器的统计表。

伊川考古报告目录如下：

96.鹤壁刘庄：下七垣文化墓地发掘报告

作　者：河南省文物局　编著

出　处：科学出版社 2012 年版

该书为 16 开精装一册，是河南省鹤壁市刘庄下七垣文化墓地的考古发掘详报。

2005 年 6 ～ 12 月和 2006 年 7 月至 2007 年 1 月，考古人员对南水北调工程首批实施的控制性文物保护项目之一的鹤壁刘庄遗址先后进行了四次发掘，揭露面积 15150 平方米，发现了丰富的仰韶时代晚期大司空类型文化遗存和下七垣文化墓地。该书全面、系统地报道了下七垣文化墓地资料，并对其进行了初步研究。该报告为研究下七垣文化的墓葬制度、文化面貌与分期以及先商文化，提供了丰富的实物资料。

简目如下：

第一章　概述

第二章　墓地与墓葬

第三章　体质人类学研究

第四章　墓地研究

第五章　结语

97.郾城郝家台

作　者：河南省文物考古研究所　编著

出　处：大象出版社 2012 年版

本书为 16 开精装本一册，正文 433 页，文后有彩色图版 70 版、黑白图版 142 版。

郝家台遗址位于河南省漯河市郾城区东北。1986 ～ 1987 年，河南省文物考古研究所对遗址进行了 2 次发掘，发掘面积 3200 多平方米，清理房基 14 座、灰坑 310 座、墓葬 90 座，本书即是这两次发掘的详报。全书共分七章。第一章概说了遗址的地理位置、发掘经过及地层堆积和分期等。第二章至第六章详细描述了遗址中龙山文化、新砦期文化、二里头文化、东周文化和唐代文化的遗存。第七章是结语，对郝家台龙山文化、新岩期文化、二里头文化和其他文化的遗存的年代进行了分析。

郝家台遗址是 1 处内涵丰富的龙山文化、二里头文化遗址，遗址的核心是 1 座城堡遗址。这座城堡的发现，证明距今 4600 年前，此地的古代居民即已经开始构筑防御工事。郝家台遗址的八期文化，表明遗址从龙山文化早期即有人开始居住于此，直至二里头文化三期以后才被废弃。像这样堆积丰富的遗址比较少见，本书是研究龙山文化和二里头文化的十分重要的资料。

目录如下：

第一章　概况

第二章　郝家台龙山文化

第三章　郝家台新砦期文化

第四章　郝家台二里头文化

第五章　郝家台东周文化

第六章　郝家台唐代文化

第七章　结语

后记

98.白河流域史前遗址调查报告

作　　者：北京大学考古文博学院、南阳市文物考古研究所　编著

出　　处：文物出版社 2013 年版

该书为 16 开精装一册，系河南省南阳盆地白河流域史前遗址考古调查详报。调查时间为 2006 年 10 ～ 12 月，2007 年 3 ～ 5 月、10 ～ 12 月，发现有裴李岗、仰韶、屈家岭、石家河、龙山、二里头等史前文化遗址。

简目如下：

前言

第一章　邓州市

第二章　南阳市

第三章　镇平县

第四章　南召县

第五章　内乡县

第六章　新野县

结语

附有《2007 年南阳镇平灰土坡遗址试掘报告》《河南邓州太子岗遗址复查记》两文。

白河，是南阳人民的母亲河，源出伏牛山，流至襄樊注入汉水。

湖北省

99.京山屈家岭

作　者：中国科学院考古研究所　编著

出　处：科学出版社 1965 年版

该书为 16 开一册，分精装、平装 2 种，是湖北省京山县屈家岭新石器时代遗址的考古发掘详报。该遗址 1954 年发现，1955、1956 年做过 2 次大规模发掘，此报告所收的是 1956 年第 2 次发掘的资料。简目如下：

一、绪言

二、地层堆积

三、早期文化遗存

四、晚期文化遗存

五、结论

附有丁颖先生《江汉平原新石器时代红烧土中的稻谷壳考查》一文。

详报概述了发掘的经过，详细介绍了地层关系、遗迹、遗物。根据对地层堆积与出土遗物的分析，将文化层分为 3 个阶段，早、晚两期（晚期分两个阶段），反映了该遗存的发展关系。遗物中彩陶纺轮、朱绘黑陶、蛋壳彩陶等最具特色，碗、鼎、豆又具有共同特征，有别于其他新石器文化。因此，将这一遗址定名"屈家岭文化"。本书为研究我国长江流域新石器文化提供了重要的资料。

100.青龙泉与大寺

作　者：中国社会科学院考古研究所　编著

出　处：科学出版社 1991 年版

该书为 16 开平装一册。青龙泉与大寺，是 1959 ~ 1962 年发掘的 2 处古文化遗址，位于湖北省汉江中上游的郧县。包括新石器时代中期偏晚至新石器时代末期的仰韶文化、屈家岭文化、青龙泉三期文化和龙山文化。该书简目如下：

序言

青龙泉

大寺

结语

附录有"青龙泉遗址瓮棺葬""土坑墓登记表"等。

据介绍，此次发掘的4种文化遗存，相对年代比较清楚，地区特点明显。这四种文化遗存还有比较丰富的遗迹和遗物，基本上解决了汉江中、上游及其支流地区新石器时代几种主要文化的性质、特征、分布和发展序列等问题，为研究汉江地区原始文化及其与中原地区远古文化的关系打下了一个初步基础。

101.肖家屋脊：天门石家河考古发掘报告之一

作　　者：湖北省荆州博物馆等　编著
出　　处：文物出版社 1999 年版

该书为 16 开精装上、下 2 册，正文 429 页，插图 278 幅。系湖北省天门市肖家屋脊遗址考古发掘详报。1987 ～ 1991 年，考古人员对该遗址进行了 8 次清理、发掘，主要遗存为史前屈家岭文化、石家河文化，附带介绍了 8 座楚墓。

102.宜都城背溪

作　　者：湖北省文物考古研究所　编著
出　　处：文物出版社 2001 年版

该书为 16 开精装一册，系 1983 ～ 1984 年湖北省宜都县（现枝城市）城关北10.5 公里城背溪遗址的考古发掘详报。共涉及 12 处遗址。简目如下：

一、城背溪

二、金子山

三、栗树窝

四、枝城北

五、青龙山

六、孙家河

七、花庙堤

八、鸡脑河

九、茶店子

十、蒋家桥

十一、王家渡

十二、石板巷子

十三、几点认识

附有表格两种及《城背溪文化的制陶工艺》一文。

据该书第 282 页介绍，"城背溪文化的相对年代，上限不超过公元前 6500 年，下限为公元前 5000 年"。严文明先生所作序称，城背溪遗址群的重要性在于"它们把长江流域新石器时代文化的起始年代提前了一千多年"。

103.武穴鼓山：新石器时代墓地发掘报告

作　者：湖北省京九铁路考古队、湖北省文物考古研究所　编著

出　处：科学出版社 2001 年版

该书为 16 开精装一册。1993 ～ 1994 年，考古人员为配合京九铁路建设，发掘了位于湖北省武穴县的鼓山新石器中晚期墓地，计发掘、清理墓葬 238 座，出土遗物 1685 件。该遗址以薛家岗文化为主，兼有油子岭、屈家岭、马家浜、崧泽文化因素。

104.邓家湾：天门石家河考古发掘报告之二

作　者：湖北省文物考古研究所、北京大学考古学系、湖北省荆州博物馆、石家河考古队　编著

出　处：文物出版社 2003 年版

本书为 16 开精装一册。邓家湾遗址是著名的石家河新石器时代遗址群的重要组成部分。它位于石家河古城内的西北角，包括宗教性遗迹和墓地两部分。其主要的宗教遗迹有经过平整的土地和在场地上摆放的大量陶缸、陶筒形器，以及数量极多的陶偶和陶塑动物等。本书在深入研究的基础上发表了有关遗址的全部资料，其中包括插图 239 幅、彩色图版 32 页、黑白图版 78 页。北京大学严文明教授撰写的《邓家湾考古的收获》一文作为本书代序。

该书简目如下：

第一章　前言

第二章　地层堆积

第三章　屈家岭文化遗存

第四章　石家河文化遗存

第五章　结语

105.建始人遗址

作　者：郑绍华　主编
出　处：科学出版社 2004 年版

本书为 16 开精装一册，是研究湖北建始古爪哇魁人遗址的一部学术专著。古爪哇魁人生活在距今约 215 ~ 195 万年之前。

本书简目如下：

序

前言

第一章　自然地理及地质概况

第二章　龙骨洞地层剖面与地层划分对比

第三章　古人类

第四章　文化遗物

第五章　哺乳动物

第六章　年代学研究

第七章　环境背景研究

第八章　结论和问题

附有参考文献、英文摘要。

106.枣阳雕龙碑

作　者：中国社会科学院考古研究所　编著
出　处：科学出版社 2006 年版

本书为 16 开一册，共 433 页，有彩色图版 12 幅、黑白图版 144 幅。

本书全面、系统地报道了中国社会科学院考古研究所湖北队于 1990 ~ 1992 年发掘湖北省枣阳市雕龙碑新石器时代遗址的全部田野考古发掘资料，包括大型多间房屋建筑、灰坑、土坑墓、瓮棺葬和祭祀坑以及大量的陶器、石器、骨器、蚌器等文化遗存。这些实物资料对研究新石器时代晚期文化交会地带的边际文化，研究我国南北文化的交流和相互影响以及当时的社会生活和社会形态等问题，都具有重要的学术价值。

107.郧西人——黄龙洞遗址发掘报告

作　者：湖北省文物考古研究所　编著

出　处：科学出版社 2006 年版

该书为 16 开一册，正文共 271 页，有彩色图版 16 幅。

该书是 2004～2005 年湖北省郧西县黄龙洞郧西人遗址的发掘详报。该遗址发现有晚期智人化石及其文化遗物和活动遗迹，还有丰富的伴生动物群化石，遗址测年结果为距今约 10 万年，是东亚现代人起源关键时期的人类定居性遗址。

郧西人遗址研究显示，中国存在有较早阶段的晚期智人（晚更新世早期），并且这里晚期智人创造的文化与中国远古文化具有明显的源流关系。同时，它们还反映出中国现代人早期扩散阶段（中国南、北）的文化交流。郧西人遗址动物群，是我国晚更新世重要的遗址动物群之一，是研究我国现代人早期扩散阶段环境背景的宝贵材料。郧西人遗址研究中使用了多种分析方法，如动物群最小个体数与动物肉食资源量的研究，地层堆积与测年研究、遗址沉积特征与古环境关系研究、动物群与古环境关系研究、动物群与人类经济活动关系研究、破碎骨骼的分级观察统计等。

该书对于古人类学、考古学、古生物学、地质学等均有重要参考价值。

108.房县七里河

作　者：湖北省文物考古研究所　编著

出　处：文物出版社 2008 年版

该书为 16 开精装一册，是房县七里河 1976、1977、1978 这 3 次发掘的考古详报。简目如下：

第一章　概述

第二章　地层堆积与文物分期

第三章　新石器时代文化遗址

第四章　东周文化遗存

第五章　汉代文化遗存

第六章　结语

附有《湖北房县七里河遗址新石器时代人骨研究报告》《七里河遗址石家河文化房屋遗迹复原研究》。

房县七里河新石器时代遗址对于学界来说并不陌生，自 20 世纪 80 年代初将 70

年代3次考古发掘的重要成果公诸于世后，房县七里河就见诸各种报告和研究文章中。它不仅以其奇特的猎头、拔牙、二次合葬等葬俗引起学界的关注，更重要的在于其面世正处于学界对于石家河文化的认定之时，其对于石家河文化的分期、石家河文化与屈家岭文化是否有继承关系、石家河文化地域类型的确定等问题的解决无疑起了至关重要的作用。然而由于当时所见的只是文字和少量线图的简报，对于一些重要遗迹现象的介绍或过于简略或语焉不详。这对于一个进行过1864平方米的发掘，文化层厚度2～3米，揭露有房址、墓葬、灰坑、窑址等遗迹以及大量丰富文化遗物的遗址来说略显寒酸，人们期待它能带来更多新奇。然而以后再无下文。随着同一区域越来越多同类遗存的揭露，房县七里河也渐渐淡出人们的视野。直至30年后的今天，这份凝重的报告终于面世。

《江汉考古》2011年第1期载笪浩波先生《研读〈房县七里河〉》一文，可参阅。

109.黄梅塞墩

作　者：中国社会科学院考古研究所　编著
出　处：文物出版社 2010 年版

本书为16开一册，共349页，有彩色图版36页、黑白图版128页。

1986～1988年，对湖北省黄梅县塞墩新石器时代遗址进行了3次考古发掘，《黄梅塞墩》全面报告了湖北省黄梅县塞墩新石器时代遗址的考古发掘资料和初步研究成果。塞墩遗址位于鄂、皖交界的龙感湖西南方湖畔，地处大别山东端南麓边缘，长江的九江冲积扇上。3次发掘揭露新石器时代坑穴18座、墓葬188座，出土整残器物900多件。依据塞墩新发现的一大批典型资料包括许多墓葬的打破、叠压关系，同时，参照潜山薛家岗、宿松黄鳝嘴和太湖王家墩等遗址的发掘材料，现提出将黄鳝嘴类遗存正式独立命名为1种考古学文化——黄鳝嘴文化。塞墩遗址成为第1次在同地揭露出兼具黄鳝嘴文化和薛家岗文化丰富遗存且以墓葬为主的1处典型遗址。通过对塞墩遗址2种考古学文化墓葬的分期观察，总地揭露出其前后演变发展的脉络和轨迹。初步认为，黄鳝嘴文化与薛家岗文化之间存在着上下传承发展的文化关系，薛家岗文化的前身和本源就是黄鳝嘴文化。黄鳝嘴文化器物群中含有的彩陶（包括外彩、内彩）、白陶和薄胎细泥黑陶，既具鲜明文化特征，又显示了较高工艺水平。这里较早出现了分制两节再以钻孔和刻槽接合成整件的环形璜。发现了一些祭祀坑遗迹，坑中有意埋放1种或数种不等的大件兽骨，有些还兼放陶器（片）。墓葬方面，从墓坑填土成分、特殊的葬具遗迹、流行单人仰直式的二次葬、随葬陶质器皿以实用器为主也有部分系明器、有的在墓坑角或死者身上放置一大石块等，多方面反映了当时的葬制葬俗。薛家岗文化遗存的内涵因塞墩的发掘而又一次得到充实和丰富，较突出的是明确了一些墓葬遗迹现象。与黄鳝嘴文化相比，两者葬制葬俗的基本传统一脉相承，同时又在某些方面发生了较大变化，例如薛家岗文化盛行随葬猪下颌骨，个别的甚至用整头乳猪和小狗。特别是出现了大型墓，其中最大的 1 座墓坑面积达12 平方米，使用木椁类大型葬具，随葬有形体较大又极精美的石钺、玉玦、玉璜、三联璧等，其规模和器物均属罕见，鲜明显现了社会分化状况。塞墩遗址 2 种考古学文化有些器物上体现了文化特征元素及其用材来源，其薛家岗文化发现有 3 例墓主生前人工拔齿现象等。从中当可探讨其与同处新石器时代晚期的长江中下游及海岱地区史前文化之间的关系。

本书目录如下：

第一章　遗址地理环境和工作经过

第二章　文化层和坑穴

第三章　黄鳝嘴文化墓葬

第四章　薛家岗文化墓葬

第五章　文化性质、墓葬分期及文化关系

第六章　结语

附有登记表、鉴定简报、动物考古等研究及碳十四测定报告等。

110.谭家山：天门石家河考古发掘报告之三

作　者：湖北省荆州博物馆、北京大学考古学系、湖北省文物考古研究所石家河考古队　编著

出　处：文物出版社 2011 年版

该书为 16 开精装一册，系湖北省天门市石河镇土城村谭家岭遗址的考古发掘详报。前有严文明先生《谭家岭：收获和悬念》一文。知其位于石家河遗址群的中心，而石家河遗址群是长江中游 1 处庞大的新石器时代聚落群。该书简目如下：

第一章　前言

第二章　地层堆积

第三章　第一期遗存

第四章　第二期遗存

第五章　第三期遗存

第六章　第四期遗存

第七章　第五期遗存

111.随州金鸡岭

作　　者：湖北省文物考古研究所、随州市博物馆　编著

出　　处：科学出版社 2011 年版

该书为 16 开一册，56 万字。正文分为 7 章，附文 1 篇、表 4 个。有彩色图版 20 幅、黑白图版 62 幅。

金鸡岭遗址位于湖北省随州市曾都区洛阳镇金鸡岭村，是随枣走廊 1 处重要的新石器时代晚期聚落遗址，其文化层堆积之厚、遗迹现象之复杂、遗物类型与数量之丰富在近年来湖北发现的新石器时代遗址中较为罕见。本书是金鸡岭遗址的考古详报。

第一章"自然环境与工作经过"，全面介绍该遗址所处位置、水系、植被、地形、宏观与微观地貌，同时对遗址的发现、发掘、整理的全过程以及发掘的目的与方法作了详细介绍。

第二章"文化堆积与层位关系"，对遗址不同区域的文化层堆积作了介绍。为全面反映金鸡岭遗址的文化堆积情况，报告将遗址 48 个主要探方的新石器时代文化堆积的层位关系全部予以公布。

第三章"遗迹"，详细介绍了该遗址揭露的各类遗迹现象，可分为生产生活与墓葬两大类，其中窑址是该遗址非常重要的发现。

第四章详细介绍了该遗址出土的各类遗物。出土遗物非常丰富，分陶器、石器、玉器和孔雀石等。尤为重要的是，该遗址发现了 8 件刻划符号，为探索文字起源提供了非常珍贵的资料。

第五章为"遗址的文化与分期"。

第六章为"文化特征与文化因素分析"。

此两章是对遗址文化内涵和特征演变的综合分析。遗址新石器时代文化遗存属典型的长江中游新石器时代文化系统，主要有屈家岭文化和石家河文化两个时期的文化。屈家岭文化又分为三期。第一期大体相当于屈家岭文化早期，第二期大体相当于屈家岭文化晚期一段，第三期相当于屈家岭文化晚期二段。但与江汉平原有一定差别，反映出随枣走廊屈家岭文化晚期与江汉平原文化同一性逐步减弱而地方因素逐步加强的现象。石家河文化也分为三期。第一期属石家河文化早期，主体与江

汉平原同时期文化一致，但也有鄂西北青龙泉三期类型的特点；第二期是第一期的延续和发展，属石家河文化中期；第三期属石家河文化晚期，不但与前期文化缺少连续性，且与同时期其他地方的文化差异明显。

第七章为"聚落结构与环境变迁"，根据各期遗迹的组合关系以及遗迹之间的叠压打破关系，报告尝试对遗址各个时期的聚落结构、聚落特征以及从第一期到第六期聚落形态的演变作出系统分析。最后，结合遗址植硅石柱状采样，对遗址环境变迁与人地关系状况作了简要分析。

该书附有表格等：

附表一　金鸡岭遗址出土石器岩性与重量登记表

附表二　金鸡岭遗址主要遗迹登记表

附表三　金鸡岭遗址柱状统计表

附表四　典型单位陶系统计表

附录　金鸡岭遗址植硅体分析鉴定报告

112.天门龙嘴

作　者：湖北省文物考古研究所、天门市博物馆　编著

出　处：科学出版社 2015 年版

该书为 16 开一册，是 2005 年湖北天门市龙嘴油子岭文化遗址的考古发掘详报。一般认为油子岭文化的年代，为距今约 5900 ~ 5100 年。该书简目如下：

第一章　概述

第二章　文化堆积与层位关系

第三章　遗存

第四章　结语

113.湖北史前城址

作　者：孟华平、向其芳　编著

出　处：科学出版社 2015 年版

该书 16 开精装一册，系湖北省史前城址考古发掘简报的汇编，共计 19 篇。其中已发表的 18 篇，未发表的 1 篇。涉及天门石家河、天门龙嘴、笑城、荆州阴湘城、石首走马岭、公安鸡鸣城、荆门马家院、后港城河、应城陶家湖、孝感叶家庙、大悟土城、安陆王古溜、武汉张西湾等地的发掘。

湖南省

114.彭头山与八十垱

作　者：湖南省文物考古研究所　编著

出　处：科学出版社 2006 年版

该书为一册，正文 734 页，有彩色图版 48 幅、黑白图版 142 幅。

彭头山与八十垱位于湖南澧县境内，属新石器时代早段遗址。1988 年湖南省文物考古研究所首先对澧县彭头山遗址进行了发掘，发现了距今 8000 年前的文化遗存及稻作实物，"彭头山文化"由此确立。1993 ~ 1997 年，湖南省文物考古研究所对八十垱遗址进行了连续的钻探与考古发掘，不仅大大丰富了彭头山的文化内涵，而且还发现了距今 8000 年左右的聚落壕沟和围墙以及近万粒的稻米（谷）、植物果实（种子）及动物遗骸。这些遗存的发现，对研究洞庭湖西北岸的澧阳平原距今 8000 年前的环境、气候、聚落以及当时人们的饮食结构和生业模式等提供了重要资料。

详报除分别介绍了彭头山与八十垱发掘的全部资料，还就洞庭湖地区彭头山文化进行了详细的综合分析和研究，包括彭头山文化的基本特点、文化分期与年代、制陶工艺、环境聚落特点、生态与经济、文化的来源及其与本地旧石器文化的联系以及与周边同时期文化的关系等。

115.澧县城头山：新石器时代遗址发掘报告

作　者：湖南省文物考古研究所　编著

出　处：文物出版社 2007 年版

该书为 16 开精装上、中、下 3 册，另有《澧县城头山：中日合作澧阳平原环境考古与有关综合研究》一册。城头山位于湖南澧县东南。1979 年发现，1991 ~ 2011 年发掘。此地应为 1 处古城址，遗存丰富。共发掘清理了近 800 座墓葬，600 多个灰坑、数十座房址、10 座陶窑等。可修复器物数千件。时间跨度为公元前 4000 年至公元前 2800 年。发掘报告简目如下：

绪论

第一部分　地层堆积和文化分期

第二部分　遗迹

　第一章　城墙、护城河（环壕）

　第二章　稻田

　第三章　房址

　第四章　灰坑

　第五章　灰沟

　第六章　陶窑

　第七章　祭台

　第八章　墓葬

第三部分　遗物

结束语

上、中册为文字，下册全部为彩照。《综合研究》一册收中日学者相关论文 23 篇。该报告为研究长江中下游地区汤家岗文化、大溪文化、屈家岭文化、石家河文化等史前文化，提供了丰富的一手材料。

116.安乡汤家岗：新石器时代遗址发掘报告

作　者：湖南省文物考古研究所　编著

出　处：科学出版社 2013 年版

该书为 16 开精装上、下 2 册，是关于湖南省安乡汤家岗遗址第二、第三这 2 次考古发掘的详报。简目如下：

第一章　概述

第二章　地层堆积

第三章　第一期遗存

第四章　第二期遗存

第五章　墓葬

第六章　讨论

附有表格 7 种、文章 4 篇。

安乡汤家岗遗址，发现于 1977 年，距今 8000 年左右。出土遗物中尤以白陶闻名。

117.湘阴青山：新石器时代遗址发掘报告

作　者：湖南省文物考古研究所　编著

出　处：科学出版社 2015 年版

该书为 16 开精装一册，是 2008 年湖南湘阴青山新石器时代遗址的考古发掘详报。简目如下：

第一章　概述

第二章　地层与遗迹

第三章　出土遗物

第四章　综述

湘阴青山遗址，位于湘阴县西北青山岛东南，正处于洞庭湖东南部东洞庭湖与南洞庭湖相接处。2008 年，考古人员对已遭严重破坏的湘阴青山遗址进行了抢救性发掘。发现有灰坑、墓葬、房址、黄土台及栅围（墙）等遗迹，出土有陶器、石器、玉器、骨器等。文化面貌独特，与洞庭湖西北平原大溪文化有较大差别。文化因素十分复杂，受到多种文化的影响。

广东省

118.英德史前考古报告

作　者：英德市、中山大学人类学系、广东省文物考古研究所　编著
出　处：广东人民出版社 1999 年版

该书为 16 开一册，收录了广东英德市史前考古报告 2 篇：《英德支岭牛栏洞遗址》《英德沙口史老墩遗址》。附有《英德青塘洞穴文化遗存的研究》等论文 3 篇。

119.珠海宝镜湾海岛史前文化遗址发掘报告

作　者：广东省文物考古研究所、珠海市博物馆　编著
出　处：科学出版社 2004 年版

该书为 16 开一册，共 397 页，有图版 52 幅。

宝镜湾遗址是 1 处距今约 4000 年的海岛型史前文化遗址。以往发现同类遗存不多，对其文化面貌及性质不很清楚。该遗址的发现与发掘，为认识此类遗址提供了比较丰富的资料，是探讨广东地区新石器时代晚期文化与早期青铜文化的宝贵资料。本书全面报道了 1997 ~ 2000 年四次对宝镜湾遗址进行发掘的收获，并对相关问题作了初步探讨。

简目如下：
第一章　概述
第二章　文化堆积
第三章　遗迹
第四章　遗物
第五章　讨论
第六章　结语
有附录 6 种。

120.佛山河宕遗址：1977 年冬至 1978 年夏发掘报告

作　者：广东省博物馆、佛山市博物馆　编著
出　处：广东人民出版社 2006 年版

该书为 16 开一册。该遗址位于广东省佛山市澜石镇河宕乡，遗址面积约 1 万平方米，发现红烧土构件、烧土硬面、柱洞和窖穴等生活居住遗迹，出土石器、骨牙蚝蚌壳器、陶纺轮和陶器等遗物，发掘 77 座墓葬，有 19 个人工拔牙个体。推断遗址的年代属新石器晚期后段。附录文章有 4 篇：《对河宕和狮子桥遗址出土陶片的一些看法》《河宕遗址出土部分脊椎动物遗骨的鉴定》《河宕遗址新石器时代晚期墓葬人骨》《广东增城金兰镇遗址新石器时代人类头骨》。另有表格 14 种。

121.深圳咸头岭——2006 年发掘报告

作　者：深圳市文物考古鉴定所　编
出　处：文物出版社 2013 年版

该书为 16 开精装一册，是广东深圳市咸头岭遗址 2006 年考古发掘的详报。深圳咸头岭遗址是 1981 年发现的，从 1985 年至 2006 年先后进行了 5 次发掘。第 5 次发掘完全按照新的方法进行发掘，解决了沙堤遗址地层容易坍塌的难题，从而获得了足以明确进行文化分期的重要成果。上篇是 2006 年进行的第 5 次发掘的考古报告，下篇则是若干专题研究和相关问题的讨论。

此详报是一部资料翔实而又有较深入研究的田野考古报告，是对华南史前考古研究的重要贡献。

122.英德牛栏洞遗址——稻作起源与环境综合研究

作　者：广东省珠江文化研究会岭南考古研究专业委员会　编著
出　处：科学出版社 2014 年版

该书为 16 开精装一册，是牛栏洞遗址综合研究的新成果。对牛栏洞遗址的文化遗存和动物群作了全面介绍和研究，尤其是对遗址的环境和所涉及的稻作起源问题进行了比较深入的探讨。牛栏洞遗址是广东地区继阳春独石仔遗址、封开黄岩洞之后的第 3 处古人类穴居遗址，为探索岭南地区史前人类生活形态及古稻在这一地区的出现与发展提供了极具历史、古生物和农史意义的考古资料。

广西壮族自治区

123.柳城巨猿洞的发掘和广西其他山洞的探查

作　者：裴文中　著

出　处：科学出版社 1965 年版

该书为 16 开一册，是广西柳城巨猿洞等旧石器时代巨猿化石遗址考古发掘的专题报告。据介绍，广西是世界上巨猿化石发现地点最多、材料最丰富的地区。以巨猿洞为例，发现有 3 个巨猿下颌骨、1000 余枚牙齿，至少代表 75 个个体。

124.百色旧石器

作　者：广西壮族自治区博物馆　编著

出　处：文物出版社 2003 年版

该书为 16 开精装一册，发现了近 30 年来在广西百色盆地采集和发掘所获 8000 余件旧石器的资料，并与东南亚地区同时代旧石器进行了比较。黄慰文先生作序。

125.桂林甑皮岩

作　者：中国社会科学院考古研究所、广西壮族自治区文物工作队、桂林甑皮岩遗址博物馆、桂林市文物工作队　编著

出　处：文物出版社 2003 年版

该书为 16 开精装一册，系广西桂林甑皮岩史前时代遗址的发掘详报。据介绍，该遗址人类生存年代在距今约 12500 ～ 7600 年间。1965 年发现，曾试掘；2001 年进行了第 2 次发掘。该书简目如下：

前言

第一章　区域生态环境及历史沿革

第二章　发掘及研究概说

第三章　地层堆积

第四章　文化分期及特征

第五章　生态环境

第六章　生产模式

第七章　工艺技术

第八章　体质特征

第九章　年代讨论

第十章　结语

附有表格 10 种及"甑皮岩遗址大事记""甑皮岩遗址研究目录索引"等 8 种。漓江出版社 1990 年出版有张子模主编《甑皮岩遗址研究》一书，文物出版社 2006 年出版有《甑皮岩遗址发掘 30 周年国际学术研讨会论文集》一书，均可参阅。

126.柳州白莲洞

作　者：广西柳州白莲洞洞穴科学博物馆　编著

出　处：科学出版社 2009 年版

该书为 16 开精装一册，是有关全国重点文物保护单位——柳州白莲洞石器时代洞穴遗址历年发掘与研究的考古详报。发掘有石器 500 多件、人牙化石 2 枚、动物骨骼化石 3500 多件、人类用火遗迹 2 处。经测定，该遗址年代为距今 3.6 万～0.7 万年，是华南地区 1 处重要的旧石器时代向新石器时代过渡期的遗址。该书简目如下：

前言

第一章　自然地理资源与区域生态环境

第二章　发掘与研究概况

第三章　地层堆积与成因

第四章　文化遗存

第五章　石器工业

第六章　生存环境与生业模式

第七章　白莲洞文化的内涵

第八章　白莲洞遗址与柳州区域史前考古

第九章　白莲洞遗址与华南中石器时代遗存

第十章　柳州区域史前文化与东南亚和日本史前考古

有参考文献、大事记及多种附录。

127.百色革新桥

作　者：广西文物考古研究所　编

出　处：文物出版社 2012 年版

该书为 16 开精装一册，系广西百色革新桥石器时代遗址的考古发掘详报。前有香港中文大学邓聪先生序。该遗址的发掘，曾入选"2002 年度中国十大考古发现"。该书简目如下：

第一章　自然环境及历史概况

第二章　发现、发掘与资料整理

第三章　石器制造场

第四章　文化遗物

第五章　石器工艺技术

第六章　墓葬及人骨观察

第七章　动植物研究

第八章　年代和分期

第九章　结语

附有测试报告及表格等。

128.广西田东么会洞早更新世遗址

作　者：广西壮族自治区自然博物馆　编著

出　处：科学出版社 2013 年版

该书为 16 开精装一册，是广西田东布兵盆地么会洞新发现的早更新世人类化石、古猿化石（新种）、巨猿化石、共生的哺乳动物化石以及时代可能稍晚的石制品的考古详报。简目如下：

第一章　研究背景

第二章　布兵盆地地理和地质概况

第三章　么会洞的地层

第四章　人类化石

第五章　古猿化石

第六章　巨猿化石

第七章　哺乳动物化石

第八章　么会洞遗址的年代

第九章　讨论

第十章　结论

附有参考文献及相关文章4篇。

129.广西百色盆地枫树岛旧石器遗址

作　　者：广西壮族自治区自然博物馆　编著

出　　处：科学出版社2014年版

本书为16开一册，正文147页，约25万字，文后附彩色图版44版。

枫树岛旧石器遗址位于广西壮族自治区百色市澄碧河水库区、澄碧河的第IV级阶地。遗址堆积物上部为网纹红土，下部为砾石层，属于典型的河流基座阶地。2004年夏的调查在地面发现大量包含手斧在内的石制品。2004年冬至2005年春进行的考古发掘，在阶地上部65.3平方米的网纹红土地层中发掘出土石制品155件，包括6件手斧和9件玻璃陨石。此外，在遗址的地面还采集到石制品306件，有手斧106件和手镐32件。这些出土的石制品和玻璃陨石均非常新鲜，没有经过长距离搬运或再次堆积，显示为原地埋藏的性质。枫树岛遗址是百色盆地首次从地层中发掘出土手斧的旧石器遗址，与手斧处于同一地层层位的玻璃陨石的年龄，能够确切地指示手斧的制作年代。枫树岛遗址的发掘和研究，有助于澄清国内外学术界有关百色手斧的地层问题和玻璃陨石是否能代表手斧年代的问题。枫树岛遗址是百色盆地发现手斧最为丰富的遗址，也是东亚迄今发现手斧最多的遗址。遗址所发现的大量手斧和手镐，对于研究东亚早期人类起源、演化、迁徙和文化传统具有重要意义，对于古人类学、第四纪地质学研究也有重要参考价值。

本书简目如下：

第一章　百色盆地自然环境和地质背景

第二章　枫树岛旧石器遗址概况

第三章　枫树岛旧石器的来源及分类系统

第四章　枫树岛旧石器遗址发掘出土石制品

第五章　枫树岛旧石器遗址地面采集石制品

第六章　讨论和结论

海南省

130.海南岛凤鸣村新石器时代遗迹调查

作　者：广东省人民政府民族事务委员会　编

出　处：作者 1951 年自印

该调查为 32 开，仅 12 页，另有图 7 幅，严格说仅是一篇文章的油印本。

重庆市

131.巫山猿人遗址

作　者：黄万波、方其仁等　著
出　处：海洋出版社 1991 年版

该书为 16 开一册，系四川省巫山县大庙龙骨坡猿人遗址的考古详报。遗址发现有人类化石、哺乳动物化石及旧石器等，研讨了巫山猿人生活的时代、环境等问题。

该遗址 1984 年发现，1986 年试掘，1997 年第二次发掘。发现有古人类门齿、带犬齿的颌骨化石，以及数十件与人类化石同一时代的巨猴、剑齿虎、双角犀等动物化石。距今应在 204 万年左右。具有重要的科学研究价值。该遗址已被列为国家级文物保护单位。

四川省

132.资阳人

作　者：裴文中、吴汝康　著

出　处：科学出版社 1957 年版

该书为 16 开一册，分精装、平装两种，系四川省资阳市人类头骨化石遗址的考古发掘详报。该遗址属旧石器时代遗址。

资阳人遗址，1951 年发现，距今约 3.5 万年至 4 万年。属晚期智人。资阳人是南方人类的代表，而且是已发现的中国古人类中唯一一例女性。

今有刘胜俊等著《中华资阳人》（人民日报出版社 2013 年版）一书，全面生动地回顾了资阳人的发现、发掘过程，可参阅。

贵州省

133.观音洞——贵州黔西旧石器时代初期文化遗址

作　者：李炎贤、文本亨　著
出　处：文物出版社 1986 年版

该书为 16 开一册，分平装、精装两种，系贵州省黔西县观音洞旧石器时代初期文化遗址的考古发掘详报。该书简目如下：

前言

一、观音洞附近的地貌和洞内地层概述

二、动物化石

三、石制品的研究

观音洞遗址 1985 年春发现，1986 年试掘，1990～1991 年第一次发掘，1995、1996 年进行了第二、第三次发掘，共发现打制、磨制石器、骨器、陶片、人类和动物遗骸共计 20 余万件，以及大量用火遗迹。一般认为，该遗址的年代在距今 1 万年至 6 千年之间。本详报，介绍的是该遗址发现之初的资料。

云南省

134.保山史前考古

作　者：张兴永　主编

出　处：云南科学技术出版社 1992 年版

该书 16 开平装一册，计 238 页。1957 年国家文化部曾派人赴保山进行文物考古调查。1981 年在保山地区进行了文物普查，发现了 9 处史前文化遗存。1986 年～1987 年，对保山市蒲缥乡塘子沟旧石器时代遗址进行了考古发掘，这也是保山地区第 1 次正式科学考古发掘。随后，又相继调查发现了不少史前文化遗址、地点，并对少数地点、遗址进行了清理、试掘。全区总共已发现旧、新石器时代地点、遗址 86 处。本书按时代、依地域分别介绍了旧石器时代遗址 6 处、新石器时代遗址 8 处，还收录了 10 篇学术论文。

135.元谋古猿

作　者：和志强　主编

出　处：云南科学技术出版社 1997 年版

该书 16 开精装一册，正文 270 页。元谋古猿化石出土地点，位于云南省楚雄彝族自治州元谋县大那乌村。元谋人化石，是目前我国已发现的最早人类化石之一，距今约 170 万年。1965 年发掘。本报告详细介绍了这一发掘的详细过程。

本书的顾问，为著名考古学家贾兰坡先生。

西藏自治区

136.昌都卡若

作　者：西藏自治区文物管理委员会、四川大学历史系　编著

出　处：文物出版社 1985 年版

该书为 16 开一册，分精装、平装两种，系西藏昌都县加卡区卡若村新石器时代文化遗址的考古发掘详报。

该书简目如下：

一、自然环境和工作概况

二、文化堆积

三、建筑遗存

四、生产工具和生活用具

五、结论

附有《卡若遗址兽骨鉴定与高原气候的研究》《卡若遗址的孢粉分析与栽培作物的研究》等文。

据介绍，1978 ～ 1979 年在西藏昌都卡若发掘了 1 处新石器时代遗址，并根据其内涵对该遗址给予"卡若文化"的命名。报告介绍了遗址出土的大量文化遗迹和遗物，探讨了卡若文化的社会经济情况及族属问题，与我国其他地区的原始文化进行了比较研究。卡若遗址的发掘，为研究西藏地区的原始社会奠定了良好的基础。一般认为，卡若文化的年代，为距今 5300 ～ 4000 年左右。

木全先生有书评，见《考古》1987 年第 1 期。

陕西省

137.西安半坡：原始氏族公社聚落遗址

作　者：中国科学院考古研究所、陕西省西安半坡博物馆　编著

出　处：文物出版社 1963 年版

该书为 16 开一册，分精装、平装两种。半坡遗址发现于 1953 年，1954 ~ 1957 年间共进行了 5 次发掘。共发现较完整的房屋遗迹 40 多处、各类墓葬 200 多座，生产、生活用具近 1 万件。当时的报告图片少，可参见西安半坡博物馆编《半坡遗址》24 开一册，陕西人民出版社 1978 年版。

本报告简目如下：

第一章　绪论

第二章　聚落的范围和房屋的分布及其他建筑遗迹

第三章　生产工具和日常生活用具

第四章　工艺品的制造技术

第五章　精神文化面貌

第六章　结论——半坡氏族公社的总考察

附有《半坡人骨的研究》《半坡新石器时代遗址中之兽类骨骼》《半坡新石器时代遗址的孢粉分析》《图版器物索引表》。

据介绍，西安半坡原始氏族公社聚落遗址，是我国氏族公社繁荣时期典型居住遗址之一。这本报告报道了在该遗址发掘中的收获，并论述了它所反映的社会经济形态。报告是从人类社会生活的各个方面分别论述的，包括：居住的地理分布和自然环境；聚落的布局以及房屋、窖穴、葬地和工场等建筑遗迹的结构、特点和演变；农业种植、家畜饲养，狩猎、捕鱼和采集等生产活动状况及其在经济生活中的地位；各项生产工具、武器、日常生活所大量使用的陶器以及各项工艺制作技术；氏族的埋葬制度和习俗、艺术、装饰及其有关的宗教仪式报告对仰韶文化的分期、居民的人种以及其他相关的问题等。石兴邦先生曾讲过该报告影响很大："以往有考古学家总是批评中国大陆的考古发掘报告写得不好，《半坡》报告出来之后，就都不说话了。因为《半坡》报告不仅仅是发掘资料的公布，它还围绕着聚落研究展开讨论，

揭示聚落布局，探讨民族社会。"（《追迹：考古学人访谈录Ⅱ》，页236，王巍主编，上海古籍出版社2015年版）

138.宝鸡北首岭

作　者：中国社会科学院考古研究所　编著
出　处：文物出版社1983年版

该书为16开一册，分精装、平装2种，系陕西省宝鸡市北首岭遗址的考古发掘详报。该遗址为一处保存较好的仰韶文化村落遗址，1958～1960、1977～1978年发掘，比半坡类型要早，为研究关中地区仰韶文化提供了重要材料。

苏迎堂先生有书评，载《考古》1985年第2期。

139.元君庙仰韶墓地

作　者：北京大学历史系考古教研室　编著
出　处：文物出版社1983年版

该书为16开一册，有平装、精装两种，系陕西省华县元君庙仰韶文化半坡类型墓地的考古详报。该报告被业内认定是研究史前亲族组织的典范。报告的主要撰写人张忠培先生说，这个报告，全是我自己的东西，没有现成的东西可以参考，既没有洋教条，也没有"中教条"，为研究古代墓地开辟了一种模式。简目如下：

前言

一、墓地范围、分期与布局

二、墓穴和葬式

三、随葬器物

四、遗址

五、文化性质、特征与年代

六、社会制度的探讨

结束语

附有《墓葬记述》《元君庙仰韶墓葬人骨年龄性别鉴定》《元君庙仰韶居民的健康状况》等文章及葬式表、统计表等。

据介绍，1958～1959年为配合黄河水库工程，考古人员在华县元君庙发掘了仰韶文化半坡类型墓地。详报对墓地布局、分期、墓葬形制和埋藏习俗及其反映的社会制度，对仰韶文化半坡类型的分期及其起源与演变，对当时居民年龄、性别、种族及从骨骼观察到的劳动、健康状况等，提供了完整的资料和一些必要的论证。

严文明先生写有《从埋葬制度探讨社会制度的有益尝试——〈元君庙仰韶墓地〉读后》一文，载《史前研究》1984 年第 4 期。悟生先生的书评，载《考古》1984 年第 7 期。

140.姜寨：新石器时代遗址发掘报告

作　者：半坡博物馆、陕西省考古研究所、临潼县博物馆　编著
出　处：文物出版社 1988 年版

该书为 16 开上、下两册，分精装、平装两种，是陕西省临潼县姜寨遗址 1972 ~ 1979 年十一次考古发掘的详报。简目如下：

第一章　序言
第二章　地层堆积和文化分期
第三章　第一期文化遗存
第四章　第二期文化遗存
第五章　第三期文化遗存
第六章　第四期文化遗存
第七章　第五期文化遗存
第八章　结语

附有表格 16 种，人骨研究等相关文章 8 篇。

华平先生写有书评，载 1990 年 2 月 8 日《中国文物报》。

141.武功发掘报告——浒西庄与赵家来遗址

作　者：中国社会科学院考古研究所　编著
出　处：文物出版社 1988 年版

该书为 16 开一册，分精装、平装两种，系陕西省渭水流域漆水河两岸新石器时代晚期村落遗址的考古发掘详报。该遗址以浒西庄、赵家来为代表，1979 ~ 1981、1981 ~ 1982 两次发掘，主要以庙底沟二期、客省庄二期文化遗存为主。该详报对研究庙底沟二期文化、客省庄二期文化在关中地区的分布、渊源等均有重要学术价值。

据介绍，在浒西庄遗址发现庙底沟二期文化及其古文化房址 14 座、灰坑 37 个、陶窑 8 座、墓葬 19 座、遗物 429 件。赵家来发现客省庄二期文化及其他古文化房址 10 座、夯土院落建筑群 1 处、栅栏遗址 2 处、灰坑 34 个、陶窑 5 座、墓葬 2 座、遗

物 254 件。这次发掘，找到了庙底沟二期文化与客省庄二期文化早晚关系的地层根据，为探讨两者关系提供了重要资料。

142.龙岗寺：新石器时代遗址发掘报告

作　者：陕西省考古研究所　编著

出　处：文物出版社 1990 年版

该书为 16 开一册，正文 230 页，有插图 111 幅、文后有黑白照片 128 页。该遗址 20 世纪 80 年代发掘，系一新石器时代遗址，位于陕西省南郑县龙岗寺。

143.宝鸡福临堡——新石器时代遗址发掘报告

作　者：宝鸡市考古工作队、陕西省考古研究所宝鸡工作站　编著

出　处：文物出版社 1993 年版

该书为 16 开精装一册，系 1984 ~ 1985 年对陕西省宝鸡市福临堡仰韶文化遗址的考古发掘详报。该遗址可分为三期：第一期为庙底沟类型，第二期为庙底沟与半坡晚期类型的过渡类型，第三期为西王村类型。该书简目如下：

第一章　概述

第二章　遗址

第三章　墓葬

第四章　结语

附有各类表格 13 种及相关文章 1 篇。

144.临潼白家村

作　者：中国社会科学院考古研究所　编著

出　处：巴蜀书社 1994 年版

该书为 16 开精装一册，分精装、平装 2 种，系陕西省临潼白家村 1982 ~ 1984 年 4 次考古发掘的详报。

该书简目如下：

第一章　地理环境和遗址概况

第二章　早期文化遗存

第三章　晚期文化遗存

第四章　制陶工艺

第五章　白家村文化遗存的分期

第六章　白家村文化遗存的社会发展阶段

第七章　白家村遗址发掘的意义及其有关问题

据介绍，白家村遗址位于陕西省临潼县关中平原中东部，是渭河流域新发现的 1 种前仰韶文化遗址。遗址现存面积约 12 万平方米，发现有房屋居址、灰坑、墓葬、兽坑等遗迹，同时出土了大量遗物。这些发现，为研究黄河流域的早期农业文化提供了重要资料。

145.大荔—蒲城旧石器：大荔人遗址及其附近旧石器地点群调查发掘报告

作　者：陕西省考古研究所、大荔县文管会　编著

出　处：文物出版社 1996 年版

该书为 16 开精装一册，系 1978 ～ 1987 年陕西省大荔—蒲城洛河沿岸 19 个旧石器地点的调查、发掘详报。简目如下：

一、地质地貌概况

二、动物化石

三、石制品

四、讨论与结语

附有相关论文 4 篇。

146.华县泉护村

作　者：北京大学考古学系、中国社会科学院考古研究所　编著

出　处：科学出版社 2003 年版

本书为 16 开精装一册，共 135 页，有黑白图版 64 幅。

1958 ～ 1959 年，为配合三门峡水库修建工程，由北京大学历史系考古专业组成的黄河水库考古工作队陕西分队华县队，对华县泉护村史前遗址进行了大规模发掘，新发现了庙底沟二期文化前身的泉护二期文化，并将所揭示的泉护一期文化即西阴文化遗存分为三段。这种分段（期）研究是继洛阳中州路西工段仰韶遗存分期之后，对同址、同类史前文化遗存所进行的规模最大的分段（期）研究。同时，在以往发现与研究的基础上，华县队又通过对老官台、元君庙等遗址的研究，建立了以渭水—

华山为中心区域的史前考古学文化谱系。

该书简目如下：

第一章　遗址发掘概况

第二章　发掘工作和遗址文化堆积

第三章　泉护一期文化遗存

第四章　泉护二期文化遗存

第五章　泉护三期文化遗存

第六章　结论

结束语

附有统计表 5 种。

147.临潼零口村

出　处：陕西省考古研究所　编著

出　处：三秦出版社 2004 年版

本书为 16 开一册，共 562 页，有彩色图版 8 幅、黑白图版 80 幅。

本书是陕西省考古研究所 1994 ～ 1995 年在陕西省西安市临潼区零口村遗址发掘的考古详报。零口村遗址位于渭河中游地区，遗址内的文化堆积较厚，文化内涵较为丰富，此次发掘除了发现 14 座战国秦墓和汉代墓葬外，发现较多的是史前时期的文化遗存，包括房址 11 座、窖穴 60 座、墓葬 14 座、陶窑 1 座，出土遗物有石器、骨器、陶器。这些史前遗存的发现，对仰韶文化的起源研究具有极其重要的学术价值。

148.神木新华

作　者：陕西省考古研究所、榆林市文物保护研究所　编著

出　处：科学出版社 2005 年版

本书正文共 330 页，有插图 282 幅、图版 60 幅。

该书是"河套地区先秦两汉时期文化、生态与环境研究系列报告"之一，是关于陕西神木新华新石器时代晚期遗址和墓葬的考古报告。书中对新华遗址的各种文化遗迹如房址、灰坑、陶窑及玉器祭祀坑进行了客观描述，介绍了出土的陶、石、骨、角、蚌器及卜骨，特别是对祭祀坑中出土的大量玉器进行了逐一介绍。此外还对遗址的瓮棺葬、竖穴土坑墓等进行了叙述和研究。文后还附有人骨、动物骨骼、玉器和碳十四的测定报告以及对遗址的考古调查和生态环境的研究报告。

本书对于新石器时代考古环境考古学的研究，有重要参考价值。张忠培、张柏先生作序。

149.宝鸡关桃园

作　者：陕西省考古研究院、宝鸡市考古工作队　编著
出　处：科学出版社 2007 年版

该书 16 开精装一册。陕西省考古研究院与宝鸡市考古工作队共同编著的发掘报告《宝鸡关桃园》，是发掘于 2000 ～ 2002 年间的宝鸡关桃园遗址的考古详报。该遗址发现有前仰韶、仰韶、两周及明代遗存，其中以前仰韶遗存及其动物遗存的发现与研究最为重要。

前仰韶遗存分为三期：第一期遗存与陕西临潼白家遗址的文化面貌相近；第二期遗存发掘者认为"相似的遗存，此前还没有明确的发现。……文化内涵具有许多自身的特点，与渭水流域以往发现的前仰韶时期文化遗存均有不小差别，是首次在关桃园遗址内有一定量的发现，故详报中已建议将其称为'关桃园类型'文化遗存"；第三期遗存可归入渭水流域广泛分布的西山坪类型。

关桃园遗址出土的动物遗存集中于前仰韶时期，报告中专设"动物考古"一章，对遗址中发现的各类动物遗存进行了详细的分析。在对动物群、经济类型与食物、骨骼痕迹、动物畜养等问题作了讨论之外，尤为重要的是，更从动物遗存的研究入手，对遗址的自然环境进行了复原。

150.花石浪（I）：洛南盆地旷野类型旧石器地点群研究

作　者：陕西省考古研究所、商洛地区文管会、洛南县博物馆　编著
出　处：科学出版社 2007 年版

该书为 16 开一册，正文共计 250 页，彩版 8 版、黑白版 50 版。

该书研究了 1995 ～ 2004 年在秦岭东部山地洛南盆地中所发现的 268 处旷野类型旧石器地点的分布和埋藏规律，对洛南盆地的地质、地貌及自然生态环境进行了全面的介绍，对石制品分类系统以及不同类型石制品的内涵作了详尽的论述，并以此为基础对洛南盆地旷野地点中发现的各种不同类型的石制品进行了详细的属性分析和拼合研究。研究结果显示，洛南盆地的旷野类型旧石器地点群是以大中型石片和二次加工的大型石片工具以及少数砾石工具为代表的、两面加工技术发达的石器工业遗址。这些丰富的旷野类型旧石器地点是早期人类获取动植物资源的临时性活

动场所，它们和居住营地（如龙牙洞遗址）一起构成了区域性的人类文化聚落系统。

该书对于考古学、第四纪地质学研究，均有重要的参考价值。

151.花石浪（Ⅱ）：洛南花石浪龙牙洞遗址发掘报告

作　者：陕西省考古研究院、洛南县博物馆　编著

出　处：科学出版社 2008 年版

此书是"洛南盆地旧石器时代考古调查和发掘研究报告"的第二部，为 16 开精装一册，有正文 172 页，文后附有彩色图版 12 版、黑白图版 48 版。

本书报道了 1995 ～ 1997 年洛南花石浪龙牙洞遗址考古发掘的主要收获。书中详细地介绍和分析了该遗址的发现过程、地理环境、地层堆积、年代学和埋藏学等问题，同时对龙牙洞中所保留的早期人类用火遗迹进行了细致的考证，并在分期的基础之上，对长期占据龙牙洞遗址生活的早期人类所遗留的各种类型的石制品进行了属性分析和拼合研究。

152.高陵东营——新石器时代遗址发掘报告

作　者：陕西省考古研究院、西北大学文化遗产与考古学研究中心　编著

出　处：科学出版社 2010 年版

本书为 16 开精装一册，是 2001 ～ 2002 年对陕西省高陵县东营遗址的考古发掘详报。简目如下：

第一章　地理位置与发掘经过

第二章　地层堆积与文化分期

第三章　仰韶时期遗存

第四章　龙山时期遗存

第五章　各期遗存的文化属性

附录有表格 7 种及《高陵东营遗址动物遗存分析》一文。

153.西安米家崖：新石器时代遗址 2004 ～ 2005 年考古发掘报告

作　者：陕西省考古研究院　编著

出　处：科学出版社 2012 年版

本书为 16 开精装一册，是 2004 ～ 2006 年对西安市东郊灞桥区十里铺街道办事

处米家崖村米家崖遗址发掘的考古详报。发掘遗存有半坡四期、庙底沟、客省庄文化，为研究关中地区史前文化提供了一批十分重要的实物资料。

简目如下：

第一章　概论

第二章　地层堆积与文化分期

第三章　米家崖遗址第一期文化遗存

第四章　米家崖遗址第二期文化遗存

第五章　米家崖遗址第三期文化遗存

第六章　结语

附有《米家崖遗址出土人骨的鉴定报告》及统计表4种。

甘肃省

154.甘肃考古记

作　者：（瑞典）安特生　著；乐森玙　译
出　处：农商部地质调查所 1925 年 6 月初版、文物出版社 2011 年版

该书为 16 开一册，共 126 页，有照片。为《地质专报》甲种第五号。目录如下：导言、住址与葬地、遗址地形、甘肃远古文化之相对年代、甘肃远古文化之绝对年代、新石器时代之缺失、文化之迁移。全书文字部分分中、英文两部分。中文 50 页、英文 56 页。另有图版 20 页，图版附有中英文说明书。书后附《甘肃史前人种说略》（步达生、李济译）。

文物出版社 2011 年版 16 开平装一册，英文依原书照排，译文改繁体为简体，横排。原书中有《甘肃考古记校正》一文，所列校勘各项，已直接在正文中改正。安特生（J·G·Anderson），瑞典人。1874 年生，1960 年去世。起初赴西北考察，他是以"农商部矿政顾问"的身份去的，此前进行地质考察过程中，他已发现了仰韶文化时期的彩陶。他说"这是我一生的转折点"，"正因为如此，我把余生献给了考古学，完全放弃了专业的地质调查"。为了证实彩陶是由中亚东渐到达中国内地这一假说，他实施了此次赴甘肃（实际包括青海部分地区）的考古调查，从 1923 年至 1924 年历时两年。因为这里是中亚与中国内地交往的必经之路。经过此次调查，安特生坚信：洮河流域（今甘肃省临洮县、广河县、康乐县、临夏县等），是中国彩陶文化最为丰富、遗物最为集中的地区。考古发掘已证实，安特生关于中国仰韶彩陶文化的不少认识是准确的。

155.师赵村与西山坪

作　者：中国社会科学院考古研究所　编著
出　处：中国大百科全书出版社 1999 年版

该书为 16 开精装一册，系 1981 ～ 1990 年考古人员对甘肃省天水市师赵村和西山坪 2 处遗址进行考古发掘的详报。报道了全部发掘资料，附有各类表格 13 种、文章 3 篇。

据介绍，天水师赵村、西山坪遗址属仰韶文化遗存。2处遗址共发现房子遗址39座、窖穴72个、陶窑6座、墓葬27座，出土不同种类的石、玉、骨、陶器等完整和已复原的遗物共2000余件。在相距不远的两处遗址中，发现这么多不同时期的古文化遗存和历史时期墓葬，在我国考古工作中尚属首次。这批材料对探讨西北地区物质文化史，特别是研究原始社会史具有重要的科学价值。

156.秦安大地湾——新石器时代遗址发掘报告

作　者：甘肃省文物考古研究所　编著

出　处：文物出版社2006年版

本书为16开，精装上、下两册，正文945页，文后有彩色图版43版、黑白图版304版。

该遗址位于甘肃省秦安县五营乡邵店村，1958年发现。本书全面、系统地报道了大地湾遗址1978～1995年的发掘成果。大地湾遗址的发掘是甘肃考古中规模最大、收获最丰富的田野工作，发掘的遗迹有房址、灰坑、墓葬、窖穴、窑址和沟渠等，出土的遗物有陶器、石器、骨器、角器、牙器和蚌器等。书中对这些遗存进行了详细的报道，并将大地湾遗址分为五期，时代从前仰韶文化时期到仰韶文化早、中、晚期再到常山下层文化时期。大地湾遗址发掘最显著的特点和收获是发现了众多的房址，这是我国迄今为止的考古发现中时代最早的一批房址，代表着中国史前建筑的源头。遗址第四期的F901则是目前发现的我国史前时期面积最大、工艺水平最高的房屋建筑，达到了史前建筑的顶峰。

大地湾遗址的发掘，对甘肃史前文化乃至西北地区新石器时代的研究均有重要意义。

该书简目如下：

第一章　前言

第二章　地层与分期

第三章　第一期文化遗存

第四章　第二期文化遗存

第五章　第三期文化遗存

第六章　第四期文化及其他仰韶文化遗存

第七章　第五期文化和青铜时代以后遗存

第八章　结语

据介绍，附有检索表、登记表等27种，鉴定报告等6篇。大地湾遗址一至五期的年代为距今7800～4800年左右。

157.兰州红古下海石：新石器时代遗址发掘报告

作　　者：甘肃省文物考古研究所　编著

出　　处：科学出版社 2008 年版

该书 16 开精装一册，系对位于甘肃省兰州市下海石新石器时代遗址的考古发掘报告，由赵建龙、杨惠福、谢焱先生执笔。该遗址是 2005 年进行的抢救性发掘，共清理灰坑 5 个、排水沟 1 处、墓葬 34 座。涉及辛店文化、马家窑文化的遗物 400 余件（组），有陶器、石器、骨器等。其中花纹层次复杂的彩陶及海贝、井盐等，为较重要的发掘。

说到马家窑文化，考古学家苏秉琦先生曾讲过：马家窑文化受仰韶文化影响，但一些方面比仰韶文化还先进。

该书简目如下：

第一章　前言

第二章　探沟、探方与地层堆积

第三章　马厂类型遗迹与遗物

第四章　马厂类型墓葬与随葬品

第五章　辛店文化墓葬与随葬品

第六章　结语与分期

158.河西走廊史前考古调查报告

作　　者：甘肃省文物考古研究所、北京大学考古文博学院　编著

出　　处：文物出版社 2011 年版

该书 16 开精装一册，系 1986 年 9 ～ 12 月，甘肃省文物考古研究所和北京大学考古人员对甘肃省河西走廊（阿克塞自治县除外）进行史前考古调查的总结报告。共发现古代遗址 40 余处，其中绝大多数为新石器时代晚期遗址，涉及马家窑文化、半山马厂文化、"过渡类型"遗存、董家台文化、齐家文化、四坝文化、骟马文化、沙井文化、辛店文化等。

该书简目如下：

壹　绪言

（一）调查的缘起

（二）河西走廊的地理、环境、气候、经济形态与矿产资源

（三）河西走廊的历史与考古工作

（一）河西走廊的史前文化发展序列

（二）河西走廊的史前生业

（三）河西走廊的古环境与人地关系

（四）河西走廊的冶金考古

（五）余论

　　有五个附录。包括"河西走廊史前遗址一览表""河西走廊史前考古调查记略""有关河西走廊史前考古报告资料整理的通信"等。最后是编后记和英文提要。

青海省

159.民和阳山

作　者：青海省文物考古研究所　编著

出　处：文物出版社 1990 年版

该书为 16 开精装一册，系 1980～1981 年对青海省民和县阳山墓地的考古发掘详报。这是 1 处新石器时代晚期马家窑文化半山类型的墓地。该书简目如下：

一、前言

二、墓葬概述

三、圆形祭祀坑概述

四、随葬品

五、阳山墓地的分期、布局与内部结构

六、墓地所反映的一些社会文化问题及其文化归属

七、采集器物

八、结语

160.民和核桃庄

作　者：青海省文物考古研究所、青海省文物管理处、西北大学文博学院　编著

出　处：科学出版社 2004 年版

本书为 16 开精装一册，正文共 325 页，约 47.7 万字，包括插图 190 幅，文后附彩色图版 4 页、黑白图版 140 页。

本书是青海省民和县核桃庄墓地群内小旱地墓地 367 座辛店文化墓葬的发掘详报。以遗迹为单位，详细报道了该墓地的全部发掘资料，共发表彩陶器 567 件和若干铜器、石器、骨器，其中彩陶尤为精美。同时，报告中对墓葬及随葬品分期、墓地布局、埋藏习俗、人口状况与社会组织结构等问题也进行了深入探讨；在附录中还对核桃庄史前文化墓地出土的人骨进行了专门研究。这是目前公布的辛店文化考古发掘和研究中数量最大、最完整的一批资料，对于研究辛店文化的渊源、当地考古学文化谱系及聚落形态有重要的参考价值。

宁夏回族自治区

161.水洞沟——1980 年发掘报告

作　　者：宁夏文物考古研究所　编著

出　　处：科学出版社 2003 年版

该书系宁夏银川市灵武市临河镇水洞沟村新、旧石器时代遗址 1980 年发掘详报。16 开一册，记载了出土的多种石器，包括有细石器。附录中收录了出土的一个古人类头骨化石的检测报告。

简目如下：

第一章　水洞沟遗址研究历史

第二章　地质、地理与环境历史概况

第三章　下文化层——旧石器时代石制品

第四章　上文化层——新石器时代石制品

第五章　讨论和结语

参考文献

附录　水洞沟新发现的人类头骨化石

后记

162.宁夏菜园：新石器时代遗址、墓葬发掘报告

作　　者：宁夏文物考古研究所、中国历史博物馆考古部　编著

出　　处：科学出版社 2003 年版

该书为 16 开精装一册，系宁夏海原县西安乡菜园村遗址、墓地的发掘详报。此处共包括 3 处遗址、5 处墓地，距今约 4500 年，属新石器时代晚期。发现有上百座墓葬，十几处房址，几十个灰坑、窖穴，出土有陶器、石器、骨器、漆器等。

该书简目如下：

第一章　地理环境与发掘经过

第二章　遗址

第三章　墓地

第四章　结语

附有孢粉分析、人骨鉴定等报告共 4 篇。

163.水洞沟：2003～2007 年度考古发掘与研究报告

作　者：宁夏文物考古研究所、中国科学院古脊椎动物与古人类研究所　编著

出　处：科学出版社 2013 年版

该书为 16 开精装一册，是宁夏银川市东南水洞沟旧石器时代晚期遗址 2003～2007 年考古发掘详报。该遗址早在 20 世纪 20 年代为外国人发现，此前已进行过多次发掘。

简目如下：

第一章　前言

第二章　地质、地层、年代与环境背景

第三章　第 2 地点

第四章　第 3、4、5 地点

第五章　第 7 地点

第六章　第 8 地点

第七章　第 9 地点

第八章　第 12 地点

第九章　专题分析

第十章　总结与讨论

此书是《水洞沟——1980 年发掘报告》（科学出版社 2003 年版）的续集。另，文物出版社 2006 年出版有《旧石器时代论集——纪念水洞沟遗址发现八十周年》一书，可参阅。

新疆维吾尔自治区

164.交河沟西：1994 ～ 1996 年度考古发掘报告

作　者：新疆文物考古研究所　编著

出　处：新疆人民出版社 2001 年版

该书为 16 开精装一册，另有内含 40 幅地图的地图一册。是 1994 ～ 1996 年交河故城沟西旧石器时代遗址的考古发掘详报。其年代大致在旧石器时代晚期，是以细石核为代表的史前遗存。

香港特别行政区、澳门特别行政区、台湾省

165.台湾新石器时代垦丁寮遗址墓葬研究报告

作　者：连照美　著

出　处：台北台湾大学出版中心 2007 年版

该书为 16 开一册，系台湾史前时代垦丁寮遗址的专题研究报告。简目如下：

一、导论

二、垦丁寮遗址 1931 年发掘墓葬资料档

三、研究论文

文章重点讨论了贝器手工业、铃形玉珠、垦丁寮陪葬玉器等。

下编 考古简报

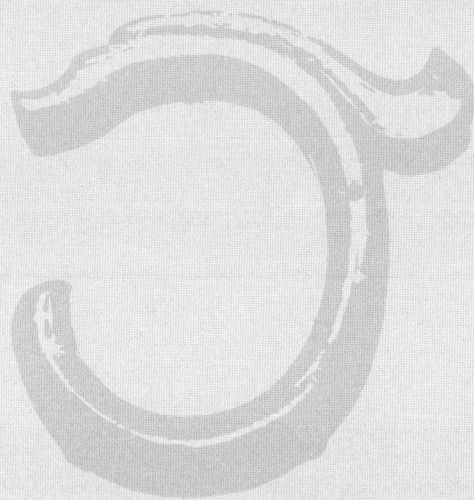

北京市

1.北京东胡林村的新石器时代墓葬

作　者：周国兴、尤玉柱
出　处：《考古》1972 年第 6 期

1966 年 4 月初，北京大学地质地理系同学在北京门头沟区东胡林村西侧发现了一些人骨，随即通知中国科学院古脊椎动物与古人类研究所，考古人员前往作了短期调查和发掘。简报分为：一、发现的情况，二、人骨的描述，三、文化遗物，四、小结，共四个部分。有手绘图、照片。

据介绍，该地点位于北京西北丰沙铁路雁翅车站西南 19 公里，它的南面，蜿蜒的清水河切过由侏罗纪火山碎屑岩系构成的侵蚀低山区，向东注入永定河。东胡林村新石器时代墓葬中至少有 3 个个体：1 个少女和 2 个成年男性的个体。东胡林人产于马兰黄土之上、次生黄土堆积的底部，简报推断时代应为全新世早期。从文化遗物的性质、人骨上的一些特征看，要比现代人甚至新石器时代晚期的人都更为原始，故东胡林人的时代当属新石器时代，很可能是早期的。

简报称，由于遗骸，特别是面骨部分过于残缺，对于研究当时人的体质特点以及与现代人之间的关系方面，带来一定的困难；但就北京地区而言，过去曾发现过北京猿人、山顶洞人，而新石器时代遗址发现较少，尤其人骨还未见报道。因此，东胡林新石器时代墓葬的发现，对研究北京地区早期历史是有一定价值的。

2.北京平谷北埝头新石器时代遗址调查与发掘

作　者：北京市文物研究所、北京市平谷县文物管理所北埝头考古队　郁金城、
　　　　王武钰等
出　处：《文物》1989 年第 8 期

北埝头新石器时代遗址是 1984 年北京市进行文物普查时发现的。同年 5 月，考古人员对遗址进行了钻探发掘。简报分为：一、遗址概况，二、房址遗迹，三、遗物，四、结语，共四个部分。有照片、拓片、手绘图。

据介绍，北埝头遗址位于平谷县大兴庄乡北埝头村西。东南距县城 7.5 公里，北面可望起伏的燕山山脉，南面距顺平公路 2 公里。遗址南北长 125 米、东西宽 50 米，面积 6000 多平方米。经钻探调查，遗址内的堆积主要包含新石器时代和汉代两个文化层。新石器时代遗迹主要有半地穴式居住房址 10 座，遗物主要有石器、陶器等。其中有鸟首支架形陶器，简报认为可能是因先民将鸟作为崇拜物。

简报指出，北埝头遗址曾遭到严重破坏，但在一定程度上仍反映出了当时先民生活的特点。他们选择在靠近水源、土壤肥沃的黄土台地上建造房屋，已经形成了定居的聚落点，从事原始农业。居住房址的分布比较密，房屋的面积也比较大，室内地面经火烘烧，每座房址都埋有保存火种的陶罐。从发现的几个柱穴的位置，可以推测当时的房屋是一种篱笆墙式半地穴建筑。

3.北京平谷上宅新石器时代遗址发掘简报

作　者：北京市文物研究所、北京市平谷县文物管理所上宅考古队　赵福生、
　　　　王武钰、郁金城、袁进京等

出　处：《文物》1989 年第 8 期

1984 年文物普查时，在平谷县发现了一处重要的新石器时代遗址——上宅遗址。考古人员分五期对遗址进行了发掘，取得了较重要的收获。简报分为：一、地貌及地层堆积，二、出土遗物，三、结语，共三个部分。有照片、拓片、手绘图。

据介绍，遗址位于北京市平谷县韩庄乡上宅村西北的一块高地上，因以前建有古庙，当地称"大庙台"。此地北靠燕山支脉——金山，南临泃河，地势高出泃河河床 10 ～ 13 米，由于砖厂常年取土，遗址遭到很大破坏。出土有石器、陶器等。其中鸟首形镂孔器为罕见的陶器。简报认为上宅遗址的年代应属于新石器时期的较早阶段，比磁山、裴李岗、兴隆洼等早期新石器文化略晚，但应早于红山文化。简报认为，新石器时代在北方草原和中原地区这两大原始文化圈内，有多种原始文化共存，各有特点，但又有一定的共性。上宅文化处于北方文化区的南部边缘地区，对于深入研究这两大文化区的相互关系与原始文化的传播，提供了重要的实物资料。

4.北京市王府井东方广场旧石器时代遗址发掘简报

作　者：李超荣、郁金城、冯兴无

出　处：《考古》2000 年第 9 期

为了进一步探索北京人时期及其后的古人类在北京地区的活动踪迹，考古人员

从 1990 年开始在北京地区进行广泛的考古调查，对重点遗址进行科学发掘。王府井东方广场旧石器时代遗址就是其中的重要发现之一。王府井东方广场位于东长安街北侧、东单头条、王府井大街和东单大街之间，遗址面积计约 2000 平方米。重点抢救性发掘面积 780 平方米，总发掘清理面积 892 平方米。文化内涵丰富，出土标本 2000 余件，其中编号标本 1500 多件，简报分为：一、遗址的发现与发掘概况，二、文化遗物，三、讨论。

据介绍，遗址的地质年代为晚更新世，考古学年代为旧石器时代晚期，简报认为它应是 1 处旧石器时代人类临时活动的营地。东方广场遗址的文化遗物包括石制品、骨制品、用火遗迹和赤铁矿等。它与著名的山顶洞、峙峪和小孤山遗址对比，共同之处是：以石片石器为主体；打片以锤击法为主，偶用砸击法；工具组合以刮削器为主体；石器以小型为主；出土有被赤铁矿粉着色的标本。不同之处是东方广场遗址中未发现有精致的骨针、鱼叉和装饰品，骨器制作技术似乎也显得不精细。简报称，东方广场遗址中出土的文化遗物和从地层中获得的各种信息，对深入开展遗址的综合研究具有十分重要的意义。

5.北京市门头沟区东胡林史前遗址

作　者：北京大学考古文博学院、北京大学考古学研究中心、北京市文物研究所
　　　　赵朝洪等
出　处：《考古》2006 年第 7 期

东胡林遗址位于北京市门头沟区东胡林村西侧清水河北岸，距北京市城区约 78 公里。1966 年北京大学学生在该村劳动时发现，2001 年、2002 年、2005 年曾三次发掘。遗址距今约 1 万年，发现墓葬、灰坑、火塘等遗迹，出土较多石器、陶器、骨器、蚌器及动植物遗骸。保存较好的人骨是研究新石器时代早期人类的珍贵资料。简报分为：一、地理位置与自然环境，二、发掘过程，三、地层堆积状况，四、遗迹与遗物，五、遗址的年代，六、学术意义，共六个部分。有彩照、手绘图。

简报称，距今 15000 ～ 9000 年前后，在考古学上是从旧石器时代向新石器时代过渡的时期。正是在这个过渡时期，石器磨制技术得到应用并逐步推广，发明了陶器，产生了原始农业与家畜饲养业。在一些地区，人类的经济方式由完全以采集、狩猎为主转变为开始经营农业并饲养家畜，生活方式也发生了重大变化。同时也是在这个时期，全球环境发生了急剧变化，气候显著变暖，冰川期气候渐渐逝去，冰川大规模后退，海平面持续上升。

简报指出，在华北地区已经发现并经发掘的属于此过渡阶段的遗址仅有河北徐

水南庄头、阳原于家沟，北京门头沟东胡林、怀柔转年，山西吉县柿子滩等为数不多的几处，其年代大致在距今 13000 ~ 9000 年。据资料报道，柿子滩遗址发现了打制石器、细石器、谷物加工工具及烧火遗迹，但未发现早期陶器、墓葬等文化遗存。南庄头遗址发现了打制石器、谷物加工工具及早期陶片，但未见火塘、墓葬等遗存。于家沟及转年遗址发现了打制石器、细石器、谷物加工工具及早期陶器，但也未发现火塘、墓葬等遗存。唯独在东胡林遗址，既发现有打制石器、细石器、磨制石器、谷物加工工具、陶器等文化遗物，又发现有火塘、墓葬等遗存，这不仅对全面了解新石器时代早期东胡林人的生活方式、埋葬习俗及生产方式等具有重要价值，同时对于探讨农业的起源、陶器的起源与发展都有着十分重要的意义。另外，在此遗址中出土了比较丰富的动植物遗存（包括浮选采集标本），为复原距今 1 万年前后东胡林人的生活、生产方式及生存环境，探讨农业、家畜的起源以及新石器时代早期的人地关系等，也提供了十分宝贵的实物资料。

简报指出，北京地区是人类重要的发祥地之一，北京人、新洞人、山顶洞人、田园洞人等化石的发现为研究北京乃至华北地区古人类的发展演化提供了十分珍贵的实物证据。但是，自山顶洞人和田园洞人（距今 2 万年和 3 万年）以后直至新石器时代中期，北京乃至华北地区的古人类是如何演变的，中间有断层。特别是距今 1 万年前后的古人类正处于晚期智人向现代人演变的重要时期，这个时期的古人类体质状况、食物结构、谱系等都是学术界十分关注的。保存完好的东胡林人遗骸的发现和研究不仅能为了解北京人——山顶洞人——现代人的演化进程提供科学依据，而且对于认识新石器时代早期人类的经济方式、食物结构及环境变化对人类自身的发展演化产生的影响也有重要的科学价值。

简报最后再次强调，东胡林遗址的发掘为考古学、人类学、第四纪地质学、古环境学等诸多学科的研究提供了十分重要的新资料。

天津市

6.天津市北郊和宝坻县发现石器

作　者：天津市文物管理处

出　处：《考古》1976年第4期

天津市在兴修水利工程中，于北郊刘家码头和宝坻县北里自沽、张洪庄等地先后发现了石器。简报配以手绘图予以介绍。

据介绍，所出的石斧、磨棒，是我国各地所发现的新石器时代或稍晚的文化遗址中常见的器物。石铲的器形比较特殊，在我国其他各地所发现的古文化遗址中极为少见。简报初步认为宝坻县北里自沽这件石铲的发现，正好说明处在中原和北方之间的天津地区，是新石器时代不同文化互相影响交错接触的地带。因此，它不仅具有比较明显的地域性，同时，也可看出它与中原和北方之间在文化上有密切关系。

这次出土的石器，均出在距地表深4～5米以下的地层中。这些石器不是从远方冲积来的，也不是后期人为所致，而是当地原始居民的遗存。

7.天津蓟县北台旧石器地点调查简报

作　者：吉林大学边疆考古研究中心、天津市文化遗产保护中心　王春雪、盛立双等

出　处：《中原文物》2013年第4期

2005年3～5月，天津市文化遗产保护研究中心对天津地区开展旧石器考古调查，共发现旧石器地点13处，主要集中于蓟县周围，共采集到各类石制品千余件，包括各类刮削器、尖状器、雕刻器、砍砸器以及石核、石片等，还发现少数细石叶石核和若干细石叶。北台地点就是此次调查发现的一个重要地点。该地点位于天津市蓟县下营镇北台村以北的黄土台地中。其于2005年4月10日发现，5月11日复查确认。简报分为：一、地貌和地层，二、石制品，三、结语，共三个部分。有手绘图。

据介绍，此次在地表采集到的27件石制品，类型相对简单，包括石核、石片、

断块和工具。原料均为燧石。剥片方法主要采用锤击法。遗址的时代推测属于晚更新世晚期，即旧石器时代晚期。

8.天津蓟县小平安旧石器地点调查简报

作　者：吉林大学边疆考古研究中心、天津市文化遗产保护中心　王春雪、盛立双等

出　处：《北方文物》2013 年第 4 期

小平安旧石器地点于 2005 年 4 月发现，5 月又对其进行了复查。简报分为：一、引言，二、地貌和地层，三、石制品，四、结语与讨论，共四个部分。有手绘图。

据介绍，该地点位于天津蓟县的河流阶地内，在其土黄色黏土质粉砂和地表发现石制品 31 件，包括石核、石片和工具，其原料以石英砂岩为主。古人类选择地点附近的阶地底部河卵石为原料进行剥片和加工石器；硬锤锤击法为剥片的主要技术；石制品总体以小型和微型居多；石器主要以石片为毛坯，刮削器是主要类型；石器多由古人类在石片的一侧采用锤击法正向加工而成。石制品特点显示中国北方石片工业的文化面貌。地貌与地层对比则显示遗址的时代大致属于晚更新世晚期，即旧石器时代晚期。

9.天津蓟县青池遗址发掘报告

作　者：天津博物馆、天津市文化遗产保护中心　纪烈敏、刘　健、张俊生

出　处：《考古学报》2014 年第 2 期

1997 年 10 月天津文物地图集编辑组赴蓟县进行文物复查，在五百户乡青池村北 1.5 公里发现 1 处古文化遗址，位于于桥水库南岸。1997 年对防浪坡以上的坡下遗存试掘，确定是 1 处埋藏在山坡沟堼内的新石器时代文化遗存。1998 年在山顶处试掘，发现新石器时代和青铜时代文化遗存。1999 年水库水位下降，防浪护坡以下部分滩地露出水面，于是清理 1997 年试掘的沟堼向下延伸部分，发现文化堆积继续向水下延伸，沟堼以外未见有文化堆积。3 次发掘总面积约 500 平方米。简报分为：一、坡下遗存，二、山顶遗存，三、结语，共三个部分。有彩照、手绘图。

据介绍，简报将坡下 G1 遗存划分为二期三段，即第 6 ~ 9 层为新石器时代第一期文化遗存，第 5 层为新石器时代第二期文化早段遗存，第 1 ~ 4 层为新石器时代第二期文化晚段遗存。

简报指出，青池第一期、二期和三期是同一支文化的独立发展过程，具有独特

的文化内涵和面貌特征，以洵河流域为分布腹地，存在达 1000 年以上，可称作"青池文化"或"青池遗存"。马头山顶新石器文化第三期遗存陶器仍以夹砂为主，表现出和青池第二期文化的承袭关系。简报称，长发披肩、头戴发箍的人面石雕像，提供了当时的居民形象资料，弥足珍贵。

河北省

石家庄市

10.正定南杨庄遗址试掘记

作　者：河北省文物管理处　唐云明

出　处：《中原文物》1981 年第 1 期

正定南杨庄（又名"杨家庄"）村北的卧龙岗，原是 1 座高出地面约 5 ～ 6 米的庞大土丘，紧靠滹沱河南岸，当地人称"卧龙岗"。1954 年，发现这里是 1 处仰韶文化遗址，是河北境内继曲阳钓鱼台后的第 2 次发现。此后，在冀中、冀南又相继发现多处同一类性质的文化遗址，鉴于它不同于半坡和庙底沟两类型，考古人员曾命名它为河北仰韶文化南杨庄类型，和安阳后岗类型基本相似。1976 年春，在石家庄地区开始文物普查时，在该遗址范围内又采集到了大量陶片和石器，其中主要是南杨庄类型的标本，但也有少量的大司空村类型（即河北百家村类型）和庙底沟类型陶片，因此，考古人员曾提出南杨庄遗址本身并不单纯，内涵比较复杂，简单地用南杨庄类型并不能概括这里仰韶文化遗址的全貌。1977 年冬，为了解遗址的文化内涵，考古人员在卧龙岗中部偏南处试掘了两个探方，发现居住址 2 处、灰坑 9 个，获较完整遗物 123 件。

简报分为：一、地层概述，二、文化遗迹，三、文化遗物，四、小结，共四个部分。有手绘图、拓片、照片。

据介绍，从目前所获的资料看，特别是陶器的碗、钵、鼎、盂、盆、瓮等绝大部分是与安阳后岗相类似。但小口大肚壶和属于南杨庄类型中的磁县下潘汪、界段营出土的小口直颈双耳壶和灶却是本类型独有器型，在其他遗址中不见或少见。南杨庄彩陶中黑、红彩几乎均等，后岗却以红彩为主，黑彩仅是极个别的；后岗彩陶都是烧前绘画的，南杨庄还发现五片烧后画上去的，这些都是两者相异之处。

简报认为，不经过大规模发掘，许多问题尚难得到令人满意的答案。

唐山市

11.河北唐山市大城山遗址发掘报告

作　者：河北省文物管理委员会　陈　惠、唐云明、孙德海等
出　处：《考古学报》1959 年第 3 期

唐山市大城山遗址，是 1955 年春由唐山工人速成中学张金声先生发现并报告的。考古人员进行了抢救性发掘。简报分为：一、前言，二、遗址的面积及文化层，三、文化遗迹，四、文化遗物，五、结语。共五个部分。有照片。

据介绍，共发掘人工铺石、白灰面、灰坑、墓葬等遗迹。除陶片外，有陶器、石器、蚌器等遗物 568 件。与打鱼有关的鱼钩、鱼镖、网坠等不少，似乎表明了打渔在当时先民生活中的重要性。另有卜骨出现。应属新石器时期晚期遗址。

《考古》1964 年第 7 期载有"关于唐山大城山遗址发掘报告中的几个问题"一文，可参阅。

12.燕山南麓发现细石器遗址

作　者：河北省文物研究所　谢　飞
出　处：《考古》1989 年第 11 期

1985 年 11 月，考古人员在滦县东部泡石淀乡进行旧石器时代考古调查时，发现东灰山细石器遗址。1986 年 11 月对该遗址进行了试掘，获得石制品 182 件。简报分为：一、地层地貌概况，二、石制品，三、结语，共三个部分。有手绘图。

据介绍，东灰山遗址位于唐山市滦县县城东北 9 公里的泡石淀乡东灰山村，是冀东地区首次发现的旧石器时代晚期细石器遗存。东灰山遗址试掘的文化遗物均为石制品，石制品的原料以各种颜色的燧石为主，石灰岩次之，还有少量的石英岩和火山岩。制造石器所产生的岩石碎块 81 件，占标本的 44.5%。能分类的标本 101 件，占全部标本的 55.5%。在 101 件器物中，石片 67 件、石核 11 件、石器 10 件、细石核 3 件、石叶 10 件。考虑到细石器的出现和文化层所处的附地位置，简报推断其地质时代不会早于晚更新世晚期，文化时代应为旧石器时代晚期偏晚阶段。

1958 年，在东灰山遗址西北约 20 公里的迁安市爪村发现并发掘了 1 处遗址，绝对年代测定数据为距今 4.8±0.2 万年或 4.4±0.2 万年。考古人员在爪村一带复查

时又在附近发现另外 2 个地点，分别位于滦河二级阶地上、下 2 个层位中。下部层位以打制石器为特征，并有许多动物化石产出，可能与原爪村遗址的时代相同。上部层位的细石器则与东灰山近似，阶地位置相当，时代也不会相差过大。因此，东灰山遗址的时代明显晚于爪村遗址。

简报称，旧石器时代晚期细石器遗址在冀东地区燕山南麓的发现，无疑为我国华北地区细石器的研究提供了材料。

13.河北唐山地区史前遗址调查

作　者：北京大学考古实习队　张　弛
出　处：《考古》1990 年第 8 期

唐山地区南部平原一般为河流冲淤的沙质黄土所覆盖，土层较厚。北部山地的山体多为灰岩、红色砂岩等。其中遵化和玉田及丰润北部的土壤为红色黏土，杂有砂岩角砾。在这一范围内迄今未发现有新石器时代遗址。迁西、迁安两县则是沙质黄壤，在此两县的大河北岸多发现有本地区新石器时代较早一阶段的遗址。

1986 年 10 月初至 11 月初，考古人员在过去工作的基础上，对这一地区的新石器时代遗址作了为时一个月的调查和复查，并采集了一部分石器和陶器标本。调查情况简报分为：一、丘陵地区，二、山前平原地区，三、几点认识，共三个部分。有手绘图。

据介绍，由于唐山地区史前遗址多未经发掘，简报并未能完全把握这里与相邻地区的文化关系。但就其总体的面貌来看，简报认为唐山地区显然与辽东和辽西地区的新石器时代文化之间有着较为紧密的联系，而与河北中南部地区差别较大。辽东、辽西和京、津、唐 3 大地区显然可以划入同一文化区域之内。但唐山地区这次调查辨认出的杨家坡期和西寨期遗存面貌有自己独特的特点。其刻划纹饰和压印"之"字纹显然是与之基本同时期的辽东东沟后洼下层遗存、乔东遗址、小珠山下层遗存和辽西兴隆洼文化同类器上的纹饰区别较大，可知京、津、唐地区至少在这一时期应有自己独特的文化面貌。在西寨—安新庄期，这一地区存在着西寨组与安新庄组两种遗存；而这两种遗存又同时存在于辽西地区，说明在这一时期这两个地区的关系更加紧密了。

14.河北迁西县西寨遗址调查

作　者：唐山市文物管理处、迁西县文物管理处　孟昭永、顾铁山
出　处：《考古》1993 年第 1 期

1986 年，迁西县文物管理所在进行文物普查时，于该县西寨村发现 1 处古文化

遗址。随后，省、市文物部门对西寨遗址进行了详细调查，并采集到大量实物标本。简报分为：一、遗址概况，二、遗物，三、小结，共三个部分。有手绘图。

据介绍，西寨遗址位于迁西县城东北、二拨子乡西寨村东南1公里处的滦河北岸二级台地上，南距滦河1000余米，总面积约7500平方米。在遗址南侧，因农民挖排水沟，使得大量文物遗物散布于地面。调查中采集的标本，一部分来自地表，大部分来源于挖沟动土的土层中。此次调查采集的遗物共521件（片），分石器、陶器两大类。大量细石器、网坠和石球等渔猎生产工具，说明渔猎在当时人们的生活中占重要地位。而石刀和石磨棒等，则是农业及粮食加工工具。盘状器数量较多，可能有特殊用途。作为生活器皿的陶器，压划的线条流畅，图形丰富多彩。

15.唐山地区发现的旧石器文化

作　者：孟昭永

出　处：《文物春秋》1993年第4期

早在1958年，唐山地区即已在迁安县爪村发掘出旧石器时代遗存，但直至20世纪70年代，才最后确定其年代。1966年后，又在迁安爪村、滦县东灰山、玉田孟家泉等地，先后发现了旧石器时代遗存。表明至少在四五万年以前，远古人类已在唐山地区繁衍生息。

秦皇岛市

邯郸市

16.河北永年县台口村遗址发掘简报

作　者：河北省文化局文物工作队　钟庆梁等

出　处：《考古》1962年第12期

永年境内主要河流有3条，北为沙河，南有滏阳河，流经中部的是洺河。1960年夏季，考古人员在永年以及与之隔河为界的武安境内，调查了洺河中游两大岸的有关地区。发现有龙山文化、仰韶文化、殷商文化等10多处遗址。选择其中的台口村遗址进行了发掘。简报分为：一、地层，二、遗物，三、小结，共三个部分。有手绘图。

据介绍，台口村遗存可分两期：第一期文化似介于仰韶、龙山之间，具有过渡性的特征；第二期文化应属河南龙山文化范畴。

17.河北邯郸百家村新石器时代遗址

作　者：罗　平
出　处：《考古》1965 年第 4 期

邯郸市百家村遗址是 1957 年秋由北京大学和河北省文化局合组的邯郸考古发掘队在调查中发现的。简报配以手绘图，介绍了前往调查的情况。

据介绍，百家村遗址在邯郸市百家村西南沁河北岸的台地上，距邯郸市 4 公里，距百家村约 0.5 公里。遗址东西长约 300 米，南北宽 100 米，在地表耕土中到处可以采集到陶片。遗址东半部有仰韶文化遗物，西半部有仰韶及龙山文化的遗物。属于仰韶文化的陶片，有细泥红陶、细泥灰陶和夹砂粗红陶 3 种。采集的龙山文化的陶片不多，有泥质及夹砂灰陶、泥质黑陶等 3 种陶系。

18.河北磁山新石器遗址试掘

作　者：邯郸市文物保管所、邯郸地区磁山考古队短训班
出　处：《考古》1977 年第 6 期

磁山村位于武安县西南 20 公里，属磁山公社。此处群山起伏，河流环绕，村西是丘陵，东为太行山脉的鼓山，北靠磁山铁矿，其南为滏阳河支流南洺河。遗址在村东偏南的黄土台地上，面积约 8 万平方米，内涵有西周和新石器时代的文化遗存。1972 年当地兴修水利时，曾发现了陶器和石器。1973 年夏，考古人员前往调查，并采集了标本。1976 年清理了灰坑 120 余个，出土遗物达 640 余件。简报分为五个部分，有手绘图、照片。

据介绍，遗址出土陶器多为手制，火候低，陶质粗糙，造型简单，未见彩陶。石器也比较原始，大量狩猎工具的发现表明渔猎经济尚有很大比重，饲养家畜也处于萌芽阶段。仅发现 1 具人骨，仰身直肢，腐朽严重。经测定，年代为距今 7500 年左右，当为 1 处较早的新石器时代遗址。简报称："它与中原地区的其他新石器时代遗址的明显不同，这是应该引起我们注意的。"

19.黄河流域新石器时代早期文化的新发现

作　者：严文明
出　处：《考古》1979 年第 1 期

1976 年 11 月至 1977 年 4 月，考古人员在河北武安磁山进行发掘；1977 年 4 月，考古人员在河南新郑裴李岗进行发掘。经测定，2 个遗址的真实年代，应当在公元前 6000 年左右。这比仰韶文化早期遗存的年代还早许多年，是迄今测量过的所有黄河流域的新石器时代标本中年代最早的。

据介绍，磁山遗址的新石器时代文化堆积可分两层，文化面貌虽略有区别，但大部分还是相同或相似的。例如陶器均为手制；火候低，陶质粗糙；以红色为主，但颜色多不纯正；造型已较复杂，有圜底、平底、三足和圈足之分。与裴李岗文化一样，都是黄河流域新石器早期文化的新发现。

20.河北武安磁山遗址

作　者：河北省文物管理处、邯郸市文物保管所　孙德海、刘　勇、陈光唐等
出　处：《考古学报》1981 年第 3 期

磁山遗址位于河北省武安县西南 20 公里，属磁山公社磁山大队。遗址所在地为太行山脉的鼓山山麓，在磁山村东南约 1 公里的台地上。1973 年夏，河北省文物管理处和邯郸市文物保管所先后作过调查。1976 年为配合当地水利工程，省文物管理处协同邯郸市文物保管所、邯郸地区磁山考古队训练班进行试掘，试掘面积 1000 余平方米，试掘情况已作报道。不久，省文物管理处和邯郸市文物保管所进行正式发掘，至 1978 年 8 月结束，发现遗迹有房址 2 座、灰坑 474 个，遗物有陶器、石器、骨角器等近 2000 件，还有动物遗骸、植物果产等。

简报分为：一、文化层堆积情况，二、第一文化层遗存，三、第二文化层遗存，四、结语。共四个部分。有照片、拓片、手绘图。附有动物遗骸专家鉴定。

据介绍，该遗址是我国新石器考古的一项重要发现，早于仰韶文化。我国东北的红山文化，在许多方面与该遗址文化有继承关系。

该遗址的年代，约为距今 7500 ～ 7100 年。

邢台市

21.河北邢台柴庄遗址调查

作　者：唐云明

出　处：《考古》1964 年第 6 期

1963 年 4 月，考古人员在市南约 3.5 公里的七里河一带调查时，于沿河南岸发现了 1 处新石器时代遗址。5 月末，又进行了复查。遗址位于市、县交界处，七里河南岸第一台地上。地面隆起，高出河面约 2 ~ 3 米，远望似一道长堤，地面古代遗物俯拾皆是。简报配有手绘图。

据介绍，共采集仰韶文化彩陶片 39 片、陶片 61 件，龙山文化陶片 25 片。

22.河北临城县仰韶文化遗址调查

作　者：李振奇

出　处：《考古与文物》1994 年第 2 期

为了配合河北省文物地图集的编纂工作，1988 年 12 月考古人员对临城境内的河流域的古遗址进行了专题调查。发现 2 处仰韶文化遗存，采集到一批遗物。调查收获简报分为：一、北台遗址，二、沙岗地遗址，共两个部分。有手绘图。

据介绍，北台、沙岗地遗址为临城县首次发现的 2 处仰韶文化遗存，从而将临城的历史从龙山时代又上推了一个时期。两处遗址相距仅 1.5 公里，有着多方面的共同因素，其文化面貌基本一致。出土的陶器，红陶占多数，褐陶次之，少量灰陶。有一部分泥质红陶的外表呈红色，而胎芯与内表却为浅灰色。夹砂陶砂质粗大。器物均为手制，部分经快轮修整。陶器以素面为大宗，弦纹、按窝纹、竖条纹很少，彩陶也不多见。采集彩陶片中，均饰黑彩，图案也为简单的平行斜线及彩带，未见内彩，但这仍不失为该遗址的一个醒目特点。陶器中的钵、瓶、釜等器物与河南安阳后岗、河北永年北石口等遗址的仰韶文化器物，非常近似，故此简报推断遗址应属后岗类型。

保定市

23.河北安新县梁庄、留村新石器时代遗址试掘简报

作　者：保定地区文物管理所、安新县文化局、河北大学历史系　徐浩生、金家广
出　处：《考古》1990 年第 6 期

保定地区在 20 世纪 80 年代后期的文物普查、复查中，先后发现了 6 处含夹砂褐陶、多种陶支脚的遗址，分布于容城、安新、涞水、易县、徐水等县。为了进一步搞清这类遗存的文化内涵，考古人员在安新留村和梁庄两处遗址先后作了小规模的试掘。简报分为：一、梁庄遗址，二、留庄遗址，三、结语，共三个部分。有手绘图。

简报根据近年来燕山南麓至保北地区新石器时代考古资料积累和研究成果，结合这次发掘的资料，将保北白洋淀周围原始文化年代序列初排如下：梁庄下层（容城上坡下层）—梁庄上层—留村下层—留村上层—（午方下层）—午方上层。年代大致相当于磁山文化仰韶文化—龙山文化。

简报称，安新县梁庄、留村遗址的试掘，为确立本地区新石器时代考古学的年代序列，为探讨中原和北方地区古代文化交流都增添了有价值的资料。

24.河北徐水县南庄头遗址试掘简报

作　者：保定地区文物管理所、徐水县文物管理所、北京大学考古系、河北大
　　　　学历史系　徐浩生、金家广、杨承贺
出　处：《考古》1992 年第 11 期

南庄头遗址位于河北省徐水县高林村乡南庄头村东北 2 公里处，南距县城约 12 公里。遗址所在地为南庄头砖厂使土区，面积约 20000 平方米。

1986 年 4 月，在文物普查中，乡文化站得知砖厂在使土中发现鹿角，经文物管理所鉴定，发现鹿角上有人工切割的痕迹，即前往调查，发现了该遗址。不久，地区文物普查队和县文化局、文管所再次调查，发现了文化层堆积，并在面积 2 平方米 ×8 平方米的范围内作了清理，出土了不少兽骨、禽骨、鹿角、木炭和一些骨、角、石器以及少量陶片。在次年的试掘中，统一编为 86×NT1。省、地区文物管理部门曾多次进行调查，采集了一段朽木和一些木炭作了碳十四年代测定。BK86120（86XNT1 ⑤ ～ ⑥：木头）为公元前 9875±160 年；BK86121（86XNT1 ⑤ ～ ⑥：木头）

为公元前 9690±95 年。对此，简报认为再进行 1 次试掘和测定更多年代数据十分必要，经请示省文物主管部门同意，于 1987 年 8 月 18 日至 21 日，在 T1 的南边和北边各开了 1 条探沟，编号为 87XNT2、87XNT3，面积共 45 平方米。此次发掘出土了为数较多的兽骨、禽骨、鹿角、蚌、螺壳、木炭、石料、树叶和种子等，有的兽骨、鹿角留有明显的人工加工痕迹。更可喜的是，在 T3 ⑤、T2 ⑥内又各出土陶片 1 片。简报分为：一、遗址周围环境和地层堆积，二、遗迹，三、小结，共三个部分。有照片、手绘图。

据碳十四测定，南庄头遗址的年代为距今 9700～10500 年。年代测定结果表明，南庄头是我国重要的新石器早期文化遗存，它填补了我国磁山、裴李岗新石器文化至旧石器晚期文化中的一段空白。无论从文化上还是从地层上，南庄头遗址都具有重要价值。

简报称，南庄头人活动于全新世初期，当时气候逐渐好转，并且在第五至第六堆积层，即南庄头遗址文化期的中部，针叶树与阔叶树乔木花粉形成小的峰值，说明南庄头新石期早期人类生活环境较全新世之初为好，但是总体说来，气候仍较凉偏干。南庄头发现的陶片，是目前我国地层和年代都确切的最早陶制品，并且由这些陶片的质地推测，我国应有更为久远的陶器制作史。

25.河北易县北福地史前遗址的发掘

作　者：河北省文物研究所　段宏振等
出　处：《考古》2005 年第 7 期

北福地遗址位于河北省易县西南 12.5 公里北福地村南，现为农田。根据目前的考古调查或试掘结果，易水流域的新石器时代遗址除北福地遗址第一期的年代上限可跨进早全新世外，其他 20 余处遗址（包括北福地第二期）的年代均属中全新世时期。

1985 年，考古人员调查发现并试掘了北福地遗址。主要收获是发现了两种文化面貌相异的新石器时代文化遗存，即以釜与支脚为特征的甲类遗存和以直腹盆（盂）与支脚为特征的乙类遗存。1997 年，河北省文物研究所对遗址进行了正式发掘，发掘面积 750 平方米，发现房址 3 座、灰坑 30 座，出土了石器、陶器等遗物。2003～2004 年，河北省文物研究所对北福地遗址进行了连续 2 个年度的正式发掘。简报主要介绍 2003～2004 年的发掘，分为：一、自然环境，二、发掘经过，三、遗址的分期与年代，四、第一期遗存，五、第二期遗存，六、结语，共六个部分。有彩照、手绘图。

据介绍，北福地遗址经过 2003～2004 年的发掘，发现了 3 个时期的新石器时代文化遗存。第一期遗存较重要，发现房址和祭祀场等遗迹，陶器以直腹罐和支脚为主。这为太行山东麓地区新石器时代文化演进的研究提供了又一个重要的时空标尺。

简报特别提到出土的陶刻面具，认为陶刻面具作为单纯艺术品的可能性较小。原始艺术与宗教或巫术本密不可分，因此陶刻面具很可能是一种原始宗教或巫术用品，是祭祀或巫师实施巫术时的辅助用具。同样，民族学和古文献方面的资料有助于我们理解陶刻面具的相关情况。例如，美国新墨西哥州一带的祖尼人建有蒙面神巫社，在神殿里有 100 多种不同的蒙面神面具，代表不同的神。在宗教仪式上戴着面具装扮成神舞蹈，来祈福求雨。亚利桑那州霍比人的宗教仪式分 2 类：1 类是不戴面具的；另 1 类是戴着面具，穿着化装衣服，扮成祖先和神祇。古文献也有类似的记载。简报推测陶刻面具可能是用于祭祀或巫术驱疫时的辅助器具，用来装扮成神祇或祖先，很有可能当时的人们戴着陶刻面具到祭祀场进行祭祀活动。北福地第一期遗存陶刻面具的发现，是目前所见年代最早、保存最完整的史前面具作品，是研究史前宗教或巫术的新资料。

26.河北易县北福地新石器时代遗址发掘简报

作　者：河北省文物考古研究所、保定市文物管理处、易县文物保管所　段宏振等
出　处：《文物》2006 年第 9 期

北福地遗址位于河北省易县西南约 12.5 公里处北福地村南的台地上。1985 年，考古人员调查发现并试掘了该遗址。1997 年，曾对遗址进行了发掘，发掘面积 750 平方米，发现房址 3 座、灰坑 30 个等遗迹，出土石器、陶器等遗物。2003～2004 年，对北福地遗址连续进行了 2 个年度的正式发掘，发现了丰富的文化遗存，内涵以新石器时代的文化遗存堆积为主体，局部还有零星的商周、汉、辽、金等时期的遗存，简报分为：一、地层堆积与遗址分期，二、第一期遗存，三、第二期遗存，四、第三期遗存，五、小结。共五个部分。配以彩照、手绘图，先行介绍此次发掘的新石器时代遗存。

据介绍，河北易县北福地史前遗址经过 2003～2004 年 2 次发掘，发现了 3 个时期的新石器时代文化遗存，因此成为太行山东麓地区新石器文化研究的又一个重要标尺。第一期遗存的年代约为公元前 6000～前 5000 年，陶器群以直腹盆和支脚为主，与磁山文化的年代大体相当且同属直腹盆系统。发现有房址和祭祀场等重要遗迹，出土有石器、陶器、玉器等，特别是刻陶假面面具和面饰与祭祀场所一起，

成为研究史前宗教等仪式的重要新资料。第二期遗存的年代约为公元前 5000 年，略早于后岗一期文化，陶器群以圜底釜、支脚和钵为主，是后岗一期文化的直接来源，两者同属圜底釜鼎系统。第三期遗存的文化面貌则与雪山一期和镇江营三期遗存相似。

27.1997 年河北徐水南庄头遗址发掘报告

作　者：河北省文物研究所、保定市文物管理所、徐水县文物管理所、山西大学历史文化学院　李　君、乔　倩、任雷岩等

出　处：《考古学报》2010 年第 3 期

南庄头遗址位于华北平原西部，太行山东麓，属河北省保定市徐水县高林村乡南庄头村，在南庄头村东北 1.7 公里处。南庄头遗址 1986 年被发现以后，考古人员对其作过小型试掘。1987 年又进行了试掘。2 次试掘发现陶片 15 件、石磨盘 1 件、石磨棒 1 件、骨锥 1 件、角锥 1 件及动物骨、角等遗物。经北京大学考古系碳十四测定，年代距今 10510 ~ 9700 年。1997 年，考古人员再次对南庄头遗址进行发掘，由于遗址为当地砖厂取土区，已遭一定破坏，仅发现两道残沟，但在其中一条残沟中出人意料地发现大批遗物。简报分为：一、遗址范围，二、地层堆积，三、遗迹，四、遗物，五、结语，共五个部分。有彩照、手绘图。

简报称，南庄头遗址发现的 50 余件陶片，质地疏松，烧制温度应不高，简报认为系以平地堆烧法制成。20 余件骨角器的发现，是这次发掘最为重要的收获之一。相比陶器，骨角器的制作相当成熟。同时未见细石器的踪迹。简报认为，南庄头遗址的经济方式应是以狩猎为主，兼及采集业，同时猪、狗等家畜饲养业已出现。简报指出，南庄头遗址的发掘，对研究我国北方地区旧石器时代向新石器时代过渡，以及陶器起源、农业起源等重大问题，均有十分重要的意义。

张家口市

28.蔚县发现彩陶和黑陶文化

作　者：陈应祺

出　处：《文物》1959 年第 4 期

河北省文物复查队 1958 年 10 月份在张家口地区蔚县先后发现了 10 多处古代遗

址，其中较重要的是发现了石器时代晚期的彩陶和黑陶。

简报介绍，彩陶发现于该县西合营镇北1公里许的台地上（此台地名为"四十里圪垱"）。遗址面积不算太小，其文化层经初步的探查，深80～250厘米。遗址的西、南坡经常受雨水冲刷，露出较明显的灰层和陶片。地表上采集到的遗物有彩陶片20多块，大致都是瓮的碎片：器鼻、器足、绳纹盆口沿、绳纹加划纹陶片、高片、残石器等几十件。根据遗址暴露的遗物，简报初步确定这遗址的文化性质为新石器晚期的彩陶文化。

由西合营往东去17公里为庄窠村，村四周发现了新石器晚期的黑陶文化。遗址北高南低，暴露出的文化层深80～570厘米不等，灰坑有20多处。在地表上采集到磨光弦纹黑陶残盂片与磨光黑陶口沿、磨光钵口沿、黑陶器底、磨光黑陶鬲足、绳纹鬲足等。此外还采集到残的石斧、石刀、石锛、石凿、三棱形石镞以及其他穿孔残石器、穿孔残蚌片等数十件。另外又收集到当地百姓1957年发现的完整黑陶鬲。根据这些采集到的遗物，简报初步推断为新石器晚期的黑陶文化。此外，在遗址中也存在战国时期遗物。现在这2处遗址均已列入河北省的保护单位。

29.河北张家口地区新石器时代遗址调查

作　者：河北省文化局文物工作队
出　处：《考古》1959年第7期

张家口地区位于河北省的西北部，西北与内蒙古自治区接壤。西南和山西阳高、广灵2县相连，南靠北京市郊的延庆、昌平区，东北与承德专区为邻。万里长城迁回曲折横贯区境。境内北部为一望无际的草原地带，平均海拔1400米，南部平原较少，崇山峻岭，连绵不断。桑干河与洋河自山西境内流入怀来盆地，汇合于永定河。著名的官厅水库就在此地。1958年，考古人员对张家口一带新石器时代遗址进行了调查。简报分为：一、细石器文化遗址，二、仰韶文化遗址，三、龙山文化遗址，四、结语，共四个部分。有手绘图。

据介绍，新石器时代遗址共调查了14处。它们大多数是分布在靠近桑乾河、洋河沿岸的尚义、芋县、涿鹿、崇礼、赤城等9个县份。其中细石器文化遗址仅在尚义县发现3处。

简报称，通过这几处新石器时代遗址的调查，使我们对当时人类的生活情景有了一些认识。张家口地区虽然大部属于草原地带，但从各个遗址中所发现的大量农业工具如刀、镰、铲和杵磨棒、磨盘来看，农业生产在当时已存在。石斧、石锛、石镞和陶网坠等则应是用于砍伐、狩猎和捕鱼的。

30.一九七九年蔚县新石器时代考古的主要收获

作　者：张家口考古队　孔哲生、张文军、陈　雍

出　处：《考古》1981 年第 2 期

蔚县位于河北省张家口地区南隅。壶流河在两山间自西而东流入县境内，北折汇入桑干河。1979 年 4 月至 11 月，考古人员对壶流河流域的筛子绫罗、庄窠、三关等遗址进行了发掘。发现了相当仰韶文化、龙山文化、早商文化以及汉、辽等不同时期的文化遗存。简报配以手绘图，先行介绍其中新石器时代发掘的主要收获。

简报称，过去在龙山文化阶段的遗址里发现细石器，虽说不乏其例，但像筛子绫罗遗址的细石器这样的大量出土，当属首见。唐山大城山出土的 17 件细石器约占石器总数的 34%，磁县下潘汪出土的 2 件细石器约占石器总数的 2%，而筛子绫罗出土的 809 件细石器竟占石器总数的 64.1%。这是此次发掘的一大收获。

简报称，3 处遗址相当仰韶和相当龙山两阶段遗存间的叠压、打破关系，以及同一阶段遗存间的叠压打破关系，为张家口地区新石器时代考古文化的编年与分期，提供了重要的根据和线索。

31.河北怀来小古城发现新石器时代遗址

作　者：刘建华

出　处：《考古》1987 年第 12 期

1979 年 9 月，北京市一机部机械试验场孙文清、凤杰 2 位先生在官厅水库采集到一些陶片和部分完整器物，随即函告河北省文管处。1980 年 6 月，考古人员前往现场调查。遗址位于怀来县小南辛堡乡小古城村北 1.5 公里处的官厅水库岸边，南距乡中学 1 公里余，北濒水库，落潮时可见到许多陶片和石器。在地表可看到明显的圆形灰坑。遗址经常遭到官厅湖水的侵袭，破坏严重。在调查时，又采集到一些石器和陶片。简报配以手绘图予以介绍。

据介绍，共采集到石器 14 件。石质皆为石灰岩和砂岩。器型有镜、斧、刀、研磨器等。陶器完整器物甚少，多为陶片。陶质以泥质灰陶居多，泥质灰褐陶和夹砂灰褐陶次之，夹砂红褐陶仅见 1 ～ 2 片。泥质陶陶质坚硬，火候较高；夹砂陶中掺有粗砂粒，火候较低，陶质疏松。纹饰主要有篮纹和绳纹，素面次之，磨光较少。

该遗址的时代，简报推断为新石器时代龙山文化时期。

32.河北阳原桑干河南岸考古调查简报

作　者：张家口地区博物馆　任亚珊
出　处：《北方文物》1988 年第 2 期

1984 年 8 月考古人员对阳原县境内桑干河南岸进行了考古调查，共发现战国以前的古遗址 7 处、墓地 1 处。这些文化遗存为 5 个不同时期的遗留，对调查情况，简报配以手绘图。

通过对上述材料的整理，简报对阳原县境内桑干河流域的考古文化有了初步的认识：第一类遗存以夹蚌陶为多，间有彩陶，应属同一文化系统。夹蚌陶的小口罐、双耳罐和河北蔚县三关遗址出土的同类器的形制、陶质等相同。彩陶纹饰与内蒙古白泥窑子遗址出土的彩陶纹饰相似，故这类遗存的相对年代，简报推断应与上述遗址相近，约处于新石器时代早期偏晚阶段，即仰韶文化向龙山文化过渡的阶段。

33.河北阳原县姜家梁新石器时代遗址的发掘

作　者：河北省文物研究所　李　珺、谢　飞、周　云
出　处：《考古》2001 年第 2 期

阳原县姜家梁新石器时代遗址位于著名的泥河湾盆地东部，与旧石器时代晚期细石器诸遗址如于家沟遗址、瓜地梁遗址、大地园遗址等近在咫尺。1995、1998 年河北省文物研究所对其进行了两次发掘。姜家梁遗址在阳原县东城镇西水地村东的山丘顶面，当地人称为"姜家梁"。遗址周围受地表径流冲积，形成了深沟壑谷的地貌，遗址因之而被分隔成 3 个部分，在发掘中将其分为 3 个区，由东而西分别为 Ⅰ、Ⅱ、Ⅲ区。1995 年对 Ⅰ 区进行了发掘，1998 年对 Ⅱ、Ⅲ区进行了发掘。在 Ⅰ 区发掘总面积 1600 平方米，共发掘房址 9 座，清理墓葬 78 座，发现了一批完整的随葬品。1995 年的发掘情况简报分为：一、地层堆积，二、居住址，三、墓地，四、结语。共四个部分。有手绘图、照片。

据介绍，在姜家梁遗址北边，与墓地相距不到 50 米处，是于家沟细石器遗址。据北京大学考古系碳十四测年，姜家梁房址（F1）年代为距今 6850±80 年（未做年轮校正）。于家沟遗址第二层所出遗物与姜家梁房址所出遗物的特征较为相似，简报推测姜家梁房址与 M78 及于家沟遗址第二层大致为同一时期。姜家梁墓地所处的时代与大南沟墓地大致相同。

34.河北张北县一带的细石器遗存

作　者：河北省地质五队　闫永福

出　处：《考古》2001 年第 3 期

近年来在区域地质调查过程中，考古人员首次在河北省北部坝上张北一带发现多处细石器遗存，采集了大量石器样品，经室内综合研究并请教有关专家，认为属于细石器。

张北细石器遗存分布较广，主要见于张北县的二台镇、察北牧场总场北侧、张万营村周围、刘旺林场西侧、葛井村北、大西营南、段家营东及沽源县于家营西南侧等地。各个地点的石器多分布于沙丘风蚀凹坑的底部，其层位位于土黄色风成砂覆盖下的灰或褐灰色亚砂土层面上，部分地点可见厚 5～10 厘米的灰烬层。出露地点均位于开阔地中的砂丘或近山坡处，高出地表 3～10 米。

简报分为：一、遗物，二、文化性质及时代，共两个部分。有手绘图。

据介绍，张北一带采集到各类石器样品千余件。从各类石器样品比例看，简报推断这一带当属以细石器为主的遗存。经初步发掘，层内未见陶片，其上、下层均为土黄色风成砂土。在此灰烬层中取碳十四样品 1 件，测年结果树轮校正后年代为距今 4955±170 年。简报指出，石器时代的分野应以史前社会经济形态和生存方式的转变为依据，本地经济形态为狩猎采集经济。简报认为本区发现的细石器遗存当属于中石器时代。

简报称，此发现对于研究河北坝上地区人类历史等具有重要意义。

承德市

35.河北承德附近的新石器时代遗址

作　者：郑绍宗

出　处：《考古》1959 年第 7 期

承德附近的新石器时代遗址有白河南（距承德市 20 余公里）、上板城（东距白河南 0.5 公里）、平顶山（承德市东郊小老虎沟内）、馒头山（承德市喇嘛寺乡）。简报还谈及平泉县、兴隆县的出土遗物。

36.河北省承德县新石器时代遗址调查

作　者：承德县文物保护管理所　李　林
出　处：《考古》1992 年第 6 期

承德县位于河北省的东北部、燕山山脉东段。在近年来的文物调查中，承德县境内共发现新石器时代遗址 8 处。

简报分为：一、榆树沟遗址，二、石坡梁遗址，三、上砬子遗址，四、化子沟遗址，五、小坪园遗址，六、白河南遗址，七、岔沟山遗址，八、娘娘庙遗址，九、结语，共九个部分。有手绘图、照片。

遗址位于上谷乡榆树沟门村东台地上，距榆树沟门村约 300 米。北近锦承铁路，南距白马河约 260 米。遗址东西长约 300 米，南北宽约 90 米，面积 27000 平方米。1974 年平整土地，使遗址破坏严重。地表暴露的石器较少，陶片较多。

据介绍，岔沟门的陶器以敞口筒形罐的数量最多，占出土陶器的 90% 以上。特别的是敞口筒形罐上的组合纹饰图案，显示出浓厚的地方特色，这表明该遗址与邻近地区的一些考古学文化有一定的区别。在时代上，岔沟门遗址简报推断大约相当于内蒙古敖汉旗兴隆洼文化阶段。一般认为，兴隆洼文化的年代，为距今 8400 ～ 7000 年。

小坪园遗址陶器器型的变化特征，反映出该遗址延续的时间很长。陶器中的敞口筒形罐，是小坪园遗存中的早期器物。实地调查中发现，这种敞口筒形罐与泥质圈足钵共存于同一地层，而岔沟门的陶钵，都是夹砂粗陶，有圜底钵和平底钵，不见圈足钵。据简报推断，小坪园遗址可能晚于岔沟门遗址，二者之间有密切关系。至于小坪园部分敞口筒形罐上出现压印横向"之"字形线纹，当是受到外来文化的影响。

上砬子遗址，简报推断其年代下限应在新石器晚期，遗址内出土的敞口筒形罐，其形制、纹饰与小坪园遗址的同类器完全相同。这两个遗址的早期文化当属同期，其文化类型也相同。

在石坡梁遗址，还发现了类似敞口筒形罐的陶器。从器形和纹饰变化看，简报认为这种筒形罐晚于小坪园遗址和上砬子遗址的敞口筒形罐。

白河南遗址、榆树沟遗址、娘娘庙遗址的器物群，都表现出新石器时代晚期的特点，简报推断当同属于新石器时代晚期遗存。

37.河北滦平县药王庙梁遗址调查

作　者：滦平县博物馆　马清鹏
出　处：《考古》1998 年第 2 期

1986 年 4 ～ 5 月，滦平县博物馆对全县进行了第 2 次文物普查。普查中，在该县河北村药王庙梁发现 1 处新石器时代遗址。此后，又组织人员多次对该遗址进行详细调查，采集到大量的实物标本。调查情况简报配以手绘图、照片、拓片予以介绍。

据介绍，药王庙梁遗址位于滦平县东部张百湾镇河北村西 500 米处的黄土台地上，西南距县城 20 公里，兴洲河从遗址南部穿过，并与滦河在此交会，遗址总面积约 2000 平方米。调查中采集的标本一部分采于地表，一部分来源于断层中。从断壁剖面可见有暴露的灰坑、红烧土层等。在药王庙梁遗址调查中，采集到的标本多为石器和陶器残片，简报推断其应属于北方新石器时代早期文化遗存，可纳入兴隆洼文化范畴。

简报称，药王庙梁遗址的发现，为进一步揭示这一区域古遗址分布情况及文化内涵增添了新的内容，同时，也为研究与其相邻地区早期文化提供了重要实物资料。

沧州市

38.河北黄骅发现的细石器

作　者：黄骅细石器调查小组　安志敏
出　处：《考古》1989 年第 6 期

1987 年春，河北省文物研究所发掘工人在河北黄骅城关镇发现细石器，随后沧州地区文物管理所和黄骅县文物保管所前后在这里采集到 60 件石制品。1987 年 4 月 25 日，又作了进一步的调查和了解，并采集到 40 件石制品。简报分为：一、石核和石片，二、石器，三、工艺技术的观察，四、文化性质和年代，五、补记，共五个部分。有手绘图、照片。

据介绍，黄骅县北接天津市，东临渤海湾，属于沼泽化的海滨平原。县城东距海滨约 30 公里，遗址位于城关镇的北侧。从分布的状况看，这些细石器很明显是由地下翻出来的，渠内地表所散布的遗物，除细石器外，也有战国至汉代的陶片，不见更早的遗存，从而细石器当不与陶片共存，所代表的时代可能较早。简报推测可能要早于新石器时代，至于更明确的断代，还有待今后的发掘工作去解决。

廊坊市

39.河北三河县孟各庄遗址

作　　者：河北省文物管理处、廊坊地区文化局　金家广、王其腾
出　　处：《考古》1983 年第 5 期

1979 年，考古人员于三河县灵山公社孟各庄村发现 1 处新石器时代遗址。同年 5 月中旬至 7 月底对该遗址进行了铲探调查和试掘。简报分为五个部分进行了介绍，有拓片、手绘图。

据介绍，遗址现存面积有万余平方米，坐落在两河交叉的台地上，自然环境十分有利于古代人类的生活和劳动。出土的石斧、石磨盘、石磨棒和石耜等石质工具，证明原始农业是当时主要的经济部门，而较多的细石器及兽骨、野桃核的发现，表明狩猎、采集经济也占一定比例。陶器完全手制，具有原始性；少量红顶碗的出现，说明遗址的晚期阶段已能较好地控制火候，运用氧化、还原的原理烧出较进步的器类；部分陶器的底部留有算条印痕、器壁饰有编织物图案的刻划纹。遗址可分为有继承关系的前后两期：第一期文化大约接近于磁山遗址和沈阳新乐第一期文化；而第二期文化约相当于后岗类型前后。一般认为，磁山文化的年代为公元前6400～前5400年左右。

同刊同期有金家广先生《孟各庄新石器时代遗存的初探》一文，可参阅。

40.河北三河县刘白塔新石器时代遗址试掘

作　　者：廊坊市文物管理所、三河县文物管理所　刘化成
出　　处：《考古》1995 年第 8 期

刘白塔新石器时代遗址，是 1984 年文物普查时发现的，位于三河县埝头乡刘白塔村东、沟河南岸的台地上。1991 年 10 月为配合沟河大埝工程，考古人员对遗址进行了抢救性试掘。

简报分为：一、地层堆积与遗迹，二、出土遗物，三、结语，共三个部分。介绍了试掘情况，历次调查的采集品也一并介绍，有拓片、照片、手绘图。

刘白塔遗址因自然破坏严重，发掘面积受到一定限制，出土遗物不甚丰富。但是，出土的磨制规整的扁平石铲、石斧，琢制的石磨盘残块、石磨棒等工具表明，原始农业是当时主要的经济部门；发现的细石器极少，反映出狩猎在全部经济生活中所

占比例已很有限。陶器的陶质、色、制作方法、形式、种类、纹饰等表明，刘白塔遗址不仅与孟各庄、北京平谷上宅、北埝头的新石器时代遗址所代表的遗存属于同一文化类型，而且还代表了这一地区新石器时代文化的一个发展阶段，年代可能要晚至仰韶文化后岗类型。

简报称，这一地区新石器时代文化的发展序列应是：孟各庄一期、上宅早期上宅中期—孟各庄二期、上宅三期—刘白塔期。

41.河北三河县刘白塔新石器时代遗址第二次试掘简报

作　者：廊坊市文物管理处　刘化成、吕冬梅
出　处：《华夏考古》2005 年第 2 期

刘白塔遗址位于廊坊市三河县刘白塔村东堤埝内侧的台地上，沟河在遗址东北边缘转向东南流。1991 年曾经进行抢救性试掘，陶器特征与沟河上游以三河孟各庄、北京平谷上宅、北埝头等遗址为代表的上宅文化有很大差异。2001 年 4 月对遗址进行了第二次试掘。

简报分为：一、地层和遗迹，二、出土遗物，三、结语，共三个部分。有手绘图。

据介绍，第二次试掘清理灰坑 3 个。出土遗物有陶器、石器两类；陶器中泥质陶多红陶和红顶陶钵、碗、盆。夹砂陶多折沿弧腹圜底釜和直口直腹盂。陶器组合反映出的文化特征与同为沟河流域典型的上宅文化明显不同，而与河南后岗一期文化相似。

简报称，此次发掘有助于蓟运河上游史前遗存文化类型及周边地区特别是太行山东麓地区同时期文化间的关系的研究。

衡水市

山西省

太原市

42.太原义井村遗址清理简报

作　者：山西省文物管理委员会　代尊德
出　处：《考古》1961 年第 4 期

义井村位于太原市西南，遗址分布在村西的台地上，范围南北约 1.5 公里、东西约 1 公里。

据介绍，1953 年夏，义井村西曾出土石斧、石刀、骨器及大量陶片，并有陶窑遗迹发现。1956 年 5 月，山西省文管会曾作了小部分清理。发现灰坑 2 个，出土瓦棺葬 1 具、陶石、骨器及各类陶片，还有红烧土、兽骨、白灰面、炼渣等，并发现汉代土洞葬 1 座。简报分为：一、地理环境及清理情况，二、灰层堆积，三、遗址，四、遗迹，五、结语，共五个部分。有手绘图。

据介绍，义井遗址文化层堆积较厚，包含物也较丰富。义井的彩陶花纹往往与蓝纹共饰一件器物上，简报认为是其他地区少见的现象。某些陶、石、骨工具的制作方法看起来比较进步，推断义井遗址应当是一处较晚期的新石器时代文化遗址。

大同市

43.阳高许家窑旧石器时代文化遗址

作　者：中国科学院古脊椎动物与古人类研究所　贾兰坡、卫　奇
出　处：《考古学报》1976 年第 2 期

1974 年，考古人员在山西省雁北地区进行旧石器时代考古调查时，在阳高县古城公社许家窑村东南 1 公里的梨益沟西岸的断崖上，发现了这个分布面积相当大而

内涵遗物又很丰富的古文化遗址。简报分为：一、遗址附近的地质概况，二、遗址的动物化石和当时自然环境的探讨，三、文化遗物，四、结语。共四个部分。配以照片、手绘图。

据介绍，遗物主要有石器、骨器，年代推断为距今 6 ～ 3 万年。在周口店北京人遗址之前，这是华北地区非常古老的旧石器时代文化遗址。

44.山西大同及偏关县新石器时代遗址调查简报

作　者：北京大学考古系、雁北地区文物工作站、偏关县博物馆　戴向阳

出　处：《考古》1994 年第 12 期

简报指出，近些年来，山西中部和内蒙古中南部的新石器时代考古研究均取得了长足进展，因此对位于这两个地区之间的山西北部区文化面貌的认识就显得十分重要了。1991 年 10 月考古人员又复查了几处遗址；稍后，又协力整理了以前调查所得的部分资料。简报分三个部分介绍了大同县境内的 2 处遗址和偏关县 4 处遗址的情况，有手绘图。

据介绍，吉家庄与水头遗址就是这次调查所见比较典型的 2 处，皆位于大同盆地的东部边缘。吉家庄遗址存在着少量与白燕一期或稍早一段相当的遗存，为晋中文化的因素，简报推断年代为仰韶晚期。吉家庄乙组陶器中的带鋬鬲、高领罐、浅盘豆等是龙山时代晋中和内蒙古中南部都常见的器物，仅据现有的残片尚难以确认其文化属性及与两地之间的关系。

水头遗址可能包括了相当于仰韶晚期和龙山时代等不同时期的遗存，文化内涵较为复杂。

偏关县老牛湾新庄窝遗址的陶器，与内蒙古中南部仰韶晚期的海生不浪类型（有人命名为"海生不浪文化"）在器物组合、形制风格上都基本相同。简报推断新庄窝遗址在文化面貌上应属此区。

沙圪旦遗址，简报推断属义井类型。

大咀遗址，简报推断应属河套龙山时代文化系统。

欧泥咀遗址，尚无法确定其文化属性。

简报称，大同盆地迄今尚未发现与海生不浪型相当的遗存，却见有义井类型的因素。那么很可能在仰韶时代晚期这一阶段，此地只处于晋中文化所波及的范围，此种因素当是逆汾河而上、在今宁武县境内穿过管涔山口再顺桑干河上游而进入这里的。而在偏关县这一黄土高原地貌区，除存在着海生不浪类型的遗存外，义井类型的势力也已达此处，因此这里当是两个文化类型的边缘交汇区。

45.山西天镇县楼子町发现细石器

作　　者：陈哲英、吴永春

出　　处：《考古与文物》1984 年第 3 期

1980 年 5 月，考古人员在天镇县楼子町村发现了几件石器。1982 年又进行了调查。简报分为：一、地理概况，二、文化遗物，三、几点认识，共三个部分。有手绘图。

据介绍，共采集石器 84 件、陶片 7 件。简报推断此处应属新石器时代之末的细石器遗存。简报称，楼子町的细石器应该说是目前山西境内发现的最北部的一个地点。它的发现，无疑在空间上填补了山西考古工作中的一个空白。

46.山西大同青磁窑旧石器遗址的新发现

作　　者：刘景芝

出　　处：《考古》1990 年第 9 期

1988 年夏，考古人员在山西省大同市参观青磁窑遗址时，在瓦渣沟地点新发现一批石制品。青磁窑遗址位于山西省大同市西郊十里河畔，在古城大同到著名的云冈石窟的公路边上。遗址由已发现的三家村和瓦渣沟两个地点组成，分布在十里河左岸（北岸）第二级阶地的后缘含角砾的灰绿色粉砂土中，高出十里河床 25 米左右。

1976 年和 1977 年，考古人员曾在三家村地点进行过两次发掘，获得一些石制品和许多哺乳动物化石。他们在发掘三家村地点过程中同时也注意到，在瓦渣沟与三家村地点相同的地貌部位上，在相向的地层里也有石制品和动物化石。简报分为：一、石制品，二、结语，共两个部分。

据介绍，石制品共 87 件，均发现在青磁窑遗址瓦渣沟地点的地层之中。石制品的岩性以石英岩为主，另外有少数的燧石和石英。这种岩性的石料大量蕴藏在附近侏罗纪的砾岩层里。青磁窑遗址瓦渣沟和三家村两个地点的石制品总的面貌是一致的，二者都发现在相同的地貌部位上。三家村地点的地质时代根据其出土的哺乳动物化石被确立为中更新世晚期。所以，瓦渣沟地点的时代，简报确定为旧石器时代早期之末。

47.大同市小站王龙沟的旧石器

作　　者：李超荣

出　　处：《考古与文物》1993 年第 4 期

自从 1975 年发现青磁窑旧石器遗址以来，为了进一步弄清旧石器文化的分布，考古人员在十里河一带多次进行考察，结果在该河的阶地上发现多处石器地点，王龙沟就是其中的 1 处旧石器地点。为了解其文化内涵和性质，1984 年夏，对这个旧石器地点进行了试掘，获得石制品 200 件。这批标本的观察研究简报分为：一、石器地点的地理位置及地质概况，二、石制品，三、结语，共三个部分。有照片。

据介绍，王龙沟石器地点位于大同古城和中外闻名的云冈石窟之间，东距大同市区约 6 里，西距云冈石窟约 7.5 公里。综观小站的王龙沟石制品，它具有以下七个特点：

一、石制品的原料以火山变质岩和石英岩为主，占全部标本的 90%，其他燧石、玛瑙和脉石英三种仅占石制品的 10%。

二、从石制品中的石核、石片和石器来分析，推测剥片技术使用了直接和间接法。石器第二步加工有的采用了压制法。

三、加工各种石器全部采用石片素材，这是一种以石片石器为主导的石器工业。

四、石器组合以刮削器为主、其次为尖状器和石钻。

五、石器以小型为主，重量在 10 克以下的标本，占石器总数 62.5%；尺寸在 16 ~ 45 毫米之间的标本占石器总数的 75%。

六、加工石器的方式多样，向背面加工的占石器总数的 56.3%，向腹面加工的占 31.3%，错向和异向加工的各占 6.2%。

七、在石制品中，含有少量细石器成分，如楔状石核和石叶。

简报推断该遗址的时代为旧石器时代末期。

48.山西大同青磁窑旧石器时代遗址出土新资料

作　者：李壮伟

出　处：《考古》1995 年第 1 期

1991 年春，考古人员在十里河北岸的三家村，发现了一批石制品和动物化石。这些发现丰富了青磁窑遗址的文化内容，为研究山西北部和大同地区的原始文化提供了新的材料。简报分为：一、概况，二、文化遗物，三、结语，共三个部分，有手绘图。

据介绍，青磁窑遗址位于山西省大同市西 8.5 公里，十里河北岸的三家村及三家村西约 200 米的瓦渣沟。这次发现 348 件石制品，可作统计的有 238 件，包括石核、石片和各种类型的石器，其中石片较多、石器偏少。石制品的原料为石英岩、脉石英、燧石和火山岩。通过对青磁窑遗址的石器性质、打片方法、石器类型、加工技术以及动物化石和第四纪地质来看，时代定在旧石器时代早期的后一阶段是比较合适的。

朔州市

49.山西峙峪旧石器时代遗址发掘报告

作　　者：中国科学院古脊椎动物与古人类研究所　贾兰坡、盖　培、尤玉桂
出　　处：《考古学报》1972 年第 1 期

1963 年夏初，中国科学院古脊椎动物与古人类研究所山西工作组在雁北地区进行考察时，根据西安矿业学院煤田普查队提供的线索，在山西朔县峙峪村附近发现了 1 处颇有意义的旧石器时代晚期遗址（地点编号：63661）。对遗址进行了为期 50 天的发掘工作，发现材料甚多。在我国各旧石器时代地点当中，石器、动物化石等材料如此集中的遗址，还是为数不多的。所获材料初步统计如下：人类枕骨 1 块；石器、石片 15000 多件；烧石、烧骨等多块；装饰品 1 件；各类动物牙齿 5000 余枚；大量被人工击碎的兽骨等。

简报分为遗址的地貌和地层、讨论和结语等四个部分，有手绘图、照片。

简报认为，峙峪遗址的意义，在于它是北京人文化与细石器文化的联系环节之一，属旧石器时代晚期。其为研究华北发达的细石器文化，提供了实物资料。

50.山西怀仁鹅毛口石器制造场遗址

作　　者：贾兰坡、尤玉柱
出　　处：《考古学报》1973 年第 2 期

鹅毛口村位于山西省怀仁县城西北 10 公里处。1963 年，考古人员在此调查时发现有 1 处大型石器制造场。这应是我国华北地区首次发现的 1 处大型石器制造场，时代应为新石器时代早期。

51.山西右玉丁家村新石器时代遗存

作　　者：山西省考古研究所、右玉县图书馆　陈哲英
出　　处：《考古》1985 年第 7 期

1983 年 3 月间，考古人员在雁北进行考古调查时，在右玉县城（驻梁家油坊）东北大约 12.5 公里的丁家村背后，发现了几件细石器标本和几件陶片。简报配以手绘图。

据介绍，丁家村的文化遗物分布在该村东北牛心河西侧的"牛路"上。这一带

可见地层比较简单，可以说是晚更新世的黄土覆盖于第三纪红土之上。个别地方可以看到黄土与红土之间夹着厚约 1 米的以玄武岩为主的砂砾石层。遗物就散布于黄土之上。这次采集的标本，石制品 34 件、陶片 10 件、泥质红陶和泥质灰陶各 5 件。丁家村的文化遗存具有多种成分：既有细石器，又有打制石片；既有红陶，又有灰陶；还有石环。这些都是雁北地区及其相邻地区新石器时代遗址中的常见之物。尤其是细石器，为雁北新石器时代遗址中的重要遗物。丁家村的细石器是属于以模状石核为代表的典型的细石器技术传统的。简报称，它的发现，无疑扩大了细石器的分布范围，并为楔状石核起源于我国华北一带的理论又提供了一点实物资料。

忻州市

52.五寨峰台梁发现一处新石器时代遗址

作　者：边成修、张秉仁
出　处：《文物》1959 年第 5 期

1958 年 8 月，考古人员在五寨县进行文物普查时在峰台梁发现遗址 1 处，简报介绍了相关情况。

据介绍，五寨峰台梁又称"南峰台"，位于县城东北 2.5 千米，紧靠峰东北有清涟河自南北流。南峰水库就建在这里。峰南约 1.5 千米，有西北、东南斜向起伏的长城，峰西是周家村。遗址的中心地区，在峰顶西侧的梯田地里，高出河面约 100 米。发现的遗物：一、石器，有磨光石斧、孔残石刀，有 1 件很完整的三角形凹底石箭镞，石质为燧石；二、陶片，有夹砂粗灰陶、泥质灰陶、细泥灰陶、夹砂红陶与泥质红陶器型为绳纹鬲足、双耳平底敛口罐、素面敞口盆、带把杯、侈口壶、敞口钵、浅盘高足豆等；装饰品发现很少，只有石环一节。

简报称，根据发现的遗物来看，这处遗址的年代是新石器时代晚期至汉代，发现的石箭镞可能与长城附近的细石器文化有关。

53.山西定襄县西社村龙山文化遗址调查

作　者：山西省博物馆　张德光
出　处：《考古》1987 年第 11 期

西社村位于定襄县东北 18 公里的五台山南麓，在同河与滹沱河交汇处。同河是滹沱河的一条支流，由西向东经过村北，注入滹沱河。遗址在村东北同河西岸边的台地上。遗址是西社村农民早年在农业生产中发现的，1978 年考古人员作过调查，后又进行了复查。遗址面积北起电灌站，沿同河岸边，南至蒲沟，长约 550 米。压在地表下，范围不太清楚。简报配有手绘图。

据介绍，遗址包涵有龙山文化和商周文化，以龙山文化为主。采集的标本有石器和陶器两大类。石器大都是农业生产工具，有打制和磨制两种。打制者形状不规整，有的是半成品。磨制者有的全身磨光，有的有琢有磨，形状较规整。器型有斧、铲、球、刀、研磨石、石臼和石饼等。陶器大都是夹砂灰褐陶，胎色红褐，多为手制。简报推断其时代为龙山文化晚期。

54.山西五台县阳白遗址发掘简报

作　者：山西大学历史系考古专业、忻州地区文物管理处、五台县博物馆
　　　　胡　建、贾志强
出　处：《考古》1997 年第 4 期

五台县地处山西省东北隅、忻定盆地东部边缘，地形复杂。阳白村地处县城西约 15 公里、东冶镇北约 12 公里，位于滹沱河支流良河上游东端。遗址坐落在阳白村西约 600 米的墩台之上，遗址于 1984 年文物普查时发现，1986 年重新勘查。1987 年 8 月初至 10 月底为配合基建，对遗址进行发掘，发掘面积约 800 平方米，共清理房址 12 座、墓葬 3 座、灰坑 26 个，出土一批陶器、石器、骨器等。

简报分为：一、地层堆积，二、早期遗存，三、晚期遗存，四、结语，共四个部分，并配以手绘图。

据介绍，遗址晚期遗存的陶器，以鬲、罐、瓮的种类较多，其他有斝、甗、盉、壶、盆、豆、杯，年代大致相当于龙山文化时期。简报指出，本遗址的年代测定，证实忻定盆地边缘地带进入龙山时代的年代，与晋中地区大致相当或可能稍晚；遗址中龙山文化稍晚的地层，可能已进入夏纪年范围。

简报称，遗址中的陶器组合、房址演变、墓葬形式，为忻定盆地滹沱河流域考古学编年和分期提供了丰富的实物资料；尤其仰韶晚期地层的发现，弥补了本地区这一时期考古学文化的空白。

55.山西岢岚县乔家湾龙山文化晚期遗址

作　　者：山西大学科学技术哲学中心　王晓毅等

出　　处：《考古》2011年第9期

岢岚县乔家湾遗址是在建设山西忻州至保德的高速公路时发现的。岢岚县地处黄土高原中部的晋西北地区，在管涔山西北麓，因境内有岢岚山、岚漪河而得名，行政区划属忻州市。乔家湾遗址位于岢岚县乔家湾村西南约100米的台地上，距县城约4公里。2009年4～7月，山西省考古研究所等单位对该遗址进行了考古发掘，获得一批重要的考古资料。

简报分为：一、遗址概况，二、地层堆积，三、遗迹，四、遗物，五、结语，共五个部分。有彩照、手绘图。

据介绍，此次发掘的16座房址，或可分为3组，代表3个血缘大家庭。

乔家湾遗址的相对年代，简报认为应为龙山文化晚期。

简报指出，检测分析的结果显示，当时建筑房屋所涂抹的白灰面是利用当地的石灰矿烧制而成的，表明当地居民早在新石器时代末期就已开始利用周边的石灰矿资源了。乔家湾遗址龙山文化晚期居址的发现，为深入探讨晋西北地区新石器时代末期的文化面貌提供了珍贵的实物资料。

56.山西岢岚县窑子坡遗址发掘

作　　者：山西省考古研究所、忻州市文物管理处、岢岚县文物管理所　王晓毅、
　　　　　张海蛟、高振华

出　　处：《华夏考古》2011年第4期

2009年，为配合高速公路建设，考古人员对山西省岢岚县岚漪镇窑子坡村窑子坡遗址进行了考古发掘。共清理灰坑27座、墓葬7座。

简报分为：一、遗址概况，二、地层堆积与文化分期，三、庙底沟二期遗存，四、龙山时期遗存，五、结语，共五个部分，有手绘图。

据介绍，庙底沟二期遗迹有房址1座、灰坑2座，生活遗物以陶器为主，生产工具以石器为主，时代相当仰韶文化晚期，距今约4800～4400年。龙山时期遗迹为灰坑7座，出土遗物有陶器、石器，时代为距今4400～4100年。

57.山西原平市辛章遗址 2012 年发掘简报

作　者：山西大学历史文化学院考古系　赵　杰、王炜
出　处：《考古》2014 年第 5 期

辛章遗址位于山西省原平市中阳乡辛章村东和村北的广阔区域，地处滹沱河东岸的台地之上。2012 年 4 ～ 6 月，考古人员对该遗址进行了第一期发掘，发掘面积164 平方米。简报分为：一、地层堆积，二、遗迹，三、遗物，四、结语，共四个部分，有彩照、手绘图。

据介绍，该地区的龙山时期遗存，经发掘并发表简报或报告的，主要有忻州游邀遗址、五台阳白遗址和定襄青石遗址等。辛章遗址与盆地内这几处遗址存在较多共性，也有地域文化差异。

简报称，辛章遗址的发掘，为深入探讨山西北部龙山晚期考古学文化的时空格局以及该地区与河北北部、陕西北部、内蒙古中南部等地的关系提供了新资料。

58.山西河曲县坪头遗址新石器时代房址发掘简报

作　者：山西大学历史文化学院考古系、山西省考古研究所忻州市文物管理处
　　　　赵　杰、王继平
出　处：《考古》2014 年第 10 期

坪头遗址位于山西河曲县刘家塔镇坪头村西，位于俗称"城坡"的黄土峁上，地表散布零星的龙山时期陶片，断崖上可见房址、灰坑等遗迹。为配合准朔铁路（内蒙古准格尔旗至山西朔州）建设，2009 年 10 ～ 11 月和 2010 年 4 ～ 6 月考古人员对该遗址进行了抢救性发掘。

简报分为：一、F1，二、F2，三、F5，四、结语，共四个部分。有彩照、手绘图。

据介绍，坪头遗址地处内蒙古与山西、陕西 3 省区交界的黄河东岸，该遗址出土陶器的总体特征与内蒙古中南部、山西中北部和陕西北部龙山时代的许多遗址有相似之处。简报通过与周边遗址比较，确定坪头遗址当属龙山时代晚期，即大口一期类文化遗存的时代，而更接近游邀早期。

阳泉市

晋中市

59.山西太谷白燕遗址第二、三、四地点发掘简报

作　　者：晋中考古队　杨建华、许　伟等
出　　处：《文物》1989 年第 3 期

在白燕遗址第一地点发掘的同时，考古人员于 1980 年夏秋季发掘了第二、四地点，1981 年夏秋季发掘了第三地点。第二、三地点在遗址中部偏南的一片当地人称为"岗子地"的田里，第四地点在第一地点寨圪挞东北部一条叫"寨壕"的断崖旁。共发现房址 4 座、陶窑 3 座、灰坑 96 个、灰沟 4 条、墓葬 9 座，出土了一批陶、石、骨质的生产工具、生活用具和装饰品等遗物。

简报分为：一、地层堆积与期、段的划分，二、第一期文化遗存，三、第二期文化遗存，四、第三期文化遗存，五、小结，共五个部分，有照片、手绘图。

据介绍，第一期文化遗存的年代为公元前 3205 年前后；第二期文化遗存的年代为公元前 2900 年左右；第三期文化遗存应与大汶口文化遗址一期和宝鸡石嘴头龙山文化早期相似。二、三期之间文化差别较大。

简报认为，该遗址第一期的文化面貌与南部的黄河流域有许多相似之处；第二期既是前一期的尾声，又出现许多新的因素；第三期与北部的河套地区以及河北境内的壶流河流域有共同的文化因素。这反映了晋中地区新石器时代在发展过程中与其他文化的联系也在发生着变化。

吕梁市

60.山西汾阳县峪道河遗址调查

作　　者：山西省考古研究所　王克林、海金乐
出　　处：《考古》1983 年第 11 期

峪道河遗址是在山西省新发现的 1 处重要遗址。1981 年 3 月，考古人员对该遗址作了 1 次比较细致的调查。遗址位于山西省汾阳县境内、距县城北约 6 公里处的峪道河公社周围，总面积约 680 万平方米。简报配以手绘图等。

调查发现多处石灰面、烧土面房基和陶窑及瓮棺葬等遗址，着重清理了 3 座瓮棺葬，采集到不少陶器和石器的标本，其中以陶片数量最多。这处遗址所跨的时代很长，有仰韶、龙山、夏、东周和汉等几个时期，其中以仰韶、龙山时期的遗存较丰富而集中。遗址范围之大、年代延续之久，在山西其他地区是不多见的。因此，其对研究该地区仰韶、龙山和夏时期的考古文化将具有一定的参考价值。

简报认为，山西晋中吕梁地区的仰韶文化时期，与陕晋豫地区同时期表现的文化特征相比，共性是主要的。而龙山文化时期，情况就不同了，个性即地域性突出。如很有特点的蛋形三足瓮，除在山西和内蒙古南部大量发现外，其他地区都很少有发现或没有发现过。而在龙山之后，在山西的吕梁山西麓一线和晋中盆地都大量发现这种器物。据调查和发表的材料，从汾河中游（包括晋中盆地）、上游一直到内蒙古南部，都存在着峪道河遗址龙山文化时期的遗存。这就表明，在这个地区存在着一个相对独立的考古文化。

61.山西石楼岔沟原始文化遗存

作　者：中国社会科学院考古研究所山西工作队　张长寿、郑文兰等
出　处：《考古学报》1985 年第 2 期

石楼县位于山西省的西部，濒临黄河，属吕梁地区的黄土高原。岔沟村现属石楼县城关公十所辖，在县城东约 4 公里。考古人员在沿屈产河调查时，最初在岔沟村所在的半山腰上发现 2 处龙山文化的白灰面居住房址。后来，根据村民提供的线索，又在岔沟村西、果园所在的另 1 条黄土山梁上发现较多的龙山文化白灰面居住遗迹。1980 年秋，考古人员在岔沟村内发掘了 2 座龙山文化白灰面房址（F1、F2）；又在东庄试掘 1 座龙山文化白灰面房址。1981 年春，在岔沟村西的山梁上发掘 17 座龙山文化的居住址（F3 ～ F5、F17 ～ F20），2 个龙山文化灰坑（H1、H2）；另外，还发掘 1 座仰韶文化居住遗迹（F16）。

简报分为：一、仰韶文化遗存，二、龙山文化遗存，三、几点认识，共三个部分。有照片、手绘图。

据介绍，仰韶文化遗存只发现 1 座残房址和 1 件陶罐，难下结论。龙山文化遗存有 19 座房址、2 个灰坑，以及陶片、石器等。房屋平面显"凸"字形，用白灰抹面。墙根有的画有红线。时代为距今约 4200 ～ 3800 年。

长治市

62.长治小常乡小神遗址

作　　者：山西省考古研究所晋东南工作站　宋建忠、石卫国、杨林中等

出　　处：《考古学报》1996 年第 1 期

小神村位于山西省长治市市中心西北 5 公里处的郊区小常乡，其西北临漳泽水库，东约 1.5 公里为太焦铁路，南离太洛公路 1.5 公里。遗址位于村西北的砖厂。1986 年 5 月被长治市博物馆李永杰先生发现，并由其组织进行了钻探。考古人员于同年 9 月进行了试掘。相关情况请参见《考古》1988 年第 7 期上登载的《山西长治小神村遗址》一文。本简报分为：一、遗迹相互叠压打破关系和分期，二、仰韶时期遗存，三、龙山时期遗存，四、二里头时期遗存，五、商代遗存，六、战国墓葬，七、结语，共七个部分，是 1988、1989 这 2 次发掘的总结。有照片、手绘图。

据介绍，由于遗址位于砖厂取土范围内，1986 年发现时其中南部已被破坏。遗址包括了从仰韶时期到周代几个时期的文化遗存。共发现陶窑 3 座、灰坑 100 余座、墓葬 13 座，出土完整和复原的陶器 80 余件、石器 47 件、骨器 21 件。同时，对砖厂取土时暴露出的遗物也进行了采集。

简报称，仰韶时期遗存很少，应属仰韶文化晚期，受其西南部、东部同期文化影响明显。龙山遗存有灰坑、墓葬等遗迹，陶器、石器等遗物也主要以晚期为主，陶器中有一些自己的特点。二里头文化遗存有灰坑、灰沟、陶窑、石器、陶器等，时代相当于二里头文化晚期，受豫北、冀南、晋南、晋中文化影响，也有些许自身特征，如罐形斝和四个实足的蛋形瓮等在其他遗址中至今未见。商代文化遗存比前面的三期文化遗存单纯，时代约相当于殷墟文化一期到二期，出土遗物没有什么自身特点，表明小神遗址所在的长治地区当时处在商王朝的统治之下。战国墓葬仅一座，乏善可陈。

简报指出，从仰韶中晚期以来一直到商代这一漫长的时期内，小神遗址的文化，尽管中间有些缺环，但仍然能大致反映出这几个时期的文化面貌。总的来说，一直有些自己特有的文化因素；同时又不断地和周围地区发生交流，尤其同太行山以东的豫北、冀南地区关系紧密，同太岳山以西的晋南地区也一直未曾间断联系，而同其北部的晋中地区似乎在二里头时期有较为明显的接触，此前则无太多的联系。

晋城市

63.下川文化——山西下川遗址调查报告

作　者：山西省文物工作委员会　王　建、王向前、陈哲英等

出　处：《考古学报》1978 年第 3 期

　　下川一类遗址位居中条山东端，地跨山西省垣曲、沁水、阳城 3 县。就中以石器遗存丰富、地层保存较好的沁水县下川地区为代表。

　　据介绍，下川是个山间小盆地。下川遗址是垣曲县文化馆吕辑书先生发现的。1970 年夏，他到历山采集植物标本时，首先在一个名叫"大腰"的山坡上，拣到了人工打击的燧石片，在回县途中，路过下川时，发现下川石器遗存更为丰富，遂采集了许多石器材料。考古人员于 1972 年 10 月间，和吕辑书先生到下川作了一次调查，找到了含石器的原生地层。1973 年 9、10 两月，考古人员在下川的富益河圪梁和水井背两个地点进行了发掘，在灰褐色亚黏土层中，除见到木炭碎屑和兽骨残片外，获得了大量的石器材料。当发掘工作行将结束、在富益河圪梁采集岩石标本时，发现微红色亚黏土层中还含有一种用砂岩打制的粗大石器。但因大雪封地，未作进一步探索。为了了解下川一类遗址的分布情况，考古人员于 1973 年 11、12 两月进行了广泛的调查。在西起垣曲流水腰、东达阳城固隆、北迄沁水右南渠、南至东川和阳城松甲接壤的山坡上，纵横 20 ～ 30 公里的范围内，均有细石器踪迹可见；就现在所知的相同性质的石器地点有 16 处之多。简报分为四个部分，配以照片、手绘图。

　　简报认为，下川文化当属旧石器时代晚期的后一阶段。简报指出，过去，我国旧石器时代末期由山顶洞人文化来代表。山顶洞人文化虽有一些艺术品，但因其石器太少，性质不明，所以关于它的脉络还不十分清楚。下川文化与山顶洞人文化，时代大致相当，但下川石器不仅非常丰富，而且相当典型。因此，下川文化正好填补了山顶洞人文化所存的空白，从而可作为我国北方地区旧石器时代晚期后一阶段石器文化的代表。

64.山西陵川县大泉头发现细石器

作　者：陈哲英、梁宏刚

出　处：《华夏考古》1990 年第 2 期

1987 年 10 月，考古人员在观察塔水河旧石器时代岩棚遗址的地质地貌过程中，在距该遗址不远的大泉头附近、塔水河左岸的高阶地上发现了一些燧石制品，其中有典型的细石核。简报配以照片、手绘图。

据介绍，大泉头是陵川县南部夺火乡塔水河行政村的一个自然村。1985 年在离该村不远的葫芦坝下、塔水河第二级阶地的岩棚堆积中，发现了旧石器时代文化遗存及多种哺乳动物化石。简报认为大泉头的细石器与下川文化关系较为密切，而与岩棚堆积中的石器文化关系较远。其时代以划归新石器时代为宜。大泉头的细石器在地处太行山区的陵川县境内尚属首次发现，填补了太行山东南端细石器遗存的空白，并为今后在这一带有可能发现更多的古文化遗存，提供了一个很有意义的信息。

临汾市

65.山西曲沃里村西沟旧石器时代文化遗址

作　者：贾兰坡

出　处：《考古》1959 年第 1 期

曲沃里村西沟旧石器时代文化遗址是 1956 年 4 月发现的，7 月又进行了调查。简报分为：一、旧石器，二、动物化石，三、结论，共三个部分。有手绘图。

据介绍，遗址当时应为一个湖泊的边缘。发现大量石器与动物化石，遗存与丁村文化很相似。简报推断其时代为旧石器时代初期的末期或中期的初期。

66.山西襄汾县陶寺遗址发掘简报

作　者：中国社会科学院考古研究所山西工作队、临汾地区文化局　高天麟、
　　　　张岱海

出　处：《考古》1980 年第 1 期

襄汾县是 1954 年由汾城和襄陵两县合并而成的,南同浦铁路与汾河在县城（史村）

的西侧平行穿过。陶寺遗址位于县城东北约 7.5 公里，塔儿山的西麓。遗址分布在陶寺、李庄、中梁、东坡沟 4 个自然村之间，东西长约 2000 米，南北宽约 1500 米，总面积达 300 多万平方米。陶寺遗址在 50 年代初发现，并被确定为省级文物保护单位。1963 年冬、1973 年和 1977 年秋先后进行过 3 次复查。1978 年春季和秋季，考古人员对陶寺遗址进行了两次发掘。通过 1978 年的工作，共清理灰坑 24 个、房子 1 个、残陶窑 4 个、墓葬 109 座，另在遗址区灰坑中发现 4 具骨架，出土一批陶、石、骨、玉质生产工具、生活用具和装饰品。简报分为五个部分，有手绘图等。

据介绍，陶寺早期文化遗存的主要特点：陶器主要是手制，陶胎一般都较粗厚，器壁厚薄不匀称，器形也不甚规整；陶色较杂，纹饰主要是绳纹，而篮纹和方格纹稀少。陶寺遗址晚期遗存主要特点：陶器制法有轮制、模制和手制，陶胎较薄，器壁厚薄较匀称，器形也较规则，杂色陶已很少，绝大部分为火候较高的灰陶和磨光黑陶；纹饰主要是篮纹和绳纹，其次是方格纹。从陶寺早晚两期遗存——已有迹象表明，它们之间有承袭关系——总的来看，仍属龙山文化范畴，但同时又具有自身的特点。因此，简报认为不妨把陶寺遗址视为黄河中游龙山文化另一新的类型。

67.山西襄汾陶寺遗址首次发现铜器

作　　者：中国社会科学院考古研究所山西工作队、临汾地区文化局　张岱海
出　　处：《考古》1984 年第 12 期

1983 年在山西襄汾陶寺遗址 M3296 号墓中，首次发现 1 件铜器。

M3296 位于陶寺遗址东南隅、陶寺墓地第 3 发掘区、探方 T3112 的东南角。无葬具。墓底埋葬骨架 1 具，保存较好，仰身直肢，面部向上微偏左侧。经鉴定，系男性，年龄在 50 岁以上。简报配以照片。

据介绍，陶寺墓地已揭露面积将近 5000 平方米，第二层下除发现有极个别的汉代遗迹和零星的金、元时期的墓葬外，都是陶寺类型龙山文化的遗迹。已清理的陶寺类型墓葬有 1000 多座，基本特点是：墓坑呈长方形、土圹竖穴；一些中型墓和大多数小型墓无木质葬具；基本上都是仰身直肢、成年单人葬；头向东南；中、小型墓绝大多数不用陶器随葬。在这些方面，M3296 与陶寺龙山文化墓地中其他墓葬是一致的。这座墓的长、宽和深度，也是陶寺龙山文化墓葬习见的。相反，在墓葬形制、葬具、葬式、头向及随葬器物等方面，与几座汉代以后的墓葬绝然有别。根据一系列碳十四年代测定数据和出土的器形，简报断定 M3296 出土的铃形铜器，是属于中原龙山文化陶寺类型的遗物，时代当不会晚于陶寺晚期，应是公元前 2000 年以前龙山文化时期的红铜铸造器。

简报称，陶寺墓地铜器的出土，无疑是一个重要的发现。铜器的出现和使用，是社会生产力飞跃发展的标志，或许在我国确曾有过使用红铜的"金石并用"时代，尽管很快为青铜所取代，但它却是首开记录。

68.山西洪洞县耿壁、侯村新石器时代遗址的调查

作　者：山西省考古研究所、洪洞县博物馆　丁建平、马安柱、陈哲英

出　处：《考古》1986 年第 5 期

洪洞县在山西省临汾盆地的北端，紧傍汾河东岸。1984 年 2 月，考古人员在赵城附近的汾河两岸进行旧石器考古调查的过程中，在赵城乡以东的耿壁村和侯村，发现了两处文化内涵丰富的新石器时代遗址。前者属仰韶文化，后者属龙山文化，两处遗址间隔约有 2 公里。由于时间关系，只对这两处遗址作了初步的调查，采集了一部分陶器和石器标本。简报分为：一、耿壁遗址，二、侯村遗址，三、结语，共三个部分，有手绘图。

据介绍，耿壁遗址的陶器采用手制，部分口沿经慢轮修整，器壁厚薄匀称，质地细腻坚硬。以细泥质红陶为主，夹砂红陶和夹砂褐陶次之。纹饰主要有线纹、篮纹和附加堆纹。彩绘主要用黑色，也有个别器物饰红彩。石制品打制方法简单，具有一定原始性。侯村遗址的发现，是山西省继陶寺遗址发现后的又一重要收获。从采集的器物看，种类虽不多，但文化内涵很值得注意。陶质较硬，陶胎较薄，器形也比较规整。主要为火候较高的泥质灰陶和磨光黑陶，夹砂灰陶也占有一定的比例。纹饰主要是绳纹和篮纹。以鬲、罐、斝、釜为主要炊具，容器则有折肩罐、圈足罐、平底盆、三足瓮、豆等。以平底器和三足器为主，圈足器只有罐和豆。无论从陶质、纹饰和器形来看，它们都具有陶寺类型的风格。其中 1 件异形三足器为首次发现，值得注意。

69.陶寺遗址 1983 ～ 1984 年 Ⅲ 区居住址发掘的主要收获

作　者：中国社会科学院考古研究所山西工作队、山西省临汾地区文化局
　　　　高天麟、李健民

出　处：《考古》1986 年第 9 期

陶寺遗址 1978 年开始发掘时，根据工作的需要曾将遗址划分为五个发掘区。Ⅲ区在陶寺村与南沟之间。1978 年和 1979 年曾在Ⅲ区的西北部作过小规模的试掘。1983 ～ 1984 年，主要在Ⅲ区的西南部进行发掘。除发现陶寺类型龙山文化丰富的遗

迹和遗物外，还发现有庙底沟第二期文化的较丰富的遗迹和遗物。简报分为五个部分，有手绘图。

据介绍，这里的庙底沟第二期文化的年代，碳十四数据为公元前 2770（经树轮校正），与庙底沟遗址第二期文化的数据相近；但从文化面貌来看，以较庙底沟遗址的第二期文化要早。因此，不易看出陶寺类型龙山文化早期与它有承袭关系。Ⅲ区陶寺类型龙山文化似已出现明显的等级第次和贫富分化。简报估计其年代在公元前 2300 年左右。

70.丁村旧石器时代文化遗址范围内的新石器文化遗存

作　者：临汾地区丁村文化工作站
出　处：《考古与文物》1986 年第 5 期

丁村旧石器时代文化遗址，位于山西省襄汾县以丁村为中心的汾河两岸，全长 11 公里，是我国石器时代中期文化具有代表性的遗址之一，为全国重点文物保护单位。丁村遗址范围内，还存有丰富的新石器时代文化遗存。考古人员于 1980 ~ 1982 年对其分布范围、保存情况、文化性质作了一次全面调查，获得了一批资料。简报分为：一、分布范围及保存情况，二、代表遗址，三、小结，共三个部分，有手绘图。

据介绍，丁村旧石器时代文化遗址处于汾河地堑的临汾盆地南端，北起襄汾县城，南迄柴庄火车站，全长 11 公里、宽 1 ~ 2 公里的汾河河谷地带。新石器遗址分布较广，自北而南在汾河东岸有南庄、南寨、解村、毛村野虎沟、丁村安子坡、曲舌头沟、敬村沟口、曲里北峪沟、柴庄 9 处；在河西有柴寺、大柴、下尉、东刘 4 处。文化类型有仰韶文化和龙山文化，简报重点介绍了曲里村北峪沟遗址、曲舌头沟遗址等。

71.山西曲沃县方城遗址发掘简报

作　者：中国社会科学院考古研究所山西工作队、山西省临汾行署文化局
　　　　赵慧民
出　处：《考古》1988 年第 4 期

方城遗址属曲沃县曲村镇，西南距曲沃县城约 17 公里，北靠塔儿山，南临滏河，和著名的襄汾陶寺新石器时代遗址仅一山之隔，直线距离约 20 公里，两地至今尚有便道相通。遗址地势北高南低，长期以来，由于山洪的冲刷，地面形成多条大小不等、基本上垂直于塔儿山呈南北走向的沟堑，为典型的黄土塬地貌。遗址于 20 世纪

50 年代末期被发现，后经多次复查。这个遗址范围相当大，实际上包括南石、古巨、方城和小巨 4 个自然村，东西连成一片，总面积约 300 万平方米。从现有材料看，遗址东区主要是陶寺类型和二里头文化东下冯类型的遗存，西区主要是陶寺类型晚期的遗存。方城遗址实际上是方城—南石遗址的西半部，南起方城、北至小巨，面积约 100 万平方米。中国社会科学院考古研究所山西工作队和山西省临汾行署文化局于 1984 年秋季开始发掘。简报分为：一、地层堆积，二、遗迹，三、遗物，四、结语，共四个部分，有手绘图。

据介绍，方城遗址的陶器，以夹砂灰陶和泥质灰陶占绝对多数，还有为数不多的褐色陶和灰褐色陶，不见红陶。纹饰以绳纹和带横道的篮纹并重，在总数中占绝对多数，而绳纹又略多于篮纹，多施于夹砂陶如鬲、甑等，篮纹多见于泥质陶。制法有轮制、模制和手制。器型有鬲、斝、甗、甑、簋、罐、扁壶、深腹盆、浅腹盆、豆、杯等，没有带釜灶。遗迹方面有圆角方形白灰面房子和半地穴式房子，灰坑流行圆形和椭圆形，也有口小底大的袋形坑和带坡道灰坑。根据上述情况，简报推断方城遗址的文化性质及其发展阶段，应该属于中原龙山文化陶寺类型的晚期。

72.山西吉县柿子滩中石器文化遗址

作　者：山西省临汾行署文化局　解希恭、阎金铸、陶富海等
出　处：《考古学报》1989 年第 3 期

1980 年 3 月，阎金铸先生在山西吉县东城乡西村清水河畔柿子滩，发现 1 处中石器时代文化遗址。同年 4 ～ 8 月，考古人员作了进一步调查，并作了局部试掘。试掘面积 100 平方米，获得一批重要文化遗物及一些动物化石。简报分为：一、地层概况与动物化石，二、文化遗物，三、两点认识，共三个部分，介绍了对这批遗物的初步观察与研究。有照片、手绘图。

据介绍，柿子滩遗址距黄河仅 2 公里，距吉县县城约 30 公里。发掘发现石制品1807 件。成批羊牙的发现，似乎表明羊肉是当地先民的主要食物，羊皮则是主要衣服来源。年代简报推断为距今约 1 万年。

73.山西吉县柿子滩旧石器遗址试掘记

作　者：张文君
出　处：《考古与文物》1990 年第 1 期

山西吉县东城乡前下岭南 1.5 公里的柿子滩旧石器遗址，是考古人员于 1980 年

4月初发现的。曾先后3次对此遗址进行调查和考察，同年5月初进行试掘，共开5米×5米探方2个，在其断崖（即附近清水河的边缘）开10米长、1~2米宽的探沟一条，获得石制品300多件，以及哺乳动物化石多种，还有烧土、烧骨、烧石头等遗物。由于种种原因，准确数字不详。简报只把当时的野外记录略加整理，对该遗址的地质地貌及主要收获予以介绍，简报分为：一、地貌地层，二、主要收获，两个部分，有手绘图、照片。

据介绍，此次试掘所获得的石制品300多件，可分为粗、细石器两大系列。这里的石制品工业比较发达，但粗石器发现不多，器形粗大古拙，多不规则，石核利用率不高、打击技术原始，与国内已报道的旧石器相比，却别具风貌；而细石器无论从其种类、器形或制作特点观察则都与沁水下川、襄汾丁村、蒲县薛关遗址的细石器非常相似，简报认为，这一遗址的发现与试掘，无论对丰富山西晋南旧石器文化内涵，还是对探索我国细石器文化的传播状况，都将是一批重要的实物资料。

74.山西襄汾县大崮堆山史前石器制造场新材料及其再研究

作　者：陶富海
出　处：《考古》1991年第1期

山西襄汾县大崮堆山史前石器制造场，是1984年发现的1处重要的石器制造场遗址，初步研究报告已发表于《人类学学报》（1987年第6卷第2期）。近年来，随着工作的不断深入，又获得了一批新的材料，并在此基础上，对该制造场遗址的内涵、性质又有了进一步的认识。简报分为：一、发现及初步研究，二、新发现材料概述，三、石制品的工艺特点，四、石料及开采技术，五、器坯加工程序，六、文化性质与时代，共六个部分，有手绘图等。

据介绍，大崮堆山史前石器制造场遗址，是1984年在配合南同蒲铁路复线工程对丁村旧石器时代文化遗址进行考古发掘时，由山西省考古研究所王向前、李占扬先生于野外调查中发现的。遗址位于襄汾县城关镇沙女沟村东2公里的大崮堆山坡，西距丁村遗址7公里，北距陶寺龙山文化遗址6公里，三者正好形成三角之势。共观察标本217件，计规则形石核11件、砍砸器22件、刮削器36件、尖状器148件。研究结论是，大崮堆山史前石器制造场，确切地说应是采石场，是1处在新石器时代还被沿用了很久的采石场。其使用的相对年代，可能从仰韶到龙山时期或者更早一些，或者连续使用得更长一些。

75.山西侯马东呈王新石器时代遗址

作　者：山西省考古研究所、山西大学历史系考古专业　王万辉、薛新明、孔富安、
　　　　胡　建

出　处：《考古》1991年第2期

东呈王遗址是1984年在配合南同蒲铁路复线工程的考古钻探中发现的。遗址位于侯马市北郊、南同蒲铁路的西侧、东呈王村西北方，呈南北向长条形，总面积约3.1万平方米。遗址保存较好。1985年春，考古人员发掘了东呈王遗址。发现房址1座、陶窑2座、灰坑41个、灰沟1段，出土遗物丰富。简报分为：一、地层堆积，二、遗迹，三、遗物，四、结语，共四个部分，有手绘图等。

简报称，东呈王遗址发现遗物丰富，但文化内涵比较单纯，是1处典型的庙底沟二期文化遗址。出土遗物中陶器最具特征，陶质以夹砂灰陶和泥质灰陶为主，红褐陶、白陶和黑陶均很少。主要采用泥条盘筑法制成，器物口部多经慢轮修整。器表装饰多见蓝纹，泥质陶中素面占一定比例，其他纹饰则较少。在生产工具中最多见的是石铲、石刀、石锛和石斧，可见当时先民主要从事农业生产，而这又在袋状窖穴中发现的炭化粟上得到证明。同时不同类型骨镞的存在，说明狩猎在其经济生活中也占有相当大比重。

76.山西省襄汾县丁村新石器时代遗址发掘简报

作　者：山西省考古研究所　马　昇

出　处：《考古》1991年第10期

丁村在襄汾县城西南约3.5公里处。丁村遗址在20世纪50年代即因旧石器的发掘而闻名于世。属于新石器时代的遗迹、遗物在其周围屡有发现，但都没有作进一步有计划的调查和科学的发掘工作。1983年下半年，为配合南同蒲铁路复线工程，沿铁路进行了考古调查和钻探，发现丁村南面、铁路以北的遗址文化层堆积较厚，决定对其进行抢救性发掘。发掘工作从1983年9月份开始，到11月底结束。1988年上半年对这批材料进行了整理。简报分为：一、地层堆积情况，二、遗迹，三、遗物，四、结语，共四个部分，有照片、手绘图。

据介绍，共发现灰坑29个、房址3处、陶窑3处、墓葬1座。发现大量陶器、陶片、石器。丁村遗址的陶器从陶质上可以分为夹砂陶和光质陶2大类。陶色纯正，绝大多数为烧制火候较高的灰陶，有少部分的磨光黑陶和极少数的杂色陶。制法有轮制、手制和模制几种。纹饰主要为绳纹，此外有篮纹、方格纹、附加堆纹、锥刺纹等。

素面陶也占到了一定的比例。主要器型有鬲、罐、盆等。鬲的数量最多，当为这一时期的主要炊器。罐、盆的数量较多，形式多样，是这一时期的主要容器。简报推断其时代为龙山文化晚期。

77.山西省侯马市上北平望遗址调查简报

作　者：侯马市博物馆　周　忠、田建文
出　处：《华夏考古》1991 年第 3 期

侯马市为晋国晚期都城——故"新田"所在地，从 1956 年发现以来，考古工作取得了很大收获。在 1986 年 8 月至 1987 年 10 月的全省文物普查工作中，共发现和复查了古文化遗址 30 余处。其中，在上北平望遗址中首次发现了商代二里岗文化遗物，是这次文物普查的主要收获之一。上北平望遗址的调查情况简报配以手绘图予以介绍。

据介绍，上北平望遗址位于侯马市高村乡上北平（俗称"上平嘴子"）、汾河东岸的台地上，总面积达 7 万多平方米，从断崖上可见到一些灰坑。上北平望遗址中，确定为庙底沟类型的一类遗存，时代上属于这一类型的晚期；确定为半坡晚期类型的遗存与西王村上层的年代相近；确定为庙底沟二期文化的遗存，其年代的上限较庙底沟遗址同类文化要早，下限则基本一致。新发现的商文化遗存，简报推断其时代属于二里岗下层。至于本遗址之南另一遗址，确定为庙底沟二期文化的遗存，属这一文化的晚期。

简报称，上北平望遗址的调查为晋南商代早期文化的分布及面貌，仰韶文化向龙山文化过渡两个学术问题的研究都提供了资料。

78.山西襄汾陈郭村新石器时代遗址与墓葬发掘简报

作　者：山西省考古研究所、襄汾县博物馆　王万辉、薛新民、田建文
出　处：《考古》1993 年第 2 期

该遗址和墓地，位于襄汾县城以西汾河西岸的台地上，南距陈郭村约 1 公里，陶寺遗址在其东北约 7.5 公里处。20 世纪 50 年代末普查时发现。1987 年春，造纸厂扩建，为了配合施工，考古人员对发现的墓葬全部进行了清理，对探沟之东施工中暴露的一灰坑中的陶片进行了采集。发掘工作从 1987 年 7 月 1 日开始到 7 月 20 日结束。

简报分为：一、墓葬，二、遗物，三、结语，共三个部分。有手绘图。

据介绍，共发掘墓葬62座，均为长方形土坑竖穴墓。死者仰身直肢，双手放于身体两侧，大多数面向上，极少数面左或面右。遗物有陶器、石器、陶片等。

简报称，这批墓葬特点突出，在整个陕晋豫地区尚不多见，其特点主要有：

其一，墓葬大小相近，葬式一致，没有任何随葬品，除M55外均不见葬具，表明埋在这个墓地的死者生前的社会地位不会有很大差别。至于以陶罐为葬具的M55，较为特殊，值得重视。

其二，大致可以从墓葬区中M13西至M60东为界将其一分为二，西北、东南各占一半。2群墓葬均东南—西北成排，西南—东北成列，虽然不大规整，但是可以看出自半坡类型以来的墓葬布局到此时仍然存在。至于这是"族"的区分，还是时间的差异，因为墓葬中不出随葬品，所以尚不能确认。

其三，半坡类型时期盛行的多人合葬墓、二次葬到此时荡然无存，全部代之以单人葬。

简报认为，该遗址包含了庙底沟类型晚段、半坡晚期类型、西王村Ⅲ期文化三个阶段的遗物。

79.山西临汾下靳墓地发掘简报

作　者：下靳考古队　宋建忠、薛新民等
出　处：《文物》1998年第12期

山西临汾下靳村位于临汾市西南约10公里处，东南距陶寺遗址约25公里，西隔汾河与吕梁山相望，南、北为平坦开阔的临汾盆地。1997年，山西临汾尧庙乡下靳村一砖厂在村北取土时发现了大片墓地。1998年1月，考古人员确认该墓地属陶寺文化遗存。1988年3月、5月、6月，考古人员对其进行了抢救性发掘，推算该墓地规模在1500座墓葬以上，为一大型墓地。

简报分为：一、地层堆积，二、A类墓，三、B类墓，四、结语，共四个部分。配以手绘图等，先行介绍已清理的158座墓。

据介绍，下靳墓地A类墓的年代应尚未进入龙山文化时代，先民已有了贫富分化和等级差别，处于方国阶段。B类墓全部早于A类墓，简报认为是有别于A类墓的另一部落的墓葬。此外，下靳墓地出土的玉器、石器、陶瓶均不见于同期年代相近的遗址，其源流尚不十分清楚。

80.山西临汾下靳村陶寺文化墓地发掘报告

作　者：山西省临汾行署文化局、中国社会科学院考古研究所山西工作队
　　　　梁星彭、李兆祥、张新治等
出　处：《考古学报》1999 年第 4 期

下靳村位于山西省临汾市西南 10 公里，隶属临汾市尧庙乡。村西有汾河流过。村北约 1500 米处开设一民营砖厂。经实地考察确认，砖厂附近有 1 处陶寺文化墓地。近年，砖厂在墓地范围内不断取土，在大约 6000 ～ 7000 平方米范围内，挖成一深约 6 米的大土坑，导致大批古墓被毁，大量文物散失，造成无法弥补的损失。临汾行署文物局发现这一情况后，邀中国社会科学院考古研究所山西工作队一同进行抢救性发掘。发掘工作自 1998 年 3 月 12 日至 4 月 12 日，发现陶寺文化墓葬 82 座，清理了其中的 53 座。其余 29 座陶寺文化墓葬及 2 座汉以后的墓葬因故未及清理。简报分为：一、地层堆积，二、墓葬概况，三、墓葬举例，四、随葬器物，五、结语，共五个部分介绍了相关情况。除报道本次发掘收获外，还以发掘资料为依据，包含了临汾行署文物局此前在墓地范围内采集到的部分标本，以及临汾地区公安处此前追缴到的墓地中散失的部分遗物。

据介绍，此次发掘的墓葬可分三类：

第一类墓有 4 座，面积在 3 平方米以上，最大的达 4.94 平方米。大多有壁龛；全都有木棺，出土有材质与做工俱佳的玉石器；有的墓有木器；有的墓在盗扰范围内有碎陶片，原应有较大的陶器；在两座墓填土中还发现有大块镇墓石。

第二类墓有 11 座，面积在 1.5 平方米以上、3 平方米以下。其中 2 座有壁龛；有 7 座墓有木棺，约占这类墓的 64%；除盗扰一空的墓以外，都随葬有玉石器，但材质、做工不及第一类墓所出；有少数墓出有陶器和木器；有 3 座墓填土中有镇墓石。

第三类墓有 38 座，面积在 1.5 平方米以下，都无壁龛，无木棺，不出陶器和木器，只有部分墓葬出有少量玉石器，填土中都没有镇墓石。

三类墓葬在墓圹大小、形制、葬具及随葬品等方面都存在明显差异，它们的墓主生前社会地位当分别处在 3 个不同等级上。简报择要介绍了其中的 M8、M13、M11、M17、M40、M69、M50、M78、M58 等墓。随葬品中镇墓石的出现值得重视。

简报指出，下靳村墓地位于临汾市西南 10 公里，时代相当于陶寺文化早期或略晚。据碳十四年代测定，陶寺文化年代在公元前 2600 ～前 2000 年之间。陶寺文化的早期约在公元前 2600 ～前 2400 年左右，大致与传说中的尧舜时代相当。这样，下靳

村墓地在地望和年代方面都可以与尧都平阳加以联系，从而为史学家尧都平阳说提供了考古学的线索。

81.山西襄汾县丁村曲舌头新石器时代遗址发掘简报

作　者：山西大学历史系考古专业　胡　建
出　处：《考古》2002 年第 4 期

丁村曲舌头遗址位于襄汾县城西南约 3.5 公里处，遗址在丁村东南约 1000 米、汾河东岸的二级阶地前缘。汾河岸边的台地上分布着丰富的遗址，曲舌头新石器时代遗址是众多遗址中的 1 处。1983 年下半年，为配合南同蒲铁路复线工程建设，考古人员曾在丁村进行了抢救性发掘，并发表了新石器时代遗址发掘简报。1989 年上半年，山西大学历史系考古专业学生在丁村曲舌头遗址进行实习发掘（遗址代号：1989SXDQ），此次发掘揭露面积 600 多平方米。清理出 5 座房址、33 个灰坑，出土了大量的文化遗物。发掘结果简报分为：一、地层堆积，二、遗迹，三、出土遗物，四、结语，共四个部分，有手绘图。

据介绍，曲舌头遗址出土的遗迹和遗物分为早、中、晚 3 期。简报推断：早期遗迹的时代约相当于陶寺文化早期，中期时代相当于陶寺文化中期，晚期时代与陶寺文化晚期相当；从曲舌头遗址的房址布局分析，这里应是一处聚落遗址。

82.山西吉县柿子滩旧石器时代遗址 S14 地点

作　者：柿子滩考古队　石金鸣、宋艳花、雅　枚
出　处：《考古》2002 年第 4 期

1980 年 3 月，阎金铸先生在山西吉县清水河下游发现柿子滩遗址，认识到它是 1 处原地埋藏、内涵丰富的旧石器时代晚期遗址。同年，临汾行署文化局对柿子滩遗址（现编号：S1）进行了正式发掘。之后，阎先生在清水河流域作了多次调查，在 S1 地点以东约 15 公里的沿河两岸发现 10 余处同时期遗址或地点，采集到数百件石制品，基本界定了柿子滩遗址群的主要分布区域。

2000 年 7 ～ 8 月，考古人员在清水河下游进行了规模化考察和发掘，核查和新发现旧石器地点 24 处，发掘地点 20 处，获得了大量柿子滩文化时空分布的第一手资料以及古人类活动的行为信息。S14 地点的遗存是这次田野工作最重要的考古发现之一，简报分为：一、发现与发掘，二、遗迹和遗物，三、分析与讨论，共三个部分予以介绍。有手绘图。

从地层、地貌及文化的角度，简报推断：S14 遗存的时代应处于晚更新世之末、旧石器时代的偏晚阶段，绝对年代可能在距今 1.5 万年左右；初步观察与分析表明，S14 地点的现有遗存应该是一次性使用的篝火遗迹，这里可能存在着 1 个原地埋藏的露天旷野型古人类临时性营地。

简报称，柿子滩遗址 S14 地点篝火遗迹的发现为研究古人类使用火、管理火的技术、历史和生活方式提供了难得的实物资料。

83.山西襄汾县陶寺遗址 Ⅱ 区居住址 1999 ~ 2000 年发掘简报

作　者：中国社会科学院考古研究所山西队、山西临汾行署文化局　严志斌、
　　　　陈国梁、李志鹏
出　处：《考古》2003 年第 3 期

为探索中国文明起源，从 1999 年秋季开始，中国社会科学院考古研究所山西队和临汾行署文化局对山西省襄汾县陶寺遗址再次进行发掘及大规模的钻探。由于以往陶寺遗址的工作重点在墓地方面，建筑遗存发现较少，所以这次工作的重点确定在寻找陶寺文化大型建筑遗存上。根据遗址以前的分区，1999 ~ 2000 年春发掘区的位置位于南沟与赵王沟之间的 Ⅱ 区，处在南沟西岸、墓地北侧。此次发掘 5 米 ×5 米的探方 16 个，发掘面积 421 平方米。发现有较丰富的陶寺文化遗存，尤其是发现了 10 座房址。发掘收获简报分为：一、地层堆积，二、遗迹，三、遗物，四、结语，共四个部分。有手绘图。

根据发掘所揭露的地层及遗迹之间的叠压和打破关系，简报参照以往的工作成果，将此次发掘所得陶寺文化遗存分为早、中、晚 3 期，且将此次发掘所获 3 期遗存统归为陶寺文化。简报称，发掘的陶寺文化晚期的 10 座房址，为研究陶寺文化晚期的聚落形态提供了实物资料。

84.陶寺城址发现陶寺文化中期墓葬

作　者：中国社会科学院考古研究所山西队、山西省考古研究所、临汾市文物局
　　　　何　驽、严志斌、宋建忠
出　处：《考古》2003 年第 9 期

2002 年，按照"中华文明探源工程预研究"之"聚落反映社会结构"课题探索陶寺中期城址内布局的要求，考古人员在陶寺中期大城南垣 Q5 与 Q6 之间的中期小城西北部钻探出一片墓地，面积约 1 万平方米。为了解该墓地的时代，在墓地的中

部和南边各试开 1 个探方，发掘面积总计 67 平方米，清理陶寺文化中晚期墓葬 22 座，其中 IIM22 的遗迹、遗物比较丰富，简报分为：一、墓葬形制，二、随葬品，三、结语，共三个部分。有彩照。

据介绍，陶寺中期小城内墓地和 IIM22 的发现，对了解陶寺城址聚落变迁起到了关键性作用，证实陶寺中期大贵族墓葬被围在中期小城内，与 20 世纪发掘的陶寺文化早期大墓及其墓地处于不同茔域，暗示陶寺文化中期城址对早期城址的取代并非孤立现象。IIM22 的时代，简报推断为陶寺文化中期偏晚。

85.山西襄汾县陶寺城址发现陶寺文化大型建筑基址

作　者：中国社会科学院考古研究所山西队、山西省考古研究所、山西省临汾市文物局　何　驽等

出　处：《考古》2004 年第 2 期

2003 年，考古人员发掘陶寺城址，发掘面积 805 平方米，钻探面积 4 万平方米。简报分为：一、祭祀区夯土建筑 IIFJT1，二、宫殿核心建筑区北出入口 IFJT2，三、结语，共三个部分。有彩照。

简报称，陶寺中期小城祭祀区内的 IIFJT1 是迄今发掘的最大的陶寺文化单体建筑，其形状奇特，规模宏大，结构复杂，集观测与祭祀功能于一体，是我国史前文化中极为罕见的。它至迟营建和使用于陶寺文化中期，于陶寺文化晚期被夷为平地。它的发掘，使我们找到了陶寺城址的宗教中心。更重要的是，该遗址确有观日出授时的功能，它将使我们得以管窥陶寺文化的天文学知识系统，将我国观象授时的考古实证上推至距今 4100 年。而宫殿核心建筑区北口夯土台阶 IFJT2 的发掘，则有力地证明了陶寺城址内早中期宫殿建筑的存在。这些高规格的宫殿及与宗教和天文历法有关的建筑设施，应当是王都级聚落所应具备的标志性建筑。陶寺城址已经发掘的早、中期城垣以及早、中期王级大墓，与上述标志性建筑相匹配，使陶寺城址作为王都的聚落形态更加完整，陶寺城址的社会形态和文明化程度也因此而得到更明确的体现。

86.山西襄汾县陶寺城址祭祀区大型建筑基址 2003 年发掘简报

作　者：中国社会科学院考古研究所山西队、山西省考古研究所、临汾市文物局　何　驽等

出　处：《考古》2004 年第 7 期

自 2001 年山西襄汾县陶寺文化中期城址被确认以后，2002 ～ 2003 年考古人员

发掘陶寺城址。发掘确认了陶寺早期城址、宫殿区及其核心建筑区北出入口建筑遗迹 IFJT2、中期小城内墓地、祭祀区夯土台基建筑 IIFJT1 和东部仓储区。陶寺早期城址的发掘资料将另行报道，中期墓地和东部仓储区有待于全面揭露，宫殿核心建筑区北口的建筑遗迹资料正在整理中。简报分为：一、地层堆积，二、遗迹，三、遗物，四、结语，共四个部分。先行介绍了对祭祀区大型建筑 IIFJT1 的发掘。

据介绍，IIFJT1 是一座大半圆形夯土基址建筑，位于陶寺中期小城祭祀区内。发掘部分可见 3 道圆弧形夯土墙，估计原有 3 层台基。工程量巨大，其功能，简报认为有可能是观天象授时与祭祀为一体的多功能建筑。这座建筑至迟建造和使用于陶寺文化中期，陶寺文化晚期被平毁。

87.山西襄汾陶寺城址 2002 年发掘报告

作　者：中国社会科学院考古研究所山西队、山西省考古研究所、临汾市文物局
　　　　　严志斌、何　驽等
出　处：《考古学报》2005 年第 3 期

2000 年山西省襄汾县陶寺遗址发现了陶寺文化中期城址城墙。在对城圈及城内布局的进一步探寻过程中，于 2001 年在城内又发现数段墙址。经过 2002 年的进一步调查、钻探和发掘，最终确定了陶寺中期城址之前陶寺文化早期城址的存在。2002 年的田野考古发掘主要是解剖早期城墙，发掘早期城址内房基及灰沟、陶寺文化中期墓地。简报分为：一、地层堆积，二、陶寺文化早期城址、城墙遗迹，三、其他遗迹，四、遗物，五、结语，共五个部分，先行介绍前两项发掘所得主要资料。有照片、手绘图。中期墓地的材料因尚在修复整理中，拟另文刊布。

据介绍，陶寺遗址发现的陶寺文化早期城址（面积 56 万平方米）与中期城址（面积 280 万平方米），正可对应陶寺文化的早期与中期 2 个发展阶段。2002 年的田野工作又探明并初步揭露了属于陶寺文化中期的墓地，这样，早、中期 2 个阶段的城址分别与早、中期两阶段的大贵族墓地相对应。IFJT1 号基坑为长方形，总面积为 300 平方米，中央是两间并列的半地穴式圆角方形房子 02IF9、02IF10，可能是一套双连间的房子，边长近 5 米，两间室内总面积接近 50 平方米。其时代为陶寺文化早期。其周围灰坑里浮选出大米，暗示该房子的居民可能不是普通的平民，而可能是下层贵族。表明当时不论是生前居所还是死后"居所"（墓地）均已分化。

简报称，2002 年发掘的另一个较大的收获是 IHG8 所揭露出来的遗存：30 余个人头骨，上面多有砍斫痕，这些人骨以青壮年男性为多；1 具明显被暴力残害致死的成年女性人骨架；大量的骨镞。IHG8 时代属于陶寺文化晚期，联系到陶寺文化

城墙在陶寺文化晚期时已被毁弃，陶寺文化晚期的部分遗迹单位中常堆积有大量的建筑垃圾如夯土块、白灰皮，说明在陶寺文化晚期阶段曾有过大规模的人为毁坏建筑的行为，而像 IHG8 这样的反映暴力的遗存，将是探讨陶寺文化内外社会关系的重要材料。

88.山西襄汾县陶寺中期城址大型建筑 IIFJT1 基址 2004 ～ 2005 年发掘简报

作　者：中国社会科学院考古研究所山西队、山西省考古研究所、临汾市文物局
　　　　何　驽等

出　处：《考古》2007 年第 4 期

大型建筑 IIFJT1 位于陶寺城址的中期小城内，背依中期大城内道南墙，面向东南。2003 年春季至 2005 年春季，考古人员进行了发掘。简报主要依据 2004 ～ 2005 年的发掘资料，同时补充和修改了 2003 年发掘简报中不完善和错误的认识。简报分为：一、地层堆积，二、遗迹，三、出土遗物，四、结语，共四个部分。有彩照、手绘图。

据介绍，该基址呈半圆形，朝向东南，由环道和台基构成，建筑年代为公元前 2100 ～前 2000 年。台基有三层，在生土台基芯与夯土挡土墙之间，有一道弧形夯土柱缝系统朝向东北、东、东南。观测点遗迹由一个圆浅坑内的三道夯土同心圆构成。考古人员经过 73 次实地模拟观测，验证该遗址具有天文观测功能。成果发表在《古代文明研究通讯》总第 209 期上。

张弛先生写有评论，见《文物》2008 年第 6 期。

89.山西襄汾县陶寺城址发现陶寺文化中期大型夯土建筑基址

作　者：中国社会科学院考古研究所山西队、山西省考古研究所、临汾市文物局
　　　　何　驽、高江涛、王晓毅等

出　处：《考古》2008 年第 3 期

2005 ～ 2007 年，考古人员结合"中华文明探源工程"课题，在山西省襄汾县陶寺城址进行了发掘，发现有陶寺文化中期大型夯土建筑基址。简报分为：一、大型夯土建筑基址 IFJT3，二、重要出土遗物，三、结语，共三个部分。有彩照。

据介绍，该基址仅残存基坑部分，边缘不甚整齐，大约在陶寺文化晚期偏晚时被毁。夯土中发现 5 处有人骨，均为肢体残缺或散乱的人骨。简报认为是"奠基性

的人骨遗存"。

简报称，陶寺城址内大型夯土基址 IFJT3 及其上主体殿堂柱网遗迹的发现，以其 1 万余平方米宏大的台基基础、直径达 0.5 米的粗大柱洞（柱础石直径为 0.3 米），确证了陶寺城址宫殿区以及宫殿建筑的存在，从而填补了陶寺遗址作为都邑聚落在功能区划上的最后一个、也是最核心的空白。

另外，主体内铜容器残片的出土，表明陶寺文化中期已经开始铸造和使用铜容器（或可能用作礼器），这在冶金史和文明进程研究方面，都具有十分重大的学术意义。朱书的发现，再次证明 20 世纪出土的陶寺文化晚期扁壶的朱书"文字"，绝非孤例，在陶寺遗址已经使用文字的可能性也进一步增大。

90.山西吉县柿子滩遗址第九地点发掘简报

作　　者：柿子滩考古队　石金鸣、宋艳花等
出　　处：《考古》2010 年第 10 期

柿子滩遗址位于山西省吉县西南 30 公里的黄河支流清水河畔，西距黄河 2 公里。最初发现于 1980 年。2000 年，考古人员重新对清水河下游进行了大规模考察，核查和新发现旧石器地点 25 处。这些遗存组成了国内已知旧石器时代晚期面积最大、堆积最厚、内涵最丰富的柿子滩遗址群。

第九地点（S9）于 2000 年调查时发现，经过 2001、2002 和 2005 年 3 次连续发掘，发掘出土文化遗物共 2359 件。筛洗所得文化遗物近 5000 件。简报分为：一、遗址与发掘概况，二、地层堆积，三、遗迹，四、出土遗物，五、筛选文化遗物，六、结语，七、余论，共七个部分，有彩照、手绘图。

据介绍，该地点出土的石器以锤击法打片、压剥法第二步加工为主。类型以小型石片石器为主，刮削器、尖状器、砍砸器石器组合和细石叶压剥技术等代表了北方细石器文化的特征。出土的石磨盘、石磨棒、颜料块和研磨石等为研究旧石器时代晚期文化向新石器时代早期文化的过渡和华北地区原始农业的起源提供了资料。

91.山西吉县柿子滩旧石器时代遗址 S14 地点 2000 ~ 2005 年发掘简报

作　　者：柿子滩考古队　宋艳花、石金鸣等
出　　处：《考古》2013 年第 2 期

柿子滩遗址是位于山西吉县西南 30 公里东城乡西南头村南 1 公里处的旧石器时

代晚期地点群，其中第14地点（S14）是较早发现和发掘的一处。该地点于2000年调查时被发现并进行了小规模试掘，清理发现柿子滩遗址中第一处保存较完整的人类用火遗迹，以及周边原生埋藏的丰富的石制品和动物化石，为我们解析古人类用火技术和生活方式提供了实物资料。考古人员分别于2002年、2003年和2005年继续对S14地点进行了3次正式发掘。发掘一直清理到基岩，总计发掘深度约10米，发掘面积为25平方米，清理古人类用火遗迹17处，出土文化遗物有石制品、动物化石等4000余件，主要包括石制品和动物化石，还有烧石、烧骨、蚌片和磨盘等。简报分为：一、地质地貌和地层堆积，二、遗迹，三、出土遗物，四、结语，共四个部分。有彩照和手绘图。简报称，此次发掘，为研究中国北方细石器起源和古人类生活方式提供了实物资料。

92.山西吉县柿子滩遗址 S12G 地点发掘简报

作　者：柿子滩考古队　宋艳花、石金鸣等
出　处：《考古与文物》2013年第3期

柿子滩遗址发现于1980年，是位于山西省吉县清水河流域的1处旧石器时代晚期遗址。2000年以来，该遗址又经过系统调查和发掘，发现了位于高楼河沟沟口的S12地点群，成为柿子滩遗址的又1处古人类中心营地。

该遗址群共发掘了从S12A到S12G7处地点。S12G地点是海拔高度最高的1处，于2005年5～8月发掘，出土文化遗物共计1772件。简报分"地理位置和地层堆积""出土遗物"和"结论"三个部分。所制"石制品类型统计表""石片测量统计表"十分醒目。简报认为，此次发掘出土遗物类型丰富，包括石制品、动物化石、蚌壳碎片和鸵鸟蛋壳装饰品。石工业中细石器与小型石片石器组合共存，代表了北方细石器文化特征。细石核均为楔形石核，一改早期船形石核面貌，为华北细石核的形制演化研究提供了地层和年代依据。

93.山西襄汾县大崮堆山石器制造场遗址 1988～1989 年的发掘

作　者：山西省考古研究所　朱晓东　崔少冬
出　处：《考古》2014年第8期

大崮堆山石器制造场遗址是在配合南同蒲铁路复线工程建设而对丁村旧石器遗址进行发掘之际，于1984年10月调查时发现的。1988年上半年和1989年上半年，考古人员先后2次对该遗址进行了正式发掘。简报分为：一、遗址概况，二、地层堆积，

三、出土遗物，四、结语，共四个部分。有彩照、手绘图。

据介绍，大崮堆山位于山西临汾市襄汾县东关镇沙女沟村东 2 公里，因在通往沙女沟村途中一土地庙的外壁上刻有"距村四里许有山曰大崮堆"字样，故称为"大崮堆山"。大崮堆山西距西村遗址 7 公里，北距陶寺遗址 7.4 公里。所出遗物均为石制品，有石片、石坯、石核、石锤。绝大多数石制品的岩性为变质砂岩，只有不到 5% 的石片岩性为红柱石角岩。石制品均为打制，未见磨制痕迹。应为陶寺时期一处石器制造场所。

运城市

94.山西平陆新石器时代遗址复查试掘简报

作　　者：黄河水库考古工作队河南分队　蒋忠义、阴吉昌
出　　处：《考古》1960 年第 8 期

考古人员在 1958 年 5、6 月间，在平陆县进行了 1 次重点的复查，选出 2 个典型遗址作了试掘。简报分为：一、盘南村遗址，二、葛赵村遗址，三、结束语，共三个部分。有手绘图等。

据介绍，盘南村位于平陆县城东北 3.5 公里。遗址分布于 3 个位置不同的台地上。村南是这次重点复查的 1 处，保存不算太好。遗址南边为单纯的仰韶文化堆积。地面上暴露的陶片相当丰富，灰层不多，仅在遗址西南与北边断崖上发现几处灰坑和红烧土堆积。往北地面上的陶片逐渐减少，为周代、龙山和仰韶 3 种不同时代的文化堆积。葛赵村位于平陆县城西南约 18.5 公里，范围不大，已辟为无数小块的梯田。遗迹有 3 个灰坑，未见彩陶，应为 1 处仰韶文化晚期遗址。

95.山西芮城匼河旧石器时代初期文化遗址

作　　者：贾兰坡、王择义、王　建
出　　处：《考古》1961 年第 8 期

考古人员 1957 年及 1959 年两次在山西芮城县匼河村及其附近发现旧石器和第四纪哺乳动物化石，1960 年作了进一步调查和发掘。简报分为：一、化石，二、石器文化，共两个部分。有照片。

据介绍，这里是黄河拐角的地方，沿黄河的东北岸 13.5 公里的距离内，共发现

有化石地点和文化地点 13 处。其中在 6053 地点（西侯度）发现有属于更新世初期的哺乳动物化石及几件极有可能是人工打击的石块，在 6060 地点（匼河顶部）发现有大约属于更新世末期的现代人化石、石器，除此之外，有 11 个地点发现了属于更新世中期早一阶段的哺乳动物化石或原始的旧石器。这 11 个地点的堆积情况并不完全相同，有的位于砾石层中，有的则位于泥灰层中。但根据化石、石器的性质和地层建造的情况，简报初步认为它们的时代是相同的。虽然在时间上可能有稍早或稍晚的区别，但出入不会很大。从匼河文化遗址中存在着采集用的三棱大尖状器和狩猎用的石球看，先民过着采集兼狩猎的经济生活。生活是极为贫困的，根据石器的原始性，可以说，这一时期的人类比中国猿人时代更加艰苦，因为他们使用的工具比中国猿人的还要原始。

96.山西平陆县庙后、罗家岭、枣树埝等地的旧石器

作　者：王择义、胡家瑞

出　处：《考古》1961 年第 12 期

1958 年 11 月间，考古人员在平陆县七里坡以及该县坡底乡所属的庙后、罗家岭、枣树埝等地，发现了一些石器。1959 年贾兰坡先生和王择义、邱中郎先生编写《山西旧石器》一书时，已把七里坡的全部资料和罗家岭等地的部分资料作了扼要的记述。现在简报将庙后等地的自然环境及部分存太原的标本配以照片予以介绍。

据介绍，庙后、罗家岭等地，南临黄河，北依中条，境内多沟谷，是为平陆县内有名的"四沟八山"的中心区域。这一带露出的基岩，有灰岩、淡水石灰岩、砾岩及红色土状堆积物，厚 100 余米。在这个区域内，没有真正的黄土。石器共有 28 件，其中有石核 2 件、石片 26 件。在这 28 件材料中，除采自望原的 1 件是以肉红色石英岩制成以外，其他都是白色石英制成。出土石器的层位及堆积情况，与垣曲境内某些旧石器地点基本一致，特别是与垣曲境内的石碑岭、东岭等地的旧石器地点更接近。因此，庙后、罗家岭等地的这批石器的地质时代，简报推断应属更新世中期，即旧石器时代初期。

97.山西垣曲下马村发现新石器时代陶器

作　者：代尊德、邓林秀

出　处：《考古》1963 年第 5 期

下马村位于垣曲县城东南 40 余公里处，地处黄河北岸，东临着一条贯穿南北

的西阳河，村北有一片扇形黄土台地。1958 年 9 月，山西省文管会考古人员在该地进行普查时，发现面积约有 7 万平方米的文化遗址。遗址东部暴露出仰韶文化层，并有龙山灰坑打破了仰韶文化层的堆积遗存。龙山文化灰坑位于距地表 1.5 米以下。在其堆积中发现白灰面和红烧土，还有磨光黑陶片等物。遗址地面分布的遗物颇为丰富，有细泥红陶尖底瓶残片、红陶罐、盆片、夹砂粗红陶片等物。简报配以照片和手绘图。

据介绍，早在 1957 年春季，曾在下马村北掘出了仰韶文化彩陶器皿 10 余件，其中有完整的 8 件，均交由县文化馆保存，后送交省文管会 5 件。计有罐 3 件、盆 4 件、瓶 1 件。这批陶器皆为细泥红陶，很精美，表里呈深红色。

上述陶器，与河南陕县庙底沟和万荣荆村的仰韶文化彩陶比较，具有许多相同的特征。简报推断，它们属于庙底沟类的陶器。

98.山西芮城南礼教村遗址发掘简报

作　者：中国科学院考古研究所山西工作队　陈存洗
出　处：《考古》1964 年第 6 期

遗址位于芮城县西南约 17.5 公里的南礼教村西。这个遗址是 1955 年发现的，1956 年复查，1958 年夏作了试掘。简报分为四个部分介绍了发掘的情况，有手绘图。

据介绍，这里所发现的房子是半地穴式的，房子的地面是硬土面，但在遗址的钻探中，也偶尔发现有白灰面的残片，说明这里也可能有龙山文化常见的白灰面房子。生产工具发现不多，绝大多数是豫西龙山文化所常见的，有柄石刀比较特殊。陶器以罐、鬲最多，鼎很少。陶质以夹砂灰陶为大宗，夹砂红陶和泥质黑陶很少，典型的蛋壳黑陶不见。

简报指出，此次发掘发现的有些器形独特，为豫西龙山文化所未见。

99.山西芮城东庄村和西王村遗址的发掘

作　者：中国科学院考古研究所山西工作队
出　处：《考古学报》1973 年第 1 期

东庄村遗址 1955 年发现，1958 年发掘。西王村遗址 1960 年发现，同年发掘。遗存以仰韶文化为主，其次为龙山文化和两周文化。此简报未涉及周以后的资料。

100.山西垣曲古文化遗址的调查

作　者：中国社会科学院考古研究所山西工作队　张岱海、徐殿魁

出　处：《考古》1985 年第 10 期

垣曲县在山西省南部，属运城地区。南临黄河，北靠中条山，地处运城盆地与豫西洛阳平原之间，是联系两地的交通要道之一。为了解垣曲县古代文化的面貌特征，1980 年夏和 1982 年 7 月，考古人员先后进行了两次调查，初步确定了要进行小规模发掘的两个地点，先后调查的遗址共 21 处。简报分为：一、地理位置及遗址概况，二、重要遗迹和遗物，三、结语，共三个部分。

据介绍，遗址的分布概况，从平面来看，主要集中于沿河谷地。如亳清河下游，古文化遗址基本是连续不断，一个接着一个长达数十里。沇西河下游也有类似情况。纵向来看，分布特点也较清楚，越早越高，如龙王崖遗址，仰韶文化最高，庙底沟二期文化次之，龙山文化最低。这从一个侧面反映了当时人们逐水而居，由高处向低处迁徙的历史情况。文化类型的连续性也很明显，仰韶、庙底沟二期、龙山、二里头，从早到晚，连续不断，有的衔接很紧密，反映了当时人们在这里连续不断活动的历史情况。此次调查仰韶文化遗存 16 处，以庙底沟类型最多，达 15 处；庙底沟二期文化遗存 12 处，以晚期多见；龙山文化遗存 12 处，简报认为垣曲县的二里头文化遗存，基本上属于东下冯类型。

101.1982 ～ 1984 年山西垣曲古城东关遗址发掘简报

作　者：中国历史博物馆考古部、山西省考古研究所、垣曲县博物馆　佟伟华、
　　　　张　威、许志勇、张素琳等

出　处：《文物》1986 年第 6 期

垣曲县古城镇位于县城东 30 公里，1959 年以前是垣曲县治所在。古城镇南隔黄河与河南省渑池县相望，东倚王屋山与河南济源相邻，西部为中条山，地处沇河与亳清河冲积而成的小盆地内。东关遗址在古城东关沇河西岸的河旁台地上，南北长约 1000 米，东西长约 300 米，总面积约为 30 万平方米。遗址区内有现代小路通过，为工作方便，分为四个发掘区，自南向北分别为Ⅰ、Ⅱ、Ⅲ区，西北部为Ⅳ区。1982 年秋试掘 100 平方米，1983 年至 1984 年秋正式发掘，共清理灰坑 360 个、房址 4 座、陶窑 7 座、墓葬19 座（包括瓮棺葬 2 座）、壕沟 3 条，灰坑中发现骨架 8 具，出土了大批陶、石、骨、蚌质生产工具、生活用具和装饰品等。简报分为：一、地层堆积，二、仰韶文化晚期遗存，三、龙山文化早期遗存，四、龙山文化晚期遗存，五、结语，共五个部分。配以照片、

手绘图，先行介绍仰韶晚期和龙山早、晚期遗存。东周文化遗存将另文报告。

据介绍，仰韶文化晚期遗存，陶器全部为手制，制作不甚规整，火候较低。年代简报推断与西王村二期文化大体相当，早于西王村三期和庙底沟二期文化。龙山早期遗存最丰富，属庙底沟二期文化，龙山晚期遗存不多，与豫西三里桥龙山、王湾三期更接近。

简报指出，上述 3 种遗存，在仰韶晚期与龙山早期之间可能存在缺环，而龙山早期与龙山晚期遗存之间的关系较为密切，很可能具有连续的继承关系。诸如釜灶、鬶、深腹罐等器种从龙山早期到晚期一直存在，器物形制具有连续性。简报认为，此次发掘所获得的成批资料，丰富了我们对晋南地区仰韶晚期及龙山早、晚期遗存文化面貌和特征的认识，特别是为资料较少的龙山早期文化增添了新的内容。这一发掘还为探讨晋南地区从仰韶晚期经过庙底沟二期到龙山晚期的发展过程提供了证据，也为考察这三个阶段豫西与晋南的地域性差别、由于这些差别形成的不同类型文化的划分以及对它们之间的相互关系的探讨提供了线索。

102.山西闻喜县发现龙山时期大石磬

作　　者：李裕群、韩梦知

出　　处：《考古与文物》1986 年第 2 期

1978 年冬闻喜县西官庄乡南宋村农民庞根成在村东隅岭上平整土地时发现石磬 1 件，1979 年初收藏于闻喜县文化馆。简报配以照片、手绘图。

据介绍，此石磬长 83.3 厘米，宽 33.3 厘米，重 41.5 公斤，上有 1 孔，不同部位可发出不同声音。出土地点伴出有陶器、石斧等。应为 1 处龙山文化晚期遗址。此石磬距今已 4000 多年，应是我国现存最早的 1 件石磬。

103.山西闻喜古文化遗址调查简报

作　　者：张国维

出　　处：《考古》1990 年第 3 期

闻喜县位于晋南中部，西临峨嵋岭，东靠中条山，涑水由北向南穿过县境，同蒲铁路从中部穿越而过，是个旁高中低、山水相绕、交通便利的带状盆地。为了解晋南的古文化面貌，特别是为探索夏文化，20 世纪 50 年代后期，中国科学院考古研究所山西工作队、山西省考古研究所陆续在此作过古遗址的田野考察工作。1986 年以来，地、县文物工作者又对该县进行了较详细的田野普查。1987 年 5 ～ 7 月地区文物普查队调查了几处主要古文化遗址。简报分为：一、刘家庄遗址，二、冯家庄遗址，三、南白石遗址，四、店头堡遗址，五、郭家庄遗址，共五个部分。有手绘图。

据介绍，仰韶文化与龙山文化在晋西南地区分布很广，且很密集。各地的同期文化除有机联系的相同处外，还在某种程度上表现出地域性差异。从此次调查的十来处遗址，简报观察，此地既受到豫西仰韶文化庙底沟类型与河南龙山文化的影响，又同时受到陕西同类文化的影响。简报称，此次调查为全面认识晋西南地区的古文化面貌以及与河南、陕西二省的文化关系，更重要的是为探索夏文化的渊源提供了不可多得的实物资料。

104.山西平陆县西侯新石器时代遗址调查

作　者：运城地区河东博物馆　王志敏
出　处：《考古》1990 年第 3 期

西侯遗址是 1983 年 3 月运城地区博物馆进行文物普查时发现的。遗址位于条山与黄河之间，东距平陆县城约 40 公里，分布在西侯、东侯、洪池、文家滑 4 个自然村之间。遗址地势北高南低，为一大缓坡地带，其上密布梯田，由于山洪冲刷，形成南北走向的冲沟。地层堆积较简单，耕土层下即为新石器时代文化层，堆积较厚，遗存丰富。根据采集的标本分析，包含有仰韶和龙山 2 个时代的文化遗存。简报分为：一、仰韶文化遗存；二、龙山文化遗存，共两个部分。有手绘图。

据介绍，这里的仰韶文化陶器有彩陶盆、钵、杯，陶质多为泥质、薄胎，陶色以红、褐为主。这些特点与芮城东王村、西王村遗址出土的同类器物相似，因此，简报认为应属同一类型的文化遗存。

龙山文化陶器以泥质灰陶和夹砂灰陶为主，磨光黑陶、红褐陶少量。从这些陶器看，无论是陶质、陶色、纹饰都是龙山文化的延续，简报认为它较多地承袭了河南龙山文化的若干特点。因此，西侯遗址龙山文化相当于河南龙山文化晚期，其中的个别器物可能还要更晚一些。

105.山西省垣曲县古城东关遗址 IV 区仰韶早期遗存的新发现

作　者：中国历史博物馆考古部、山西省考古研究所、山西省垣曲县博物馆
　　　　许志勇等
出　处：《文物》1995 年第 7 期

继 1982 ～ 1984 年中国历史博物馆考古部、山西省考古所和垣曲县博物馆发掘

山西省垣曲县古城东关遗址第Ⅰ～Ⅲ区之后，又于1985～1986年春季发掘了该遗址第Ⅳ发掘区（以下称"东关Ⅳ区"）。该区遗址总面积约56000平方米。发掘工作历时3个季度，揭露面积540余平方米，清理灰坑244个、房址1座、沟壕12条、墓葬16座（包括瓮棺葬1座）。其文化内涵包括仰韶早期、龙山晚期、东周时期以及宋代四个阶段。其中，仰韶早期的遗存最为丰富，简报先将这一部分内容分为：一、地层堆积，二、遗迹，三、遗物，四、结语，共四个部分并配以照片予以介绍。

据介绍，东关遗址Ⅳ区仰韶早期遗存延续时间长，是1处大型聚落遗址。遗迹以灰坑居多，还有沟壕、墓葬、房址等。此次发现的1座半地穴式居址，面积较大，在大穴室的一侧套有1小穴室，这种独特的建筑结构在同时期其他遗址中还未见到。七座墓葬均为仰身直肢单人一次葬，头向西北，应代表了当时此地的埋葬习俗。简报称该遗址是晋南地区已发掘的最早的仰韶文化遗存。它的发现填补了该地区仰韶文化早期的空白，同时为研究晋南、豫西地区仰韶文化的类型分布提供了新的重要资料。

106.垣曲宁家坡陶窑址发掘简报

作　者：山西省考古研究所　薛新民、宋建忠等
出　处：《文物》1998年第10期

宁家坡属山西省垣曲县古城镇，北望绵延起伏的中条山脉，南近黄河干流，地处国家重点工程黄河小浪底水库淹没区内。为配合小浪底工程建设，考古人员从1996年春开始对该遗址进行大规模的发掘。宁家坡遗址西南为横亘于黄河北岸的山脊（南山），东北临发源于中条山的亳清河，西北和东南是两条大冲沟，其间由西南向东北逐级下降的缓平坡地组成。遗址文化内涵以新石器时代为主，另有商、西周、东周等时期的少量遗存。1997年春，在遗址第五区发掘出了2座庙底沟二期文化时期的完整陶窑，是迄今已发现的保存最好的史前陶窑址。遗址发掘仍在继续，出土遗物尚未系统整理。简报分为：一、陶窑位置与相关遗存的布局，二、陶窑的形制与结构，三、窑前活动场，四、小路，五、制坯取土坑，六、陶窑使用年代的推测，七、结语，共七个部分。有照片、手绘图。

据介绍，两座陶窑东西并列，均由火膛、火道、窑室、窑门、出烟渗水口等部分组成。窑前有一活动场，活动场西南有取土坑，北侧有一条小路。这些遗迹与陶窑主体构成1处完整的制坯、烧陶场所。简报认为陶窑的使用时期应在公元前3000年中期前段。考古人员准备将陶窑复原。此次发掘，为了解新石器时代陶器的生产具有重要价值。

107.山西垣曲县古城东关遗址出土新石器时代的细石器

作　者：中国历史博物馆考古部　张素琳

出　处：《考古》1998 年第 2 期

山西垣曲县古城东关遗址是晋南 1 处大型古文化遗址。经中国历史博物馆等单位大面积发掘，证实该遗址文化内涵非常丰富，具有很重要的学术价值。对该遗址中新石器时代的细石器，简报分为：一、东关遗址细石器概况，二、几点认识，共两个部分。

据介绍，东关遗址出土的细石器的原料，绝大部分为黑色燧石，少数为灰色半透明燧石、石英岩和玛瑙等。加工细石器的主要素材是石片。多用石锤直接打击法获得，然后再将这些石片做第二步加工。该遗址细石器的组合比较单一，主要有石镞、尖状器和刮削器。简报将这些石器归入细石器的范畴，但只能属于广义的细石器。简报推测东关遗址细石器的原料不是出自本地，而可能来源于邻县阳城洽村、土楼庄一带。东关遗址的细石器与同期陶器、磨光石器共存，其年代，简报推断应属仰韶至龙山文化的范围，即我国的新石器时代。

简报称，东关遗址出土的这类石镞，对今后研究和探讨其分布范围及不同地区和不同国家之间相关文化的交流，提供了一些新的线索。

108.山西垣曲县小赵新石器时代遗址的试掘

作　者：中国社会科学院考古研究所山西队　郑文兰

出　处：《考古》1998 年第 4 期

垣曲县境内自西北向东南注入黄河的河流有板涧河、亳清河、沇西河等，其中亳清河最大、沇西河在距黄河约 1 公里处和亳清河汇合，古城镇（原垣曲县城）就在两河相汇处。小赵村位于古城镇北约 2.5 公里的亳清河东岸的河旁台地。遗址大部分在村子的北边，南部在村子之下，因受雨水的冲刷，遗址的西部有很大一部分已经塌入河滩，从河边断崖上即可看到残存的灰坑和房子。遗址南北长约 500 米，东西宽约 300 米。此次试掘地点在遗址的西南部临近断崖处，试掘面积 70 平方米。为了保留房子，房子居住面以下没有发掘，只有一个探方挖到生土。田野工作从 1993 年 1 月 15 日开始，到 12 月 5 日结束。这次试掘，简报分为：一、地层堆积，二、遗迹和遗物，三、结语，共三个部分。有手绘图、拓片。

据介绍，考古人员在临汾、运城两个盆地的调查中发现属于仰韶文化庙底沟类型的遗址 50 多处；在垣曲县境内的调查中，仅在亳清河两岸及沇西河东岸就发现有庙底沟类型遗存的遗址 19 处，说明庙底沟类型遗址在晋南是很常见的。此次试掘的仰韶文化晚期阶段遗存只有 2 个灰坑（H2、H4），出土的器物和西王村中层比较接近，简报推断时代应相当于仰韶文化西王村类型阶段。

109.山西垣曲发现的石器

作　者：张素琳

出　处：《中原文物》1999 年第 4 期

垣曲县位于山西南端,其东、北、西 3 面被王屋、太行和中条山脉所环绕,南临黄河。板涧河、亳清河、沇西河等水系流经境内。这里是自然形成的垣曲小盆地,雨量充沛、气候适宜。不但盛产粮棉,而且拥有丰富的矿产资源。由于具备独特的地理位置和良好的生态环境,所以几十万年前就有人类在这片肥沃的土地上繁衍生息。垣曲县博物馆原馆长吕辑书先生跑遍全县的乡村小镇,掌握了大批第一手资料。

简报分为：一、华峰乡洼里旧石器地点，二、历山乡大腰及柳树腰地点，三、结语，共三个部分。配以手绘图，介绍了吕辑书先生于 20 世纪 70 年代在垣曲县华峰乡和历山乡调查的几处旧石器地点的情况。

据介绍，华峰乡洼里出土的大石器系砍斫器，应属旧石器初期。历山乡采集的是细石器，属新石器时代遗存。简报称，垣曲县丰富的旧石器文化资料，不仅对建立山西旧石器文化序列有着举足轻重的作用，而且对华北乃至整个中国的旧石器文化研究也起着非常重要的作用。

110.山西垣曲小赵遗址 1996 年发掘报告

作　者：中国社会科学院考古研究所山西工作队　梁星彭、李健民等

出　处：《考古学报》2001 年第 2 期

小赵村隶属山西省垣曲县古城镇，位于古城镇西北约 3 公里，其西南有亳清河流过。古代遗址位于小赵村西，处于亳清河东岸高出河滩约 40 米的台地上。为配合黄河小浪底水利工程建设，考古人员先后 2 次对小赵遗址作了发掘。第 1 次发掘是在 1993 年，主要成果已在《考古》1998 年第 4 期发表。

简报分为：一、遗址分区及地层堆积，二、仰韶文化，三、庙底沟二期文化，四、二里头文化，五、结语，共五个部分。介绍了 1996 年第 2 次发掘的情况，有照片、手绘图。

据介绍,1996 年的发掘从 10 月初开始,到 11 月中旬结束。发现房址 1 座、窑址 4 座、

灰坑 35 个、墓葬 4 座，出土有较丰富的遗物。文化内涵以仰韶文化为主，兼有庙底沟二期文化和二里头文化。

简报称，小赵遗址是 1 处以仰韶文化遗存为主要内涵，同时包含有庙底沟二期文化和二里头文化遗存的古代遗址。这里的仰韶文化陶器，陶质以泥质红陶和夹砂褐陶为主，同时还有泥质褐陶、泥质灰陶和夹砂红陶等。泥质陶色泽纯正，质地细腻，泥胎可能经过淘洗。庙底沟文化遗存为庙底沟类型分期，提供了新的材料。

二里头文化遗存只有几个灰坑，但发现有人骨，人骨相互叠压，有的腰椎扭曲，应属非自然死亡，值得注意。

111.山西芮城清凉寺墓地玉器

作　者：山西省考古研究所、芮城县博物馆
出　处：《考古与文物》2002 年第 5 期

清凉寺墓地位于芮城县东部西陌乡清凉寺村，现存元代木构建筑清凉寺坐落在墓地上。中条山余脉之南有恭（共）水涧，恭水自北而南注入黄河，全长 16.9 公里，原属长流河，近 20 年来因天旱少雨，已成季节河。恭水涧沿两岸，北起坡头遗址往南绵延 10 余公里至刘堡遗址，断断续续有新石器时代遗址数处。清凉寺墓地位于坡头遗址之西，距恭水涧约 80 米。清凉寺东 50 米处有一台地，20 世纪 70 年代末，老百姓在挖窑洞时发现一批玉器，芮城县博物馆随即将其征集。经调查，确定此地为 1 处墓地，墓葬一般长 2 米、宽 1.2 米、深约 3 ～ 5 米，为土坑竖穴墓。葬式直肢，随葬玉器一般置腹部，个别套臂上，未见随葬陶器及其他物品。清凉寺墓地所征集玉器，简报配以照片予以介绍。

据介绍，玉器有玉璧、玉钺、玉铲等。与清凉寺墓地共存的有白灰面房址及少量灰坑，发现有夹砂罐残片，时代为庙底沟二期文化，不见龙山晚期遗物。清凉寺墓地征集的玉器形制与制作工艺同陶寺文化墓葬中出土的同类玉器相同，应属同一时期器物。隔水相望的坡头遗址为庙底沟二期文化与龙山晚期遗址，据此，简报认为清凉寺墓地现已发现的墓葬为坡头遗址掌握王权和神权的贵族所使用。1992 年在该地点又征集到了一批玉器，器类以璧为主，另有琮、环等约 38 件，现藏于运城市盐湖区博物馆，两批玉器共 52 件。

芮城县博物馆征集的其他遗址玉器还有 5 件，时代可能与清凉寺墓地同期或相近。

112.山西芮城清凉寺新石器时代墓地

作　者：山西省考古研究所、运城市文物局、芮城县文物局　薛新明等
出　处：《文物》2006 年第 3 期

山西芮城清凉寺墓地，位于山西省西南端的芮城县东北部。该遗址发现于1955 年，1965 年被公布为山西省重点文物保护单位。20 世纪70 到90 年代，芮城县博物馆和运城市盐湖区博物馆（原运城市博物馆）先后入藏了出土于清凉寺墓地的数十件玉器。2003 年秋到2004 年初冬，考古人员对清凉寺墓地进行了考古发掘。墓地位于一条南北向的台塬上，东西狭窄，中部是元大德七年（1303 年）始建的清凉寺。在寺院西侧，有古名"洝水"的恭水涧的源头，寺院大殿以北，地势隆起，形成山脊。墓葬区分布在清凉寺的东北侧，地势比较低平。该墓地还在继续发掘。简报分为：一、墓地范围和墓葬的分布情况，二、墓葬形制，三、出土器物，四、结语，共四个部分。有彩照、手绘图。

据介绍，现存墓地总面积约5000 平方米。2003 年秋至2004 年冬，山西省考古研究所等单位对清凉寺墓地进行了考古发掘。到2004 年底，共清理墓葬262 座。其中属庙底沟二期文化墓葬的年代可分为早、中、晚 3 个阶段。第 1 阶段的小型墓遍布整个墓地。第 2 阶段的大型墓从墓地中部向东延伸，打破了第 1 阶段小型墓葬。第三阶段的墓葬分布在墓地中、东部，仅有少数几座。它们打破了第 2 阶段的大型墓，形制与第 1 阶段小型墓相同。262 座墓中仅三分之一左右有随葬品，被盗严重。出土器物有玉石器、鳄鱼骨板、兽牙、猪下颌骨、陶器等。该墓地的年代，简报推断为距今约4500 ～ 4300 年。

简报称，芮城清凉寺墓地所在地正是中原地区的中心区域，只有掌握权力的机构才会有这样的大型墓。联系到这里与盐湖—解池仅一山之隔，简报推测，大型墓中的死者可能与负责解盐外销的常设机构有关。简报指出，庙底沟二期文化的墓葬在其他地区也曾发现过，但都是零星或小型的墓葬。清凉寺大型墓地的发现，对研究中原地区庙底沟二期文化和中国古代文明起源具有重要意义。同期发表的《有关清凉寺墓地的几个问题》一文可参阅。

113.山西芮城清凉寺史前墓地

作　者：山西省考古研究所、山西运城市文物局、芮城县文物旅游局　薛新明、杨林中等
出　处：《考古学报》2011 年第 4 期

清凉寺史前墓地位于山西省芮城县东北部，在中条山脉南麓、黄河北侧。由于

遗址地跨西陌乡寺里和陌南镇坡头村，所以称为寺里—坡头遗址，面积约200万平方米。最早发现于1955年，1965年公布为山西省重点文物保护单位。1975和1984年，当地村民在清凉寺旁的断崖上取土，先后两次发现了数十件史前玉石器，分别藏入芮城县博物馆和运城市盐湖区（原运城市）博物馆。清凉寺附近出土古代玉石器的消息引起一些不法分子的觊觎，墓地面临盗掘的严重威胁。考古人员从2003年深秋到2005年初冬，对清凉寺墓地进行了连续3年的抢救性发掘，取得重大收获，引起学术界的高度重视，被评为"2004年度全国十大考古新发现"之一，并获2003～2004年度国家文物局田野考古三等奖。2006年初，对2004年底以前的发掘资料作整理，发表发掘简报，提出了初步认识。近年来，全国不同单位、不同学科的科研人员参与墓地的研究，对部分墓葬中出土的遗物进行科学鉴定，对墓地的认识有了新的进展。为了使学者们对墓地有一个全方位的了解，有必要对其整体情况再作进一步介绍。

简报分为：一、发掘概况，二、墓葬概况与分期，三、出土遗物，四、初步认识，共四个方面。有彩照、手绘图。

简报认为，此地地处晋、秦、豫三省要塞，是西北、中原、华北交通要道，是1处繁华的人类居所，但并未一直繁荣下去。4000多年前的清凉寺只是一个初期文明不成功的实例，而且，这颗文明之星几乎在瞬间陨落，蓦然失色。简报称，墓地分为四期，第一、二期墓葬没有被盗掘，而第三、第四期墓葬却不同程度地被盗掘过，而且从种种迹象看，盗掘的目的似乎首先是泄愤，其次才是财物。部分墓葬中死者被拖动、翻转的情况，说明有些墓葬下葬后不久就被盗掘了。说明社会秩序已趋大乱，此时正是龙山文化中、晚期。但这是目前所知中原地区向文明时代过渡的最早尝试，是当时中原地区社会发展历程的一个缩影。在墓地后期，大规模盗扰前期墓葬的现象席卷整个晋南地区，历史在动荡中开始了又一次新的、更大规模的文化变革，初期礼制就是在这些探索和反复的基础上形成并逐步完善起来的。释读清凉寺史前墓地的早期文明信息是探索中国古代文明起源研究的重要内容。

简报指出，清凉寺墓地的发掘是近年来中原地区史前考古重要的收获之一。墓地提供了中原地区4000多年前，部族阶层的分化、社会秩序的改变、阶级对立的激化等重要信息。同时，在本地与其他地区文化的交流互动方面也有新的发现，对研究中国文明的起源和历程等学术课题具有重要意义。

内蒙古自治区

114.内蒙古自治区发现的细石器文化遗址

作　者：内蒙古自治区文化局文物工作组　汪宇平等
出　处：《考古学报》1957 年第 1 期

简报分为：一、林西县锅撑子山、西山坡、樱桃沟和巴林右旗益司毛道村等地的遗址，二、克什克腾旗大耗力、敖包山、瓦盆窑和富阪永村等地的遗址，三、包头市转龙藏遗址，四、结语，共四个部分。配以照片。介绍了内蒙古昭乌达盟、包头市的细石器文化遗址。

据介绍，昭乌达盟西喇木伦沿岸，细石器文化遗址很多，当时先民农业生产已占重要地位。包头转龙藏遗址的先民，也是以农业为主，兼营畜牧、狩猎。陶器为灰色篮纹，与东部遗址大有区别。

115.内蒙古中南部黄河沿岸新石器时代遗址调查

作　者：内蒙古历史研究所　杨中强、马耀圻、吉发习
出　处：《考古》1965 年第 10 期

考古人员于 1962 年 5 ~ 8 月在内蒙古中南部黄河两岸作了 3 个多月的田野调查。黄河东岸北起托克托县城关一带，南至清水河县下城湾；西岸北起准格尔旗的敖包湾，南至与晋陕交界的元峁屹旦，共调查遗址 46 处（包括复查 1 处），其中仰韶文化遗址 4 处、龙山文化遗址 23 处、仰韶与龙山共存的遗址 19 处。有的遗址当中还有殷周、两汉及其以后的遗物，但是未及整理。清水河县白泥窑子遗址的复查结果将另文发表。上述 46 处新石器时代遗址的分布是较为密集的，每隔约 2.5 ~ 3.5 公里就能发现 1 处。遗址所处的位置也略有差异，大致可分两种：1 种是在河旁台地，另 1 种是在河谷断崖上。

简报分为：一、仰韶文化，二、龙山文化，三、结束语，共三个部分。有照片、手绘图。

据介绍，仰韶文化遗址在黄河北段分布较多，南段较少，多处于河谷台地上。

遗址面积大小不等，一般约达数万平方米，其中大者如海生不浪东遗址可达15万平方米，小者如老牛湾遗址仅有2400平方米。仰韶文化的面貌是不尽相同的，如岔河口和海生不浪东的陶器区别就很明显。龙山文化遗址大都分布在黄河河谷断崖上，高出河面约40～70米。绝大多数遗址被耕翻，遗物散布于地表。只有天顺圪梁和三道塔南等处遗址未被开垦，地表遗物甚少。此外，马栅沟、三道色圪旦、二道沟圪旦、石口子、龙不湾和小榆树湾北等处遗址是被沙丘覆盖着的，文化层较薄。遗址面积，大者如元峁圪旦约8万平方米，小者如小榆树湾北仅有400平方米。串刀、柳青、高家背子、元峁圪旦、房塔沟、敖沟沟门及寨子上等遗址，遗物丰富，除大量陶片外，还有不少石器。

简报称，通过调查可知，内蒙古中南部黄河沿岸分布着两种不同性质的文化，即仰韶文化和龙山文化。在文化内涵上，它们不但与中原地区的仰韶文化和龙山文化基本特征相同，而且也具有某些地域特点。这两种文化都有数量占绝对优势的农业生产工具，这就充分说明它们都是以农业生产为主的原始氏族部落的文化遗存。这里的仰韶文化可分为两种，一种以岔河口遗址为代表，另一种以海生不浪东遗址为代表。前者的基本特征更接近于中原地区的仰韶文化，后者有着自己的独特风格，很可能是晚于当地仰韶文化而又早于龙山文化的一种具有地区特点的文化遗存。这里的龙山文化分布较为密集，估计一直分布到大青山下。

116.贺兰山西麓的旧石器

作　者：李壮伟、王　爽

出　处：《考古与文物》1994年第2期

1991年7月27日至8月3日，考古人员在内蒙古贺兰山西麓进行生态考察时，发现一批石制品，共96件，除去断块和残片外，可作统计的有65件。

这批石制品对于研究内蒙古西部的原始文化史具有一定的学术价值。简报分为：一、概况，二、文化遗物，三、结语，共三个部分对其予以介绍。

据介绍，贺兰山，又称阿拉善山，南北长约150公里，东西宽约15～20公里，系东北—西南走向，东侧以断层临银川平原，成为内蒙古自治区和宁夏回族自治区的一段天然界线。这一地点的文化遗物均为石制品，原料为石英岩，个别为角页岩和脉石英，石制品可分为石核、石片、石叶和石器4类。根据石制品的组合和加工技术，贺兰山西麓91地点的时代，简报推断为旧石器晚期。

简报称，贺兰山西麓91地点的材料虽然有限，但它的发现和研究对于探讨西北地区原始社会历史提供了重要的第一手资料。贺兰山西麓91地点的发现，填补了我国旧石器时代文化在西北边远地区的某些空白，为研究中国旧石器时代文化的分布和特色以及进一步在贺兰山以西地区作旧石器调查和深入研究，增添了重要的有价值的资料。

呼和浩特市

117.内蒙古林西考古调查

作　者：北京大学历史系考古教研室　吕遵谔
出　处：《考古学报》1960年第1期

1956年暑假期间，北京大学历史系考古专业三年级学生7人由裴文中教授和吕遵谔先生领导，到赤峰实习。于实习完毕后，又到林西进行了1次教学实习，调查了砂窝子、锅挡子山和林西县城西门外山坡等地点，并在砂窝子进行了小规模的发掘。

简报分为：一、林西砂窝子的细石器文化，二、锅挡子山和西门外山坡的遗址，三、结语，共三个部分。配以照片，介绍了相关情况。

据介绍，林西砂窝子遗址的文化遗物极为丰富，但是地下总的分布情况却不很清楚。大型的打制石器和细石器特别丰富，而陶器的数量较少。其陶器的质地、器形、纹饰和制法都与梁思永先生在其报告中所谈的不同。很可能因为当梁先生到砂窝子采集时，较典型的细石器已被乌居龙藏和桑志华等人多次盗劫而去因而采集较少，又误把晚期的陶片混入细石器文化中所致。根据砂窝子出土的和采集的遗物分析，典型细石器和大型的打制石器数量极多，陶器少且器形简单，纹饰以篦纹为主，可能是时代较早的一个遗址。当时人类是过着农业、狩猎兼牧畜的生活。

锅挡子山的文化遗物较少，细石器也较贫乏，陶器增多，其形制特征和砂窝子的有些接近。整体观察，其时代应稍晚于砂窝子遗址。

西门外山坡的细石器极少见，而陶器的陶质、器形、纹饰和前两地点有明显的区别，并且之前还有彩陶发现。其文化性质和赤峰红山彩陶和细石器共存的遗址相近，时代较砂窝子和锅挡子两处都晚。

如上所述，林西县城周围分布有丰富的新石器时代的文化遗存，而这些遗址在时代方面又有早晚的不同。

简报认为，过去的许多文献，把这些不同时代的遗址，统用"林西"一个名称来代表，因而造成许多混乱现象。

118.内蒙古清水河县白泥窑子村的新石器时代遗址

作　者：汪宇平

出　处：《文物》1961 年第 9 期

1958 年秋，乌兰察布盟清水河县喇嘛湾东 1.5 公里的白泥窑子村，发现大规模新石器时代遗址 1 处。简报分为：一、位置和地形，二、地面遗迹，三、出土遗物，四、结语，共四个部分，有照片、手绘图。

据介绍，此遗址应是内蒙古南部与陕西省西北部之间黄河沿岸一带新石器时代文化遗址的一部分。足证当时，黄河沿岸村庄稠密，人口众多。出土的石器之中，有石铲和石刀。这表明当时农业生产发达，是当时主要的生产活动。彩陶、红陶器的大量出现，一方面说明了内蒙古西部的仰韶文化的发展程度，另一方面更说明了它与中原地带的仰韶文化，具有深切的关联。

119.清水河县台子梁的仰韶文化遗址

作　者：汪宇平

出　处：《文物》1961 年第 9 期

乌兰察布盟清水河县西北，有喇嘛湾村。村北 1 公里，在黄河东岸，有一大山梁，山顶上有个烽火台，当地把这个山梁叫作"台子梁"。台子附近有许多汉代陶片。在台子东北方约 1 公里的山的东坡上，有 1 处仰韶文化遗址。

简报介绍，遗址南有石板墓数座，为方形、长方形，早已被破坏。墓西北方，在山坡中上部有小土堆 10 余处，周围散布着许多陶片。这些土堆都是灶址，灰层浅薄。平台表面浅黑色，里层褐色，很坚硬。显然是烟熏火烧的结果。在遗址东南角，地面有石磨盘和石磨棒残片；陶片只有彩陶、红陶，没有篮纹和篦纹陶，器型以壶、钵、罐、碗居多，没有鬲，修复陶器 4 件，此外出土陶片很多。红陶片的纹饰有细绳纹，彩陶片有三角纹等。

120.内蒙古中南部考古调查

作　者：洲　杰

出　处：《考古》1962 年第 2 期

1960 年 4 月，考古人员前往内蒙古中南部地区作 1 次实地调查。简报分为：一、仰韶文化，二、龙山文化，三、关于这个地区的旧石器问题，共三个部分。有照片、手绘图。

据介绍，这次调查，是从清水河县的下城湾开始，沿着黄河东岸向北进行的。沿途在柳青村、大沙湾、上城湾、榆树湾、喇嘛湾、托克托县城以及托县东北的古城镇等地附近作了调查。在调查中，遇到的有新石器时期的遗址、战国至汉魏时代的遗址和城堡、汉代匈奴人墓地、唐代以后辽金元时期的遗址和城堡，还有几处古代边墙和燧台遗址。仰韶文化遗址多在河旁平坦的地方，文化堆积面小的长宽 20 ～ 30 米，大的 60 ～ 70 米，文化堆积保存也不好。遗址分布倒很密集，几里间便能见到 1 处，龙山文化遗址只有柳青村之北 1 处，面积很小。通过在这个地区的调查，我们了解到仰韶文化分布到内蒙古中部，至少已经到了大青山以南，呼和浩特附近。龙山文化也越过了长城，到了内蒙古中部之南界。

121.呼和浩特东郊二十家子村的新石器文化遗址

作　者：汪宇平
出　处：《考古》1963 年第 1 期

内蒙古呼和浩特市东南方约 35 公里，有二十家子村。村西北有 2 条小河汇合成大黑河。小河两旁，是山丘地带。新石器时代遗物就散布在河边山坡的台地上。在这一带，凡是山坡上地势比较开阔平坦的地方，都有遗址。简报分为：一、小河南岸的遗址，二、小河北岸的遗址，三、墓葬，共三个部分。有手绘图。

据介绍，小河南岸遗址在二十家子村东南约 500 米，在小河自东流来向北转弯的南岸台地上。文化层在地面下约 80 厘米。沟崖断面有灰层和烧土痕迹，大部分塌到河边。小河北岸遗址规模较大，分布于村东小河北的山坡台地上。台地形势开阔，文化遗址一般在高出小河水面 15 ～ 30 米一带，文化遗物较之南岸更为丰富。遗址年代应包括细石器文化及仰韶文化两个阶段。

122.内蒙古清水河县白泥窑子遗址复查

作　者：内蒙古历史研究所　崔　璿
出　处：《考古》1966 年第 3 期

1958 年秋，考古人员在清水河县喇嘛湾东北的白泥窑子调查到新石器时代遗址 1 处，认为该遗址包含仰韶文化和细石器文化，并推论从大青山往南，沿黄河两岸以至伊盟南部一带，一般出有篮纹陶片的遗址，都出细石器，因而这类遗址属细石器文化。简报分为四个部分，有手绘图等。

据介绍，白泥窑子在喇嘛弯东北 1.5 公里，村靠白泥窑子沟，在沟的西、北、东北的台地上，分布着新石器时代遗存。包含两种文化。简报认为第一种文化当为仰韶文化。至于第二种文化，虽然遗物中也发现有细石器，但数量很少，而这里所出的篮纹陶片，却是龙山文化重要特征之一，加以在其他的龙山文化遗址中也有出细石器的；因此，简报认为第二种文化应是龙山文化。

123.呼和浩特市东郊旧石器时代石器制造场发掘报告

作　　者：内蒙古博物馆、内蒙古文物工作队

出　　处：《文物》1977 年第 5 期

1973 年 10 月，内蒙古博物馆派人到呼和浩特市东郊进行文物调查时，发现了 2 处石器制造场。其中 1 处位于呼市东北 33 公里保合少公社大窑村南山，另 1 处位于呼市东 30 公里榆林公社前乃莫板村脑包梁。1976 年 9 月，发掘小组对其进行了发掘。简报分为：一、地貌和地层，二、文化遗物，三、经济生活，四、结语，共四个部分。有照片。

据介绍，大窑村位于大青山沟口的面铺窑村南 4 公里，在很长的历史时期中，这里成为 1 处大规模的石器制造场。这次重点发掘的是大窑村南山石器制造场，其中发现遗物有石器 394 件、石片 1200 多片。简报推断这些石器大多数属于旧石器时代晚期，一部分属于新石器时代。

简报称，从全部文化遗物分析，当时人类过着以狩猎为主、采集为辅的原始生活。呼市东郊 2 处石器制造场，规模大，沿用时间长，开始于旧石器时代晚期，延续到新石器时代。这种石器制造场，在广东省南海县西樵山和山西省怀仁县鹅毛口曾发现过，但都属于新石器时代。旧石器时代晚期石器制造场在国内是第一次发现，在石器工艺发展史上，具有重要意义，不能不引起人们的重视。

124.内蒙古托克托县新石器时代遗址调查

作　　者：古发习

出　　处：《考古》1978 年第 6 期

托克托县，西临黄河。在与黄河相距 0.5 ～ 1.5 公里的台地上，分布着一些新石器时代文化遗址，一般高出水面 10 ～ 20 米。这些文化遗址，因受风沙影响，风蚀较为严重，多被流沙覆盖，辟为农田者少。简报配以手绘图予以介绍。

海生不浪、碱池、章盖营子 3 处遗址，简报认为应属于同一文化类型的新石器时代文化遗存。这种文化类型的陶器，无论是器形或彩绘花纹，都有它的独特风格。

这样的文化遗存的分布,据简报,在黄河东岸托县城关附近以及清水河县的白泥窑子、台子梁、下塔、羊路渠、畔峁、岔河口、冯家滩等遗址都有发现;在黄河西岸的准格尔旗沿河台地上也有不少。

简报称,从这种文化遗存陶器的器形和彩绘风格考察,它有别于仰韶文化,又与马家窑文化有所差异。它是继承和发展了仰韶文化,而又具有鲜明的地域特点的一种原始文化类型。

125.内蒙古清水河白泥窑子 C、J 点发掘简报

作　者:崔　璿、斯　琴
出　处:《考古》1988 年第 2 期

内蒙古清水河县白泥窑子遗址,自 1958 年发现以来,经过几次调查,各有成果发表。内蒙古社会科学院历史研究所考古研究室在以往工作的基础上,于 1982 ~ 1984 年在白泥窑子遗址的 A、C、D、J、I 点进行了发掘,有关情况与初步认识也均有简略报道。经过整理,C、J 两点的发掘,简报分为:一、白泥窑子 C 点(编号:BC),二、白泥窑子 J 点(编号:BJ),三、结语,共三个部分。有手绘图、照片。

白泥窑子遗址 C、J 点发现有房址等遗迹、陶器等遗物。有两种文化遗存。第一种文化遗存在 C、J 两点的共同表现是,房子都是方形浅地穴式,斜坡式门道居中且向阳,门向开阔地带,室内灶坑深,位于中轴线靠近门的地方,居住面均系泥抹且经烧烤,柱洞均在室内居住面范围内。陶器的陶系或均属泥质与夹砂红陶,或以之为主;纹饰均以线纹为主,还有弦纹、泥饼状附加堆纹、宽带纹;器型都有小口尖底瓶、红陶夹砂罐、直口宽带纹黑彩钵、敛口瓮、杯鼓状火种炉,都不见鼎、釜、灶、壶一类的器型。不见仿动物纹彩绘,也都未见红彩。C、J 两点也有一些不同点。第一种文化遗存应早于仰韶中期;第二种文化遗存应晚于石佛塔文化。

126.内蒙古托克托县发现的几件磨制石器

作　者:陈星灿
出　处:《考古》1991 年第 9 期

1927 ~ 1935 年,中国与瑞典的科学工作者联合组成中瑞西北科学考察团,对我国西北包括内蒙古、宁夏、甘肃、新疆等省区进行了多学科的科学考察。考古学的考察是其中的一个项目。考古学的遗存,属于石器时代的,部分已由瑞典学者整理成报告分别于 1939 年和 1950 年出版。余下的部分,现存中国社会科学院考古研

究所和中国科学院古脊椎动物与古人类研究所。1986 年冬，在整理过程中，发现内蒙古托克托县出土的几件磨制石器，打磨光亮，引人注目。石器的原编号分别是30003、30008、30014、30015、30022、30027、30029 和 30032。但是考察团既没到过托克托，现在的日记和标本册上也不见有这些石器的记录，结合在托克托县的调查和发掘，简报认为应出自托克托县，并对其配以手绘图予以介绍。

据介绍，这批石器计大石铲 4 件，似为宗教仪式所用；石斧 2 件、石锛 1 件、石凿 1 件。简报称，这 8 件石器制作精美，打磨光亮，惜无明确的出土地点和层位。

127.内蒙古中南部三处古遗址调查

作　者：崔树华
出　处：《考古》1992 年第 7 期

这 3 处遗址是 1962 年调查的，当时只发表了个别标本，且均未发表袋足器，而又都定为龙山文化遗址。为全面反映这 3 处遗址的面貌，考古人员在以往整理的基础上，以袋足器作为重要标尺之一，重新对这 3 处遗址所包含的文化遗存作了排比、分期；同时整理出几套可能反映制作石环过程的标本。简报分为：一、串刀遗址，二、寨子上遗址，三、西麻村遗址，四、结语，共四个部分。有手绘图。

据介绍，这 3 处遗址所包含的文化遗存，主要是龙山时代的，但也有早于龙山和晚于龙山的。它们对于认识内蒙古中南部新石器时代晚期至青铜时代早期的文化面貌，或许有所补益。从这 3 处遗址也可看出，这里进入龙山时代以后，袋足器并不罕见。

简报称，从串刀一期和寨子上二期的残石环及其废品观察。制作石环的过程大体是：一、选择或加工成适当厚度的石片；二、将石片打成圆饼状，有的将圆饼周缘加工修整；三、自圆饼中心琢磨成锅底状浅坑，有的单面琢坑，有的双面琢坑；四、穿透锅底状浅坑；五、顶着穿透的小孔向外琢磨，使它成为环的内缘；六、琢磨扩大环的内缘后，再套在锥体状隰石上加磨，继续扩大环的内缘；七、加磨环肉，有的先磨一面，有的同时磨两面；八、加磨环的外缘（个别也有先磨外缘，再磨环肉的）；九、成品。

128.内蒙古和林格尔县浑河沿岸新石器时代遗址调查

作　者：李兴盛
出　处：《北方文物》1993 年第 3 期

和林格尔县位于内蒙古中南部，东南与山西省的右玉县相接，东北、西北、西南分别同凉城、托克托、清水河 3 县毗邻，北面则依地势平坦的土默川平原，与呼和浩特市接壤。1986 年 8 ~ 11 月，考古人员对该县进行了全面的文物普查，共发现各种类古代文化遗存 396 处。其中新石器时代遗址 38 处，而相当于仰韶文化时期的遗址有 16 处，这些遗址大部分分布于浑河两岸的台地之上。简报分为五个部分，配以手绘图，先行介绍相当于仰韶文化时期的 4 处代表性遗址的调查情况。

据介绍，简报重点介绍了秦家二十七号遗址、常家四号遗址、榆树沟遗址、郭家阳坡遗址共 4 处仰韶文化遗址。简报推断，秦家二十七号遗址属仰韶文化庙底沟阶段。常家四号遗址要晚于秦家二十七号遗址，遗物中较大型的筒形罐值得注意。榆树沟、郭家阳坡两处则属仰韶文化晚期，榆树沟要略早一些。

129.内蒙古林西县水泉遗址发掘简报

作　者：内蒙古文物考古研究所　索秀芬、李少兵、马凤磊等

出　处：《考古》2005 年第 11 期

水泉遗址位于内蒙古自治区赤峰市林西县大川乡水泉村北 100 米的山坡上。1991 年为配合集通铁路建设，对水泉遗址进行了发掘。发现遗存分属新石器时代和辽代。其中，新石器时代遗迹有赵宝沟文化房址 17 座、灰坑 2 个，红山文化房址 1 座、灰坑 7 个，还有 1 座房址出土遗存独具特色，可能属于一种新的文化类型。从这些遗迹中出土陶器、石器、骨器和蚌器数百件。简报分为：一、地层堆积，二、赵宝沟文化遗存，三、红山文化遗存，四、18 号房址，五、结语，共五个部分。先行介绍新石器时代文化遗存，有手绘图。

据介绍，赵宝沟文化遗存中，石制网坠较多，似乎暗示当时打鱼生活仍占较大比重。红山文化中灶为长方形浅坑灶，与别处发现的瓢形深坑灶不一样。F18 号房址为长方形半地穴房址，可能晚于红山文化。

130.内蒙古林西县井沟子西梁新石器时代遗址

作　者：吉林大学边疆考古研究中心、内蒙古文物考古研究所　朱永刚、索秀芬、
　　　　蒋　璐、周海峰等

出　处：《考古》2006 年第 2 期

井沟子西梁遗址的所在地井沟子村属于内蒙古林西县双井店乡，西北距县城约40 公里，南距乡政府驻地 7 公里。2002 年春，考古人员对西拉木伦河流域（重点是北岸地区）进行考古调查时发现了这处遗址。遗址位于井沟子村西约 200 米处的低

山南缘缓坡地上，当地俗称"西梁"。这里地处西拉木伦河以北，与西拉木伦河的直线距离约为 10 公里。西梁的东坡下有泉水，常年充盈，在近年当地持续干旱时，是周围几个自然村的主要水源。2003 年，对该遗址进行了抢救性发掘。

简报分为：一、地层堆积与遗迹，二、出土遗物，三、结语，共三个部分。有彩照、手绘图。

据介绍，此次调查共发现房址 11 座、灰坑 2 座，出土一批独具特色的陶器、石器、骨器、蚌器等遗物。该遗址反映出较早时期的新石器文化特征，在陶器上发现了极富特色的条形附加堆纹及其组织纹样，其内涵与兴隆洼文化有明显区别，也不同于辽西其他新石器文化。

年代约为距今 7000 年，简报推测该遗址居民应以渔猎型经济为主，农业迹象尚不明显。

包头市

131.内蒙古包头市阿善遗址发掘简报

作　者：内蒙古社会科学院蒙古史研究所、包头市文物管理所　崔　璇、
　　　　　斯　琴、刘幻真、何　林

出　处：《考古》1984 年第 2 期

阿善遗址，在包头市区东 15 公里的阿善沟门东，北依大青山，南濒黄河，京包铁路与呼包公路均经遗址与黄河之间东西向穿过。遗址所在的 2 个台地，东台地俗名"东脑包梁"（以下称"Ⅰ区"）；西台地俗名"西脑包梁"（以下称"Ⅱ区"）。阿善遗址于 1979 年由包头市文物管理所发现。1980 年对遗址进行了试掘，翌年 6 ～ 9 月又进行了正式发掘。清理解剖围墙 4 处，计长 57 米。发掘出房子 24 座、窖穴 220 个、墓葬 3 座，出土遗物计约 1600 件。动物骨头、石料、骨料和木炭等也出土很多。简报分为六个部分，有照片、手绘图。

据介绍，阿善遗址可分为三期。一期、二期遗存，简报称"貌似仰韶文化，却不一定是仰韶文化"。第三期，测定年代为距今 4400 ～ 4150 年。似乎也不能称作"龙山文化"。简报称，第四期似已进入青铜时代，但遗物极少。简报指出，阿善第一、二、三期遗存，各有自身内涵，同相邻地区相比，均呈现出独特的文化面貌。它们都是我国北方的新石器时代文化，同时它们又同邻境地区相应时代的文化有许多相似之处，正反映了我国北方新石器时代先民同相邻地区之间的密切交往。

132.内蒙古大青山西段新石器时代遗址

作　者：包头市文物管理所　刘幻真

出　处：《考古》1986年第6期

　　大青山是阴山山脉的主要支脉之一，由西而东横贯内蒙古中部，它的西段大部分属包头市管辖。1979年，考古人员在这里发现了阿善遗址，此后又2次对其进行发掘。发掘表明，阿善遗址是我国北方的一种新的考古文化的代表性遗址，它的发现，不仅突破了我国原有的新石器文化类型和分布范围，同时也为我国史前文化的考古研究增添了新的内容。1983年4、5月和1984年5、6月间，考古人员先后在包头市东郊、市属的土默特右旗和固阳县等地，以大青山西段为重点，展开了考古调查，共发现新石器时代文化遗址12处。其中除有1处是发现于大青山北坡，其余都分布在大青山南坡的第一、二级台地上。简报配以手绘图等予以介绍。

　　据介绍，这一地区早期新石器时代文化遗存发现不多，说明当时这里的人口还很稀少，聚落亦很分散，这一阶段所反映的文化面貌与仰韶文化十分相似。但阿善第二期文化就明显地显示出它自身的文化特征。当发展到阿善第三期时，这里的原始文化已完全形成了自身的文化体系，从整个文化遗存来看，它无疑是这一地区原始文化的全盛时期。从空间看，阿善三期文化在内蒙古中南部地区发现较多，其南缘甚至延伸到晋西北和陕中一带，而大青山南麓很可能是这一原始文化的北缘。至于它们之间在文化面貌上存在的某些差异，当是与各自所处的自然环境及邻近文化的影响有关。

　　简报指出，这次调查的西园遗址东台地、莎木佳、黑麻板和威俊等遗址，都发现了围绕遗址修筑的地面石砌围墙遗址和地面房屋基址。上述遗址的石墙是同一时期出现的建筑，从其规模来看，显然是属于防御性工程。由半地穴到地面直接起筑房屋，是我国建筑史上的一大进步，上述遗址中与石墙同时出现的地面房屋基址的发现亦很重要。尤其是黑麻板遗址的地面房址，基本上保留了当时村落的一部分，这对研究当时的社会性质、社会组织及我国私有制的起源都是颇有裨益的。莎木佳和黑麻板遗址发现的祭坛遗址，是继辽宁省喀左县东山咀祭祀建筑群以后国内发现的又一批原始社会宗教遗迹。阿善遗址也发现有类似"敖包"的遗址，均为距今4000多年的祭祀遗址。西沙塔遗址，则是大青山北首次发现的新石器时代遗址。

　　据介绍，此次调查的遗址绝大多数为新石器时代遗址，仅纳太遗址等少数为早期青铜文化遗址。

133.内蒙古包头市西园新石器时代遗址发掘简报

作　者：西园遗址发掘组　杨泽蒙、胡延春、李兴盛

出　处：《考古》1990年第4期

西园遗址位于内蒙古包头市东郊沙尔沁乡西园村东约1公里的大青山西段南麓，西距阿善遗址5公里，遗址坐落在西园村北东西对峙的两个台地上。该遗址是1983年包头市文物管理所调查时发现的，1985年该处与内蒙古社会科学院历史研究所对遗址的西台地进行了首次发掘，面积为275平方米。为了进一步搞清西园遗址的文化面貌和整体布局，考古人员于1988年6月1日到7月25日对遗址的西台地进行了第2次发掘，共开探方41个，包括扩方总发掘面积约1100平方米，发掘房址35座、灰坑101个、墓葬9座（包括7座春秋时代北方民族墓葬），出土了一批石、骨、陶质的生产工具和生活用具。

简报分为：一、地层堆积及文化分期，二、第一期遗存，三、第二期遗存，四、第三期遗存，五、结语，共五个部分，有手绘图。

据介绍，近几年来，随着阿善遗址的发掘和大青山西段几处新石器时代遗址的发现，大致可以确定这一地区上述遗址相当于仰韶文化中晚期。通过本地区目前已有的发现，简报指出，河套北地区和鄂尔多斯地区同一时期的文化遗存，文化面貌虽有较多的相同之处，但也存在着一定的差异，它们应是这个大文化区内的两个不同的类型。特殊的地理位置和自然环境，使河套北地区的远古居民与东、西方文化的联系较仅一河之隔的鄂尔多斯地区要更为密切。

简报称，此次发掘的房址35座，多有一定的分布规律。这对于我们研究该遗址各阶段村落的布局，具有重要的意义；尤其是属于第二期的大房子的发现，对于我们探讨本地区这一时期的社会形态、组织结构，提供了难得的资料。

乌海市

赤峰市

134.内蒙古赤峰红山考古调查报告

作　　者：北京大学历史系考古教研室　吕遵谔
出　　处：《考古学报》1958 年第 3 期

赤峰红山一带，在 1949 年前日、法人曾考察过，梁思永先生也调查过。1956 年，北京大学师生又进行了调查。简报分为：一、绪言，二、红山前 56：02.Ⅱ，三、红山后石棺墓和北大沟住地，四、红山前 56：02.Ⅰ，五、红山前 56：02.Ⅲ（1）（2），六、结语，共六个部分。配以照片、手绘图。

简报认为红山彩陶与中原地区陕西、河南关系较密，而不是如日本人所言和甘肃关系较深。时代也不会如日本人所言晚至秦汉。先人的生活应是农耕，而不是游牧。

135.昭乌达盟巴林左旗细石器文化遗址

作　　者：内蒙古自治区文化局文物工作组　李逸友等
出　　处：《考古学报》1959 年第 2 期

1957 年夏，考古人员在内蒙古巴林左旗乌尔吉木伦河南岸发现了细石器文化遗址。简报分为：一、地理环境，二、文化遗址，三、文化遗物，四、结语。共四个部分，有照片、手绘图。

据介绍，共发现遗址 12 处，地面采集石器 2459 件，另有陶器残片。先民应过着畜牧狩猎兼营农业生产的生活。个别遗址农业用生产工具较多，似乎农业已占重要地位。简报附有"昭乌达盟巴林左旗细石器文化遗址采集遗物登记表"。

136.内蒙古昭乌达盟石羊石虎山新石器时代墓葬

作　　者：内蒙古自治区昭乌达盟文物工作站　苏　赫
出　　处：《考古》1963 年第 10 期

1960 年 6 月，考古人员对孟克河、敖来河两流域进行古遗址调查时，在新惠镇北 1 公里的石羊石虎山上清理了 1 座墓葬。简报配以照片、手绘图对此予以介绍。

据介绍，此墓为长方形土坑墓，墓口和墓室上部均被扰乱，大部残毁。葬式为仰身葬，骨架仅存残破的头骨及四肢骨。清理时共发现随葬的陶器、石器、蚌器等31件，大部分完整。其年代，简报推断可能早于夏家店下层文化，而晚于红山文化。

137.内蒙古巴林左旗富河沟门遗址发掘简报

作　者：中国科学院考古研究所内蒙古工作队　徐光冀
出　处：《考古》1964年第1期

1962年5～7月，考古人员在内蒙古自治区昭乌达盟巴林左旗浩尔吐公社富河沟门村进行发掘。简报分为：一、遗址的位置与堆积，二、屋址，三、遗物，四、结束语，共四个部分。有照片、手绘图。

据介绍，在遗址地表可隐约看到许多小片灰土，考古人员称为"灰土圈"，计有150个左右，下面均有房址等。此次发掘了12个"灰土圈"，发现屋址37座。发现遗物有陶器、石器、骨、卜骨等。应属细石器文化。

138.辽宁敖汉旗小河沿三种原始文化的发现

作　者：辽宁省博物馆、昭乌达盟文物工作站、敖汉旗文化馆　李恭笃等
出　处：《文物》1977年第12期

1973年考古人员在昭乌达盟敖汉旗小河沿公社老哈河、蚌河两岸进行了调查，在四道湾子大队三道湾子生产队村南和白斯朗营子大队的塔山、南台地、四棱山下发现了6处古代文化遗址。1974年6～8月，考古人员对其进行了发掘。简报分为：一、三道湾子遗址，二、四棱山遗址，三、南台地遗址，四、夏家店下层文化，五、三个原始文化时代的分析，六、三个原始文化与中原文化的关系，共六个部分。有照片、手绘图。

据介绍，三道湾子遗址位于三道湾子生产队村南老哈河东岸，地表分布有红山文化、夏家店下层文化和战国时期的遗物。该遗址早期文化层堆积极薄，且被后期文化遗址所破坏。这次清理了红山文化的灰坑（H1）1个，出土有陶器等。四棱山遗址位于白斯朗营子村南，发现窑址6座（Y1～Y6）。南台遗址位于白斯朗营子西南，发现有小河沿文化遗存和夏家店下层文化房址3处（F3、F9、F12）、灰坑1处（H1）。简报认为以上几处遗址的发展关系为红山文化（三道湾子）—小河沿文化—夏家店下层文化，中间还有缺环。夏家店下层文化的时代，应已相当于夏商时期。

139.昭乌达盟石棚山考古新发现

作　者：李恭笃
出　处：《文物》1982 年第 3 期

1977 年夏，昭乌达盟翁牛特旗解放营子公社二道丈房大队南沟生产队的石棚山上，发现 1 处保存比较完好的原始社会氏族墓地。墓地位于海拔 1000 余米的石棚山顶部，东、南两面的向阳坡上。墓地正当赤峰县与翁牛特旗的交界地带，东南距赤峰市约 30 公里。同年 9 月，由辽宁省博物馆、昭乌达盟文物工作站、翁牛特旗文化馆联合组成发掘队。发掘工作从 1977 年 9 月中旬开始到 11 月初结束，历时 1 个多月。揭露面积 5000 余平方米，发掘清理古墓 77 座。简报分为：一、墓葬概述，二、遗物简介，三、小结，共三个部分。有照片、手绘图。

据介绍，这次发掘的 77 座墓葬，其中单人土坑墓 64 座，合葬墓 3 座；无头骨墓 4 座，无骨架墓 4 座；儿童墓 2 座。多数墓为头东脚西仰身屈肢葬，少数墓头向西。3 座合葬墓都是 2 人脚相对，头向相反，下肢屈而相互交错，已鉴定的 M28 为成年男女合葬墓。这种特殊的埋葬形式，在我国新石器时代墓葬中颇为罕见，是首次发现。石棚山 77 座墓，共出土陶器 200 余件，主要有罐、豆、壶、钵、碗、盆、高足杯、器座、勺形器、尊等十多种器型。墓中普遍随葬生产工具，另有装饰品 100 余件。

简报称，关于小河沿文化时期所处的社会发展阶段问题，目前就石棚山的发掘材料看，小河沿文化正处在巨大的变革之中，即母系氏族社会逐步向父系氏族社会过渡的时代。

140.内蒙古翁牛特旗三星他拉村发现玉龙

作　者：翁牛特旗文化馆　贾鸿恩
出　处：《文物》1984 年第 6 期

1971 年春，内蒙古翁牛特旗三星他拉村村民在村北山岗造林时，从地表以下 50 ～ 60 厘米深处挖出 1 件大型龙形玉器，随即捐献给旗文化馆。1975 年夏，辽宁省博物馆曾前来鉴定并到现场调查。简报配以彩照、手绘图。

据介绍，这件玉龙墨绿色，高 26 厘米，完整无缺，体卷曲，呈 "C" 字形，是用 1 整块玉料雕成。简报称，三星他拉村在赤峰市以北百余公里，离乌丹镇 10 公里，是 1 处面积较大的红山文化遗址。据测定，此玉龙的年代为距今 5000 年以上。

141.内蒙古敖汉旗兴隆洼遗址发掘简报

作　者：中国社会科学院考古研究所内蒙古工作队　杨　虎、朱延华

出　处：《考古》1985 年第 10 期

　　1982 年秋冬，考古人员于该旗东南部进行文物考古普查工作时，发现在兴隆洼遗址上散布一种厚胎夹砂陶罐及陶钵等的残片，其上饰有压印复合纹饰，不同于已知考古文化的同类陶器。该遗址面积较大，内涵较为丰富。为了解这类遗存的文化性质、年代及与已知文化的关系等问题，自 1983 年开始对其进行发掘。简报分为：一、地层，二、遗迹，三、遗物，四、结语，共四个部分，有手绘图、彩照。

　　据介绍，以兴隆洼遗址为代表的遗存，既有特征鲜明的器物群，有一定的分布面，又有一定的存在时期，具备了考古学文化定名的基本条件，可称作"兴隆洼文化"。在普查中，简报认为，兴隆洼遗存代表一种新的考古文化。从兴隆洼文化的绝对年代，陶器、石器形制，制作技术等方面看，简报推断应属于新石器时代较早阶段，与裴李岗、磁山、老官台、大地湾等文化遗存的年代大体相同，处于同一历史发展阶段。一般认为，兴隆洼文化的年代，为距今约 8400 ～ 7000 年。

　　简报称，兴隆洼文化是西辽河流域、大凌河流域和燕山南麓地区，乃至东北、内蒙古自治区迄今所知最早的新石器时代遗存，对它的分析研究必将把相关地区新石器文化源流、体系的探索工作向前推进一步。

142.内蒙古敖汉旗小山遗址

作　者：中国社会科学院考古研究所内蒙古工作队　杨　虎、朱延平

出　处：《考古》1987 年第 6 期

　　小山遗址（即兴隆洼 N 号遗址），位于赤峰市敖汉旗东南边缘宝国吐乡兴隆洼村东 1.3 公里。1982 年秋冬文物考古普查工作时发现这处遗址，次年作过复查。先后采集到一些压印几何纹和竖压横排短"之"字形线纹陶片，压削石器的石核、窄石片，以及磨制石斧和耜等。以前虽然在教来河中游、西拉木伦河中游及老哈河中游等地采集过这类标本，但在同一遗址的地表均散布有红山等文化遗物，难于辨别其所属器物群。1984 年 10 月和 1985 年 10 月，对小山遗址作了发掘。简报分为：一、地层与遗迹，二、遗物，三、结语，共三个部分。有照片、手绘图。

　　据介绍，小山发掘出土的遗物具有鲜明的特征，构成独具一格的器物群。陶器方面，夹砂褐陶占绝大多数，泥质陶极少，其中夹砂磨光陶器最引人瞩目。典型器类有尊形器、盖（亦可作假圈足钵）、盆、盂、椭圆底罐、敛口鼓腹罐以及

圈足钵碗类。其筒形罐的形制和纹饰独具一格，也是一种重要器类。纹饰具有多样性，制法以压印为主，几何纹、动物形纹，图形内填"之"字形篦点纹，以及几何纹与"之"字纹合施于一器等最有代表性。"之"字纹以 A、B 型为主，不同于其他文化。此外，不规则横条纹、刮条纹和戳纹也各有特色。石器方面，磨制、打制与压削石器共存。磨制石器较多，石斧、石凿扁平有侧棱，穿孔斧形器精磨抛光，还有粗磨的环状器。有槽石器尚属少见的器类。石耜以及磨盘和磨棒的形制与红山等文化同类器物型式不同，石耜用料各异。压制石器目前仅见石核和窄石片。小山遗存及所属同类文化遗址的分布地区，现在所知最北的一处是西拉木伦河南侧翁牛特旗头分地，较北的有教来河中游奈曼旗乌根包冷、老哈河中游敖汉旗吴家营子和三成美，往南有敖汉旗赵宝沟、小山等遗址，最南的是河北省迁安县滦河下游的安新庄遗址。年代经测定为公元前 4800 年左右。先民应已过着定居生活，农业占重要地位。

143.内蒙古巴林右旗那斯台遗址调查

作 者：巴林右旗博物馆 董文义、韩仁信
出 处：《考古》1987 年第 6 期

1980 年秋，考古人员对内蒙古巴林右旗巴彦汉公社那斯台大队进行考古调查时，发现 1 处大面积的新石器时代文化遗址，并采集了许多遗物。此后，又多次进行了复查，对其文化内涵及分布情况有了进一步的认识。简报分为：一、地理环境及遗迹分布，二、遗物，三、结语，共三个部分。有照片、手绘图。

据介绍，那斯台（蒙古语音译，意即松树坡）位于巴彦汉的大青山东麓余脉密绿大坝的南侧，西拉木伦河支流查干木伦河西岸的高台地上，南距西拉木伦河约 14 公里。遗址中间被宽 20 米的乌兰沟隔断，分为东、西 2 个部分，东部是台地，西部是斜坡地，总面积约 150 万平方米。

简报称，那斯台遗址是目前西拉木伦河以北发现的规模较大的原始文化遗存之一，应属红山文化。这里水肥土沃，为古代人类发展农耕和渔猎生产提供了极好的自然条件。遗址中出土数量较多而又成套的农业生产工具，说明当时西拉木伦河以北的原始农业已发展到一定的水平。石镞制作精细，形制多样，反映了渔猎生产在当时也占有重要地位。圆饼形石器出土数量较多，可能是一种具有特殊用途的石器。陶器制作精致，种类繁多，彩绘的技法熟练，线条流畅，内容丰富多彩。

简报指出，那斯台遗址占地面积之大、范围之广，以及一些玉器的发现，远远超过了一般的原始文化遗址。这里不但有密集的房址和窑址，而且还有壕沟等防卫

设施（未作发掘，年代待定），显示了氏族社会的繁荣景象，是一处重要的聚落遗址。可以肯定，西拉木伦河以北也是红山文化分布的重要区域之一。

144.内蒙古敖汉旗赵宝沟一号遗址发掘简报

作　者：中国社会科学院考古研究所内蒙古工作队　刘晋祥、朱延平
出　处：《考古》1988 年第 1 期

1982 年敖汉旗文物普查时，在旗东南部一些地点采集到以压印几何纹为主要特征的夹砂陶片。赵宝沟村一号遗址（发掘时的编号）是有别于当地已知考古学文化遗存中性质单一、面积较大的遗址之一。这一发现当即引起考古界的重视。苏秉琦先生在观察研究这类遗存的标本后称这种遗存为"赵宝沟类型"。为探索这种遗存的文化内涵及其与已知考古文化的关系，工作队于 1986 年夏季在赵宝沟村一号遗址进行了发掘。

赵宝沟村位于赤峰市（原昭乌达盟）敖汉旗新惠镇东北 25 公里处。四周环山，山上大都覆盖着较厚的土层，少数山体岩石裸露。山峰较低，坡度不大。山脚地带呈高低不平的缓坡状。向阳的山坡和山脚地带多已辟为耕地。一号遗址就坐落在村西北 2 公里处山脚的缓坡地带。遗址面积约 9 万平方米。遗址地表可见房址的灰土堆积被破坏后遗留的灰土片。每个灰土片就是 1 座半地穴房址。由于农耕翻土，遗址上植被稀疏，水土流失严重，多数房址保存不佳。这次揭露面积 2000 余平方米，发掘房址 17 座，获得较丰富的陶、石、骨、蚌等质料的遗物，还出土很多兽骨、兽角。简报分为：一、房址，二、遗物，三、结语，共三个部分。有手绘图、照片。

据介绍，赵宝沟遗址发掘所揭示出的一系列特征与这一地区迄今所知的兴隆洼文化、富河文化、红山文化在整体上有明显的不同，是一种新的原始文化遗存。按照识别考古学文化的原则，把这一类型的遗存暂命名为"赵宝沟文化"，以利于继续探索这一地区原始文化的面貌。赵宝沟文化年代测定已有五个数据。碳十四所测年代数据表明赵宝沟文化是这一地区新石器时代较早的文化之一。

简报称，目前所知赵宝沟文化的分布范围尚未超出红山文化的分布地域。随着赵宝沟文化的识别和文物普查工作的开展，赵宝沟文化的分布地域将会逐步明确。赵宝沟遗址的发掘，不仅为这一地区新石器时代文化研究提供了新的资料，也使大家认识到这一地区的新石器时代的文化面貌是很复杂的。赵宝沟文化本身的源与流，同类遗址间的差异，以及赵宝沟文化与已知的兴隆洼文化、红山文化、富河文化的关系，是今后发掘与研究工作中理应提上日程的问题。

145.内蒙古林西县白音长汗新石器时代遗址发掘简报

作　者：内蒙古自治区文物考古研究所　郭治中、索秀芬、包青川
出　处：《考古》1993 年第 7 期

　　白音长汗遗址位于林西县最南端、西拉木伦河的北岸阶地上，北距林西县人民政府所在地约 37 公里、双井店乡白音长汗村南约 0.5 公里。这里地处大兴安岭南段余脉的群山之中，但山势较平缓，山间有大片空阔地带，适宜于农业耕作。遗址现存面积 10 余万平方米，发掘地段集中在遗址西侧山岗的缓坡地带，发掘工作自 1988 年至 1989 年分两次进行。简报分为：一、地层堆积和层位关系，二、兴隆洼文化遗存，三、赵宝沟文化遗存，四、红山文化遗存，五、小河沿文化遗存，六、结语，共六个部分。有手绘图。

　　据介绍，此次发掘以兴隆洼文化遗存最为丰富。属于兴隆洼文化的房址共清理了 23 座，明显地分成南、北 2 个聚居区，两区相距 40 余米。北区保存较好，已发掘的 17 座房址依坡势成 3 排分布，并有壕沟环绕。兴隆洼文化是中国社会科学院考古研究所于 1983 年发掘敖汉旗兴隆洼遗址后提出来的。目前所知，这一远古文化的分布范围相当广阔，除在西拉木伦、大小凌河流域有比较集中的发现外，其南界已越过燕山，进入海河北系区乃至渤海北岸。在这个广大的区域内，随着考古工作的展开，兴隆洼文化存在着地区类型的差别已见端倪。白音长汗遗址的发掘，为此提供了十分可贵的资料。共性方面，都是方形半地穴式房址，外有围沟。石器方面，都是以粗磨农耕工具为主。陶器只有夹砂陶第一种。不同之处表现在细节上，如白音长汗的房址一般进深大于开间，石器以磨制扁平长方形石铲为主。陶器陶钵数量很少，等等。白音长汗兴隆洼文化的年代，经测定为距今 6590±85 年。

146.内蒙古巴林右旗锡本包楞出土玉器

作　者：巴林右旗博物馆　朝格巴图
出　处：《考古》1996 年第 2 期

　　1982 年 6 月，内蒙古赤峰市巴林右旗查干诺尔苏木图拉嘎嘎查锡本包楞独贵龙的牧民，在村东北约 4 公里的敖尔其格图牧场挖简易牛栏围壕时，发现 1 座古墓，并出土了 3 件玉器。同年 7 月，考古人员赴现场进行了调查。简报配以手绘图。

　　据介绍，此墓位于巴林右旗大板镇东南约 30 公里的丘陵地带，地处敖尔其格图山南坡平缓的台地上，墓葬以东 500 米有一季节性小河。调查时墓葬已遭严重破坏，据残存痕迹判断当为长方形浅竖穴土坑墓，未见葬具。据发现者介绍，墓内有

完整人骨架 1 具，仰身直肢，头向北。仅随葬 3 件玉器，玉玦发现于死者头部，匕形器则出于死者腰部。简报推断此墓应为兴隆洼文化时期墓葬。一般认为，兴隆洼文化的年代为距今约 8400～7000 年。

简报指出，这几件玉器的出土，为进一步研究我国东北地区西拉木伦河流域的新石器时代考古学文化的特征和发展进程，提供了新的资料和线索。

147.内蒙古赤峰大南沟新石器时代墓地的发掘

作　者：赤峰市博物馆　项春松

出　处：《文物》1997 年第 4 期

大南沟新石器时代墓地，位于内蒙古东赤峰市翁牛特旗解放营子乡二道杖房大南沟村，地处海拔 800 余米的石棚山顶部。墓地地势由北向南倾斜，水土流失严重，有些墓葬已被雨水冲毁扰乱，人骨及随葬器物暴露于地表。1977 年夏，村民在山上采集到石环、蚌饰、石斧等文物（编入本报告的 M1），考古人员确认这是 1 处面积较大、时代较早、保存较好的原始社会公共墓地。1977 年 7～10 月，考古人员先后进行了两次发掘，发掘了墓葬 77 座，依发掘顺序先后，编为 M1～M77。出土陶、石、骨、蚌器 570 余件。

简报分为：一、墓地分区布局，二、墓葬形制及埋葬习俗，三、随葬器物，四、结语，共四个部分。有彩照、手绘图。

据介绍，墓葬主要集中于墓地的南坡和东北角边缘地带。东西长约 125 米，南北宽约 75 米。按墓坑的方向，77 座墓大体可分为 3 个区：A 区 17 座，B 区 32 座，C 区 28 座。出土遗物有石器、彩绘陶器、骨器、蚌器等。特别是有陶纺轮 13 件、石纺轮 9 件。

大南沟墓地是东北地区迄今为止发现的面积较大、保存较好、出土文物较多的墓群，也是北方新石器时代文化中少见的高山型墓地。

简报称，专家对出土人骨进行测定后估计，大南沟遗址的年代为距今 4500～4300 年左右，正处于新石器时代晚期与夏家店下层文化的交替时期。墓地中仍保留着男女同葬一地的形式，随葬品总的看还并不丰富，说明当时的社会生产力还比较低下，社会财富也并不丰富。随葬品的分配虽然有多寡之分，但悬殊不大，贫富分化刚刚开始。墓葬中反映出来的葬俗，尤其是无头骨葬，应是氏族社会晚期阶段特有的现象。M52 号墓出土一件刻划着内容复杂、符号较多的陶文直腹罐，简报认为是卜辞的早期形态。先民仍过着定居农业加以狩猎的生活。

148.内蒙古敖汉旗兴隆洼聚落遗址 1992 年发掘简报

作　者：中国社会科学院考古研究所内蒙古工作队　杨　虎、刘国祥
出　处：《考古》1997 年第 1 期

兴隆洼聚落遗址位于内蒙古赤峰市敖汉旗宝国吐乡兴隆洼村，地处大凌河支流牤牛河上游右岸一东西向低丘岗地上。1983 ～ 1986 年，考古人员曾先后对此遗址进行过四次发掘，共清理房址 60 余间，获得一批实物资料。在 1985 年发表的简报中正式提出"兴隆洼文化"的命名。为了搞清聚落的整体布局并对兴隆洼文化及相关问题进行深入的研究，于 1992 年 7 ～ 10 月又进行了第 5 次大规模发掘。此次发掘区位于遗址的西部，共揭露面积 1 万余平方米，发掘兴隆洼文化房址 66 间、窖穴与灰坑 173 个、墓葬 11 座及环绕房址的一条聚落围沟。简报分为：一、地层堆积，二、遗迹，三、遗物，四、分期，五、结语，共五个部分。有手绘图、照片、拓片。

据介绍，兴隆洼聚落形态的演变大体经历了 3 个阶段，可以划分为一、二、三期聚落。居室墓葬共 10 座，分别在 10 座房址内，是本次发掘的重要收获之一。墓葬形制相同，均为长方形竖穴土圹墓。M118 内出土随葬品最为丰富，墓穴西南部葬有两头整猪，一雌一雄，与埋于东北部的墓主人同穴并列。简报称此类现象在国内史前遗址中尚属首例，由此也可看出，兴隆洼先民对于猪灵的祭祀应具有图腾崇拜的意义。

简报称，查海一期遗存与兴隆洼三期相当，某些因素能早到兴隆洼二期。简报认为，这 3 处遗存分别代表了兴隆洼文化的兴隆洼、查海和白音长汗 3 个类型。依发掘和确认文化性质的先后以及发掘规模大小等，称作"兴隆洼文化"为妥。一般认为，兴隆洼文化的时间，为距今 8400 ～ 7000 年左右。

149.内蒙古敖汉旗兴隆沟新石器时代遗址调查

作　者：中国社会科学院考古研究所内蒙古工作队、敖汉旗博物馆　杨　虎、
　　　　刘国祥、邵国田
出　处：《考古》2000 年第 9 期

兴隆沟遗址位于内蒙古赤峰市敖汉旗宝国吐乡兴隆沟村西南约 1 公里的山坡上。1982 年冬，进行考古普查时，首次发现兴隆沟遗址。此后经过多次复查，确认其为 1 处文化性质单纯、保存状况较好的兴隆洼文化聚落遗址。为配合兴隆洼遗址发掘报告的编写工作，1998 年 5 月考古人员对兴隆沟遗址进行了复查，并对地表所见到的

房址灰圈进行了测绘，采集到一批典型的陶片及数量较多的石器。该遗址东西长400米，南北宽120米，总面积达48000平方米；海拔高度为565米。简报分为：一、地表遗迹，二、采集遗物，三、结语，共三个部分。有手绘图。

据介绍，目前经过正式发掘的兴隆洼文化遗址有兴隆洼、查海、白音长汗、南台子等。根据分布地域、内涵特征及年代的差异，简报将兴隆洼文化分成兴隆洼、查海、白音长汗三个类型。从兴隆沟遗址采集到的典型陶器、石器看，与白音长汗类型和查海类型区别较大，与兴隆洼遗址出土的陶器、石器接近，简报推断兴隆沟遗址应属兴隆洼文化兴隆洼类型，其年代大体与兴隆洼二期遗存相当，部分遗存可晚至兴隆洼三期遗存。

简报称，兴隆沟遗址的发现具有极其重要的学术意义。

150.内蒙古林西县白音长汗新石器时代遗址1991年发掘简报

作　者：内蒙古文物考古研究所、吉林大学考古学系　郭治中、索秀芬等
出　处：《文物》2002年第1期

林西县白音长汗遗址是内蒙古地区的1处新石器时代遗址。发掘工作是陆续展开的，1988年首次发掘，1989年再次发掘，以上发掘简报已在《考古》1993年第7期刊出。1991年，考古人员进行了第3次发掘，共清理聚落围沟2条、房址59座、灰坑73座、墓葬14座。简报分为：一、地层堆积，二、小河西文化遗存，三、兴隆洼文化南台子类型遗存，四、兴隆洼文化白音长汗类型遗存，五、赵宝沟文化遗存，六、西荒山类型遗存，七、红山文化遗存，八、小河沿文化遗存，九、结语，共分九个部分。有照片、手绘图。

据介绍，白音长汗遗址经3次发掘，总发掘面积达7264平方米，在此共发现7种新石器时代考古学文化或类型。兴隆洼文化的南台子类型早于白音长汗类型，西荒山类型似乎晚于赵宝沟文化。

151.内蒙古巴林右旗查日斯台嘎查遗址的调查

作　者：巴林右旗博物馆　朝格巴图
出　处：《考古》2002年第8期

1987年12月，内蒙古赤峰市巴林右旗巴彦汉苏木查日斯台嘎查牧民斯钦巴图在村西北约500米处的向阳台地上，发现1件兽形玉器，并采集到部分新石器时代石器，随即捐献给巴林右旗博物馆。1988年，考古人员先后3次对该遗址进行了全面调查。

调查情况简报分为：一、地理位置与遗址概况，二、遗物，三、结语，共三个部分。有手绘图、拓片。

据介绍，查日斯台嘎查遗址是迄今西拉木伦河以北发现的规模较大的新石器时代遗址之一。调查所采集的遗物较为丰富，兽形玉器的发现丰富了遗址的文化内涵。查日斯台嘎查遗址文化内涵，简报推断应以红山文化遗存为主。

简报称，查日斯台嘎查遗址的发现，丰富了红山文化研究的内容，并为研究西拉木伦河以北的古文化分布和发展提供了可靠的实物资料。

152.巴林右旗出土石雕人像

作　者： 朝格巴图

出　处：《北方文物》2002 年第 4 期

内蒙古赤峰市巴林右旗巴彦汉苏木牧民在挖那日斯台灌渠时，在那日斯台（蒙古语音译，意即松树坡）村东南约 1000 米处发现石雕人像 1 尊，而后移交给巴林右旗博物馆收藏。这尊石雕人像是造型风格古朴典雅、技法娴熟、比例均匀、制作最完美的史前石雕艺术品之一。简报配以照片予以介绍。

据介绍，石雕人像通高 35.5 厘米，直径 12.5 厘米，灰白色花岗岩制，呈蹲踞状，通体磨光。出土时因受拖拉机上推土铲的撞击，身首断裂，腹部、前胸及左眼等处均遭残损。在石雕人像出土的遗址上采集到属于红山文化的外表似有红衣、图案多已不清的泥质红陶片；火候不高、掺大石英颗粒、外表饰压印"之"字形纹陶片和印席纹器底；用花岗岩石磨制的石磨盘、磨棒以及大量的石耜、石斧、石刀、指甲形刮削器、凹底三角形石、柱状石核、刮削器等遗物。证明这里当时是一处面积较大的红山文化遗址。简报推断，这尊石雕人像属于红山文化早期人像。

153.内蒙古赤峰市兴隆沟聚落遗址 2002 ～ 2003 年的发掘

作　者： 中国社会科学院考古研究所内蒙古第一工作队　刘国祥、贾笑冰、
　　　　　赵明辉、田广林、邵国田等

出　处：《考古》2004 年第 7 期

兴隆沟聚落遗址位于内蒙古赤峰市敖汉旗东部，地处大凌河支流牤牛河上游左岸，东南距离兴隆洼遗址 13 公里。在 2001 年首次试掘的基础上，2002 ～ 2003 年，考古人员对该遗址进行了 2 次发掘，确认第一地点属于兴隆洼文化中期大型聚落（距今 8000 ～ 7000 年），探明了聚落规模和布局特征，揭示出兴隆洼文化聚落形态中

的新类型；确认第二地点属于红山文化晚期小型环壕聚落（距今 5500 ~ 5000 年），填补了红山文化晚期居址研究资料的空白；确认第三地点属于夏家店下层文化小型环壕聚落（距今 4000 ~ 3500 年）。

简报分为：一、学术目标与发掘方法，二、2002 ~ 2003 年发掘收获，三、初步认识，共三个部分。有彩照、手绘图。

据介绍，考古人员对兴隆沟遗址的发掘，确认了该遗址的三个地点分别为兴隆洼文化中期大型聚落、红山文化晚期小型环壕聚落和夏家店下层文化小型环壕聚落，这将有力地推动中国东北地区史前历史的深入研究。

据介绍，此次发掘有些发现尤为重要：

比如，首次发现了红山文化晚期的半地穴式房址，弧形短门道和圆形浅坑式灶址与以往常见的红山文化斜坡式长门道和瓢形深坑式灶址有别。首次发现的红山文化晚期长方形围壕兼具防御和界定双重功能。首次发现夏家店下层文化完整的取暖设施，围壕的防御功能倍显突出。

又比如，在埋葬习俗与原始宗教信仰研究方面，首次发现兴隆洼文化儿童合葬墓及东北地区迄今所知年代最早的一例成年男女双人合葬墓。将少数特殊死者埋在室内特定位置或有意埋葬在居住面上，具有明显的宗教祭祀意义，也充分反映出当时人已经具有了明确的灵魂观念。房址居住面上聚组摆放动物头骨以及祭祀坑内发现的猪首龙形态表明，祈求猎物繁盛及狩猎活动的成功是兴隆洼文化时期原始宗教信仰中的核心内容，而后者对于研究龙的起源及中国崇龙礼俗的形成具有深远意义。

简报指出，在经济形成与社会组织关系研究方面，兴隆洼文化时期狩猎—采集经济占据了主导地位，第一地点首次发现经过人工栽培的炭化粟，表明当时已经出现了原始的农业经济；红山文化和夏家店下层文化时期，农业经济成为主导性经济部门，狩猎—采集经济作为补充。兴隆洼文化时期已出现了较严密的社会组织，聚落内部讲究集体协作；红山文化和夏家店下层文化时期的社会组织管理日趋规范化，单一家庭成为独立性的经济生产和生活单元。在西辽河流域文明起源与早期社会发展进程研究方面，兴隆洼文化中期是西辽河流域史前社会发展进程中的繁荣期，由此确立了该地区史前文化在中国东北地区的核心和主导地位；红山文化晚期社会复杂化进程加快，在承继本地区已有文化传统和大量吸收中原优势文化因素的基础上，西辽河流域进入文明的曙光期；夏家店下层文化时期，三足陶器取代延续数千年的平底筒形陶器，占据主导地位，文化面貌发生巨变，西辽河流域步入早期国家阶段。

154.内蒙古赤峰市阴河中下游古代岩画的调查

作　　者：辽宁师范大学历史文化旅游学院　田广林

出　　处：《考古》2004年第12期

1992年6～8月，经过历时近百天的考古调查，考古人员首次在阴河中下游北岸上起孤山子、下至关家营约30公里地段范围内，发现古代岩画遗存70余幅。这是自1984年西辽河地区发现百岔河岩画以来的又一次重要发现。其中的部分内容曾作过报道。1994～2000年，田广林先生又先后多次对阴河北岸上起大庙、下至赤峰红山的地段进行复查，新发现岩画10余处。简报分为：一、分布，二、岩画，三、结语，共三个部分。有彩照、手绘图。

据介绍，1992年发现的阴河岩画，分布在西起内蒙古赤峰市松山区孤山子乡、东至赤峰红山约40公里的阴河北岸，岩画题材有人物、动物、符号等三种。人物约占75%，动物约占15%，符号约占10%。阴河岩画的年代上限约在距今8000年的兴隆洼文化时期，下限则到辽代。阴河早期岩画应与巫术或宗教密切相关，它所代表的信仰形式，应该属于由萨满教或群体宗教向早期的礼仪体系的过渡形态。

155.2002年内蒙古林西县井沟子遗址西区墓葬发掘纪要

作　　者：吉林大学边疆考古研究中心、内蒙古文物考古研究所　王立新、
　　　　　塔　拉、张亚强

出　　处：《考古与文物》2004年第1期

遗址位于林西县双井店乡敖包吐村井沟子自然村北约400米处，西北距林西县政府所在地林西镇约40公里，南距双井店乡政府所在地约7公里。该遗址于1989年赤峰市进行文物普查时发现。1998年考古人员报道了遗址内被破坏的1座墓葬，并确定了这里存在规模较大的墓群。2002年5月初，在复查该遗址时发现，遗址中部有几座墓葬被农民所挖育林坑破坏，且有被盗现象，遂进行了抢救性发掘。简报分为：一、遗址概况与墓群分布，二、墓葬特征，三、随葬品，四、相关问题，共四个部分。有手绘图。

据介绍，井沟子村地处西拉木伦河上游北岸的一条现已干涸的河川之中。遗址面积约2000平方米，共发掘墓葬31座、灰坑3个。墓葬有的已被盗。有单人葬13座、双人葬7座、多人葬9座，多见成人与儿童合葬。有的似非正常死亡，可能是殉葬。除一例为侧身直肢葬外，均为仰身直肢葬。31座墓葬都有随葬品，数量多少不等，种类有陶器、青铜器、骨器、石器和蚌器。有21座墓葬随葬陶器，一般每墓1～3

件，多者可达6件，凡未被移动位置者，皆位于死者头端。青铜器中以装饰品居多，有少量工具和武器。骨器以骨镞为主，其次为装饰品，另有少量马具及其他用具。石器与蚌器较少，且多为装饰品。大多数有用牲现象，计有马、牛、羊、驴、螺、狗骨。

简报称，此批墓葬的年代，经测定为公元前2100年左右，但简报认为应比这个年代要早。此批墓葬的文化面貌似与相邻的"水泉文化"及夏家店文化等均不尽相同，简报称不妨暂定为"井沟子类型"。墓主人应为东胡人，过着以畜牧业为主的生活。

156.内蒙古敖汉旗蚌河、老虎山河流域新石器时代遗址调查简报

作　者：中国社会科学院考古研究所内蒙古工作队、内蒙古自治区敖汉旗博物馆
　　　　李新伟、邵国田等
出　处：《考古》2005年第3期

内蒙古敖汉旗是辽西古文化区史前考古的重镇。1981～1988年考古人员进行的大规模考古调查成果丰硕，发现新石器时代遗址600多处。2001年5月，中国社会科学院内蒙古工作队与内蒙古自治区敖汉旗博物馆再次合作，在20世纪80年代调查的基础上，对敖汉旗境内蚌河与老虎山河流域的新石器时代遗址进行了拉网式调查。简报分为：一、概述，二、蚌河下游，三、老虎山河上游，四、结语，共四个部分。有手绘图等。

简报称，此次调查收获颇丰，有不少新的认识。如兴隆洼文化遗址呈聚集分布的特点；赵宝沟文化遗址的分布则明显比兴隆洼时期分散；红山文化遗址已出现明确等级区分，祭祀性遗址周边极少有居住性遗址，等等。

157.内蒙古赤峰市三座店夏家店下层文化石城遗址

作　者：内蒙古文物考古研究所　郭治中、胡春柏等
出　处：《考古》2007年第7期

三座店遗址位于赤峰市松山区初头朗镇三座店村，地处阴河左岸的洞子山上，东南距镇政府所在地约2.5公里，距赤峰市约40公里。2005年6月至2006年11月，为配合三座店水利枢纽工程的建设，考古人员对该遗址进行了考古发掘，揭露出一座保存基本完整的夏家店下层文化石城。简报分为：一、地层堆积，二、遗址概况，三、遗迹，四、遗物，五、结语，共五个部分。有彩照、手绘图。

据介绍，该遗址由大小 2 座并列的石城组成。清理出石砌圆形建筑基址 65 座、窖坑 49 座，以及规模巨大的城墙及其马面等遗迹，出土遗物包括石器、陶器、骨器等，其时代应为夏家店下层文化晚期。

至于此类遗址的性质，以前普遍认为是设防聚落，近年又有学者提出祭祀说的新观点。根据三座店遗址的发掘情况以及对周边同类遗址的仔细调查，发现这类遗址普遍存在着大、小两座城相互配置的建制。从出土遗物和城内建筑形制等分析，也可以肯定它们是一种共存关系，而非早晚关系。这种现象应该是当初的先民在规划聚落时出于某种特殊考虑而作出的选择，反映的应是一种文化观念。简报认为，这一点对解释夏家店下层文化山城类遗址的功能和性质至关重要。

158.内蒙古赤峰市上机房营子遗址发掘简报

作　者：吉林大学边疆考古研究中心、内蒙古自治区文物考古研究所　陈国庆、张全超等

出　处：《考古》2008 年第 1 期

上机房营子遗址位于内蒙古赤峰市松山区初头朗乡上机房营子村北约 0.5 公里处的山坡上，东南距初头朗乡 6 公里，距赤峰市约 50 公里。2005 年夏，为配合内蒙古赤峰市三座店水利枢纽工程建设，由内蒙古文物考古研究所和吉林大学边疆考古研究中心联合对上机房营子遗址进行了抢救性发掘。山城依山势而建，平面布局呈不规则形，南北长约 280 米，东西宽约 100～200 米，面积近 4 万平方米。城的东西两侧为 10 余米深的沟壑。南墙外临断崖。西侧有平行的两道石墙，二者相距 17 米，外墙、内墙均设有马面。北墙处有壕沟，北墙向南约 65 米处还建有一道西向的石墙，其中部有一凹缺，应为门址。东城外的山坡上发现有数十座墓葬，多数为土圹石板墓，还有少量土坑墓。墓葬均被盗。

据介绍，除石城外，此次还揭露出灰坑和窖穴 178 个、房址 10 座、墓葬 10 座、陶窑 3 座、灶 3 个、沟 1 条、双重石圆圈 1 座，出土陶、铜、玉、骨、角、牙、贝、蚌等质地的遗物 1000 余件。简报分为：一、地层堆积与文化分期，二、红山文化遗存，三、夏家店下层文化遗存，四、夏家店上层文化遗存，五、主要收获，共五个部分。有照片、手绘图。

简报称，此次发现的红山文化陶窑，夏家店下层文化陶窑，夏家店下层文化及上层文化贮藏粮食的窖穴，以及一些灰坑内的一些身首异处、四肢不全、头骨塌陷、被腰斩的人骨，均为罕见。

至于石城，简报指出以往的报道均将阴河中下游地区发现的石城址和石堆定性

为夏家店下层文化，此次石城址椭圆形石堆内发现的夏家店上层文化的土圹石板墓证明，石城址内的石堆并非完全是夏家店下层文化时期所建。实际上，夏家店上层文化时期亦发现有石墙和石堆建筑。龙头山遗址为单纯的夏家店上层文化遗存，整个遗址东部为居住区，中部为墓葬区，西部有大型的石砌围墙基址，在居住区内还发现 1 处直径 10 余米的圆形石堆建筑遗迹。由此可见，石城址和石堆等建筑并非为夏家店下层文化时期所独有。石城性质的确定还有待进一步的考古发掘。

159. 内蒙古赤峰市康家湾遗址 2006 年发掘简报

作　者：吉林大学边疆考古研究中心、内蒙古文物考古研究所　陈国庆、王立新等
出　处：《考古》2008 年第 11 期

康家湾遗址位于内蒙古赤峰市松山区初头朗镇康家湾村北的山坡上，东南距赤峰市区约 50 公里，南距阴河约 1 公里，隔河与砚台山相望。2006 年 8 月，为配合三座店水利枢纽工程的建设，考古人员对康家湾遗址进行了抢救性考古发掘。本年度共发掘了 3 个地点，编号为 06SK Ⅰ～Ⅲ区。其中，在Ⅰ区发现房址 2 座、灶 1 个、墓葬 1 座、灰沟 1 条、灰坑 19 个；Ⅱ区发现房址 1 座、灰沟 1 条、灰坑 24 个；Ⅲ区发现墓葬 4 座、灰坑 3 个。出土遗物的种类有陶器、石器、蚌器、骨器等。所清理的遗迹中，除 5 座墓葬、2 条灰沟和 6 个灰坑属夏家店上层文化遗存外，其余均属夏家店下层文化遗存。简报分为：一、地层堆积与文化分期，二、夏家店下层文化遗存，三、结语，共三个部分。先行介绍了此次发掘的夏家店下层文化遗存，有彩照、手绘图。

据介绍，该遗址以夏家店下层文化遗存为主体，遗迹有房址、墓葬、灰沟、灶坑、灶等，出土较多陶器、石器、蚌器、骨器等。该遗址不属于石城址，房址均为土坑半地穴式。这一发现，为研究阴河中下游地区夏家店下层文化的聚落形态及建筑形式提供了重要资料。

简报称，1994～1995 年，在美国国家科学基金会（NSF）资助下，北京大学的以色列籍研究生吉迪先生和赤峰民族高等师专北方民族文化研究所及赤峰市北方文化国际研究中心，联合对赤峰市松山区西部的阴河中下游地区进行了考察。调查起自初头朗镇，逆流而上，经孤山子乡到大庙镇。在调查的遗址中，有 11 处属于红山文化、70 处属于夏家店下层文化、87 处属于夏家店上层文化，还有 30 多处属于战国以后的遗址。其中属于夏家店下层文化的石城址有 64 处，占绝对多数，非石城址的夏家店下层文化遗址则数量极少。而康家湾正属于非石城址的夏家店下层文化遗址，所揭露的房址均为土坑半地穴式建筑。

160.内蒙古敖汉旗小河西遗址简述

作　者：杨　虎、林秀贞
出　处：《北方文物》2009 年第 2 期

1987 年，考古人员发掘了小河西遗址，共发掘了 3 座半地穴式房址，房址内出土遗物不多，有陶、石、蚌、骨器，其年代在距今 8200 年以前。简报分为：一、房址，二、遗物，三、结语，共三个部分。有手绘图。

据介绍，在小河西遗址发掘了 3 座较完整的半地穴式房址，有圆角方形和圆角长方形两种形式。房址居中央部位有灶址，灶有椭圆形和不规则瓢形两种。居住面有火烧痕迹，也有的房址地面有砸实的痕迹。F1 内发现柱洞，F2 和 F3 内未发现柱洞。F2 内发现灰坑 2 个。3 座房址均未发现门道。小河西 3 座房址内出土遗物不多，大部分出在居住面，其遗物有陶、石、蚌及极少的残骨器。陶片中仅有少量残罐口及罐腹片。陶质均为黑色或灰褐色夹砂陶，多素面无纹饰，陶质硬，胎体厚重。陶器用泥条盘筑法制成，器类很少。石器以石锄、磨盘、磨棒、石球等为主。简报认为小河西遗存与兴隆洼文化有许多相同处，但又有很大差异。

161.内蒙古敖汉旗榆树山、西梁遗址房址和墓葬综述

作　者：杨　虎、林秀贞
出　处：《北方文物》2009 年第 2 期

1988 年考古人员发掘了敖汉旗孟克河右岸的榆树山和西梁（千斤营子，简称"西梁"）两个遗址。其房址结构、出土遗物与小河西遗址比较相似，房址均为半地穴式。个别房址有居室葬。榆树山、西梁遗址所测年代晚于兴隆洼一期文化。简报分为：一、榆树山和西梁，二、房址和灰坑，三、墓葬，四、结语，共四个部分。有手绘图。

据介绍，榆树山和西梁遗址于 1988 年 10～11 月发掘。榆树山遗址位于敖汉旗玛尼罕乡，西梁遗址位于敖汉旗牛古吐乡，两处遗址均位于孟克河东岸，相距 500 米。小河西遗址位于敖汉旗木头营子乡的孟克河西岸，该遗址于 1987 年夏季发掘。榆树山有近 50 座房址、4 座墓葬。西梁有 80 座房址、1 座墓葬。榆树山、西梁遗址中的房址形式多样，有方形、长方形、梯形、不规则形 4 种。灶的形式和位置都比较固定，以圆形灶居多，其次是瓢形和卵圆形。所发掘的房址保存不好，发现有柱洞的占少数，也未发现门道。多处房址有"小窖"，或许为门的前身。居住面多有二层台。室内外设有许多浅坑，并埋有石器等工具。窖穴少有发现。房间的面积增大，最大为 96 平方米，有可能是公共的活动场所。较大的房间，大多在 30～40 平方米，一般在

12 ~ 22 平方米之间，简报推测社会及家庭结构已有明显的变化。西梁 F106 内，有蹲踞式的狗坑很值得我们注意，说明狗应与宗教仪式有一定的关联。榆树山和西梁墓葬形式简单，只有不规则的长方形及圆坑葬两种形式，长方形的墓人骨为仰身直肢葬，圆形坑为蹲踞式葬。居室葬只有 1 座，简报推测当时尚未出现单独的家族墓地。此两处遗址，应属新石器时代晚期，距今约 5000 年。

162.内蒙古敖汉旗榆树山、西梁遗址出土遗物综述

作　者：杨　虎、林秀贞

出　处：《北方文物》2009 年第 2 期

1988 年，考古人员发掘了敖汉旗孟克河右岸的榆树山和西梁 2 个遗址。所出遗物与兴隆洼文化同类器相比，筒形陶罐与之相差较大，石器、骨器中有许多相同的器物，如石锄、石刃骨鱼镖等。西梁遗址所出的钻孔石器和环状器很有特色。简报配以手绘图。

据介绍，根据其碳十四年代数据，榆树山和西梁遗址年代晚于兴隆洼一期文化，距今约 5000 年，暂称为"兴隆洼文化小河西类型晚段"。小河西类型晚段（榆树山、西梁遗址）所出土的遗物，石器中如石锄、砍砸器、石球、饼形器、磨盘、磨棒，骨器中如骨锥、骨匕、两端器、石刃骨鱼镖等，与兴隆洼遗址所出同类器物基本相同。单孔石刀，可以系绳，是收获谷物摘穗的重要工具。大孔环状石器则有独特的功能。素面筒形罐与兴隆洼文化的压印"之"字纹筒形罐相比较，陶质陶色均不相同，焙烧方法也不同，制造方面，两者有较大的差别。在石器和陶器制造方面，两面钻孔技术得到较广泛的应用，如钻孔圆陶片的大量出土，制作精良的石刀和有孔斧形器，都是很好的例证。陶塑人头像和骨笛，在兴隆洼文化遗址中都有发现。简报认为，小河西类型晚段与兴隆洼文化有继承关系。一般认为，兴隆洼文化的年代为距今 8400 ~ 7000 年左右。

163.内蒙古敖汉旗红山文化西台类型遗址简述

作　者：杨　虎、林秀贞

出　处：《北方文物》2010 年第 3 期

敖汉旗在 20 世纪 70 年代隶属于内蒙古自治区的昭乌达盟，现归赤峰市管辖。西台遗址位于敖汉旗王家营子乡阿福营子村西台居民点以西约 200 米的台地上。周围分布有兴隆洼文化下层、红山文化、夏家店下层、夏家店上层文化以及战国时代的遗址群。西台遗址是 1982 年旗文物普查时发现的，1987 年 8 ~ 10 月进行了发掘，

发现壕沟 18 处、房址 19 座、灰坑 79 个。主要收获是发现了两个保存完好的长方形环壕，环壕内的聚落房址保存不好，仅有 3 座较完整的房址，其中北部的红山文化房址 F202，出土了完整铸造青铜器的模具陶合范；F4 出土了完整的女性陶塑，为探讨中国文明起源提供了十分珍贵的资料。简报分为：一、发现概况，二、遗迹，三、遗物，四、结语，共四个部分。有手绘图。

据介绍，所谓城壕可分北、南两处。北城壕全长 280 米，内有房址 10 座。南城壕周长约 600 米，该遗址应属红山文化中期，大约距今 6500～6000 年，为新石器时代中晚期。

164.内蒙古赤峰市哈啦海沟新石器时代墓地发掘简报

作　　者：内蒙古文物考古研究所　张亚强等
出　　处：《考古》2010 年第 2 期

哈啦海沟墓地位于内蒙古赤峰市元宝山区宝山镇四合村哈啦海沟村民组西北部山坡上，处在老哈河与英金河之间的丘陵地带，地势西高东低，坡度很大，水土流失严重，加之人为破坏，部分墓人骨及随葬品也裸露于地表之上。墓地南北长 60 余米，东西宽 40 余米，面积约 2500 平方米。2007 年 5～8 月，内蒙古文物考古研究所对其进行了抢救性发掘。简报分为：一、墓葬概况，二、典型墓葬，三、祭祀坑，四、出土遗物，五、结语，共五个部分。有彩照、手绘图。

据介绍，此次发掘共清理了 51 座墓葬和 1 个祭祀坑。墓葬基本上为长方形土坑竖穴偏洞室墓，未见葬具。除 M45 以外，葬式均为仰身屈肢葬，分单人葬、二人葬和多人葬。出土遗物有陶器、石器、骨器、玉器等，以陶器为主。该墓地的时代约为距今 5000～4500 年的小河沿文化。

简报指出，墓地中有大量的合葬墓，占墓葬总数的 31%，其中男女合葬墓增多，明确的男女合葬墓有 9 座，占墓葬总数的 18%（如果加上 3 座性别不明的合葬墓，比例可达 24%）。墓葬内随葬品数量多寡不一，最多可达 37 件（组），少的甚至没有随葬品，贫富差距较大；随葬品中彩陶的比例较大，占陶器总数的 34%。

165.内蒙古赤峰市二道井子遗址的发掘

作　　者：内蒙古文物考古研究所　曹建恩、孙金松、党　郁等
出　　处：《考古》2010 年第 8 期

2009 年 4～11 月，为配合赤朝（赤峰市—朝阳市）高速公路的建设，考古人员

对赤峰市二道井子遗址进行了抢救性的考古发掘。二道井子行政村隶属于赤峰市红山区文钟镇，西北距赤峰市约15公里。遗址位于二道井子行政村打粮沟门自然村北侧的山坡上，周围为连绵的浅山丘陵。清理城墙、环壕、院落、房屋、道路、窖穴、灰坑、墓葬等遗迹305处。出土陶器、石器、青铜器、骨器及玉器等1000余件。简报分为：一、遗址概况，二、地层堆积，三、遗迹，四、出土遗物，五、结语，共五个部分。有彩照、手绘图。

二道井子遗址面积达27000平方米，堆积深厚，建筑遗迹保存完整，是目前所见保存最好的夏家店下层文化遗址。由环壕、城墙、院落、房址、窖穴、道路等遗迹入手，可考察该遗址不同时期聚落形态的变化，进而复原整个史前遗址始建、修缮、扩建、重建直至最终废弃的过程。

166.内蒙古巴林右旗塔布敖包新石器时代遗址2009年发掘简报

作　者：中山大学人类学系、内蒙古文物考古研究所　姚崇新、夏立栋等
出　处：《考古》2011年第5期

2009年8～11月，为配合巴新（巴林右旗—阜新市）铁路和集通（集林市—通辽市）铁路复线的施工，中山大学考古队受内蒙古文物考古研究所的委托，对内蒙古赤峰市巴林右旗塔布敖包遗址进行了抢救性考古发掘。"塔布"为蒙古语"五十"的意思，当地有50个敖包同在一个临河的山顶上，成为当地的标志性景观，因而当地牧民以"塔布敖包"为当地地名，将遗址命名为"塔布敖包遗址"。遗址位于巴林右旗查干木伦镇查干西热嘎查村敖包恩格尔小组西北方向约200～800米处。发掘工作共分三区进行，以E区出土的遗迹、遗物最为丰富。简报分为：一、地层堆积，二、遗迹，三、遗物，四、结语，共四个部分，介绍了Ⅱ区遗址的发掘情况。有彩照、手绘图。

据介绍，此次发掘，发现了兴隆洼时期的遗存，包括数间半地穴式房屋遗址，出土石器、陶器、骨器和少量玉器等总计120余件。本次发掘丰富了我们对兴隆洼文化类型的认识，对于研究西拉木伦河南北两岸新石器时代文化类型及谱系具有重要意义。

167.内蒙古喀喇沁旗红山文化积石冢调查简报

作　者：赤峰市喀喇沁旗文物管理局　李凤举等
出　处：《北方文物》2013年第1期

喀喇沁旗位于内蒙古赤峰市南部，北接松山区、红山区，南连宁城县，东隔老

哈河与辽宁省建平县相望，西端七老图山脉分水岭与河北省隆化县、围场县相邻。锡伯河自西南向东北斜贯旗境，于赤峰市区汇入老哈河支流英金河。第三次全国文物普查共复查和新发现不可移动文物遗存 605 处，考古学文化与历史时代各类遗存集合总数为 877 个，其中属于新石器时代的小河西文化、兴隆洼文化、赵宝沟文化、红山文化、小河沿文化遗存 71 个。红山文化遗存多达 62 个，其中 7 个红山文化积石冢尤其引人关注。

简报分为：一、基本情况，二、几点认识，共两部分。

在"几点认识"中，简报指出：

喀喇沁旗西部地区发现的这 7 座积石冢主要分布于锡伯河中下游地区，也是红山文化遗址相对集中的地区。积石冢主要建于沿河两岸的山梁顶部或缓坡地带的凸起位置，视野开阔，醒目突出，所在高度与同期遗址等同或略高。除西北营子积石冢面貌情况不明外，其他积石冢地表均见石块堆积。保存较好的牛头沟门北梁积石冢、药王庙积石冢，小东营子积石冢，直观地表现为封土积石特点。

积石冢地表陶器遗物几乎全为泥质红陶，而以筒形器为其标志性特征。泥质红陶筒形器在红山文化遗址中鲜有发现而仅与红山文化积石冢共存这一现象，直观地体现了筒形器的祭祀功能属性。与此相对应，以筒形器为代表的泥质红陶器物群在器形纹饰用法等方面也表现出了一些鲜明特点，诸如器物种类相对较少、形体相对较厚重、高宽比相对较大、素面弦纹及彩色弦纹大量使用、内壁保持原色或鲜受污蚀等，明显有别于遗址所见同类器物。

随着积石冢的发展与演变，墓地中的生活类陶器逐渐被排斥，筒形器数量激增。墓地大量使用明显区别于日常生活器具的现象，已经说明红山文化墓葬已经演进到了一个新的阶段。积石冢或与遗址共存、或其附近不见遗址的现象，有助于探讨积石冢的相对年代及与遗址的相互关系。

喀喇沁旗红山文化积石冢，处于目前所知分布区域较为偏西的位置，规模相对较小，其内部状况具有哪些特点，值得进一步探索。

简报最后指出，喀喇沁旗红山文化积石冢的发现，对于深化其自身内涵的研究、进一步探讨红山文化以及与周边文化的关系等提供了新资料。

通辽市

168.内蒙古哲盟科左中旗新艾力的新石器时代遗址

作　者： 齐永贺

出　处：《考古》1965 年第 5 期

1964 年夏，在内蒙古哲里木盟科尔沁左翼中旗新艾力南约 1 公里的固尔班傲日艾发现新石器时代遗址一处。简报配以拓片、手绘图。

据介绍，新艾力位于科左中旗东南部、西辽河北岸约 2 公里，西距通辽市约 40 公里。在屯南约 1 公里，有一道东西向的土梁，长 1 公里多，高出地面 3 ~ 5 米，其上有土丘 3 个，高出地面 6 ~ 10 米。遗址在土梁东端，东西长约 60 米，南北宽约 35 米。遗址位于高处，土层较薄，已开辟为耕地，因风吹雨淋，已露出了黑灰色砂土层，出土的文化遗物有石器和陶片。石器多为小型器，这可能与当地缺乏石料有关。陶片共采集到 27 片，有夹砂红陶、夹砂灰褐陶。

简报称，遗物的性质属于红山文化。这个遗址的发现，证明了红山文化的范围达到了赤峰的东北方西辽河的北岸。

169.内蒙古扎鲁特旗榆毛沟遗址调查

作　者： 盖山林

出　处：《考古》1984 年第 11 期

榆毛沟位于哲里木盟扎鲁特旗的东南部，西南距鲁北镇约 20 公里，东北距榆树屯约 500 米。其地是义和公社所在地。1965 年 9 月，考古人员在榆毛沟北约 100 多米的一个小山丘上，发现古文化遗址 1 处。简报配以手绘图。

据介绍，其地正处于大兴安岭南麓的丘陵地带，由此往南为平旷的大草原，往北丘陵起伏，再往北 4 ~ 5 公里便进入高峻的大兴安岭山地。遗址所在处为一馒头形的土石山丘，遗物只有石器一种，散布于杂草乱石之中。遗物分布面积，南北约 150 米、东西约 100 米。石料在遗址北部的群山中是很多的，说明当时制造石器是就地取材。遗址上的石片甚多，形状、大小、厚薄各有不同，一般都不甚规则，而且没有二次加工痕迹，有使用痕迹的数量更少。由大量的石片看，这里可能是一石器制造场。这次采集到十余件石器。

简报称，这次调查，由于仅限于地面采集，缺乏地层上的依据，又缺乏其他共生遗物，因而推断时代有一定困难。从在遗址上采集的石器看，与细石器有很大的不同，这里没有细石器文化遗址中的石镞、石核、石叶之类的典型器物，制作技术也比细石器原始落后得多，器面上较多地遗留着自然岩面。遗址中没有发现磨制石器，更没有发现陶片，所有这些迹象表明，这处遗址具有原始性。简报推断，它的时代可能要早于具有细石器成分的古文化遗址。

170. 内蒙古科左中旗玻璃山新石器时代遗址调查

作　者：内蒙古哲里木盟博物馆　孙衷然
出　处：《北方文物》1998 年第 4 期

玻璃山新石器遗址位于内蒙古科左中旗太平乡后太平村村北200米处。从平齐（四平—齐齐哈尔）线的玻璃桥车站下车往西北走3公里即是。此处遗址是1975年6月进行文物普查时发现的。简报分为：一、地理位置及其形势，二、遗物，三、结语，共三个部分。有手绘图。

据介绍，遗址分布在太平乡后太平村北200米的沙丘上。沙丘略有起伏，风蚀严重。站在遗址上，可以看到一些被风剥蚀的沙土坑里和光秃秃的黑沙土包上，有灰层、火烧土、陶片、石器等遗物。遗址上的石器分为磨制、琢制、打制3种，共计20余件，有石相、石样、环状石器、石斧、石球、石饼。绿松石管件、陶器无一件完整，均为陶片。其文化内涵应属红山文化类型，其年代距今约四五千年。另外，还在此遗址上发现一枚宋代钱币，估计后代也有人在此生活过。

171. 内蒙古扎鲁特旗南宝力皋吐新石器时代墓地

作　者：内蒙古文物考古研究所、科尔沁博物馆、扎鲁特旗文物管理所
　　　　塔　拉、吉　平等
出　处：《考古》2008 年第 7 期

南宝力皋吐墓地位于内蒙古自治区扎鲁特旗鲁北镇东南约40公里，东北距道老杜苏木10公里，南距南宝力皋吐村2公里。墓地所在区域是大兴安岭南麓草原与科尔沁沙地的交错地带。20世纪90年代中后期，这一地区的草原被大面积开垦，南宝力皋吐遗址和墓地被发现并遭到一定程度的破坏。近年来，随着风沙等巨大自然力的破坏，部分遗址及个别墓葬已经消失。

2006年夏末，考古人员对该地区进行了实地勘察并进行了第1次发掘，清理墓

葬 142 座，出土陶器 150 件、石器及骨蚌器等 200 余件。2006 年度发掘的主要收获已经发表。2007 年 6～11 月，考古人员对该墓地进行了第 2 次发掘，又获得了一大批新的资料。简报分为：一、墓葬形制，二、随葬器物，三、结语，共三个部分，介绍了 2007 年的第 2 次发掘情况。有彩照、手绘图。

据介绍，2007 年对南宝力皋吐墓地的发掘，共清理墓葬 200 余座，皆为长方形土坑竖穴墓，出土各类陶器、石器、玉器及骨蚌器等 600 余件。该墓地属新石器时代晚期，距今约 5000 年，文化内涵十分丰富。大量随葬品具有鲜明的自身特色，也包含周边其他文化的某些因素。

简报指出，南宝力皋吐墓地是迄今为止在内蒙古东部乃至整个东北地区发现的规模最大、遗物最为丰富、文化面貌极其独特的 1 处新石器时代晚期墓地。在这里首次发现内蒙古东部和东北中部新石器时代晚期两支重要遗存——小河沿文化和偏堡子类型共存的实例，为研究两种文化的关系提供了至为关键的材料。此外，自身特色鲜明的陶器群有可能代表了一种新的考古学文化类型。它的发现，对东北地区考古学文化谱系的研究将产生极大的推动作用，为进一步廓清东北地区史前考古学文化及其类型将会产生十分深远的影响。

172.内蒙古扎鲁特旗南宝力皋吐新石器时代墓地 C 地点发掘简报

作　者：内蒙古文物考古研究所、扎鲁特旗文物管理所　郑钧夫、陈思如、吉　平等
出　处：《考古》2011 年第 11 期

南宝力皋吐新石器时代墓地位于扎鲁特旗鲁北镇东南约 40 公里。2006～2007 年，内蒙古文物考古研究所与当地文物管理所合作对该墓地的 A、B 这 2 个地点进行了抢救性发掘。2008 年又发现了墓地的 C 地点，已遭遇盗掘破坏，当年 8～9 月对其进行了抢救性发掘。

简报分为：一、墓葬，二、出土遗物，三、结语，共三个部分。有彩照、手绘图。

据介绍，C 地点共清理墓葬 37 座，为圆角长方形土坑竖穴墓，多数墓葬为单人仰身直肢葬。随葬品 171 件，主要是陶器，器物组合以筒形罐和壶为主，还出土石器、骨器、玉器等。C 地点墓葬的文化内涵与此前发掘的 A、B 两新石器时代墓葬应属同一种文化，可暂称为"南宝力皋吐类型"。推测其年代约为距今 5000 年。

简报称，由于该墓地所在的扎鲁特旗地处松辽分水岭和科尔沁沙地的北缘，北倚大兴安岭，南望下辽河，西和西南与西拉木伦河相连，东与松嫩平原相通，是连接周邻地区的交通要道，自古就有"驿站"之称。南宝力皋吐新石器时代墓葬群的

发现，不但为我们了解这一地区新石器时代晚期的考古学文化提供了重要的考古资料，而且为探讨同一时期辽西下辽河流域、嫩江流域以及俄罗斯贝加尔湖周围地区的文化之间的关系提供了重要的线索。

173.内蒙古科左中旗哈民忙哈新石器时代遗址 2010 年发掘简报

作　者：内蒙古文物考古研究所、科左中旗文物管理所　吉　平、郑均夫、胡春佰

出　处：《考古》2012 年第 3 期

2010 年 5 ~ 9 月，考古人员对哈民忙哈遗址进行了抢救性发掘，揭露面积 1300 平方米。简报分为：一、地层堆积，二、遗迹，三、遗物，四、结语，共四个部分。有彩照、拓片、手绘图。

据介绍，此次发掘共清理灰坑 28 座、墓葬 3 座，出土陶器、石器、骨器、角器、蚌器等遗物 350 余件。简报称，该遗址文化内涵单纯，遗迹及遗物较丰富，文化特征明显，属于一种新的考古学文化遗迹。

174.内蒙古科左中旗哈民忙哈新石器时代遗址 2011 年的发掘

作　者：内蒙古文物考古研究所、吉林大学边疆考古研究中心

出　处：《考古》2012 年第 7 期

哈民忙哈遗址位于内蒙古科左中旗舍伯吐镇东南约 20 公里，西南距通辽市 50 公里。2011 年 4 ~ 11 月，考古人员对哈民忙哈遗址进行了第 2 次发掘，发掘面积总计 2850 余平方米。

简报分为：一、地层堆积，二、遗迹，三、遗物，四、结语，共四个部分。有彩照、手绘图。

据介绍，发掘共清理出房址 29 座、灰坑 10 座、墓葬 3 座及环壕 1 条，出土陶、石、骨、角、蚌、玉器等 1000 余件。此次发掘，发现了房屋木质结构痕迹。简报称，这是我国第 1 次发现并清理出史前时期的房顶梁架结构。房址内发现众多的人骨遗骸也是史前时期考古中所罕见。

鄂尔多斯市

175.伊克昭盟郡王旗发现新石器时代遗物

作　者：吴德元

出　处：《文物》1959 年第 11 期

1958 年 5 ～ 8 月间，考古人员前往伊克昭盟郡王旗进行古生物化石调查时，在该旗乌尔兔沟发现新石器时代遗物。

简报介绍，乌尔兔沟位于昭盟郡王旗东胜东南约 50 公里处。沟东西长约 5 公里，南北宽约 500 米。沟南北是起伏的群山。由沟西口向东 2 公里处，在沟南沿距沟底高约 10 米、东西长约 50 米、南北宽约 45 米的簸箕形台地上，拣到磨制石器 19 件与陶片，其中石斧 11 件、石锛 3 件、有孔石刀 2 件、有孔石锤 1 件、石凿 1 件、纺轮 1 件。陶片有粗砂红陶和细泥红陶及粗砂灰陶和细泥灰陶。

176.伊金霍洛旗新庙子村附近的细石器文化遗址

作　者：汪宇平

出　处：《文物》1961 年第 7 期

1958 年在伊盟伊金霍洛旗（由扎萨克族和郡王旗合并组成）新庙子村东北方的巴尔吐沟西口和村西的沙梁上，各发现细石器文化遗址 1 处。简报配以照片、手绘图。

据介绍，巴尔吐沟位于新庙子村东北约 1.5 公里，在盘牛川东。沟内有小河，西流入盘牛川。沟西口一处沙质台地，高约 30 米，南北长 120 米，东西宽 60 米，南端与山坡相连，地表散布着大量的细石器文化遗物。遗物有石器、陶器。具体有：石铲残片 1 件、刮削器 1 件、圆刃刮削器十余件、石核 1 件、石刀 3 件、石镞 10 余件；陶器有陶碗残片，已复原为灰色篮纹平底大碗，口径 24.5 厘米，底径 11 厘米，高 8 厘米，另外还有少数褐色篮纹陶片。

今有美国罗伯特·G·埃尔斯顿著《小工具大思考：全球细石器化的研究》一书，可参阅，中译本上海古籍出版社，2019 年出版。

177.内蒙古伊盟南部旧石器时代文化的新收获

作　　者：汪宇平

出　　处：《考古》1961 年第 10 期

内蒙古伊克昭盟乌审旗萨拉乌苏河上的旧石器时代遗址，早在 1956 年 4 月曾作调查，已有报道。此后，内蒙古文化局又先后派考古人员前往，每次都了解到一些新的情况和获得新的资料。简报分为：一、灰烬遗址，二、人骨化石，三、旧石器和动物化石，四、结语，共四个部分。有手绘图、照片。

据介绍，遗址位于大沟湾村河谷中一处砂梁的上面，所暴露的化石大多破碎。灰烬遗迹是几年来唯一的发现。它在遗址的西南角上、砂梁陡坡上面露出一线浅灰色砂层。边砂层向里逐渐加厚，颜色也由灰逐渐变黑，并陆续出现一些木炭屑和烧骨块。这一灰烬遗址是旧石器时代遗址。1960 年 8 月，在乌审旗大沟湾村调查时，发现人顶化石 1 件，它出土于村南一个小沟湾中。遗址发现的旧石器不多，1957 年调查时，发现尖状器 1 件，另有几件刮削器。动物化石的发现地点，主要在大沟湾村南部萨拉乌苏河畔的砂崖上。

简报称，萨拉乌苏河遗址的地层，过去定为更新世晚期，文化时代定为旧石器时代中后期。近年来的发现证明这种判断是正确的。

178.内蒙古伊盟杭锦旗锡尼镇附近的新石器时代遗址

作　　者：盖山林

出　　处：《考古》1983 年第 12 期

杭锦旗位于内蒙古伊克昭盟西北部，锡尼镇是杭锦旗旗府所在地。文物调查时，在该镇东南不远发现新石器时代遗址 1 处。遗址位于锡尼镇东南约 1 公里，东胜至锡尼镇的公路在其西北穿过。遗址的北面和西面有陶来沟环绕，这是一条很宽的乾河。简报配以照片。

据介绍，发现灰堆 4 处、残灶 1 处、白灰面一层。石器方面细石器、打制石器、磨制石器均有。有大量陶片及动物骨骼。由遗址附近地貌推测，这处新石器时代遗址原在两面环水的河畔，现在看到的干河床，当年曾是清水畅流的河流，附近水丰草茂。从采集的石镞、投枪头、石矛头、长条石片、刮削器等细小石器推测，当时人们以畜牧狩猎业为生，遗址上的牛骨，可能是当时或稍后遗留下的骨骸。从发现的石磨盘、石磨棒看，当时先民可能还兼营原始农业或采集业。

179.内蒙古伊金霍洛旗朱开沟遗址 VII 区考古纪略

作　者：田广金

出　处：《考古》1988 年第 6 期

朱开沟遗址，位于内蒙古自治区伊克昭盟伊金霍洛旗纳林塔乡正北 10 公里的朱开沟沟掌。这里沟谷纵横，把朱开沟沟掌自然切割成若干地块。在每一地块之中，凡适合于人类居住的地方，均有古代文化遗存分布。考古人员综合了 6 个地点（Ⅰ～Ⅵ区）的考古发现，获得了自龙山晚期至商代早期 5 个阶段的资料，称之为"朱开沟文化"。遗迹和遗物多暴露地表，1984 年 10 月，在朱开沟Ⅰ至Ⅵ区发掘工作告一段落后，对Ⅶ区遗存进行了部分清理和发掘，共发掘 200 平方米，清理了暴露地表的遗迹。发现房子 9 座、灰坑 33 个，出土了一批石、骨、陶质生产工具和生活用具。简报分为：一、遗迹间的叠压打破关系和文化分期，二、一期文化遗存，三、二期文化遗存，四、结语，共四个部分。有手绘图。

据介绍，通过朱开沟Ⅶ区一、二期遗存与阿善二、三期遗存的比较，考古人员发现这两处遗址的同时期遗存存在着大同小异的关系。似乎也可以看出河套地区与套北包头地区的地域性差别。如朱开沟Ⅶ区小口尖底瓶数量较多，阿善遗址不见；而阿善遗址流行的折腹器和连点锥刺纹，朱开沟Ⅶ区则相对较少；阿善遗址出土的制作精致的骨器和细石器的比重也远远大于朱开沟Ⅶ区。朱开沟Ⅶ区除房子遗存与阿善遗址相同外，其文化特征与晋南和关中以北地区同期文化均较接近。从目前在鄂尔多斯调查的资料看，朱开沟Ⅶ区遗存在鄂尔多斯地区很有代表性。因此，简报推断其应相当于仰韶文化晚期的遗存，在内蒙古中南部地区似应划分出朱开沟区和阿善两个类型。

180.内蒙古鄂尔多斯市乌兰木伦旧石器时代中期遗址

作　者：王志浩、侯亚梅、杨泽蒙、甄自明、刘　扬、包　营、杨俊刚、白林云、张立民

出　处：《考古》2012 年第 7 期

乌兰木伦遗址位于内蒙古鄂尔多斯市康巴什新区康巴什 2 号桥以东约 300 米，地处康巴什新区景观河岸。简报分为：一、遗址概况，二、遗迹和遗物，三、结语，共三个部分。有彩照、手绘图。

据介绍，乌兰木伦遗址由邻近的第 1、第 2 和第 3 地点组成。其中在第 1 地点获得了石制品 2780 件、动物化石 3423 件，并发现用火遗迹。简报推断遗址年代为距

今 7 万～3 万年，属旧石器时代中期；遗址为原地埋藏，其石制品类型及工业组合与欧洲旧石器时代中期文化近似，动物化石则属于华北晚更新世的萨拉乌苏动物群。

呼伦贝尔市

181.黑龙江新巴尔虎左旗细石器文化遗址调查

作　者：盖山林
出　处：《考古》1972 年第 4 期

新巴尔虎左旗位于黑龙江省呼伦贝尔盟大兴安岭的西部。1964 年夏秋之际，考古人员到呼伦贝尔盟作考古调查时，在该旗东部毛盖河中游好勒巴诺尔发现细石器文化遗址 1 处。简报配以照片。

据介绍，遗址位于西毛盖河和东毛盖河汇流之东北约 200 米，东距好勒巴诺尔约 300 米，附近地形除河的两岸为狭长平原外，其余大部是岗峦起伏的山地，是大兴安岭山脉的一部分。遗址里有大量的石器和陶片。石器可分细石器、打制石器和磨制石器 3 种，以细石器数量最多，打制石器次之，磨制石器仅 1 件。这次调查仅限于地面采集。与林西锅撑子石遗址相比，不论是陶器的纹饰、陶质方面，还是石器的器形、石料和加工技术方面，二者颇多相似之处；但林西的磨制石器远比本遗址多，陶色亦不相同。简报推断可能属于同一种文化类型，但在年代上可能有早晚之别。

182.海拉尔的中石器遗存——兼论细石器的起源和传统

作　者：中国社会科学院考古研究所　安志敏
出　处：《考古学报》1978 年第 3 期

黑龙江省呼伦贝尔盟海拉尔市的松山，以出土细石器著称，是我国东北地区较早发现的石器时代遗址之一。1928 年东省文物研究会在这里发现了 8 个地点，采集到一批石器和陶片，认为"最晚的属于新石器时代"。1931 年"九一八"事变以后，不少日本人到过这里，如水野清一、驹井和爱和三上次男前后调查过两次，但所发表的复原陶器却都是在海拉尔河右岸砂丘中采集的。米内山庸夫在这一带也采集过石器，有的和松山遗址出土的相同。新松贝太郎采集的标本，今藏旅顺博物馆，具体地点不详，但发表的陶器和骨镞等随葬品，是在海拉尔河右岸砂丘发现的。1949

年后，旅大市文管会接收过两批海拉尔石器共百余件，标本今藏辽宁省博物馆，多系不规整的人工石屑，也有各种形式的刮削器和石核等，其中包括 1 件典型的船底形石核。20 世纪 40 年代以后，陆续有人在这里作过零星的调查，大都没有发表正式报告。这个时期的调查还包括海拉尔河右岸的砂丘（位于海拉尔市北部）发现的完整陶器等，可能属于时代较晚的墓葬。有人笼统地判断这里的细石器属于汉代或以后，甚至晚到六朝以后，也有人提出这一带遗址相当于新石器时代中期。1956 年内蒙古自治区文化局文物组曾作过调查。1962 年 8 月，安志敏先生在松山进行了 8 天的调查，发现 16 个地点，采集到一批石器和陶片。对它们的文化性质、层位关系和时代等，都有了进一步的认识，提出这里包含着不同时期的遗址，以细石器为代表的属于中石器时代遗存，而陶器则相当于汉代及其以后的遗物。

简报认为，以海拉尔石器为代表的遗存，是典型的细石器，没有陶器共存，距今约八九千年，应为旧石器向新石器过渡的所谓"中石器"时代。

中石器时代人类的经济生活以渔猎和采集为主要来源，海拉尔松山遗址也是这样。从遗址的地理环境来看，当时这里是一处水草丰美的湖泊地带，是适于渔猎和采集活动的良好场所。如嵌石刃的骨刀和刮削器等，都与切割和刮制兽皮有关。作为进步的狩猎工具如矛头和镞的出现，标志着狩猎活动比旧石器时代有了更进一步的发展。

183.内蒙古海拉尔市团结遗址的调查

作　者：中国社会科学院考古研究所内蒙古工作队、呼伦贝尔盟民族博物馆
　　　　乌　恩、刘国祥、赵　越、赵玉明
出　处：《考古》2001 年第 5 期

团结遗址位于内蒙古自治区呼伦贝尔盟海拉尔市哈克乡团结村东约 150 米的平地上，西距海拉尔市区约 20 公里，北距海拉尔河 2 公里，南距滨洲铁路 3 公里。该遗址于 1985 年文物普查时首次发现，当时曾在地表暴露出的沙坑内采集到石镞、石叶、石核及少量陶片。1999 年 8 月，团结村一农民主动将翻地时出土的几件玉器和石器上缴给呼伦贝尔盟民族博物馆。根据这一线索，博物馆曾先后 3 次派人到团结村周围进行调查，找到了出土玉器和石器的准确位置，并采集到一批石镞、石叶、陶片及 1 件玉环，还发现有人骨残块。鉴于这批出土遗物所具有的重要性和特殊性，1999 年 10 月下旬，中国社会科学院考古研究所内蒙古工作队与呼伦贝尔盟民族博物馆联合对团结遗址进行了第 4 次调查，在农田中部近 50 平方米的范围内采集到石镞、石叶、刮削器等石器 20 余件，还发现了 1 件两端均有刃的小玉锛，从采集的陶片中首次发现了彩陶。简报分为：一、采集遗物，二、主要认识，共两个部分。有手绘图。

据介绍，通过对团结遗址各类出土遗物的特征的具体分析，团结遗址的文化内涵十分丰富，既有呼伦贝尔草原浓郁的地方特色，又与周邻地区保持着密切的文化交往关系。以团结遗址 A、B 型石镞和 A、B 型石叶为标志，呼伦贝尔草原的细石器工艺水平明显高于周邻地区。彩陶的发现在呼伦贝尔草原尚属首次，应视为受辽西地区乃至中原地区同期文化影响的实证。成组玉器的发现构成了团结遗址的又一个重要的文化特征，这也是目前所知呼伦贝尔草原出土史前玉器数量最多的一个地点。陶器特征突出，纹样种类比较丰富，内填平行短斜线的菱形格纹在呼伦贝尔草原其他遗址中未见。综合各方面因素看，简报认为团结遗址应是呼伦贝尔草原新发现的一种新石器时代的文化遗存。团结遗址的年代，简报推断大体为距今 6000 ~ 5500 年。

184.内蒙古呼伦贝尔辉河水坝细石器遗址发掘报告

作　者：中国社会科学院考古研究所细石器课题组、内蒙古自治区文物考古研究所、内蒙古自治区呼伦贝尔市民族博物馆　刘景芝、塔　拉、赵　越、白劲松、陈凤山、郭殿勇、敖卫东、达西尼玛等

出　处：《考古学报》2008 年第 1 期

2003 年，考古人员对内蒙古呼伦贝尔辉河水坝细石器遗址进行了调查和发掘，发现有细石器制作现场，清理出居住处、篝火、灰坑等遗迹，获得石制品 2729 件。2004 年又进行了补充发掘，清理出墓葬 1 座。简报依据 2003 ~ 2004 年的资料，分为：一、地理和地质概况，二、调查和发掘情况，三、地层堆积与文化遗存，四、新石器时代文化遗存，五、结语，共五个部分。有照片、手绘图。

据介绍，该遗址是 1975 年发现的，裴文中先生于 1978 年曾来过该遗址，1996 年进行了试掘，2003 ~ 2004 年的发掘，应属第 2 次发掘，发现了许多以前未发现的遗迹、遗物。如居住遗迹 JZ1 是 1 处地穴式建筑。东西两侧分布的柱洞和板窝可能是当时人类搭建顶子留下来的栽柱子和插板子的痕迹，推测人们在柱子和板子上再铺垫兽皮或茅草。应是辉河水坝早期人类的居住场所。篝火遗迹 GH1 堆积中不见炭粒，分析当时人类使用杂草来燃火。灰烬中发现较多鱼骨、鸟骨，以及较大型的动物骨骼，它们主要是当时人类吃剩下的遗骸。灰坑底部大型动物的肋骨好像是人为铺垫的。堆积内外发现的陶片很少，但密集地分布着各类细石器制品，大部分为石片、石叶和石屑。此外，在篝火旁发现了 4 件细石核、1 件石砧。初步观察，遗迹内外的石片、石叶和石屑与 4 件石核的石料相同，它们应该剥自于这些石核之上。再如堆积的大量的动物骨髓，经北京大学考古文博学院黄蕴平教授鉴定动物种属，有食草类的马、驴、牛、黄羊、羚羊、羊和兔等，食肉类的狐、狼、獾、狗和猫科动物，杂食类的猪，还有鸟禽类以及鱼类

和啮齿类的动物等，总计达 16 种之多。主要为野生种，应是狩猎所得。

简报推测辉河水坝遗址是 1 处兼及细石器生产和居住生活的地方，年代应在距今 8555 ～ 4000 年之间。遗址为研究我国北方史前时代历史，以及蒙古草原人种鉴定，提供了丰富的实物资料。

巴彦淖尔市

185.阴山格尔敖包沟岩画新发现

作　者：巴彦淖尔市博物馆、巴彦淖尔市文物工作站　赵占魁等
出　处：《文物》2010 年第 8 期

2008 年 6 月，由内蒙古巴彦淖尔市博物馆、文物站等部门专业人员组成的阴山岩画普查队，对阴山山脉狼山西段的格尔敖包沟进行了较为细致的普查。在对原已发现岩画进行复查的基础上，又发现许多新岩画，取得了阶段性重要收获。简报分为：一、地理位置及分布范围，二、岩画的内容，三、部分新发现岩画介绍，共三个部分，就此次普查新发现的岩画地点及岩画作一介绍。有彩照等。

据介绍，格尔敖包沟南口位于巴彦淖尔市磴口县西北约 60 公里的阴山山脉狼山西段，地处沙漠边缘。顺沟西北行，可达狼山之北，是一条著名古道。从沟南口西北行约 2.5 公里的沟东岸山边平地上有石板围成的方形墓，可能是突厥人的墓葬。距此 0.5 公里处有 1 个古城堡遗址，发现有陶器残片等，初步推断这里为汉代的军事要塞。在附近还发现了一段秦汉长城遗迹。

发现的岩画内容有人物、动物、神灵、生活、生产、天体、符号等。简报还对其中一些新发现的岩画作了重点介绍，如：

《动物群与人面》，横 0.6 米，纵 0.75 米。位于第一地点西北部近山脚下石壁上，面朝西。画面较大，有八个单体图像。左上为一人面，五官奇特，其右为两个圆圆、圆弧形图案。其下为平行排列的两只山羊，刻画极为夸张，双角向后延至尾部，尾更是无限延续弯曲，超过身长，腹下两腿间有雄性生殖器斜挺。再三只岩羊上下依次排列。约为新石器时代作品。

《鹿与符号》，横 0.4 米，纵 0.6 米。位于第一地点西侧，朝西。画上方为双圈相套，其下有一大角鹿，角分叉，身部为阴刻减地。鹿下似有一图案刻痕，已无法辨认。其他图像均为磨刻，刻痕色泽与石面相近。约为新石器时代作品。

此次调查对于内蒙古地区岩画的保护和利用有十分重大的意义。

乌兰察布市

186.察右中旗大义发泉村细石器文化遗址调查和试掘

作　者：内蒙古自治区博物馆、文物工作队

出　处：《考古》1975 年第 1 期

1972 年 9 月，考古人员在内蒙古大青山后的石器时代遗址进行了调查。简报配以手绘图，先行介绍察右中旗义发泉地区细石器文化遗址的调查和试掘情况。

据介绍，大义发泉村位于内蒙古察右中旗铁沙盖公社西北约 9 公里。此处地势较高，海拔 1500 米以上，气候干燥、寒冷。村北是一道东西长约 10 公里的山梁。就在村背后的山梁上，发现了细石器文化地点。其范围东西 0.5 公里左右，南北约 1 公里。这次发现的细石器虽然不够丰富，但是被打下来的碎屑到处可见。共采集到标本 75 件。制作石器的原料以燧石占绝大多数，而玛瑙、火山岩却很少见。所见到的石器类型主要为各种刮削器和石核。未见陶片。先民生活的主要来源应为狩猎。同刊同期有周昆叔、叶永英、严富华先生《察右中旗大义发泉村细石器文化遗址花粉分析》一文，可参阅。

187.内蒙古察右前旗庙子沟遗址考古纪略

作　者：内蒙古文物考古研究所　魏　坚、郭治中等

出　处：《文物》1989 年第 12 期

庙子沟遗址位于乌兰察布盟察右前旗新风乡庙子沟村南的西坡上，西北距旗的驻地土贵乌拉镇 12.5 公里。遗址北约 6 公里即是黄旗海，呼大公路（呼和浩特大同）在遗址与黄旗海之间穿过。1985 年 9 月，新风乡砖厂在遗址东侧沟沿断崖取土时，发现有石器、陶器和人骨，并将情况报告了察右前旗文管所。同年 10 月至 1987 年 7 月，考古人员发掘了这处遗址。简报分为：一、遗迹，二、遗物，三、结语，共三个部分，配以照片。

据介绍，遗址除东南部因砖厂取土遭破坏外，面积约有 3 万平方米。发掘面积为 10500 平方米，发现房址 51 座，灰坑、窖穴 132 座，残灶坑 1 座，墓葬 43 座。出土陶器、石器和骨器等 1000 余件，还有部分鹿角、野牛角和其他动物骨骼等。庙子沟遗址年代，简报推断为半坡四期文化阶段，距今约 5500 年。

简报称，庙子沟遗址是内蒙古中南部地区近年来发掘规模最大、出土遗物最丰富的遗址之一。

188.凉城崞县窑子墓地

作　者：内蒙古文物考古研究所　魏　坚等

出　处：《考古学报》1989 年第 1 期

崞县窑子古墓地，位于内蒙古自治区乌兰察布盟凉城县崞县窑子乡东北 1 公里处，石人湾沟北侧的台地上，西北至呼和浩特 50 公里，东南距凉城县城约 20 公里。1983 年 4 月，崞县窑子乡在修建砖窑时，发现一批古墓葬并出土一批陶器、铜器和装饰品等。同年 5 ～ 7 月，考古人员先后 2 次对这处墓地进行清理和发掘。共发掘墓葬 19 座，清理残墓 6 座，征集墓位不清的 6 座墓的随葬品，总计 31 座墓葬。简报分为：一、墓葬概况，二、随葬器物，三、分期与年代，四、结语，共四个部分。有照片、手绘图。

据介绍，此次发掘的 25 座墓，多为长方形竖式土坑墓，少数墓葬有头龛。有头龛的墓从早到晚逐渐增多。晚期墓葬出现生土二层台。所有墓葬均未发现葬具痕迹。崞县窑子墓地墓葬分布有一定规律，大体上依台地的高低，东西向由北往南依次顺序埋葬。墓葬从春秋晚期或稍早阶段开始，延续到战国早期。

简报称，墓坑皆东西向，死者头向东、仰身直肢。流行殉牲，以头、蹄代表牲畜的头数。男女墓的殉牲在种类上有所差别，男性以马、马鹿和羊为主；女性以牛和羊为主。晚期墓始出现以猪、狗殉葬。这可能反映男女在生产分工上的某些不同。这批墓葬的随葬品，以最富于特征的生活用具——陶器，以及大量的青铜服饰品和各类串饰为主。工具和兵器极少，未发现铁器。在男性墓中，有的以骨镞和弓耳随葬。简报认为，崞县窑子墓地是一处古代北方少数部族的墓地。大量的殉牲说明，当时人们的经济生活是以畜牧业为主。各墓普遍随葬陶器以及制陶技术的不断提高，特别是猪和狗的饲养，同时显示了农业因素的存在。崞县窑子墓地当时的生产经济，是以畜牧业为主，兼营农业和部分狩猎业。人们过着半定居的生活。其中，狩猎业主要由男子承担，女子则从事一部分家庭饲养业。

189.内蒙古商都县新石器时代遗址调查

作　者：内蒙古乌兰察布盟文物工作站　富占军

出　处：《考古》1992 年第 12 期

商都县是内蒙古乌兰察布盟最北部的县之一。历年来，这里进行的田野考古调查和发掘工作甚少，文物的分布情况也不甚清楚。1988 年 6 ～ 9 月，作为内蒙古文物普查的一个组成部分，乌兰察布盟文物工作站组成商都县文物普查队，对商都县全境进行了较为细致的文物普查。共查出各个时代的文化遗址 140 余处，其中 20 处属于新石器时代遗址。这次普查获得的 20 个新石器时代遗址，主要分布在商都县东南和北部地区。对有代表性的四处遗址的具体情况，简报分为：一、风旋卜子 II 号遗址，二、狼窝沟遗址，三、朝天渠遗址，四、水泉梁遗址，五、小结，共五个部分。有手绘图、拓片。

据介绍，商都县的新石器时代遗址，由于长期的水土流失，无可靠的地层作为文化分期的依据，只能以采集标本的文化特点与周邻遗址的文化遗存作比较，揭示其文化内涵。经调查，商都县诸新石器时代的遗存，时代大约相当于仰韶文化后岗一庙底沟文化阶段，也有少量相当于夏、商时期。这种现象与内蒙古中南部的原始文化遗存很相似，与海岱周围的早期遗存更为接近。简报称，值得注意的是，遗址中大量的细石器及陶器纹饰的特点，很多与红山文化和新乐文化相似。这在内蒙古中古南部遗址中是见不到的，说明它们之间存在着差异。简报认为，商都县新石器时代遗址是以内蒙古中南部仰韶文化遗存因素为主、多种文化遗存交错并存的特殊类型遗址。

190.内蒙古商都县两处新石器时代遗址的调查与试掘

作　者：内蒙古文物考古研究所、商都县文物管理所
出　处：《北方文物》1995 年第 2 期

商都县位于阴山东端以北，地势由西北向东南倾斜。个别地区已出现沙化，属干旱半干旱丘陵稀疏草原景观。在 1988 年开始的全区文物普查工作中，在该县中部发现了狼窝沟和棒槌梁两处遗址。1990 年 8 ~ 9 月间，为配合集通铁路（集宁—通辽）建设，在商都县中西部的屯垦队乡，对这两处遗址的四个地点进行了重点调查和小面积试掘。简报分为：一、地形特征及地理位置，二、狼窝沟遗址，三、棒槌梁遗址，四、结语，共四个部分。有手绘图。

据介绍，发掘表明，这一地区原始文化可分为早、晚两期，早期应属于仰韶文化的半坡—庙底沟阶段，晚期应属于仰韶文化晚期。商都县正处在北方猎牧业和农业的交汇带上，是内蒙古东、西部原始文化相互接触与渗透的区域，此次发现的遗址，应是由猎牧、采集经济逐步向锄耕农业过渡的一种较特殊的社会经济形态下的产物。

191.内蒙古乌兰察布盟北部地区新石器时代遗址调查

作　者：乌兰察布盟文物工作站　崔利明等
出　处：《考古》1996 年第 2 期

乌兰察布盟位于内蒙古中部，其北部正处于由低丘陵向草原地带过渡的地区。历年来，这里进行的田野考古调查和发掘工作甚少，遗址的分布情况也不甚清楚。

1987～1988年，乌兰察布盟文物工作站对乌盟北部地区进行了普查，共发现25处新石器时代遗址。简报分为：一、风旋卜子Ⅱ号遗址，二、狼窝沟遗址，三、朝天渠遗址，四、不拉梁遗址，五、沙坡地遗址，六、小结，共六个部分。有手绘图。

据介绍，25处遗址主要分布在乌盟北部地区的中、东部旗（县）。遗址多位于与水沼相邻的高岗地带，有的处于较高的山坡台地上。乌盟北部地区诸新石器时代的遗存，简报推断其时代大约相当于仰韶文化后岗—庙底沟文化阶段，属于仰韶文化早期及中晚期遗存，也有少量相当于夏、商时期的遗存。简报附表"乌兰察布盟北部地区新石器时代遗址登记表"，详细统计了这25处新石器时代遗址的编号、遗址名称、地点、堆积厚度、遗址面积、采集遗物各方面的数据。

192.内蒙古凉城县王墓山坡上遗址发掘纪要

作　者：内蒙古文物考古研究所、日本京都中国考古学研究会中日岱海地察队
　　　　杨泽蒙

出　处：《考古》1997年第4期

王墓山位于内蒙古乌兰察布盟凉城县六苏木乡泉卜子村南约2公里，西北距县城海城镇17公里，北2.5公里处有淡水内流湖——岱海，丰准铁路（丰镇—准格尔）在山坡下东西向穿行，因山顶传闻有"王墓"而得名。王墓山坡上遗址总面积约11000平方米，有些遗存遭到严重破坏。1987年调查时，发现并清理房址1座和灰坑2个，1989年配合丰准铁路建设，发掘面积约100平方米，发现房址4座。1992年对该遗址进行了全面钻探，又清理了房址1座，灰坑2个。

为加强中日两国文化交流，内蒙古文物考古研究所与日本京都中国考古学研究会合作，开展"岱海地区文明起源和发展的考古学研究"项目的综合考察工作。1995年8月4日至9月5日，对王墓山坡上遗址进行了发掘，发掘面积563平方米，发现房址15座、灰坑25个、墓葬3座，出土了大批陶、石、骨、蚌器等遗物。此次发掘的、连同以前清理出土的仰韶时代遗存，简报分为：一、地层堆积，二、遗迹，三、遗物，四、结语，共四个部分。有手绘图。属于明、清时期的1座房址、3座墓葬将另文发表。

据介绍，通过对地层与遗迹间叠压、打破关系的综合分析，四层堆积中，与该遗址仰韶时代遗存相关的只有三、四两层。通过对发掘资料的初步整理，依据确切的地层关系和遗迹内所含遗物的形态特征，简报推断王墓山坡上遗存至少可划分为两个阶段，即以四层下开口的诸遗存为代表的早段和以三层下开口的诸遗存为代表的晚段，时代大体相当于庙底沟类型的中、晚期。

兴安盟

193.内蒙古科尔沁右翼中旗嘎查石器时代遗址的调查

作　者：吉林省文物工作队　王国范
出　处：《考古》1983 年第 8 期

1979 年 6 月，考古人员前往科尔沁右翼中旗对嘎查石器时代文化地点进行了调查。调查过程中，在地表采集了一批石器标本和部分哺乳动物化石。简报配以手绘图。

据介绍，嘎查石器地点位于科右中旗西北部霍林河中游的二级阶地上，西距杜尔基公社嘎查大队 0.5 公里左右，共采集石器标本 330 件。可分为细石、石片、石片石器及砾石石器，以石片石器最多。简报推断该遗址的时代为中石器时代或稍晚。

194.内蒙古科右中旗嘎查营子遗址调查

作　者：连吉林、朴春月
出　处：《北方文物》2005 年第 1 期

嘎查营子遗址位于科尔沁右翼中旗（简称"科右中旗"）中部、霍林河东岸。遗址于近年发现，采集遗物主要有陶片和石器。主要遗存的年代属新石器时代红山文化晚期，有着明显的地域性特征。简报分为：一、地理位置及概况，二、遗物，三、结语，共三个部分。有手绘图。

据介绍，内蒙古科右中旗嘎查营子遗址是近年由当地村民发现的。2003 年 8 月，考古人员对该遗址进行了调查，并采集到部分陶片、石器等遗物。陶质有夹砂粗陶、夹砂细陶、泥质陶 3 种，其中以夹砂粗陶最多，属带有地方特征的红山文化遗存。简报称，红山文化据目前研究主要分布于西拉木伦河、大凌河流域，行政区划大体包括今内蒙古东南部的赤峰市、通辽市南部，辽宁西部的阜阳和锦州等地区。此外，在燕山南麓（河北北部和京津地区）所见红山文化的因素，提供了认识红山文化南缘与其他文化接触地带的资料。嘎查营子遗址是迄今发现的最北端的 1 处红山文化遗址，为我们认识红山文化的北缘地带及其与相关文化的关系提供了新的线索。

锡林郭勒盟

195.内蒙古东乌珠穆沁旗霍尔赤根河新石器时代的遗物

作　者：刘　华
出　处：《考古》1960 年第 6 期

1959 年 6 月在内蒙古东乌珠穆沁旗进行调查时，在该旗北部的霍尔赤根河北岸沙窝中的风蚀面上，发现了一些新石器时代的遗物。主要有细石器、陶片和石核、石片等。这一带细石器的调查，对研究北部札赉诺尔的遗物和西南部沙漠边缘的细石器遗物的关系可能有所帮助。简报配有照片。

简报介绍，这处遗址的文化层是介于沙漠底面和河谷一级阶地上部结构层顶部之间。所出的石器均属细石器，器小而精，有雕刻器、刮削器、石镞、石核等。陶片只有 2 件。在质地方面，陶土采选是不严格而较随便的，锻烧后质硬，素面无纹饰。从陶片的曲率半径甚小可看出这种陶器应属罐形器。

196.内蒙古苏尼特右旗吉日嘎郎图新石器时代遗存

作　者：纳古善夫
出　处：《考古》1982 年第 1 期

吉日嘎郎图大队在苏尼特右旗赛汗塔拉东鸟道约 60 公里，属桑宝力嘎公社。遗址是 1978 年发现的。该遗址正在沙丘北缘，因沙丘向西南移动，刚好露出一部分遗迹。2 处灰堆上有烧过的兽骨，周围散布着大量石片、石核和一些石器、陶片等。采集的标本有陶片、石器、石核和石片等。简报配以手绘图。

据介绍，陶器均为陶片，没有能复原的器物。石器，可分细石器、大型石器和研磨器 3 类。细石器有镞、尖状器、刮削器、石核、石叶等。

简报称，这处遗址暴露的面积很小，仅约 30 平方米，但文化遗存却相当丰富。为对锡林郭勒草原上出有细石器的文化遗存进行分类，或许提供了一个新的线索。从石镞半成品、石镞残件和大量石核、石片集中存留的情况来看，这里可能也是制作石器的场所。

阿拉善盟

197.内蒙古阿拉善左旗发现原始文化遗存

作　者：李壮伟
出　处：《考古》1992 年第 5 期

1989 年 5 月，中国考古人员和美国学者在阿拉善左旗进行沙漠生态考察时，分别在贺兰山西麓、腾格里沙漠及乌兰布和沙漠发现了原始文化遗存，采集石制品 79 件和一部分陶片。这些发现对于研究内蒙古的原始文化提供了新的材料。

简报分为：一、贺兰山西麓的原始文化遗存，二、腾格里沙漠中的原始文化遗存，三、乌兰布和沙漠中的原始文化遗存，四、结语，共四个部分。有手绘图、拓片。

据介绍，贺兰山西麓发现的文化遗物，全部为石制品。生产石片使用了锤击法。石器的修理是用石锤直接进行的。石器的加工方式，有正向和反向两种方法，以正向为主。石器可分为边刮器、端刮器两种类型。贺兰山西麓发现的具有"旧石器外貌"的打制石器时代不可能过早，简报推断大抵与细石器共存，或处于旧石器时代向新石器时代过渡时期。

腾格里沙漠中发现的文化遗物为石制品和陶片。石制品依石核和石片的性状分析，打片使用了锤击法。石器的修整除用石锤直接加工外，在细石器的修整过程中，可能使用了指垫法或压剥法进行加工。石器的加工方式，主要为正向加工，个别石器也使用了反向加工或两面加工。石器可分为单边刮器、多边刮器和凹缺刮器等类型。其年代，简报推断为新石器时代。

乌兰布和沙漠中发现的文化遗物，也为石制品和陶片。依石片和细石叶的性状分析，打制使用了锤击法。从修整痕迹的细小、重叠来看，修整可能使用了指垫法。石器的加工方式，使用了正向和交互两种加工方法。石器有砍砸器和边刮器两种类型。这一地点发现的细石叶较多，同时还发现了陶片。乌兰布和沙漠中的文化遗物采自地表，打制石器、细石器和陶片共存，简报推断其年代可能为新石器时代。

今有《长河沃野——魏坚北方考古文选（史前卷）》（科学出版社 2020 年版）一书，作者长期在内蒙古从事考古工作。

198.内蒙古巴彦浩特的细石器

作　者：李壮伟

出　处：《考古》1993 年第 4 期

1991 年 7 月 28 日至 8 月 2 日，考古人员在内蒙古阿拉善左旗进行考察时，在巴彦浩特南发现 1 处细石器遗址，获得一批石制品。这些石制品对于研究内蒙古西部的历史，特别是巴彦浩特城的历史，具有重要的价值。简报分为：一、概况，二、遗物，三、结语，共三个部分。有手绘图、"石器分类统计表"。

据介绍，巴彦浩特细石器遗址，位于巴彦浩特城南 2 公里、巴银公路东侧 8 米处。遗址的北、西、南 3 面为宽阔的水沟，泉群汇集成的小溪从北、南自东而西流过。遗址分布范围较大，东西长约 120 米，南北宽约 110 米。地面散布着灰土，有石制品发现。遗址东部约 3 公里为巍巍的贺兰山。石制品的原料绝大多数为燧石，少数为石英岩。打片使用了锤击法。存在大量石片。石器全部用不同形状的片状素材加工而成，表明这是一种以石片工具为全部内容的石器工业，属于石片文化传统。石器普遍小，小型石器占石器总数的 94%，存在典型的细石核和细石叶。石器分为尖状器、刮削器和端刮器三类；刮削器是这一遗址的主体器型。此遗址的时代，简报推断为旧石器时代末期或更晚。

199.内蒙古腾格里沙漠中的一处原始文化遗存

作　者：李壮伟

出　处：《考古》1993 年第 11 期

腾格里沙漠分布范围广阔，东起贺兰山，西至雅布赖山，南越长城，北接乌兰布和沙漠，面积约 3 万平方公里，海拔 1200 ～ 1400 米，沙丘、盐沼、湖、盆交错。1991 年 7 月 28 日至 8 月 2 日，考古人员在阿拉善左旗进行生态考察时，在腾格里沙漠中发现了原始文化遗存，采集到石制品 262 件和一部分陶片。简报分为：一、概况，二、文化遗物，三、结语，共三个部分。有手绘图。

据介绍，腾格里沙漠中的原始文化遗存，发现于腾格里沙漠的北部，东南距阿拉善左旗所在地巴彦浩特城约 20 公里，遗址周围是茫茫沙丘。这一带地势较低，根据地貌和岩性分析，过去可能是湖泊。文化遗存分布在湖盆的边缘地区。遗物为石制品和陶片。石制品中有石核、细石核、石片、石叶、细石叶、打制石器和细石器。打制石器、细石器和陶片共存，简报推断其年代可能为新石器时代。

辽宁省

200.红山文化发现的石农具

作　　者：辽宁省博物馆　李宇峰
出　　处：《农业考古》1985 年第 1 期

简报配图介绍了考古人员在调查红山文化时发现的石农具，计有石犁、有孔石铲、石锄、石刀、石磨棒等，均有明确地点。

据介绍，这批红山文化石农具的发现，对于探讨新石器时代早期北方原始农业的起源等有重要价值。

沈阳市

201.沈阳新民县高台山遗址

作　　者：沈阳市文物管理办公室　曲瑞琦、于崇源
出　　处：《考古》1982 年第 2 期

高台山在新民县城北 7.5 公里，由西高台、腰高台、东高台 3 座小山组成。遗址主要分布在东高台山南面脚下的高台地上。墓葬集中发现于腰高台南坡台地上，各种新石器时代陶片则遍布于东高台和腰高台山南面的开阔地上。考古人员在 1973 年 7 月 10 日至 8 月 4 日配合工程清理了 7 座墓葬，确知为一墓葬区，因受工程限制，加之人骨保存状况极坏，一些问题未能搞清。1974 年 5 月又在附近进行试掘，又发现 5 座墓葬，同时对东高台遗址作了一些调查。简报分为四个部分。

据介绍，遗址可划分为上、下 2 层，下层与新乐下层文化相同，上层与新乐上层文化相同。又一次证明了以"之"字压印纹为代表的新乐下层文化，早于以素面陶三足器为代表的新乐上层文化。新乐上层文化的下限已进入青铜时代，绝对年代的下限相当于春秋，上限可能到殷周。新乐下层"之"字纹陶在红山文化中与彩陶共存，碳十四测定其年代为距今 4700 年，故其绝对年代的下限应早于公元前 3000 年。

简报称，东高台山遗址大量的鼎、鬲等三足器的存在丰富了新乐上层文化的内涵，再次证明辽沈地区的原始文化与中原文化一脉相承；下层的"之"字纹陶、细石器与新乐下层一样，属于定居家耕，与受仰韶文化影响出有大量彩陶的红山文化关系密切，为进一步了解仰韶、龙山等中原文化在沈阳地区与地方文化接触后的发展变化提供了新资料。

202.沈阳新乐遗址第二次发掘报告

作　　者：沈阳市文物管理办公室、沈阳故宫博物院　于崇源等

出　　处：《考古学报》1985 年第 2 期

《沈阳新乐遗址试掘报告》发表在《考古学报》1978 年 4 期。1977 年冬，工人刘庆富挖菜窖，在距地表 1.7 米深发现石磨盘的一端，经勘察，石磨盘下面为烧土面，推测是房址的一部分，于是在次年 5 月 26 日开始发掘，是为首次发掘。这次发掘是第二次发掘。简报分为：一、房址，二、出土遗物，三、结语，共三个部分，介绍了第二次发掘的情况。有照片、手绘图。

据介绍，此次发掘的房址面积达 95.5 平方米，中无隔墙。简报推测可能为公共劳动之处。距今约 7400 ~ 7100 年。出土的煤精、玛瑙、玉石、赤铁矿、石墨均非本地所产，当为与附近部族交换得来。简报认为，先民应已过上农耕经济占优的定居生活。出土的鸟形炭化木雕艺术品，很像是权杖，直柄以上的雕饰图案可能是图腾徽帜。权杖为氏族首领统率氏族所用。简报推测这里也可能是鸟图腾的氏族。

203.辽宁沈阳新乐遗址抢救清理发掘简报

作　　者：沈阳新乐遗址博物馆、沈阳市文物管理办公室　周阳生

出　　处：《考古》1990 年第 11 期

新乐遗址位于沈阳市区北郊，1973 年和 1978 年曾先后两次试掘，1980 年 7 月在该遗址附近施工时将遗址东南部严重破坏，其面积达 3000 多平方米。考古人员于 1980 年 5 ~ 10 月、1981 年 4 ~ 10 月、1982 年 10 月进行了抢救性清理发掘。在被破坏地区，揭露面积约 13400 平方米，发现新乐下层房址遗迹 13 处，实际抢救清理下层房址 4 座，探沟内发现的房址 F8 仅作了局部清理，取得了可贵的地层资料和部分文物。简报分为：一、地层堆积，二、遗迹，三、遗物，四、结语，共四个部分。有手绘图。

据介绍，通过这次清理发掘，简报对新乐文化有了更进一步的认识。居住址的

存在说明新乐人已经过着定居生活，但还不很稳定或者说迁徙性较大。几座房址的清理表明，遗址文化内涵简单，文化堆积薄。在房址以外的地表，目前尚未发现明确的与房址相应时期的活动地面或文化堆积层、灰坑等遗迹（也可能原始地面遭破坏无存），或也可说明房址建成期较短。从出土文物的质量和数量看，与1978年发掘新乐下层二号房址有明显的差异。这次出土的炭化果核、烧过的动物骨骼、石镞等，说明当时人们的采集和狩猎也是重要的获取食物方式。经中国社会科学院考古研究所碳十四测定其绝对年代，新乐文化的年代距今分别为6800年或7200年。新乐遗址是新石器时代一处原始氏族聚落遗址。

大连市

204.旅大市的三处新石器时代遗址

作　者：许明纲

出　处：《考古》1959年第11期

简报介绍了旅大市的3处新石器时代遗址：

其一，山头村南山遗址：是在1958年3月发现的，位于旅顺市西15公里余的山头村南小山坡上，坡下就是渤海的双岛湾。面积约1000平方米。调查时发现10余座圆形整齐的烧，可能是当时人类居住的屋基。采集的石器有磨制的石斧、石锛、有孔残石剑等9件。陶片大部为夹砂粗红陶、夹砂粗褐陶，纹饰有附加堆纹和划线纹等。从采集的陶片来看，器型有豆、碗、钵、罐、杯等。

其二，大台山遗址：这处遗址以前日本人曾发现过，1958年春考古人员作了勘查，遗址位于山头南山遗址的东面，南距双岛湾盐滩1公里左右，大台山有两个山峰，似马鞍子形，遗址就分布在西山峰的前后坡。灰层中夹杂有贝壳和大量的陶片、兽骨、石器等。采集到的遗物有磨制的无孔和有孔扁平斧、石锛、双孔石刀、石环、网坠等。陶片很多，有磨光的黑陶、红陶，夹砂粗红陶、褐陶、灰陶，还有彩陶。这种彩陶是将陶器烧好以后涂上彩的，因此易脱落。

其三，王官寨附近遗址：在1957年10月发现的，位于金州城东15公里余的王官寨村北老城山南坡台地和山后沟台地上。采集到大量的打制或磨制的石器（有的只是半成品）、石材。石器有单孔和双孔刀、斧、凿、球、环、锤等。石斧多椭圆形，两面刃，有的主刃部磨光，或仅打成斧状就使用了。此外有少数陶片，有夹砂粗红陶、灰陶、褐色陶等，陶器制作方法均为手制。

205.旅大市长海县新石器时代贝丘遗址调查

作　者： 旅顺博物馆　许明纲

出　处： 《考古》1961 年第 12 期

旅大市由大小 50 余个岛屿组成，最大的为大长山岛，其次为小长山岛、广鹿岛、獐子岛和海洋岛。总面积达 200 多平方公里。位于辽东半岛东南 40 余公里的黄海上。1957 年旅顺博物馆考古人员作过 1 次调查。1959 年 6 月间，考古人员去往调查，为期 4 天，主要是在小长山岛和广鹿岛重点调查，发现贝丘 5 处。简报分为：一、小长山岛大庆山北麓贝丘，二、小长山岛三官庙贝丘，三、英杰村西岭东地贝丘，四、广鹿岛柳条沟东山贝丘，五、广鹿岛洪子东西大礁贝丘，共五个部分。有手绘图。

据介绍，大庆山位于小长山岛南约 0.25 公里，山南是黄海岸，东面和西面有两条小河从北向南流入海，遗址就在两河中间的丘陵上。遗址东面是姚家沟村。小长山岛三官庙贝丘在大庆山东北约 2 公里。贝丘位于三官庙南面的一座小山上的西坡下，南面是大山下的唐家沟村，西面是一条小河。三官庙贝丘东北 0.5 公里的地方，是英杰村西岭贝丘所在地。东、西、南 3 面为山峦环抱，北面临海，中间是一片平川，在川中间有一条小河，向北流入渤海，英杰村就在这平川上。贝丘在西岭东半坡上，共分南北两段。广鹿岛在小长山岛西南，离大陆金县杏村屯三官庙 35 公里。柳条沟在广鹿岛的东面，贝丘在村东小山顶上。从柳条沟东山到海岸乘舢板，经十余分钟过海峡便到洪子东西大礁，是广鹿岛所管辖的一个小岛。贝丘在岛的西端，与广鹿岛水口相对。

简报称，这类面积大而厚的贝丘，在辽东半岛是极少见的。遗址对研究长海县新石器时代的民族文化特征有着重大意义。

206.旅大市金县发现新石器时代遗址

作　者： 许明纲

出　处： 《考古》1962 年第 2 期

1959 年 3 月中旬，旅大市金县大连湾人民公社晒海带草小组，在大连湾的东北面约 1.5 公里的大咀子附近的耕地中（黄海北岸的崖头上面）发现有灰土，并在灰土中发现有石器、陶片、红烧土、木炭等物。考古人员前去调查，认定这里是 1 处较完整的新石器时代遗址。

简报介绍，在这个遗址中采集有石器、陶片和角器。其中石器有磨光石斧 10 余件、双孔石刀（镰）2件、无孔石刀3件、石镞3件（2件刃部很锋利，没有使用的痕迹）、残石环2件等。采集到的陶片有细泥黑陶，器型有盆、罐、碗、豆、杯、钵等。此外还有1片角器。

简报称，这处新石器时代遗址的发现，对研究辽东半岛特别是旅大市石器时代文化分布以及石器时代的物质文化，提供了新的资料。

207.旅顺老铁山积石墓

作　者：旅大市文物管理组　陈连旭
出　处：《考古》1978年第2期

老铁山位于旅大市旅顺口区铁山公社郭家村东，韭菜房村南，西距渤海岸约5公里。从老铁山北部第一峰向西北与将军山、刁家村北山相连，大约有3公里的起伏山脊上有积石墓40余座。为了弄清积石墓的文化性质及其内涵情况，考古人员多次进行实地调查。

1973年6月，在将军山试掘积石墓1座。1975年初，又清理了1座积石墓。为了进一步弄清积石墓情况，同年8月，又在老铁山、将军山清理了积石墓4座。通过调查和发掘，发现大部分积石墓被破坏过。积石墓调查和发掘情况，简报分为：一、墓葬结构，二、随葬器物，三、结语，共三个部分予以介绍。有手绘图、照片。

据介绍，积石墓是按山脉走向，依山脊坡度筑于地表面的一种多室墓葬，是由数量不等的墓室组合在一起的。每座积石墓内各墓室的死者之间必然存在着密切关系，这种关系当为家族关系。简报认为积石墓可能是以1个家族为单位埋入公共墓地的。一号积石墓简报推断应属于龙山文化。

208.长海县广鹿岛大长山岛贝丘遗址

作　者：辽宁省博物馆、旅顺博物馆、长海县文化馆　许明纲、许玉林、苏小华、刘俊勇、王璀英等
出　处：《考古学报》1981年第1期

长海县位于旅大市东南、黄海北部海域中，是由30余个大小岛屿组成的列岛。其中较大的岛屿有大长山、小长山、广鹿、獐子、海洋、石城和王家等岛，1949年前，日本人曾在各岛进行过多次考古调查和探掘。1957～1960年，旅顺博物馆先后派人前往各岛调查，并写出调查简报。1973年8月，再次进行调查。1977年4月，考古人员在上观石清理10余座瓮棺葬和青铜短剑墓。1978年10、11月，对广鹿岛柳条

沟东山、小珠山、吴家村、蛎碴岗、南窑和大长山岛上马石、高丽城山等贝丘遗址进行发掘工作。发现有居住址和大量陶器、石器、角器和贝器等遗物。

简报分为：一、广鹿岛，二、大长山岛，三、结语，共三个部分，先行介绍史前文化部分。关于公尺棺葬、青铜短剑墓和高丽城山遗址的材料，将另文报道。

简报指出，由于过去旅大地区新石器时代的调查、发掘资料有限和其他种种原因，这一地区新石器时代文化的分期和断代上出现了某些不确切的结论。如新石器时代早期，其上限要以四平山为代表，是这一地区时代较早的一期。现在看来，四平山积石墓属于小珠山上层类型，距今 4000 年左右，在它之前还有更早的小珠山中层和下层文化类型，距今 6000～5000 年以前。将旅大地区新石器时代的上限时间向前推移了 2000 年。旅大新石器时代文化的下限，原来以上马石出土仿青铜短剑的角剑和高丽寨出土的铜器和铁器为依据，认为高丽寨是原始公社制的尾声。旅大地区新石器时代下限要晚到战国和秦汉。上马石遗址分 3 层。青铜短剑墓，角剑应为墓中出土遗物，属青铜时代。不能把它作为新石器时代文化的下限和下限分期标准。高丽寨出土的应为不同时期的文化遗物，高丽寨下层和上层，均不属于新石器时代，也不能以此作为分期断代的标准。

209.大连市郭家村新石器时代遗址

作　者：辽宁省博物馆、旅顺博物馆　许玉林、苏小幸等
出　处：《考古学报》1984 年第 3 期

郭家村新石器时代遗址，位于辽宁省大连市旅顺口区铁山公社郭家村的北岭上，距汉代牧羊城 1.5 公里。1949 年前，原关东厅博物馆曾在此收集过出土文物，标为"郭家疃发见遗物""老铁山出土遗物"。1949 年后，旅顺博物馆在当地发现了、骨、牙、蚌、角器以及玉锛、精美的蛋壳黑陶片等遗物。考古人员于 1973 年、1976 年、1977 年相继进行了发掘。发现有房址和灰坑，出土遗物近 2000 件，其中除有大量红、红褐、黑、黑褐、灰黑陶片外，彩陶片，石、骨、蚌、角器也很丰富，另有大量骨骼。

简报分为：一、地层堆积情况，二、下层文化遗存，三、上层文化遗存，四、结语，共四个部分。有拓片、照片、手绘图。

据介绍，郭家村遗址是辽南地区 1 处重要的原始社会遗址。上层遗存距今约 4000 年，下层遗存距今约 5000 年。上、下层遗存之间应有承袭关系，又各自受到周边文化的影响。

210.辽宁省瓦房店市长兴岛三堂村新石器时代遗址

作　　者：辽宁省文物考古研究所、吉林大学考古学系、旅顺博物馆　陈全家、
　　　　　　陈国庆、刘俊勇、梁振晶

出　　处：《考古》1992 年第 2 期

长兴岛位于瓦房店市西部，隔海与辽东半岛相望，面积 252 平方公里。岛上有三堂、横山两乡。遗址位于长兴岛东部，东南距三堂乡政府约 2 公里。因地势低洼，当地居民称之"西洼"。遗址面积约 1 万平方米，因历年来种植梨树和挖沟等，地表遭到不同程度破坏，散布有大量贝壳、陶片和红烧土块等。

1949 年前，日本学者三宅俊成曾在长兴岛上进行过考古调查，发现数处青铜时代遗址和汉墓。1982 年大连市文物普查队在岛上进行考古调查时，发现了这一遗址，采集有刻划纹筒形罐、口沿和腹部贴泥条的筒形罐、红陶钵残片等，并征集到弧刃石斧。同年，瓦房店市人民政府将该地公布为市级文物保护单位。1985、1986 年又先后 2 次对遗址进行了复查，采集有压印"之"字纹陶片。为了进一步了解三堂遗址的文化内涵和配合即将召开的国际环渤海考古会议，考古人员于 1990 年 4 月 1 日至 4 月 25 日，对遗址进行了正式发掘。共分四个发掘区，发掘总面积 875 平方米。简报分为：一、地层堆积与分期，二、第一期文化遗存，三、第二期文化遗存，四、结语，共四个部分。有手绘图、拓片、照片。

据介绍，根据遗址的地层叠压及打破关系，结合出土遗物的变化，大体上可将该遗址分成 2 个文化，即第一期文化和第二期文化。一、二两期文化既存在着共同的因素，又存在着明显的差异。一期文化盛行的口沿贴附加堆纹、腹贴窄细条堆纹的筒形罐、壶以及腹上刻划双线组成的三角纹带内填平行线纹的壶等，与辽宁新民偏堡遗址、东高台山遗址和沈阳肇工街遗址出土的同类器相似，简报推断年代亦应大体相当。

二期文化习见的大口折沿罐、壶、豆、三环足器、圈足盘、钵、器盖以及多种纹样的刻划纹、小泥饼装饰等，均与辽宁长海小珠山遗址上层和大连郭家村遗址上层出土的同类器相同。郭家村遗址上层碳十四测定数据为距今 4180±90 年，三堂遗址二期文化的年代与郭家村遗址上层的年代应大致相若。依此推定，三堂遗址一期文化的年代上限大体上估定在距今 5000～4500 年之间。

211.辽宁大连大潘家村新石器时代遗址

作　　者：大连市文物考古研究所　刘俊勇

出　　处：《考古》1994 年第 10 期

大潘家村遗址位于辽宁省大连市旅顺口区江西镇大潘家村北，面积约 1.76 万平

方米。遗址地表散布有大量贝壳，故称"蚬壳地"。1992 年 2 月，旅顺口区经济开发区在该地修建水库，致使遗址遭到破坏。为了抢救文物资料，考古人员于 1992 年 3～4 月，对遗址残余部分进行了发掘。共开 5 米 ×5 米探方 14 个，又在部分探方南部扩方 5 个，发掘面积约 400 平方米。揭露出新石器时代房址 7 座、灰坑 7 个、儿童墓葬 1 座、西汉墓葬 3 座。出土器物 500 余件。西汉墓葬的情况和部分已破坏的西汉墓葬中的采集器物，将另文发表。简报分为：一、地层堆积，二、遗迹，三、遗物，四、结语，共四个部分。有手绘图、拓片、照片。

据介绍，大潘家村遗址内涵单纯，堆积属于同一时期遗存。出土遗物有石器、骨器、角器、蚌器、牙器、陶器。大潘家村遗址中出土的红地红彩彩陶、瓢形器、三环足器、磨光黑陶杯等，明显地受到了大汶口—山东龙山文化的影响。出土石刀数量多，达 41 件，说明农业收获量较多，农业有了一定的进步。大潘家村的人们不仅经营农业，同时也从事狩猎和捕捞。多达 131 件的石镞和鱼骨遗骸、骨梭，陶器上的刻划网格纹、海参形罐，以及较多的鹿、飞禽遗骨和鱼骨、鱼鳞等都是证明。

212.大连市北吴屯新石器时代遗址

作　者：辽宁省文物考古研究所、大连市文物管理委员会、庄河市文物管理办
　　　　公室　许玉林、苏小幸、王嗣洲、孙德源
出　处：《考古学报》1994 年第 3 期

北吴屯遗址位于辽东半岛庄河市东 30 公里、西阳宫村北 2 公里、濒临黄海岸边的北吴屯。1981 年大连市文物普查时发现北吴屯遗址，1985 年定为"大连市文物保护单位"。1990 年 4～8 月，考古人员对北吴屯遗址进行发掘。发现房址 8 座、灰坑 2 座、围栅基址 2 道，出土生产工具 500 余件，复原陶器 60 多件。简报分为：一、文化层堆积，二、下层文化遗存，三、上层文化遗存，四、结语，共四个部分。有照片、拓片、手绘图。

据简报推断，北吴屯下层遗存年代为距今 6500～6000 年，其房址为圆形半地穴式，直径 4～5 米，大者 8 米余，周边有柱洞，门道较短，门向南。屋内有石砌方形灶址，有的附砌小石灶。居住面经多次铺垫踩实成硬面。居住区边缘设围栅，当是 1 处聚落遗址。陶器手制，厚胎，火候较高，以夹砂红褐陶和黑褐陶为主，多含滑石粉。北吴屯上层遗存年代为距今 6000～5500 年，其房址为圆角方形半地穴式，一般 4 米左右，大者 8 米余，周边有柱洞，门道较短，位于西南角，门向南。屋内有圆形土灶和烧灰面，居住面经铺垫和踩实较坚硬。陶器手制，薄胎，火候较低，以夹砂红褐陶和黑褐陶为主，其次是夹砂红陶和黑陶，含滑石粉较少，出现夹砂磨光黑陶。

简报指出，北吴屯遗址的经济特点是：农业生产得到提高与发展；居民已具有一定捕捞技能，渔业仍为主要食物来源之一；出土的大量兽骨表明先民已具有较强捕杀能力，具备一定狩猎规模；手工业如制陶、玉器加工业等发达。

213.辽宁普兰店市孙屯村发现一件大型石矛

作　　者：旅顺博物馆　王嗣洲等
出　　处：《考古》2006 年第 2 期

1992 年春，在辽宁省大连北部的普兰店市发现 1 件巨型长石矛。普兰店市博物馆接到报告后征集了这件文物，当时一些媒体曾作了相关报道。后来此矛转藏于旅顺博物馆。简报分为：一、发现经过及形制特点，二、时代和用途，三、特殊的"兵礼器"功能，共三个部分。有手绘图。

据介绍，此矛是普兰店市瓦窝镇孙屯村的村民在打井时偶然发现的，出土于距地表深 3.6 米处，据称没有任何其他遗物伴出。这件石矛出土时已断作四截，经修复后完整无缺。此矛以变质沙岩制成，呈青灰色，通体磨制。整器制作精致，细长扁平，薄而轻，状如柳叶。柄部窄而长，从底端向上渐宽，矛身起脊在中、上部，两翼磨出边刃，锋较长，柄底端正中和矛身一侧各有一个对钻的小圆孔。矛身横截面呈菱形，柄部横截面呈长方形。矛总长 120.8 厘米，其中柄长 72 厘米，矛身长 48.8 厘米；矛身与柄的交接处最宽，为 6 厘米；矛身底部的起脊处最厚，为 1.2 厘米。检视现有的考古资料，发现此矛是迄今为止在我国境内所发现的古代石矛中最长的 1 件，经鉴定为国家一级文物。

简报指出，我国最早的兵礼器，应属新石器时代的石钺、玉钺。拥有兵礼器，应是权力、身份的象征。

214.辽宁长海县小珠山新石器时代遗址发掘简报

作　　者：中国社会科学院考古研究所、辽宁省文物考古研究所、大连市文物考古研究所　金英熙、贾笑冰等
出　　处：《考古》2009 年第 5 期

小珠山遗址位于辽宁省大连市长海县广鹿岛中部吴家村西的小珠山东坡上。1978 年，考古人员曾对广鹿岛的 5 处史前遗址进行了小规模的调查和试掘，其中包括了小珠山遗址。通过当时的发掘，20 世纪 80 年代初首次提出辽东半岛新石器时代文化可分为 3 个文化类型（三期），即小珠山上层、中层、下层文化，初步确立了辽东半岛新石器时代文化序列。后来随着考古资料的增多，尤其是大连市庄河北吴

屯遗址和长兴岛三堂遗址的发掘，学界认为有必要重新认识并进一步研究辽东半岛新石器时代文化内涵，探讨该地区农业出现年代、农业经济与渔猎经济的关系、生业形态与古环境的关系，明确辽东半岛在环渤海新石器时代文化中的地位和作用。为此，考古人员于 2004 年制定 5 年发掘和研究计划，决定对小珠山和吴家村遗址进行发掘，并于 2006 年 5 ~ 8 月、2008 年 4 ~ 7 月对小珠山遗址和吴家村遗址进行了发掘。早在 20 世纪 60 年代遗址北部就基本被破坏殆尽，因此，这二次发掘主要在遗址中的中部和南部进行。简报分为：一、地层堆积，二、遗迹，三、遗物，四、结语，共四个部分。有彩照、手绘图。

据介绍，发掘发现 8 座房址、10 个灰坑、10 座野外灶址和数十个柱洞。出土遗物以石器、陶器和骨器为主。简报提出小珠山遗址可分为五期，其中陶器演变时代特征最为明显。该遗址的发掘，为进一步研究辽东半岛新石器时代文化内涵提供了新资料。

鞍山市

215.海岫铁路工程沿线考古调查和发掘情况简报

作　者：许玉林

出　处：《北方文物》1990 年第 2 期

为配合海峡铁路修建工程，考古人员从 1956 年 11 月至 1955 年 11 月，经两年时间，对海岫铁路（海城市——岫岩县）沿线 90 公里穿过区进行了艰苦的考古调查。在调查的基础上，对其中主要遗址进行了发掘，取得了一定成果。简报分为：一、岫岩段的调查和发掘，二、海城段的调查和发掘，三、结语，共三个部分。有手绘图。

据介绍，通过这次配合海岫铁路修建工程而进行的考古调查和发掘，有很多重要新发现，为研究岫岩和海城地区的古代历史增加了新资料。遗址可分出 3 个时期：第一期，坝墙里遗址区 T4 第四层中发现的压印纹陶纹，胎质较厚，含滑石粉，主要是红陶。压印纹有弧线纹和席纹。这种陶质和纹饰与后洼下层文化有一定联系，时间上应偏早，年代为距今 6000 年左右。

第二期，北沟西山遗址区发现的遗物，具有明显的地方特征，属于一种新的文化类型，现已命名为"北沟文化"。北沟文化的年代，简报认为大体在距今 4500 年左右。

第三期，孙家茔遗址、后山遗址、团山遗址、侯家坟遗址、秀甲遗址以及孤山镇附近几个遗址的新石器时代遗物相同，应属一个时期的一种文化。年代上简报认为应晚于北沟文化，在距今 4000 ～ 3000 年左右，有的可能晚到青铜时期。

简报称，团山遗址、侯家坟遗址、秀甲遗址等发现的战国时期遗物，在海城地区来说，是首次发掘出土。它们对研究辽东半岛战国时期历史具有一定价值。特别是出土的青铜短剑，是继 20 世纪 50 年代天屯镇之后又一次新发现，是研究辽东地区青铜短剑类型文物难得的好材料。

216.辽宁岫岩北沟西山遗址发掘简报

作　者：许玉林、杨永芳
出　处：《考古》1992 年第 5 期

北沟位于辽宁省岫岩满族自治县岫岩镇西北 2.5 公里的西北营子材坝墙里屯。前山、西山和后山之间是一条东西向大沟，当地人称为"北沟"。北沟附近遍布新石器时代文化遗物。为配合海岫地方铁路修建工程，考古人员于 1987 年 10 月 4 日至 10 月 24 日，对北沟附近遗址进行清理发掘，发掘区分别在坝墙里、西山、后山进行。简报分为：一、遗址位置，二、地层堆积，三、出土遗物，四、结语，共四个部分。介绍北沟西山遗址发掘情况，有手绘图。

据介绍，西山遗址位于坝墙里屯西约 100 米的西山上，遗址分布在山顶和东坡，东西长 160 米，南北宽 100 米。发掘点位于西山顶部，发掘面积共 88 平方米。西山遗址出土的遗物以陶器为主。出土的生产工具主要是农业工具，其次是渔猎工具和手工工具，说明当时的经济以农业为主，渔猎也占有重要地位。北沟遗址分布范围较大，说明当时这里应是 1 处规模较大的氏族聚落。北沟西山遗址中出土了山东半岛龙山文化的磨光黑陶圈足盘、三环足器、镂孔豆，这些器类以往多在辽东半岛南部的大连地区小朱山上层文化中发现，在辽东半岛北部地区发现这还是第一次。这说明辽东半岛和山东半岛两地的经济文化有着密切联系。北沟西山遗址经北京大学考古系碳十四实验室测定的年代为距今 4390±150 年、距今 4210±110 年和 4650±100 年。北沟西山遗址的年代应在距今 4000 ～ 4300 年左右。

简报将北沟西山遗存暂定名为"北沟文化"。

217.辽宁鞍山发现旧石器时代天文图

作　者：张俊伟
出　处：《辽沈晚报》2013 年 12 月 20 日

据鞍山市辽山文化学会会长张峻伟先生介绍，海城市厝石山公园发现 7 块长约 4

米、宽约 2 米的大石头，上面不规则地布满 2000 多个点坑。石质为二氧化硅，极为坚硬。上面的点坑，实际上包含有北斗星星座、北极星星座和一些小型星座的图案，共计 12 幅。时代，应属旧石器时代。

专家指出，这种用点坑符号记载天文图的现象早有发现。如我国河南具茨山、江苏连云港及辽东半岛，在日本、朝鲜半岛也有报道。

抚顺市

本溪市

丹东市

218.辽宁东沟大岗新石器时代遗址

作　者：辽宁省博物馆　许玉林
出　处：《考古》1986 年第 4 期

大岗遗址位于辽宁省东沟县马家店乡双山西村兴台屯西北 1000 米、北井子乡王坨子村后刘坨子屯东北 1000 米的 2 乡交界处。大岗遗址面积约 1 万平方米。大岗遗址东北 7.5 公里是后洼遗址，东北 2.5 公里双山顶部和西南 3.5 公里徐坨子柞木山上有新石器时代晚期遗址。早年当地老乡挖草泥时，就曾在大岗遗址发现过陶片和石砌灶址。1984 年秋进行了试掘。

简报分为：一、地层堆积，二、遗迹与遗物，三、结语，共三个部分。有手绘图。

据介绍，发现有灰坑 1 个、房址 1 处。大岗遗址出土的陶器，以夹砂含滑石粉红褐陶和黑褐陶为主，纹饰以压印席纹和"之"字纹为最多，器类有直口筒形罐、直领鼓腹壶、碗、杯、勺等，与后洼下层文化类型相一致，应属于同一文化，年代为距今 6000 年左右。

简报称，同样的陶器纹饰在山东长岛也有发现，说明那时山东、辽宁先民已有联系。

219.辽宁丹东地区鸭绿江右岸及其支流的新石器时代遗存

作　　者：许玉林、金石柱
出　　处：《考古》1986 年第 10 期

丹东地区鸭绿江右岸包括其支流浑江、蒲石河、叆河流域，主要是在宽甸县和振安区境内。该区多山地丘陵，属长白山余脉。河流多短小曲折。新石器时代遗址多分布在河流沿岸的台地和山坡上。

1980～1983 年，考古人员曾先后在宽甸县和振安区内进行文物普查，发现了 20 多处新石器时代遗址。对其中 12 处主要遗存，简报分为三个部分予以介绍，有照片。

据介绍，丹东地区鸭绿江右岸及其支流地区新石器时代遗存分为三类。第一种类型，如宽甸县永甸乡幸福村臭犁隈子遗址的下层，其年代应在距今 7000～6000 年左右；第二种类型的遗址有宽甸县下露河乡连江村下金坑老地沟、宽甸县下露河乡连江村半截子沟大台子、宽甸县古楼子乡砬子沟刘家街等遗址；第三种类型的遗址较多，有宽甸县下露河乡连江村下金坑、通江，永甸乡幸福村臭犁隈子上层等。简报认为第二种类型的遗址年代较早，第三种类型较晚，有的可能已进入青铜时期。

220.辽宁东沟县后洼遗址发掘概要

作　　者：许玉林、傅仁义、王传普
出　　处：《文物》1989 年第 12 期

后洼遗址地处辽东半岛黄海沿岸北部的滨海平原上，隶属辽宁省东沟县马家店镇三家子村后洼屯。1981 年秋，丹东市文物普查队调查时，发现并试掘了后洼遗址。1983～1984 年，考古人员对后洼遗址进行了正式发掘。简报分为：一、地层堆积，二、后洼下层遗存，三、后洼上层遗存，四、结语，共四个部分。配以拓片、照片。

据介绍，后洼遗址原是 1 处茔地，1965 年辟为果园。由于遗址地层较薄，又种植果树等原因，曾多次遭到严重破坏。后洼遗址 1983～1984 年共发掘四次，揭露面积为 1785.5 平方米。发现房址 43 座、灰坑 20 个、陶片 114427 片（复原陶器 393 件）、生产工具 1668 件、雕塑艺术品 90 件、其他用具 17 件。简报推断后洼下层类型的年代应在 6000 年前，后洼上层文化应距今 5000 年左右。

简报称，后洼的陶塑人像均形体小，堆塑简单，性特征不明显，大都出土在房址内。由此可见后洼的陶塑人像更具原始性。

221.辽宁东沟县石佛山新石器时代晚期遗址发掘简报

作　　者：许玉林

出　　处：《考古》1990 年第 8 期

石佛山遗址位于辽宁省东沟县马家店镇马家店村石佛山屯西的石佛山上。1985 年 11 月，马家店镇三家子村后洼屯村民发现并上报，1986 年 1 月和 3 月辽宁省博物馆曾先后两次到此调查，并于同年 4 月 14 日至 4 月 22 日进行了试掘，揭露面积为 136 平方米。

简报分为：一、地理环境与文化堆积，二、遗迹，三、遗物，四、结语，共四个部分。有手绘图、照片。

据介绍，石佛山遗址虽然堆积较薄，又遭到自然和人为的破坏，遗迹和遗物保存较少，但揭露出的遗迹和遗物具有一定地方特点。简报通过对出土遗物进行分批分析，推断石佛山遗址的年代，距今约 4400 ～ 4000 年。

简报称，石佛山遗址出土的遗物有自身特点，又有一定的代表性，有一定的分布范围，这种新的遗存为研究辽东半岛新石器时代文化发展关系和文化性质提供了新资料。为研究方便起见，简报暂将这一遗存称为"石佛山类型"。

锦州市

222.辽宁北镇县发现新石器时代遗址

作　　者：佟甫华

出　　处：《考古》1960 年第 3 期

北镇县广宁城东郊 1.5 公里的地方有三道岭，当地人称"三皇岭"，岭上有 1 座明代的玉皇庙，遗址就在庙西南约 200 米的缓坡上。1958 年 6 月在殿前石堆中发现 1 件小型石斧，此后采集了一些石器和陶片。

简报介绍，采集的陶片有夹砂粗红陶及不夹砂粗灰陶两种，前者较多而后者很少。其中有锥形鬲腿、鬲口沿、陶器耳部陶片及黑色陶臼 1 件。花纹以绳纹为最多。陶质与过去在吉林发现的陶器极为相似，不过略粗一些。石器有：石斧 6 件，大小不一，均残破；残石刀 2 件；石网坠 1 件，并有打制圆形石器。

另外，1958 年 11 月建筑工人在酒厂工地发现过石斧，在城西南蒜堡、分税关都捡到过陶片和石器，说明北镇附近的新石器时代遗址分布极为普遍。

营口市

阜新市

223.辽宁阜新县胡头沟红山文化玉器墓的发现

作　者：方殿春、刘葆华
出　处：《文物》1984 年第 6 期

1973 年夏，阜新蒙古族自治县化石戈公社台吉营子大队胡头沟村村民在村西南 2 公里许牤牛河东岸断崖上，发现 1 座被河水冲蚀的石棺墓，从中取出玉器多件。考古人员于当年 7 月对此墓进行了清理发掘，在墓上揭露出 1 个大石围圈和排列有序的彩陶筒形器群，还在南侧清理了另 1 座随葬玉器的多室石棺墓。确定这两座玉器墓和墓上的石圈、彩陶筒形器，均属红山文化的遗存，这里是 1 处红山文化墓地。简报分为：一、地理环境与地层堆积，二、石围圈与彩陶筒形器，三、玉器墓，四、几点认识，共四个部分。有手绘图等。

据介绍，两座玉器墓，均为用石板砌筑的单室棺葬，仰身直肢葬。墓内只随葬玉器，尚未见有随葬陶器的。玉器种类除珠、环、璧类外，以多见鸮、鸟、龟、鱼等动物造型玉为一大特点。简报称，这种特征的墓葬只发现于大凌河流域。

224.辽宁阜新县查海遗址 1987 ～ 1990 年三次发掘

作　者：辽宁省文物考古研究所　甸　村、新　言等
出　处：《文物》1994 年第 11 期

1982 年 5 月，阜新市进行文物普查时，发现了以查海遗存为代表的 3 处遗址。它们所出的石器、陶器和居住址具有突出特征。1983 年初对此遗址又进行了复查，认为这处遗址是距今约 8000 ～ 7000 年前的聚落址。1985 年 9 月，苏秉琦教授在辽宁考察了查海遗址出土遗物之后指出，查海文化当是红山文化主源之一。1986 年 7 月，开始第 1 次试掘。简报分为：一、遗址概况，二、遗迹，三、遗物，四、分期，五、结语，共五个部分。配以照片、拓片、手绘图，介绍了 1987 年、1988 年和 1990 年 3 次发掘的资料。

据介绍，遗址位于阜新蒙古族自治县沙拉乡查海村西南约 2.5 公里处，发现有 13 座房址。聚落址规模最大、房址布置数量多，其形制、特点较明显，单体房址面积多在 40 平方米以上，最大近 100 平方米。每座房址内生产工具、生活用具组合齐全。时代据测定为距今 7500～7200 年。

简报强调，查海文化的发现充分证明辽西地区是中国远古文化的重要发祥地，而查海文化又是这一起源地中的强劲因素之一。

225.辽宁阜新县胡头沟红山文化积石冢的再一次调查与发掘

作　者：方殿春、刘晓鸿
出　处：《北方文物》2005 年第 2 期

1973 年夏，阜新市蒙古族自治县胡头沟红山文化积石冢被发现与发掘，这是首次对红山文化积石冢的科学发掘。此次发掘资料发表在《文物》1984 年第 6 期上。这次发掘仅是对该积石冢中心部位进行了小面积试掘性工作，所获得的发掘资料无疑是很有限的。1993 年 10 月底，此积石冢突遭破坏，考古人员又一次速赴现场进行了调查与发掘。通过这次发掘，才对该积石冢的全貌与结构有了翔实的了解。简报配以手绘图，介绍了前后两次调查与发掘情况。

据介绍，积石冢现仅存其东半部。清理出东围墙南北残长约 32.75 米，小石板块砌，多灰岩质；墙似分内、中、外 3 道，因残毁较甚，很难判断。紧靠最外道墙侧，竖置一排彩陶筒形器，筒形器仅存近底圈部分，计 67 件；加上 1973 年发现的 11 件筒形器，共计 78 件。它们的形制、纹饰与底径尺寸多相近。据现场地层土色可判断，该冢原建时当有北围墙，现已破坏无存。截至现在，这一范围内仍然散布着大量的彩陶筒形器残片与散乱石块，但绝不见有南墙存在的迹象。冢中心部位为一最深、最大的墓，中心墓南侧为小型墓。

226.辽宁阜新地区区域性考古调查阶段性报告（2012～2013）

作　者：滕铭予、Gideon SHELACH、万雄飞 Ofer MARDER、Ido WACHTEL
出　处：《北方文物》2014 年第 3 期

2012～2013 年在辽宁阜新地区查海遗址东部开展了区域性田野考古调查，调查范围 104.46 平方公里，共在 1152 个采集点进行了人工遗物的采集，发现了属于小河西、兴隆洼、赵宝沟、红山、夏家店下层、高台山、凌河类型和战国—汉时期的遗存，大体上勾勒出调查区域内从新石器时代早期，经青铜时代，一直到战国—汉时期的遗址分布格局。简报分为：一、调查区域的地理环境、工作条件和调查，二、田野调查工作的初步报告，共两个部分。有手绘图。

据介绍，调查中确认了一些此前没有发现的早期新石器时代（也许还有前新石器时代）的遗址，而部分遗址人工遗物分布密度较高，表现出当时人类活动已具有一定的强度。调查中还发现并记录了大量的细石器和一般石器，这是在此前中国东北地区系统性田野考古调查中从未做过的工作，这些石器的具体年代或文化属性还有待于进一步的比较与分析。简报认为，如果有些石器的年代确实属于前新石器时代，那么这些石器的分布将会提供研究这一地区人群采集狩猎活动的重要证据。

辽阳市

盘锦市

铁岭市

朝阳市

227.辽宁省喀左县东山嘴红山文化建筑群址发掘简报

作　者：郭大顺、张克举
出　处：《文物》1984 年第 11 期

东山嘴村位于喀喇沁左翼蒙古族自治县（简称"喀左县"）县城所在地大城子镇东南约 4 公里，大凌河西岸。1979 年 5 月，全省文物普查试点时发现此遗址，当年及 1982 年进行了 2 次发掘。简报分为：一、石砌建筑基址，二、房址和人骨架，三、陶器和石、骨器，四、出土遗物，五、结语，共五个部分。有照片、手绘图。

据介绍，东山嘴遗址是朝阳地区及其邻近地区（即大凌河流域）发掘规模较大的 1 处红山文化遗址。东山嘴遗址出土遗物中石器较为少见，以磨制、打制石器和细石器共存为特点。大型石建筑基址、玉雕龙、陶塑女像等均值得注意。年代经测定在距今 5000 年左右。

228.辽宁建平县红山文化考古调查

作　者：李宇峰

出　处：《考古与文物》1984年第2期

建平县位于辽宁省西部山区，地处老哈河与大凌河交会地带。遗址分布相当密集，地下文物比较丰富。1981年春天，考古人员在该县进行考古调查时，发现并重点调查了属于红山文化的遗存20余处。简报分为六个部分，重点介绍了其中较有代表性的5个地点，有照片、手绘图。

简报称，红山文化自从1935年在内蒙古赤峰红山发现后，即引起考古学界的重视与关注。它是我国北方地区一种主要的新石器时代考古文化。红山文化的分布范围，据现在资料，主要分布在内蒙古自治区的昭乌达盟和哲里木盟南部地区，辽宁省的朝阳、锦州、阜新地区及铁岭地区的康平县，河北省的燕山地带。但迄今为止，在辽河以东尚未发现。考古调查表明，老哈河流域孕育着古老的原始文化。建平县境内红山文化遗存多分布在老哈河等水系沿岸或近水源的高台地上，其稠密程度在辽宁省及邻近地区还是少见的。单一文化性质的遗存较多，一般文化层都较薄，因距村庄较远或山势较高，现状及地表遗物保存较好。遗址为红山文化的研究提供了宝贵的实物材料。

229.辽宁凌源县三官甸子城子山遗址试掘报告

作　者：李恭笃

出　处：《考古》1986年第6期

城子山遗址位于凌源县凌北乡三官甸子大队河下村的西山坡上。南距凌源8公里，地处建平与凌源两县的交界地带，东北8公里即是建平县牛河梁红山文化的墓地，面积为7904平方米。

该遗址是1979年6月辽宁省文物普查训练班在凌源县进行文物普查时发现的，同年10月进行了试掘。试掘工作从10月10日开始，历时半个月。发掘面积200余平方米，揭露出红山文化的墓葬3座、房址1座、灰坑3个。简报分为：一、遗址概况与地层堆积，二、红山文化遗迹，三、红山文化墓葬，四、红山文化遗物，五、夏家店下层文化遗迹，六、夏家店下层文化遗物，七、小结，共七个部分。有手绘图、照片。

据介绍，通过对城子山遗址的试掘，揭露出3座红山文化墓葬。特别引人瞩目的是M2，不但地层关系明确，而且石棺结构完好无缺，随葬的9件玉器还保留于原位未动。简报称,这为研究红山文化的埋葬制度、丧葬习俗,提供了可靠依据。

230.辽宁牛河梁红山文化"女神庙"与积石冢群发掘简报

作　　者:辽宁省文物考古研究所　方殿春、魏　凡等
出　　处:《文物》1986 年第 8 期

牛河梁红山文化遗存是在 1981 年文物普查中发现的。1983 年,经试掘进一步确认这一遗存的石棺墓地为积石冢性质,在附近山上调查时又发现 1 处"女神庙"遗址,随即开始了抢救性的清理、发掘工作。简报分为:一、概述,二、"女神庙",三、积石冢,四、穴坑,五、小结,共五个部分。配以彩照、手绘图,介绍了 1983 ~ 1985 年的发掘成果。

据介绍,牛河梁位于辽宁西部凌源、建平两县交界处,因牤牛河源出山梁东麓而得名。1983 ~ 1985 年,先后在此地调查发现红山文化遗迹地点 10 余处,包括祭祀址和墓葬群,尚未发现有关聚落遗迹。遗存分布面积达 1.2 平方公里。其中,已进行发掘的"女神庙"和积石冢所在地点分别编号为牛 I、牛 II,其他地点编号为牛 III ~ 牛 VII。

简报指出,牛河梁"女神庙"和 3 座积石冢是红山文化大型祭祀遗迹和墓葬的第 1 次明确发现与正式发掘。早期祭祀遗迹以往在全国鲜见,更不见专门供奉泥塑偶像群的祭祀建筑址。红山文化墓葬属积石冢性质也是前所不知的,过去只知有单纯的石棺墓。而牛河梁庙、冢等红山文化遗迹分布之密集、规模之宏大、遗物之丰富,都是过去所不能想象的。通过此次发掘,得知积石冢结构复杂,冢内大、小墓有别,墓内只随葬玉器,墓外排列彩陶筒形器,且冢与冢相连,与辽东半岛及东北亚地区发现的积石冢迥然不同。冢内排列的石棺墓,是迄今发现时代最早的石棺墓。墓中出土的玉饰,也证实先民在那时已掌握先进的制玉技术。

至于牛河梁红山文化遗存的时代和社会背景,简报指出,在碳十四测定数据中,较早的有 J1B,距今 4975±85 年,树轮校正 5580±110 年;较晚的有 Z1,距今 4995±110 年,树轮校正 5000±130 年。可见牛河梁红山文化遗存延续了 500 年左右,这段时间开始进入红山文化后期。当时社会背景究竟怎样?简报认为如果没有较长的相对稳定、相对繁荣的社会环境,是不可能形成"女神庙"、积石冢群这类宏构巨制的。已发掘的积石冢的中心大墓砌造规整,单人原葬墓随葬品较多而精美;反之,二次葬墓室简陋,随葬品或少或无。这标示着墓主人之间身份等级的显著差别。从这个意义上说,这时先民们前进的脚步正迈入阶级社会的门槛。

231.牛河梁女神庙平台东坡筒形器群遗存发掘简报

作　者：辽宁省文物考古研究所　华玉冰
出　处：《文物》1994 年第 5 期

地处辽宁建平、凌源两县交界的牛河梁及周围地区发现多处红山文化的遗存，截至 1988 年底，筒形器遗存的发掘、清理工作已全部完成。简报分为：一、遗存概况及发掘经过，二、筒形器群的堆积和分布状态，三、筒形器的种类、形制与制法，四、遗存的性质与筒形器的功用，五、小结，共五个部分。

据介绍，牛河梁顶女神庙平台的周围是平缓的坡地，环平台东坡，几段不连续的石墙在台外形成了 1 个宽约 20 米的平坦二层台。筒形器群遗存位于二层台下方的东南角，西距女神庙平台东 85 米的石墙 60 米，与女神庙大致在一条纬线上，两者相距 170 米。此遗存发现于松林中间。地表散布有许多碎石，碎石间杂草丛生。1985 年，发现了此遗存暴露的大量陶片，陶片种类单一，均为无底罐状筒形器残片。9 月，对遗存进行了清理，遗存由两部分构成：下部为一长方抹角的竖穴土坑；上部为筒形器残片堆积，分布在坑的范围内。简报认为筒形器的功能是祭祀，类似西藏的嘛呢堆。

232.辽宁牛河梁第二地点一号冢 21 号墓发掘简报

作　者：辽宁省文物考古研究所　朱　达等
出　处：《文物》1997 年第 8 期

1989 年秋季，辽宁省文物考古研究所牛河梁工作站在牛河梁红山文化第二地点积石冢的发掘过程中，发现 1 座较大型墓葬，随即做了清理，墓葬顺序编号为 89NIIZ1M21。简报分三个部分，有彩照。

据介绍，墓位于第二地点西端的一号积石冢南石墙的外侧（即南侧），北邻 M2 与 M1，并分别被 M14 和 M4 叠压，为 1 座长方形土坑竖穴石棺墓。墓葬保存完好。圹穴内砌筑长方形石棺，棺内葬一成年男性，仰身直肢，头西足东，骨骼粗壮，稍有石化，除手掌骨、指骨腐朽无存外，其余部分保存较好。随葬品均为玉器，共计 20 件，置于死者周身，位置未经扰动。

简报称，随葬玉器丰富，多达 20 件，是 M21 的一大特点，也是目前红山文化单座墓葬中葬玉最多的 1 座。其中庄重神秘的兽面玉牌饰和碧绿玲珑而缩头无足的玉龟还是第 1 次出土，二者选料精良，雕琢精湛，以简练的造型和必要的夸张，表现出红山文化玉器中动物形象的形神兼备、生动自然的特色。尤其兽面玉牌饰即为玉龙头面部正视展开，因此显得尤为珍贵。死者周身陈祭大量玉器，墓内不见陶器，是典型的玉殓墓，具有浓厚的宗教祭祀色彩。10件红山文化多见的玉璧和2件双联璧成双组对分置于墓主人身体的上下左右相对称部位，极可能是神灵崇拜物；寓有权力象征意义的兽面牌饰、玉龟和竹节状器(有人称之为原始玉琮)陈置在身体胸腹部的重要位置上。这种成组配套、并有一定的组合规律的葬玉方式，更具有礼的意义。以玉为佩，以玉为祭和以玉为葬，说明玉在红山先民心目中的重要性是超乎寻常的。

233.辽宁牛河梁第五地点一号冢中心大墓（M1）发掘简报

作　者：辽宁省文物考古研究所　旬　村
出　处：《文物》1997年第8期

1987年9月18日，在清理牛河梁红山文化第五地点一号积石冢时，在积石冢的中心部位，发现了1座中心大墓（M1），遂对其进行了正式发掘，至20日清理发掘结束。简报配以彩照、手绘图。

据介绍，牛河梁红山文化第五地点距第一地点神庙遗址约2公里，系一略呈北陡南缓、有多处片麻岩露于地表的圆丘。因丘顶树有指示大地测量水准点的木质三脚架，故当地俗称"架子山"。该地点共发现略呈东西排列的一行3座积石冢，分别编号为东一、西二和中三。其一号冢正坐落于圆丘的顶部，测量木架即安置在冢的顶上，加之其他人为、自然的破坏，冢体受破坏较严重。积石冢以石灰岩块构筑，现仅存冢的基部，且多已残缺。冢的基座平面近圆形，在其外缘一周地表，散布着大量的彩陶筒形器片和少量的日用陶器残片。揭开地表土后，在冢的中心部位（稍偏西些）发现1座较大型的墓葬。1号墓直接辟凿于基岩内，内有石棺1具。出土有制作精良的玉器、陶器等。简报认为这是1处红山文化墓葬，葬俗带有萨满教的萌芽意义。

234.辽宁牛河梁第二地点四号冢筒形器墓的发掘

作　者：辽宁省文物考古研究所　朱　达、吕学明等
出　处：《文物》1997年第8期

辽宁牛河梁红山文化第二地点经多年发掘，已发现6个大型积石建筑单元，其中四号积石冢面积最大、结构最为复杂。在四号冢南半部发现有多座形制特殊的彩陶筒形器墓。简报分为：一、墓葬概况，二、随葬器物，三、几点认识，共三个部分。

配以照片、手绘图，先行介绍其中的3座（M5、M6、M7）。

据介绍，这批墓葬中心竖穴土坑墓，周围摆放一圈彩陶筒形器。筒形器是一种陶制祭器。此种摆放方式为我们对红山文化墓葬方式的认识提供了新的资料。

235.辽宁凌源市牛河梁遗址第五地点1998～1999年度的发掘

作　者：辽宁省文物考古研究所　朱　达、吕学明
出　处：《考古》2001年第8期

牛河梁遗址第五地点位于辽宁凌源市凌北镇哈海沟村东北、101国道和锦承铁路南侧一个小山丘顶部，当地俗称"架子山"。该遗址处于牛河梁遗址群的中心地带，东北距第一地点女神庙遗址约2公里，东距第二、三地点积石冢约1公里。1987年在发掘第二地点的同时，曾一度将发掘重点转向附近的架子山，对其进行了重点勘探和试掘。1998年、1999年夏秋，经国家文物局批准，再次对牛河梁第五地点进行了大规模的发掘，发掘面积2000余平方米，基本搞清了第五地点的地层堆积、积石冢的平面布局和各冢的详细结构等情况。简报分为：一、地层堆积，二、下层遗存，三、中层遗存，四、上层遗存，五、初步认识，共五个部分。有手绘图、拓片。

从以上发掘情况看，牛河梁第五地点地层堆积的早晚关系为：生活遗迹早期积石冢晚期积石冢。生活遗迹层中目前虽没有见到房址，但发现排列较密集的灰坑，大量生活用陶器及磨盘、磨棒、斧等石器，说明早在建冢之前，红山先民曾一度居住在这地势较高的丘顶之上。

简报称，首次在红山文化积石冢中发掘出的祭祀坑，具有特殊意义；Z2M2中随葬的彩陶罐只能放在表层的脚厢中，而不能与玉器共同放在墓主人身边，反映出红山文化先民对玉的强烈崇拜。

236.牛河梁第十六地点红山文化积石冢中心大墓发掘简报

作　者：辽宁省文物考古研究所　王来柱等
出　处：《文物》2008年第10期

2002年9月16～22日，辽宁省文物考古研究所牛河梁考古工作站在牛河梁第十六地点红山文化积石冢的发掘中，发现了积石冢中心大墓，编号M4，并对其进行了发掘。简报分为：一、第十六地点概况，二、墓葬结构，三、随葬器物，四、相关问题的讨论。共四个部分。有彩照、手绘图。

据介绍，牛河梁第十六地点位于辽宁省凌源市凌北镇三官甸子村下河汤沟村民组西北约 1 公里的山顶上。该遗址于 1979 年文物普查时发现并进行了局部试掘，这里是一处属于牛河梁遗址范围的红山文化积石冢，编号为第十六地点。此次发掘的 M4 与 1979 年发现的 3 座墓葬均在这座积石冢内。M4 位于积石冢的中心位置，为 1 座特大型竖穴石圹石棺墓，墓葬保存较好。该墓随葬玉器 6 件，绿松石坠饰 2 件，其中玉器有玉鸮、玉斜口筒形器、玉人、玉镯和玉环。这座中心大墓是在牛河梁遗址发现的红山文化晚期积石冢中规模最大的墓葬之一，距今约 5000 年。在丧葬习俗和祭祀习俗方面为我们提供了重要的资料。简报讨论了该墓的规模（开凿石方 30 多立方米）、营造特色、出土玉器等问题。推测墓主人既是通神的大巫，又是现实生活中的盟主一级人物。

237.牛河梁红山文化第二地点一号冢石棺墓的发掘

作　者：辽宁省文物考古研究所　朱　达等
出　处：《文物》2008 年第 10 期

地处辽宁西部努鲁尔虎山余脉山谷之中的牛河梁红山文化遗址群，经多年的考古发掘，已确认是一组由祭坛、神庙址、积石冢墓地等 20 余处地点组成、总面积达 50 平方公里的大型祭祀遗存。第二地点 NII 位于遗址群分布的中心，遗迹由冢的平面布局构成，是占地面积最大、规模最为宏伟的一处地点。而其中的一号冢 NEZ1 又是形制清楚、结构保存较为完整、发掘清理墓葬及出土玉器颇多的 1 座积石建筑单元。目前，此冢中共清理各类石棺墓 25 座，其中的一些墓葬已作先期发表，现择出 8 座尚未发表的作一介绍，以补充前阶段考古发掘资料发表的不完整，供研究者们使用。这些墓葬的发掘时间和编号分别是：87NIIZ1M17、87NIIZ1M19、89NIIZ1M20、89NIIZ1M22、91NIIZ1M23、91NIIZ1M24、91NIIZ1M25 和 91NIIZ1M26。简报分为：一、墓葬位置与结构，二、随葬遗物，三、小结，共三个部分。有彩照、手绘图。

据介绍，8 座墓葬中的 M25、M26 位于一号冢东西中轴线上，其余 6 座均分布在冢的南半部，呈东西向排列。8 座墓葬在排列布局、结构、葬式及随葬器物等方面分别具有典型意义。可分为大型土圹阶梯石棺墓（M25、M26）、土圹深穴石棺墓（M21）、土圹双室石棺墓（M24）、石棺墓（M4、M17、M20、M16）。葬式有单人葬，也有葬 2~3 人的。二次葬占相当大比例。

简报称，此次发掘出土的 70 余件玉雕中，M23 出土的鸟兽纹玉佩应是龙凤相伴组合，尤其引人瞩目。龙凤同时出现在 1 件玉佩上，说明在距今 5000 年的红山文化时期，已有此观念及图案。

今有张鹏飞先生《东北史前玉器研究》（文物出版社 2018 年版）一书，可参阅。

238.辽宁大凌河上游流域考古调查简报

作　者：辽宁省文物考古研究所、美国匹兹堡大学人类学系、美国夏威夷大学
　　　　吕学明、柯睿思、周　南、朱　达等

出　处：《考古》2010 年第 5 期

经国家文物局批准，辽宁省文物考古研究所和美国匹兹堡大学人类学系签订了为期 3 年的合作研究协议，中美考古人员于 2009 年在辽宁西部的大凌河上游流域开展系统性区域考古调查。简报分为：一、项目背景，二、调查方法与收获，三、相关问题的讨论，四、总结，共四个部分。

据介绍，此次田野调查，采取了系统性全覆盖徒步方法，推算出调查区域内的新石器时代晚期红山文化时期人口规模与分布特征，对该地区社区发展情况与内在动力等问题进行了系统研究。

葫芦岛市

吉林省

长春市

239.长春附近发现的石制农业工具

作　者：王亚洲
出　处：《考古》1960年第4期

中华人民共和国成立以来，长春附近的遗址中，已发现了不少的石制工具。简报分为三个部分，有照片。

据介绍，在长春新立城所发现的农业工具计有石镐、石犁、石铲、石磨盘、研磨棒。

简报称，长春地区在新石器时代晚期因为介于东部磨制石器和西部沙丘草原地带的细石器文化之间，而本地区生产力又发展到一定程度，两者互相影响之下，形成了比较发达的原始农业。长春地区发现的石犁、石镐、石磨盘，从其形制上来看，也是比较进步的。显然这种比较发达的原始农业，是和它所处的自然地理条件，其周围各地区的劳动生产力发展程度，以及与周围地区经济、文化的互相交流、互相影响等分不开的。

240.吉林农安田家坨子遗址试掘简报

作　者：吉林大学历史系考古专业
出　处：《考古》1979年第2期

田家坨子遗址位于松花江南岸第二台地上。根据地面暴露的陶片观察，遗址在屯子西部，范围东西约500米，南北约200米。其东北不远有一条小河，西南距小城子公社8公里。1958年考古人员曾对此遗址进行过调查，同年发表了报告，载《吉林大学学报》1958年第3期。1974年4月上旬对遗址进行了清理。简报分为四个部分，有手绘图。

简报认为这里是1处不同于以往所见的新的考古文化遗存。田家坨子遗存房屋为圆角方形半地穴式，经过焙烤。陶器有泥质红褐陶、彩绘泥质红褐陶和夹砂红褐陶的鼎、罐、壶、瓮、碗、钵、豆等，方唇、重沿是这些陶器的显著特点，仅见瘤状耳和横卧式桥耳。器表多作素面，少数饰线纹、绳纹、指甲按压纹、彩绘和篦纹组成的几何形图案。在制法方面，均为手制。石制生产工具很少。简报怀疑是古代扶余族遗存，暂且归入新石器时代遗存。

241.吉林农安县元宝沟新石器时代遗址发掘

作　者：吉林省文物考古研究所　庞志国
出　处：《考古》1989 年第 12 期

元宝沟遗址位于吉林省中部地区的农安县巴吉垒乡元宝沟村西南 300 米。遗址分布在土岗的缓坡上，1985 年 5～7 月，考古人员对这处遗址进行了考古发掘。简报分为：一、地层堆积，二、遗迹，三、遗物，四、结语，共四个部分。

据介绍，这次发掘清理 5 座灰坑，遗址中所出的遗物有陶器、骨器、角器、石器、蚌器。元宝沟遗址是吉林省目前已知较早的 1 处新石器时代遗址，年代距今 5490±145 年，树轮校正年代 6140±175 年。

简报称，元宝沟遗址中虽然没有发现房址，但是 H5 灰坑比较大，灰坑内堆积十分丰富，出土的陶片多达 3145 片，是当时人们在这里长期定居生活的佐证。元宝沟遗址所出土的遗物，反映了人们精神生活的日益丰富。这个遗址中发现的石雕像，是迄今吉林省最早的原始人物雕刻，是表现原始时代人们审美趣味的艺术珍品。

242.农安左家山新石器时代遗址

作　者：吉林大学考古教研室　陈全家、赵宾福等
出　处：《考古学报》1989 年第 2 期

左家山遗址位于吉林省松花江支流的伊通河北岸，西南距农安县城 4 公里。遗址所在的二阶台地，当地称为"左家山"。该遗址高于现河面 20 余米，遗址南部因雨水冲刷而遭破坏，现存面积 1200 平方米左右。1984 年 4 月末至 5 月初，吉林大学考古专业在吉林省农安县进行野外考古调查时，发现了左家山遗址。为进一步了解该遗址的文化内涵及文化性质，1985 年春在左家山遗址进行了为期 2 个月的发掘。发现房址 1 座、烧土遗迹 2 处、灰坑 20 个，以及一批石器、骨器等文化遗物。简报分为：一、地层堆积和分期，二、第一期文化遗存，三、第二期文化遗存，四、第三期文化遗存，五、结语，共五个部分。有照片、拓片、手绘图。

简报认为，此次发掘，为进一步认识东北地区已发现的新石器时代文化之间的关系，提供了新的材料。

吉林市

243.吉林江北土城子古文化遗址及石棺墓

作　者：吉林省博物馆　康家兴等
出　处：《考古学报》1957年第1期

1954年5月，一名叫王书全的工人将在吉林江北土城子发现的石锄、陶鬲等交到吉林省博物馆。依据这一线索，当年7月，考古人员前往土城子进行调查、发掘。简报分为：一、调查与发掘，二、遗址，三、石棺墓，四、遗物，五、结论，共五个部分。有照片、手绘图。

据介绍，遗址发掘总面积479平方米，清理石棺墓26座，出土遗物有石器46件、陶器118件、其他遗物75件，属新石器时代文化。先民主要从事农业，已饲养猪等家畜，但捕鱼、打猎仍有一定地位。遗址中有部分汉代陶器等出土。

244.永吉星星哨水库石棺墓及遗址调查

作　者：吉林市文物管理委员会、永吉县星星哨水库管理处　董学增
出　处：《考古》1978年第3期

星星哨水库，位于永吉县大岗子公社与岔路河公社中间，是拦截岔路河水而形成。石棺墓群及遗址区在水库中段东侧张家沟附近的山坡上。1975年春，水位下降，石棺暴露出来。水库渔业组的工人同志发现后，立即报告有关部门。考古人员于1975年夏和1976年秋，先后对暴露出来的37座石棺墓进行了2次清理发掘，并在附近遗址区进行了调查采集。简报分为：一、墓葬概况，二、随葬器物，三、采集遗物，四、几点认识，共四个部分。有手绘图。

据介绍，星星哨石棺墓文化与吉林市郊西团山、骚达沟等地石棺墓文化概属同一类型，可能与古肃慎族有关。但是星星哨石棺墓文化与其他石棺墓文化在时间上应有早晚之别，简报推断星星哨可能晚于西团山而早于骚达沟，其下限可能在战国到秦汉之际。简报称，星星哨细石器，在时间上可能比西、北部地区典型的细石器遗存要晚一些。

245.吉林西团山石棺墓发掘报告

作　者：东北考古发掘团　佟柱臣等

出　处：《考古学报》1964年第1期

西团山在吉林市西南2.5公里，东濒松花江。这里是墓葬区，同时也是遗址。东北考古发掘团是1950年9月在中央文化部文物局领导下组成的，由裴文中先生任队长，参加的人员有中国科学院古脊椎动物与古人类研究所贾兰坡，辽宁省博物馆李文信、孙守道，吉林师范大学杨公骥、王承礼，吉林省文教厅赵儒林、王亚协和中国历史博物馆佟柱臣等20余人。先此，1949年吉林解放不久，吉林师范大学历史系已经在西团山作过试掘，发现了石棺（曾发表报告）。东北考古发掘团到达吉林以后，首先了解吉林师范大学、吉林省博物馆收藏的西团山、骚达沟出土的材料，然后对吉林市附近的遗址进行普查，并就西团山作了全面的勘查。

简报分为：一、发掘经过，二、墓葬纪要，三、随葬品，四、结语，共四个部分。有照片、手绘图。

据介绍，共发掘19座石棺墓，发现有石器、陶器等。年代简报推断为春秋、战国之际。墓主人或为古肃慎族人。西团山文化比同时期东北一些原始文化进步一些，或许是因为受辽东半岛、山东半岛进步生产工具影响的原因。但猪骨、石镞和1座墓出90个陶网坠，说明家畜饲养和渔猎经济仍占有重要地位。西团山的墓地遗址不大，人口不多，男性与女性是分开埋葬的，而男性随葬品较多，故而简报推断西团山氏族可能是处于父系氏族社会阶段。

四平市

246.四平市郊发现新石器时代遗址

作　者：赵风山

出　处：《文物》1959年第2期

1958年4月间，在四平市郊南偏西7公里许的赵家屯发现了新石器时代文化遗址1处。遗址为脊陵高地，四周低洼。在翻乱的灰土中，有大量的灰褐色粗砂陶片和红色烧土及木岩碎屑、研磨器等。简报配以照片。

简报介绍，石器有6件：磨制石刀2件、磨光石斧2件、圆球式有孔石器1件、细石器 1 件。陶器有褐色粗砂质纺轮 1 件。这次古代文化遗址的发现，为了解吉林省新石器时代文物分布情况和研究吉林省新石器时代的文化，提供了新的资料和线索。

247.吉林怀德县发现新石器时代遗址

作　者：怀德县文物工作队　赵广乐
出　处：《考古》1984 年第 8 期

1983 年 4 月下旬，怀德县文物工作队在和平乡神仙洞村发现 1 处新石器时代遗址。遗址现在是漫岗黑土耕地，是古代人们理想的居住地方。简报配以图片。

据介绍，对遗址没有发掘，仅从地表发现的完整遗物计有石斧 4 件、石镐 1 件、石镰 1 件。此外，还有残断的石范 1 件，泥质灰陶陶器口沿，黄褐色泥质陶陶片，釉砂黑陶片和白瓷片。

简报称，这一古代文化遗址的发现，对进一步弄清吉林省新石器时代文物分布情况和研究我国东北新石器时代的文化，提供了新的资料和线索。

248.吉林省伊通河上游考古调查

作　者：何　明
出　处：《北方文物》1990 年第 3 期

伊通河位于吉林省南部，源于伊通县板石乡磨石山北麓。长期以来，考古调查与发掘工作多集中于伊通河中下游地区，而对上游地区的文化面貌缺乏一定的了解。近年在这一地区开展了大规模的文物普查，发现古遗址 130 多处，采集遗物 2000 余件。其中原始社会遗址可达 50 多处，都具一定规模，文化内涵比较复杂，有的遗物过去极为少见。这对帮助认识这里的文化面貌，具有一定的参考价值。对其中几处主要遗址，简报配以手绘图予以介绍。

据介绍，主要遗址有东河北屯遗址、周家屯遗址、头道沟遗址、太平屯遗址、杏山遗址、娘庙山遗址、白台子遗址、吉兴遗址。伊通河上游地区主要是丘山峡谷，遗址多分布在河流沿岸的台地与山坡之上，少数遗址则坐落于依山傍水的崇山之巅，这反映了当时人们随山谷为居的生活特点。就其文化特征，这些遗址可分为：第一种文化遗存以东河北屯遗址为代表，简报推断属于新石器时代文化遗存。第二种文化遗存以吉兴遗址为代表。简报认为目前还不能将第二种文化遗存简单地视为某种文化类型，只能有待于今后的进一步工作。

辽源市

249.吉林东丰县西断梁山新石器时代遗址发掘

作　　者：吉林省文物考古研究所　金旭东、王国范、王洪峰

出　　处：《考古》1991 年第 4 期

根据东丰县 1985 年考古调查资料，在大沙河、沙河、梅河两岸的漫岗丘陵上分布着大量的古文化遗存。考古人员选择了其中的西断梁山遗址，于 1986、1987 年进行了 2 次发掘。

简报分为：一、遗址概况，二、地层堆积，三、西断梁山一期遗存，四、西断梁山二期遗存，五、结语，共五个部分。有手绘图等。

据介绍，西断梁山遗址位于东丰县西南部，地属一面山乡，距东丰县城约 37 公里。有房址、灰坑等遗迹，有陶片、石器、陶器、玉器等遗物。简报推断西断梁山一期的年代上限不超过距今 6800 年，下限不晚于距今 5500 年，当在距今 6000 年左右；西断梁山二期文化的年代应在距今 5000 年左右。

通化市

250.吉林辑安浑江中游的三处新石器时代遗址

作　　者：陈相伟

出　　处：《考古》1965 年第 1 期

1962 年 4 月间，由吉林省博物馆等单位组成的辑安考古队，在浑江中游左岸调查了 3 处新石器时代遗址。简报配以照片、手绘图。

据介绍，沟门南台村遗址西临浑江，面积颇大，由村西断续地延展到浑江岸边，东西长约 1 公里。村西耕地里，散布有陶片，以红褐粗砂陶居多。另采集有石斧、石刀、网坠等石器。梨树沟遗址在梨树沟后山西坡上。后山的北、西 2 面临浑江，遗址西距浑江约 200 米。在这里采集石器 3 件，计镐 1 件、斧 2 件。长岗遗址在长岗村北 2.5 公里的山坡上，西距浑江 150 米。在一小块被开出的耕地上采集到石镞、残石刀、

陶网坠各 1 件，还有一些陶器器底等。

简报称，这 3 处新石器时代遗址，沟门南台村和梨树沟两遗址曾经调查过，长岗遗址是这次调查新发现的。

251.吉林集安大朱仙沟新石器时代遗址

作　者：吉林省博物馆集安考古队、集安县文物管理所
出　处：《考古》1977 年第 6 期

1972 年冬，集安县榆林公社农民在大朱仙沟门北山下取石垒坝，发现石斧、石刀和陶罐各 1 件。1974 年 10 月初，考古人员确认这里是 1 处新石器时代遗址。简报配以照片、手绘图予以介绍。

据介绍，采集到的遗物有打制石锄 1 件、磨制石斧 2 件、磨制石刀 5 件及陶片 3 片。简报推断为新石器时代遗物。

252.吉林辉南邵家店发现的旧石器

作　者：陈全家、李有骞、赵海龙、王春雪
出　处：《北方文物》2006 年第 1 期

吉林省辉南县邵家店旧石器地点发现于 2003 年 8 月，次年 6 月考古人员又对其进行了复查。该地点位于辉发河流域邵家店村东北的山坡上。2 次调查共获得石制品 57 件，包括石核、石片、使用石片、刮削器、琢背刀和尖状器等，原料以黑曜岩和石英为主。石制品的原生层位全部破坏，皆于山坡上采集。石制品属于中国东北中部的小石器为主体的工业类型。根据石器类型分析，遗址的年代可能属于更新世晚期，即旧石器时代的晚期。

简报分为：一、地貌和地层，二、石制品的分类和描述，三、结语，共三个部分。有手绘图。

据介绍，两次调查共采集石制品 57 件，包括石核、石片、工具和断块 4 类。石制品的原料有石英、黑曜岩、蛋白石、燧石和流纹岩 5 种，其中石英和黑曜岩的数量最多，分别占石制品总量的 45.5% 和 31.6%。简报称，有人将东北地区旧石器文化遗存分成 3 个大的手工业类型：东部山区的大石器手工业类型，中部丘陵地带的小石器为主体的手工业类型，西部草原地带的细石器为主体的手工业类型。邵家店地点处于中部丘陵地带的东缘，石制品具有小石器为主体的手工业类型的典型特点。

253.浑江流域（2007年）发现的石器研究

作　者：陈全家、赵海龙、王　欢
出　处：《北方文物》2012年第1期

吉林集安头道南台子南遗址和北屯孤山遗址发现于2007年，均位于集安市西北部。头道南台子南遗址发现石制品47件，包括石核、石片、石锤、石斧、刮削器等。孤山遗址发现石制品29件，包括石核、石斧、石刀、石锤、刮削器、尖状器等。原料均以凝灰岩为主，还有角岩、石英岩、砂岩、板岩等，皆为采集。遗址的年代应为旧石器时代晚期至新石器时代。简报分为：一、头道南台子南遗址，二、孤山遗址，三、结语，共三个部分。有手绘图。

据介绍，头道镇位于集安市区西北部约105公里处。1956～1983年间，考古人员对头道镇长江村南台子进行了3次调查，发现了一批标本，将其命名为"南台子遗址"。此次发现的头道南台子南遗址就在南台子遗址南侧，所以称为"南台子南遗址"。孤山遗址位于集安市财源镇北屯村北屯五队西1000米。两处遗址的石制品，剥片、修理方法均以锤击为主。简报认为此两处遗址，为研究旧石器时代向新石器时代的转化，提供了实物资料。

白山市

254.吉林省白山市老道洞遗址试掘报告

作　者：陈全家、王春雪、赵海龙、方　启、张殿甲
出　处：《北方文物》2007年第1期

老道洞遗址位于吉林省白山市河口乡南郊的山腰上。2003年7月末，考古人员对该遗址进行了调查和试掘，出土了大量的文化遗物，包括有石器（磨盘、石斧、亚腰形石锄、砍砸器、刮削器、石镞、网坠）、陶器、骨器和大量的动物遗存。其年代最早可至新、旧石器时代交替之际，最晚为新石器时代。为探讨浑江流域史前文化的面貌与邻近地区的文化交流等诸多相关问题，提供了丰富的科学资料。简报分为：一、遗址名称地理位置及周围环境，二、遗址状况及地层堆积，三、出土遗物，四、结语，共四个部分。有手绘图。

据介绍，相传清朝同治年间一于姓老道以此洞为庙，并收一隋姓弟子，于老道和隋老道分别于民国十五年（1926年）、二十六年（1927年）先后在此打坐。从此

该洞香火颇盛，远近 100 余里的人们每逢初一、十五、四月十八、腊月二十五纷纷到此求助，故得名"老道洞"。从出土骨骼上的人工痕迹特征观察，当时先民在饮食上有几种习惯：其一是砸骨取髓，除了动物长骨之外，鹿科动物的系骨也被砸断，取其骨髓食用；其二是烤食。从动物系骨、冠骨等趾骨有烧烤痕迹来看，当时人们存在烤食动物前后腿的习惯。

松原市

255.吉林扶余北长岗子遗址试掘简报

作　者：吉林大学历史系考古专业
出　处：《考古》1979 年第 2 期

北长岗子遗址位于松花江支流小鱼亮子河南岸，东距新立屯 200 米。根据地面遗物散布情况，知遗址的面积东西长 200 米，南北宽 70 米，其范围与地表上一土包相当。在土包西侧的地面上，散布有辽代的瓦片。南距土包约 250 米的地方，存在大量的辽代砖瓦遗物。北长岗子遗址，是吉林省博物馆在 1958 年文物普查时发现的，1960 年被确定为省级保护单位。1974 年 4 月，吉林大学考古专业在此实习，进行了试掘。简报配以手绘图予以介绍。

据介绍，发现有灰坑 1 个、灶坑 1 个和路土 1 段，掺杂有辽代灰坑 1 个及墓葬 1 座。此次试掘，加深了对这 1 处新石器时代遗址的认识。先民在此应已有较长定居生活，大量的鱼骨及动物泥塑，反映了这一地区先民的渔业及畜牧业经济相当发达。

256.吉林长岭县腰井子新石器时代遗址

作　者：吉林省文物考古研究所、白城地区博物馆、长岭县文化局　刘景文
出　处：《考古》1992 年第 8 期

腰井子遗址位于长岭县北部三十号乡腰井子村北一条西南—东北走向的大沙岗上，东南距长岭县城 45 公里。遗址南为较平沃的耕地，南边 1.5 公里处为茫茫的大泽，北边为无际的草原。面积约 8 万平方米。由于多年风沙剥蚀，遗址中部破坏严重。

在多次调查的基础上，1986 年 8 ~ 9 月，考古人员在破坏严重的中部进行了发掘。发掘分东、西 2 区进行，东部编为 A 区，西部编为 B 区，相距 115 米，两区各开 5 米 ×5 米正向探方 8 个。同时在 B 区西 300 米的 C 区、A 区东 90 米的 D 区进行了试掘。

发掘面积 550 余平方米。简报分为：一、地理环境和发掘情况，二、地层堆积，三、遗迹，四、文化遗物，五、结语，共五个部分。有手绘图、照片。

据介绍，腰井子遗址呈北高南低的漫坡状，文化堆积一般在 0.7～1.5 米。地层较简单，多数只有两层堆积，仅少数探方发现三层堆积。清理房址 7 座、灰坑 1 座、墓葬 2 座；发现遗物 206 件，其中采集 91 件，以石器、骨器最多，完整陶器虽少，但陶片纹饰极丰富，还有少量玉器、蚌器等。

从遗物所反映出的文化面貌看，这一文化延续时间可能较长。从相近的文化遗存碳十四测定的年代看，左家山一期后段为距今 6755±115 年，左家山三期为距今 4870±180 年（均树轮校正值）。简报认为腰井子遗存的年代与左家山一期更为接近，它的年代应在距今 7000～6500 年，应属新石器时代较早阶段。

简报称，腰井子遗址的发掘揭示了吉林省西北部草原地区一种新石器时代较早阶段的文化面貌。

257.吉林省乾安县新石器时代遗址调查

作　者：郭　珉、李景冰
出　处：《北方文物》1992 年第 2 期

乾安县地处吉林省西部、霍林河下游。境内泡沼遍布，沙丘连绵，水充草茂。1985 年 3～4 月，在乾安县进行文物普查过程中，共发现了新石器时代遗址 3 处，并获得一批文物标本。这批材料对我们研究吉林省西部地区和霍林河下游一带新石器时代的文化内涵及分布状况，具有较高的学术价值。简报配以手绘图予以介绍。

据介绍，这 3 处遗址是传字井遗址、西玉字井遗址、大师遗址。发现的遗物有石器、陶器。简报称，从上述 3 处遗址出土的陶片看，其质地、火候、制法、颜色和纹饰等，都基本一致，因此它们是相同类型的文化遗存。虽然 3 处遗址中出土的部分陶器和石器互不共有，但这只能说是受地表调查的局限性所致，而不能说明它们的文化面貌各不相同。简报推断，乾安县 3 处新石器时代遗址在时间上，上限要早于新乐下层文化，而其下限应与富河文化的年代大体相当。一般认为，新乐文化距今约 7500 年。

258.吉林前郭县青山头发现一座古墓

作　者：何　明
出　处：《考古》1994 年第 6 期

青山头位于前郭尔罗斯蒙古族自治县穆家乡青山头屯北约 1 公里处。青山头是一座南北走向的山岗，西临查干泡，过去这里曾有部分墓葬遭到破坏。1984年7月，吉林省文物考古研究所考古人员在此地进行考古调查时，清理了1座古墓。简报配以手绘图予以介绍。

据介绍，该墓坐落在山岗南端顶部，为单人仰身直肢葬，人骨保存较好，男性。墓中只见有少量的骨制装饰品饰于颈部、耳部及上肢部。耳饰略呈椭圆形，上部有一穿孔。颈饰为以圆形蚌壳做成的项链。上肢饰以较多的骨管。

简报称，此类墓葬过去较为少见。其年代由中国社会科学院考古研究所对墓中人骨进行碳十四测定为距今9095±115年。就测定数据来看，应属新石器时代早期墓葬。

259.吉林长岭县腰井子村发现鱼形玉佩

作　者：郭　珉

出　处：《北方文物》1998年第2期

这件玉佩是1986年春于吉林省长岭县三十号乡腰井村北50米处的1个新石器时代遗址中采集。简报配以照片予以介绍。

据介绍，玉佩为青玉质地，呈环状椭圆形，通体磨光，素身无纹，最大外径4.4厘米、厚0.3厘米。其上有裂痕一道，在一端的边缘上磨出一个豁口，并于其上方钻一圆孔，两者组合在一起，形成了一个十分形象的鱼的头部。在佩的上部边缘处，又有一"U"形豁口，仔细观察，知其原本是一个穿绳系佩的小孔，后残损。玉佩属新石器早期偏晚阶段的遗存，距今约7000年。

白城市

260.吉林安广县永合屯细石器遗址调查简报

作　者：李　莲

出　处：《文物》1959年第12期

1957年夏安广县文化科王瑛先生在进行文物普查时，发现1处细石器文化遗址。省博物馆和文管会又于1958年4月下旬进行了复查，共得到细石器等遗物400余件。简报配以照片予以介绍。

遗址发现于安广县城北约7公里新荒乡永合屯西北约1公里的固定沙丘上。永合屯处于松嫩平原的西南部，在一望无际的平原上，时有断续起伏的低平沙丘，嫩江由西北流来，由此地上溯昂昂溪不过 200 公里。遗址所在的沙丘略呈东西走向。考古人员沿沙丘脊部勘察了 1.5 公里许的地表，在此范围内看到有散乱的陶片、细石器、人骨、兽骨、贝壳等。其中有一处被风吹成的低洼地方，暴露遗物更集中，所得遗物均为地表采集。简报配以照片予以介绍。

据介绍，这次采集的遗物有石器、骨器、陶器、人骨、动物骨骼、贝壳、其他遗物 7 个类别。简报有"吉林省安广县新荒乡永合屯采集遗物统计表"。

简报称，永合屯细石器文化遗址不仅填补了吉林西北部新石器时代文化的空白，也是我国长城以北细石器文化中的重要发现之一。

261.吉林大安东山头细石器文化遗址

作　　者：吉林省博物馆　匡　瑜、方起东

出　　处：《考古》1961 年第 8 期

遗址位于东山头屯北 0.5 公里的沙丘北端岗脊上，东南距大安县城约 20 公里。遗址于 1960 年上半年文物普查时发现，同年 10 月 28 日至 11 月 3 日进行复查。复查时，不仅在遗址地面采得了若干细石器、陶片和小件铜石饰物，而且还开了数条探沟，清理了 3 座墓葬（另见清理简报）。综合普查时所得材料，经过初步整理，认为它们分别属于细石器文化以至辽金等各个不同时期的遗物。简报分为"文化遗物""结语"两部分予以介绍，有手绘图、拓片、照片。

据介绍，文化遗物有细石器、陶片。普查时所得细石器有 53 件，复查时采集所得虽然不太多，但通过对遗物的整理及对墓葬的清理，可看出东山头遗址除细石器文化外，还有各个不同时代的人们相继在此活动过。尤其是相当于赤峰红山后第一住地文化的墓葬的发现，以及陶器上表现的某些过渡迹象，可为研究细石器文化如何向青铜文化过渡提供线索。就采集的细石器来看，精美的箭镞占了五分之一，这和其他细石器文化遗址的状况是不同的。虽没有发现渔业工具，但从地理环境和遗址上散见不少的鱼骨、蚌壳来看，简报认为东山头细石器文化无疑是属于渔猎类型的。

262.吉林镇赉县细石器文化遗址

作　　者：吉林省博物馆　陈相伟、匡　瑜、方起东

出　　处：《考古》1961 年第 8 期

镇赉县位于吉林省西北部，县城东约 68 公里为嫩江，南约 25 公里为洮儿河。

1960 年上半年，在镇赉县发现了细石器文化遗址。为了对该遗址作进一步的了解，考古人员复查和发现了细石器遗址 4 处。简报分为：一、包力屯后岗子遗址，二、包力屯西南岗遗址，三、坦途乡北岗子遗址，四、坦途乡西岗子遗址，五、结语，共五个部分。有拓片、照片、手绘图。

据介绍，包力屯后岗子和西南岗 2 遗址，坦途乡北岗子和西岗子 2 遗址，它们两两都相距很近，所采集的遗物，也都同属于细石器文化。但坦途乡北岗子的遗物，无论器形上或制作技术上，都和大安县安广镇永合屯细石器文化近似。永合屯同时也是一处细石器文化的葬地，而北岗子却未见人骨。另外，北岗子出现的三角形带链石镞，永合屯没有；而永合屯的骨器、陶鬲等，在北岗子也没见到。这都说明了它们之间存在着一定程度的差异。

简报称，坦途乡西岗子的文化遗物锥点纹、篦纹所构成的几何形图案大量存在。在西岗子采得的磨制石斧、石刀及陶纺轮等，在东山头并未见到。在坦途乡的西岗子和北岗子曾采集到和细石器共存的泥质红衣陶。这种陶器在吉林省西部地区是较为常见的，而他处却少见，这一迹象值得今后多加注意。

263.吉林通榆新石器时代遗址调查

作　　者：王国范
出　　处：《黑龙江文物丛刊》1984 年第 4 期

通榆县位于吉林省西北松辽平原中西部地区，地势较为平坦，西部沙丘较多，中部为冲积平原和沼泽地，东部多为平原。遗址在全县境内均有分布，并且均在靠水源较近的固定沙丘上，其中以霍林河流域最为密集。1983 年春季，考古人员对全县进行了文物普查，仅这次调查新发现的新石器时代遗址就有 36 处，加上过去曾发现的 5 处，共计 41 处。这些遗址多数包含有 2 个时代以上的遗存，即新石器时代文化遗存和辽金时代文化遗存等。在其中 5 处遗址中发现了居住址。普查时，采集了一批石器和陶器标本。这批材料对研究本地区的新石器时代文化面貌和与邻近地区文化之间的关系，提供了重要的资料。简报配图予以介绍。

据介绍，在这些遗址中，尤以敖宝山遗址最为典型，文化遗物比较丰富。它与北部地区的新石器时代文化遗存有一定的区别，特别是与嫩江流域昂昂溪文化相差较大；而与南部的新石器时代文化遗存比较近似，特别是压印的"之"字纹与辽河流域的红山文化比较相近，可能在年代上也相去不远。

简报称，通榆县地处嫩江流域和辽河流域的中间地带，因而反映在文化面貌上是比较复杂的。若要作出全面的、正确的科学结论有待于今后的科学发掘与研究。

264.吉林白城靶山墓地发掘简报

作　者：吉林省文物考古研究所　王国范、张志立

出　处：《考古》1988 年第 12 期

靶山墓地位于吉林省白城市西郊 5 公里的靶山上。1984 年 6 月初，白城市在文物大普查中发现了此墓地。墓地曾在 1979 年扩建靶场取土时被破坏。当时百姓曾收藏了一些文物标本。市文物普查队发现后，对此墓地进行了 5 次实地调查，并采集和征集到文物标本 50 余件。同年 8 月初对此墓地进行了大面积的清理发掘，发掘面积 554 平方米，清理墓葬 5 座，出土随葬品 260 余件。

简报分为四个部分予以介绍，有手绘图。

据介绍，此次清理的 5 座墓葬，曾在 1979 年扩建靶场时受到破坏，均为长方形土坑竖穴墓。可分为多人合葬和单人葬两种形式。M1 和 M4 为多人合葬墓，人骨为异性成年人和小孩。M2、M3、M5 为单人葬墓，人骨为成年人，葬式皆为仰身直肢葬，无葬具。随葬品出现多寡悬殊的差别，以多人合葬的 M1 和 M4 最为富有，多达 100 余件，而单人葬却非常稀少，仅有几件或 20 余件。随葬品以石器为大宗，还有骨器、陶器等。从出土的随葬品看，当时以狩猎经济占主要地位，并兼营渔业和农业经济。根据墓葬形制和埋葬习俗来分析，墓葬年代已经到了原始社会晚期阶段，或者过渡到了父系社会。

据碳十四测定，该墓地距今约 5200 年。

265.吉林镇赉县马场北山遗址调查

作　者：镇赉县文管所　刘雪山

出　处：《考古》1996 年第 3 期

镇赉县位于吉林县西北角，马场位于县城北 40 余公里处。遗址位于马场北一个当地人称作"北山"的沙土岗上。山的东南坡文化遗物较多，北坡较少。遗址中采集的遗物有石器、鱼骨、蚌壳、动物骨和零散的人骨。石器的数量最多，有打制和磨制的两种，简报配以手绘图予以介绍。

据介绍，石器等均为采集，时代简报推断为新石器时代，具有松嫩平原新石器时代原始文化特征。

266.吉林镇赉县聚宝山新石器时代遗址

作　者：吉林省博物馆　王　则
出　处：《考古》1998年第6期

聚宝山遗址位于吉林省镇赉县西南部聚宝山屯西北4公里处的圆形沙岗上。岗东侧有一条南北向的沟，深约1.5米。1987年10月上旬，当地农民在岗内挖沙时发现几件玉石器，其中有玉斧、玉环等，引起文物部门的重视。1990年6月考古人员对该遗址作了调查及清理，发掘面积约为500平方米。简报分为：一、地层堆积，二、遗迹，三、遗物，四、结语，共四个部分。有手绘图。

通过这次清理和调查，简报推断这是1处新石器时代遗址。从其文化面貌上看，与红山文化有某些相似之处，如该遗址出土的玉斧，形制与红山文化的同类器十分相似。简报指出，该文化遗存是否和红山文化有一定的渊源关系，尚需进一步的发现来证明。

267.吉林省镇赉县出土人面头像饰

作　者：李　成
出　处：《北方文物》1999年第1期

1997年9月，吉林省镇赉县南山头羊队一农工在队西部取土时发现了玉石斧等一些新石器时代的器物。考古人员赶赴现场进行调查，认定该地是1处新石器时代墓葬区。但墓葬均已遭到破坏。值得注意的是，在墓区内除出土有玉石斧等器物外，又采集到了1具人面头像饰。

据介绍，头像饰为沉积岩石打磨而成，通高10.5厘米。深眼窝，厚唇，形象生动，立体感强。头像饰的眼球，是用蚌片磨成圆形镶嵌在眼窝内的。这件人面头像饰在吉林省原始文化的墓葬中还是首次发现，对于我们研究当时人们的审美心理和宗教信仰等具有不可多得的学术价值，更为我们研究吉林省西部草原地区的新石器时代红山文化提供了极为重要的实物资料。

268.吉林镇赉丹岱大坎子发现的旧石器

作　者：陈全家
出　处：《北方文物》2001年第2期

简报配以手绘图，介绍了吉林镇赉丹岱大坎子发现的石制品86件、动物化石45

件。石制品中有典型的楔形、船底形石核；石制工具有长身圆头刮削器、雕刻器和锛形器等。动物化石可鉴定的有 10 个种属，均属于东北更新世晚期猛犸象—披毛犀动物群成员。其文化年代属于旧石器时代晚期之末或稍晚。该文化遗存的发现对探讨旧、新石器时代的过渡以及细石器的传播具有重要的意义。简报分三个部分：一、地貌、地层与哺乳动物化石，二、石制品分类与描述，三、结语。

据介绍，所见石制品表面棱脊清晰，未见有水冲磨的痕迹。石制品的原料有角岩、玛瑙、碧玉、霏细岩、流纹岩、蛋白石、硅质岩、玄武岩和凝灰岩。其中角岩最多，占 24.4%；玛瑙稍次，占 22%；而碧玉和霏细岩分别占 13.9% 和 11.6%；其他原料较少。原料的种类比较多，优质的原料比例亦较高。从部分石制品的表面保留的砾石面分析，原料来源于江边的漫滩上。此遗址有可能是 1 处石制品加工厂。

269.吉林省镇赉县白沙滩旧石器遗址出土的石器和动物化石

作　者：吉林省文物考古研究所、镇赉县博物馆　于　丹、杨　春、刘雪山、赵海龙

出　处：《北方文物》2010 年第 4 期

2005 年，由于引嫩入白水利工程的兴建，考古人员对镇赉白沙滩遗址局部进行了抢救性考古发掘，出土了石制品 1 件和动物化石若干。简报对此次发掘出土的旧石器作了详细介绍，并对动物化石进行了鉴定、测量和描述，为吉林省晚更新世旧石器文化、古生物、古气候、古生态环境等方面的研究提供了新的材料。简报共分：一、前言，二、地层堆积，三、出土及采集遗物，四、结语，共四个部分。有照片、手绘图。

据介绍，该遗址于 1998 年考古人员调查时发现，1999 年春复查，在地表采集到石制品 86 件、哺乳动物化石 45 件。2005 年的发掘，出土打制石片 1 件，哺乳动物化石若干，其中有猛犸象、披毛犀、王氏水牛化石。该遗址当属旧石器时代，更具体的时代尚难得出结论。

270.吉林省镇赉县乌兰吐北岗遗址发掘简报

作　者：吉林省文物考古研究所、镇赉县文物管理所　王　聪、顾聆博、杨　春、张立晶

出　处：《北方文物》2010 年第 4 期

由于引嫩入白工程的修建，2009 年 6 ~ 9 月，考古人员对乌兰吐北岗遗址进行了抢

救性发掘。发现新石器时代房址7处、辽金时期灰沟1条,出土了陶器、骨器及石器等遗物。简报分为：一、地层堆积及遗迹，二、遗物，三、结语，共三个部分。有手绘图。

据介绍，乌兰吐北岗遗址位于吉林省镇赉县嘎什根乡大乌兰吐村东北，遗址所在地为一条东西走向的岗地，地表种植玉米、高粱等作物。共发现房址7处，均为半地穴式，平面近圆角方形或长方形，呈两排分布。应属新石器时代遗存，但具体时代尚有待研究。

延边州

271.延边珲春县凉水泉子石棺墓

作　　者：金万锡

出　　处：《考古》1959 年第 6 期

延边文物管理委员会于 1957 年 8 月在珲春县凉水泉子清理了 1 座新石器时代的石棺墓。

据介绍,石棺墓因发现时已被拆开,所以石棺结构和葬式及遗物布置情况已不清楚,但大体和延边以及吉林以往发现的石棺墓是相似的。石棺墓地点在珲春县境西北隅凉水泉子，是自图们至珲春县城必经之地，距图们 30 公里。墓葬就在图们江北岸山坡上。墓葬中人骨的前骨和下颚骨、牙齿等保存情况较好，随葬品有淡绿石珠项饰、石管珠、野猪牙制饰品、石纺轮、磨制石枪头、陶器等。简报认为应属新石器时代。

272.吉林省龙井县金谷新石器时代遗址清理简报

作　　者：延边博物馆　朴龙渊

出　　处：《北方文物》1991 年第 1 期

金谷新石器时代遗址是 1979 年 7 月在金谷水库筑坝工地推土中发现的。1979 年 7 月和 1980 年 6 ~ 9 月，考古人员对该遗址进行了抢救性清理和发掘。发掘面积达 300 余平方米，共清理 6 座房址，其中 4 座已遭到不同程度的破坏。简报分为：一、遗址概况，二、房址，三、遗物，四、结语，共四个部分。有手绘图、拓片。

据介绍，遗址位于吉林省延边朝鲜族自治州龙井县城东南 25 公里、距德新乡南约 1 公里处的金谷水库西山上。金谷早期遗址，从它的文化内涵上看，是延边地区原始文化遗存中一种新的原始文化类型。房址，为长方形或方形箕状半地穴式。遗址出土 3 处木炭，标本经碳十四年代测定（经树轮校正），分别为距今 4410±140 年、4430±150 年、4540±140 年。简报认为其文化内涵及碳十四测定年代都表明，它应属于新石器时代晚期的文化遗存。

273.吉林省和龙西沟发现的旧石器

作　者：陈全家、赵海龙、方　启、程新民、贺存定
出　处：《北方文物》2010 年第 2 期

该地点位于和龙市龙城镇西沟村西南，2006 年 6 月发现。在地表采集石器 102 件，包括石核、石片、石叶、断片、断块、废片、1 类工具、2 类工具和 3 类工具。原料以黑曜岩为主，占 69.61%，其次是石英、石英岩、凝灰岩、板岩等。属于以小石器为主体的工业向以细石器为主体的工业过渡的类型。推测该地点年代为旧石器时代晚期。

简报分为：一、地貌与地质，二、石器分类与记述，三、结语，共三个部分。有手绘图。

据介绍，采集的石器以小型和微型为主，少量中型，个别大型。打片以锤击法占绝对优势，少有砸击法；同时 2 类工具中存在有典型细石叶，个别工具采用压制法修理，表明可能存在间接剥片技术。石器类型丰富，还有少量完整石片、断块、废片、石核、石叶。工具以石片毛坯占绝大多数，占 96.75%，仅个别细石叶和块状毛坯。工具加工主要是正向加工，其次是反向加工，少量复向和错向以及通体加工；工具修理主要是硬锤锤击修理，少量压制修理和软锤修理。

274.吉林和龙青头旧石器遗址的新发现及初步研究

作　者：吉林大学、安图县文物管理所　陈全家、方　启、李　霞、赵海龙、程新民、郑钟仁
出　处：《考古与文物》2008 年第 2 期

2005 年春，考古人员发现了该处遗址。它位于和龙县龙城镇青头村北，南距青头村约 800 米。2006 年春，对和龙境内进行旧石器考古调查时对其进行了复查和 4 平方米的小面积试掘，共获得石器 216 件，其中地表采集 197 件、地层内出土 19 件。

简报分为：一、地貌地质与地层，二、石器分类与描述，三、结语，共三个部分。有手绘图。

据介绍，该遗址虽然还未发现典型的细石核，但是存在圆头刮削器、尖状器、

琢背小刀和石镞等典型器型，明显具有旧石器时代晚期细石器工业的特征。这种文化面貌可能是受以下川为代表的旧石器时代晚期华北地区典型细石叶工业的影响，但同时以黑曜岩为主要原料又是其特色。该遗址还存在大量的修理规整的黑曜岩石器，说明当时人已经意识到黑曜岩较其他原料更适合于压制剥片及细石叶、石叶的生产，同时石料质地的优劣能直接影响到精致剥片和修理技术的发挥。

根据吉林省第四纪地层的堆积年代分析，同时根据石器的加工技术、工具组合等分析，简报暂时将遗址年代定为旧石器时代晚期或新、旧石器过渡阶段。

黑龙江省

275.乌苏里江流域考古调查

作　者：黑龙江省博物馆

出　处：《文物》1972 年第 3 期

1971 年 9 ～ 10 月，考古人员相继调查了乌苏里江边饶河小南山、小佳河古城、石场、五林洞小东山以及珍宝岛西南等遗址。简报配以照片予以介绍。

据介绍，小南山位于饶河镇南端，傍乌苏里江西岸，江水绕小南山下，流向北方，西侧是完达山下的肥沃平原。遗址坐落在小南山的东坡上，依山傍水，高出水面 25 米以上，应为 1 个氏族部落的石器加工场所。

小佳河古城在饶河县城西北方向，位于乌苏里江支流挠力河南岸和小佳河的东岸，正当小佳河入挠力河口处的河谷平原上。当地人称为"小北城"。地面上城垣痕迹清晰可辨。城墙系夯筑土墙，残高近 1 米，墙基宽 6 米左右。城为方形，周长约 2000 米，为唐代古城遗址。

石场位于饶河西面，是一个四面环山的小盆地，有一条小河流贯中间。当地人在河岸修建房屋时采集到石斧 1 件，系灰色页岩制成，器身匀称，磨制精美。

五林洞小东山遗址位于五林河北岸的小东山下。地面散布大量夹砂粗红陶片，器型有侈口罐一种，肩部饰以椭圆点纹。

珍宝岛西南遗址位于珍宝岛附近乌苏里江西岸，山岳迫近河谷，遗址位于珍宝岛西南的河谷台地上。

简报认为，以上 3 处应均为新石器时期遗址。

哈尔滨市

276.哈尔滨市东郊黄山南北城遗址调查

作　者：黑龙江省博物馆　赵善桐等
出　处：《考古》1960 年第 4 期

1957 年 4 月至 1959 年 5 月，黑龙江省博物馆先后 3 次对哈尔滨市东郊黄山嘴子（下简称"黄山"）进行了考古调查。黄山又名"荒山"，是座土山，位于哈尔滨市东郊，距市中心 15 公里。考古人员在此采集了大批的新石器时代陶片和石器。简报分为：一、北城遗址，二、南城遗迹，三、大沟，四、结语，共四个部分。有照片。

简报介绍，黄山南北两城遗址所采集的遗物为细石器文化遗存。虽然两地同为一种文化，以采集遗物比较，在时间顺序上似有早晚之分，南城似比北城为早。例如，在陶器纹饰上，北城在陶器纹饰应用方面较普遍，且多样化，而南城只限于个别器物上应用，纹饰也较少；在石器制作方面，北城制作细小而精致，并有装饰品的应用，南城不见。南北两城遗址虽有早晚，但时间相差不久。靠近大沟边缘上部采集的几件石器，以其制作技术和采用石材观察，简报推断它可能较两城细石器为早。这里遗址的时代早晚问题，还有待于今后发掘来解决。

277.呼兰河畔早期细石器遗址考察

作　者：魏正一
出　处：《黑龙江文物丛刊》1982 年第 3 期

1980 年 9 月下旬和 10 月初，考古人员两次前往呼兰县呼兰镇富强大队考察。从距地表 3.5 米深处的地层中，发掘出化石、石器、石屑、骨器和炭屑等一批标本。简报配以照片、手绘图予以介绍。

据介绍，遗址在呼兰县呼兰镇北 2.5 公里处的富强大队五队屯南，是呼兰县五七工程队在修砖厂时发现的。从石器看，无疑属于细石器范畴，刮削器、断面为梯形的石叶或石屑，在我国北方细石器遗址中均不少见。细石器延续时间很长，从旧石器时代晚期到铜器、铁器时代均有。简报倾向认为此处遗址的年代较早，属旧石器时代。

278.哈尔滨阎家岗旧石器时代晚期地点（1982～1983年发掘报告）

作　者：魏正一、杨大山、尹开屏、聂启新、于汇历
出　处：《北方文物》1986年第4期

阎家岗旧石器时代晚期地点，位于哈尔滨市西南郊区，距市区约25公里，交通方便，行政上隶属于哈尔滨市道里区新农乡砖厂和阎家岗农场的木材厂。1982年6月，哈尔滨市文物管理站在文物普查中，于新农乡砖厂发现第四纪哺乳动物化石、人工打击的石片和人类头骨化石残片。同年9月，考古人员对这个地点进行发掘。经两年野外工作，发掘面积825平方米，获得一批石器和具有人工打击痕迹的骨片及哺乳动物化石。简报分为：地质地貌和探坑情况，人类化石及石制品，化石垒成的古营地调查，骨骼上的人工痕迹，动物群和孢粉反映的古环境，结语，共六个部分。

据介绍，阎家岗旧石器时代晚期地点，共获得人化石1件，石器5件，有人工痕迹的骨片43件（其中有的在打击劈裂后，又在裂面上做了进一步加工），古营地遗址1个，古动物化石21种、700余件。由中国科学院古脊椎动物与古人类研究所碳十四实验室，对同层位出土的动物化石所作的测定表明，这个地点的绝对年代为距今22370±300年，是黑龙江省迄今已知最早的1处旧石器时代地点。

279.黑龙江尚志县亚布力新石器时代遗址清理简报

作　者：黑龙江省文物考古研究所　李砚铁
出　处：《北方文物》1988年第1期

1985年4月，亚布力林业局北沙场承包人王学俭先生在采砂时，意外地发现了几件文物，随即向黑龙江省博物馆报告。考古人员前往现场调查，5月再次前往考察，确认这是1处新石器时代文化遗存。6月，黑龙江省文物考古研究所对该遗存进行了发掘清理。简报分为：一、遗址位置与地层，二、遗迹，三、遗物，四、结语，共四个部分。有手绘图。

据介绍，亚布力第二层出土的陶片上的划纹是莺歌岭下层文化常见的一种纹饰。这种纹饰在黑龙江省东南部、吉林省的松花江、图们江、鸭绿江流域以及苏联的南滨海地区等文化遗存中都有发现，代表一种较早的文化遗存。戳压篦点纹在莺歌岭下层也可见到，故莺歌岭下层的年代可作为推断亚布力遗存年代的参考。莺歌岭上层经测定距今3025±90年，下层未做测定，有的先生推断为距今4000年左右。如果这一推断无误的话，那么亚布力遗存的年代下限不晚于距今4000年。

是叠压在二层下，故它的年代要更早一些，但两者出土的陶器及纹饰风格基本相同，因此年代不会相去太远。简报认为，联璧式二佩饰亦可作为推断亚布力遗存年代的佐证。亚布力新石器时代遗址的发现，对探讨黑龙江地区新石器时代文化的渊源、类型、分布以及与周邻地区诸文化间的相互关系等，无疑提供了极其重要的线索。

280.黑龙江省旧石器考古又有新收获

作　者：程　松、傅　彤
出　处：《北方文物》1997 年第 3 期

1996 年 9 ～ 11 月，考古人员对五常学田和阿城交界镇的两处旧石器地点进行了正式发掘和抢救性清理，取得了令人瞩目的成果。

据介绍，五常学田旧石器时代晚期遗址点出土了大量哺乳动物化石，主要是猛犸象、披毛犀、野牛、普氏野马、鹿和鼢鼠等，其中仅猛犸象的化石就至少可以代表 30 个个体。这些动物均属于我国东北地区更新世晚期森林草原地带的常见动物。在一些动物碎骨上，明显可见人工打击痕迹，应是古人敲骨吸髓后丢弃的。另外还发现了为数不多的有人工痕迹的石片，其是否为石器仍需进一步研究认定。其年代约为距今 4 万年。学田旧石器时代晚期地点的发掘和研究，为了解黑龙江地区人类的出现和迁徙及远古生态环境等，提供了重要的科学依据。

阿城交界旧石器时代的遗址点，是阿城交界镇发现的 1 处溶洞。经调查和初步清理，获取古动物化石标本 60 余件，动物种属有 5 ～ 6 种。特别是梅氏犀的发现，对黑龙江地区古动物种属结构的研究和该地点年代的确认提供了有力的证据。另外还发现了有人工打击痕迹的动物骨骼和石块。由此推测，该洞穴很可能是 1 处旧石器时代人类居住的地点。此类遗址在辽宁、吉林两省及俄罗斯曾有过报道，但在黑龙江省境内尚属首次发现，其很可能是黑龙江地区迄今为止发现的最早的 1 处旧石器地点。

281.黑龙江省宾县三宝乡新石器时代遗址考古调查简报

作　者：邓树平
出　处：《北方文物》2006 年第 1 期

自 2001 年 6 月至 2003 年 3 月，考古人员经多次调查，在小东南山遗址采集石器标本 200 余件。经有关专家认定，该遗址为新石器时代。

简报分为：一、小东南山遗址地理位置及地貌，二、石器标本，三、结语，共三个部分。有手绘图。

据介绍，小东南山遗址位于黑龙江省宾县三宝乡东方红村西北 0.8 公里处，该山坐落于张广才岭西麓支脉的大青山西北侧边缘。宾县小东南山遗址发现的这批石器，绝大部分是特征比较明显的打制石器，约占石器总数的 60%，间接打击或压琢而成的石器，约占石器总数的 3.5%。其中打制石锄的比重约占石器总数的一半以上。在数次的调查中仅发现 1 件磨制石器（石斧坯料）。

简报推断此遗址年代为距今 8000 ~ 7000 年，属新石器时代。

齐齐哈尔市

282.嫩江沿岸细石器文化遗址调查

作　者：黑龙江省博物馆　丹化沙
出　处：《考古》1961 年第 10 期

1960 年黑龙江省文化局组织考古队于 1960 年 3 月中旬到 4 月中旬，第 1 次调查了齐齐哈尔—江桥嫩江沿岸地区；由 5 月中旬到 7 月中旬，第 2 次调查了齐齐哈尔—门鹿河以南嫩江沿岸地区。两次均以左岸为重点。前后发现细石器的地点近 100 处、墓葬 3 处，采集细石器与陶片等 2000 余件，此外还发现了辽金元古城 6 处等。

简报分为：一、地理环境概貌，二、遗址分布及其特点，三、文化遗物，四、墓葬，五、结语，共五个部分。有手绘图、照片。

据介绍，2 次调查结果表明，细石器文化遗址在嫩江沿岸地区分布得极为广泛，遗物相当丰富。总的看来，细石器文化在嫩江沿岸的长时期发展过程中，逐渐形成了它的文化特点。它以齐齐哈尔为中心地区，逐次地向四外扩张，接触到了其他原始文化，通过相互影响丰富了自身文化内容。嫩江细石器文化的特点，是精制的石器占绝对优势，磨制石器极少。齐齐哈尔以北地区的遗址和小登科等地的墓葬要早于齐齐哈尔以南地区，也与昂昂溪的墓葬不同，可以说明细石器文化及其特有的制作技术为嫩江沿岸地区不同氏族部落所掌握。

简报称，从当时的生产工具和自然环境来看，当时人类可能过着以渔猎经济为主的定居生活。

283.昂昂溪胜利三队一号遗址清理简报

作　者：李　龙
出　处：《黑龙江文物丛刊》1981 年第 1 期

1979 年 10 月，齐齐哈尔市文管站对昂昂溪地区再次进行文物普查时，新发现 1 处较为丰富的文化遗址，即胜利三队一号遗址。由于生产队取土垫地，遗址遭到破坏，文管站即于 1979 年 10 月 29 日至 11 月 8 日对该遗址进行了抢救性的清理发掘，历时 11 天。简报分为：一、地形位置及发掘经过，二、地层堆积情况，三、文化遗迹、遗物，共三个部分。

据介绍，昂昂溪地区位于松嫩平原的西部、嫩江中游的左岸，地势大体东高西低。在这些固定沙丘之上，存在着许多昂昂溪原始文化遗迹。因试掘面积较小，故发现遗迹很少。该原始文化遗存出土一定数量的蚌壳、鱼骨、鸟骨及动物骨骼，简报认为当时的渔猎经济仍占重要地位；遗址文化层堆积较厚，出土陶片较多，反映该遗址的先民已过着定居的生活。

284.齐齐哈尔北湖遗址出土的陶祖

作　者：傅维光
出　处：《北方文物》1989 年第 1 期

1980 年 5 月，考古人员在文物调查中，于市郊梅里斯屯东南 1 公里的北湖遗址发现了 2 件陶祖。2 件陶祖出土于该遗址的同一锅底形灰坑中。灰坑内有红烧土和具有烧烤痕迹的骨屑。同时在该遗址还采集到火候较高的附加堆纹和指甲纹手制红衣陶片、玛瑙石质的小型刮削器等。简报配以照片予以介绍。

据介绍，这 2 件陶祖制作粗糙，火候不高，用草拌泥捏制，呈灰褐色，出土时均有残损。从北湖遗址采集到实物资料看，简报推断遗址时代应晚于五福遗址的早期遗存，早于富拉尔基老龙头遗址的遗存。简报称，北湖遗址应是昂昂溪文化的晚期遗存。2 件陶祖的出土，说明新石器时代晚期，昂昂溪文化也出现了对陶祖的崇拜。

285.齐齐哈尔市碾子山区发现的石器

作　者：魏正一、李　龙
出　处：《北方文物》1990 年第 3 期

1983 年 5 ～ 7 月，齐齐哈尔市文物管理站在对碾子山区进行文物普查时，发现了一批打制石器。同年 9 月和次年 3 月，考古人员对这里进行了重点复查。这次在不大的区域发现多处遗址，有确认的打制石器、哺乳动物化石，有的打制石器与压制石器共存，有的是出于洞穴附近的堆积层中。虽未作系统发掘，仍不失为研究黑龙江省打制石器的重要材料。简报分为：一、地理位置和地貌，二、地层和出土情况，三、石制品，四、讨论，共四个部分。有手绘图。

据介绍，碾子山位于齐齐哈尔市西北 110 公里，普查期间共发现石器和化石地点 25 处，采集石制品 321 件、化石 30 件。这仅仅是本区部分普查成果，加之有不少标本属于地表采集，故而本区大量遗存的打制和压制石器的分布规律和工艺特征，尚待进一步发掘和研究。据考古人员的初步印象，这批石器的文化内涵比较丰富，其中有的大型砍砸器和尖状器为黑龙江省以往所罕见。简报认为有待今后进一步工作才能探明。

286.黑龙江省龙江县缸窑地点的细石器遗存

作　　者：于汇历、邹向前
出　　处：《北方文物》1992 年第 3 期

黑龙江省嫩江沿岸地区素以出土细石器闻名遐迩，迄今已发现含有细石器的文化遗存 100 余处。在已发表的材料中，仅昂昂溪东南 18 公里处的大兴屯遗址，属于旧石器时代晚期遗址，绝对年代距今 11800±150 年，其余遗址和地点均属于新石器时代或更晚。以梁思永先生发掘的墓葬为代表的昂昂溪文化，为本区有代表性的新石器时代文化，其绝对年代被推定为距今 5000 年以上。因此，本区旧石器文化与已知的新石器文化之间尚存在 4000～5000 年的间断。寻找本区这一间断时期内的史前文化遗存，同时探索细石器的产生、发展及时空关系诸问题，无疑是摆在考古工作者面前的重要课题。1982 年，黑龙江省地矿局水文地质一队在地质调查中发现缸窑石器地点，1983 年 7 月进一步复查，采集打制和压制石制品 250 余件。当时有人认为这是 1 处旧石器时代晚期遗址，距今约 3～2 万年。1987、1988、1989 年，考古人员都曾前往调查。简报分为：一、地理环境与地层概况，二、文化遗物，三、讨论与小结，共三个部分。介绍了 1982 年以来的收获，有手绘图。

据介绍，缸窑地点位于黑龙江省龙江县景星镇南 6 公里，东南距缸窑村 2 公里，北临嫩江支流罕达罕河，东距嫩江约 40 公里。共采集石制品 664 件，其中包括用压制法生产的典型细石器和少数用直接打击法修整的粗大石器。细石器原料以燧石、玛瑙、玉髓、蛋白石为主；粗大石器主要用石英、砂岩、砾石制成。细石器，包括用间接打击法或压制法产生的细石核、细石叶等。简报认为缸窑地点石制品的年代应不超过距今 8000 年，在文化时代上属于新石器时代初期或中石器时代，早于梁思永先生发掘的昂昂溪文化。在时间上，遗址应起到了一种承上启下的作用，可能填补了本区乃至黑龙江省史前文化发展序列中的一个缺环，对研究旧石器时代向新石器时代过渡，以及探索细石器的产生、发展、时空关系等问题，或许具较重要的意义，同时为研究华北与东北细石器的关系，研究中国与东北亚、北美的古文化交流提供了新材料。

287.黑龙江省泰来县嫩江沿岸细石器文化遗址调查报告

作　者：王广文、王永祥
出　处：《北方文物》1995 年第 1 期

泰来县位于黑龙江省西南部。1964 年 6 ~ 7 月，考古人员在泰来县境内嫩江沿岸进行调查，行程 200 余公里，发现古文化遗址 30 余处、辽金遗址 7 处、古城 1 处，采集标本 2000 余件。简报配以手绘图，介绍了这次调查中发现的细石器遗址。

简报重点介绍了东翁根山、松树林、绰尔等、两棵树、南大村等几处遗址。简报指出，此次考古调查结果表明，细石器文化遗址在嫩江沿岸地区分布非常广泛，遗物相当丰富。从这次发现的 30 余处文化遗址看，精美的压制细石器占绝对优势，磨制石器亦有一定的数量，陶片也甚为丰富。由于此次调查多为地面采集，未经正式发掘，对各遗址的真正文化内涵还不能全面了解。

288.黑龙江省讷河杨树林发现的古代遗址

作　者：霍永良
出　处：《北方文物》2003 年第 1 期

1993 年考古调查时，在讷河市兴国乡兴国村杨树林屯西北沙岗上，发现了 1 处古文化遗址。简报配以手绘图予以介绍。

据介绍，由于植被已被破坏，地表即可看到多个风蚀坑，在坑中多发现有灰烬遗迹，灰烬中杂有陶片和石制品，还发现有小型啮齿类动物及鸟类的骨骼。在沙岗的北部发现 1 座破坏严重的墓葬，从残存情况来看，为土坑墓，无木质葬具。墓中只发现 1 个完整的头盖骨，不见随葬品。发现的陶片和石器多见于风蚀坑中。以陶片观察，陶器皆手制，可分为粗砂陶和细砂陶两类，后者居多；颜色亦可分为黄褐陶和灰褐陶两种；器表多带有纹饰，以凹弦纹和凸弦纹为主。简报认为该遗址是 1 处新石器时代文化遗存。

289.黑龙江省齐齐哈尔市滕家岗遗址三座新石器时代墓葬的清理

作　者：马利民、项守先、傅维光

出　处：《北方文物》2005 年第 1 期

1983、1994、1997 年，考古人员在滕家岗遗址清理了三座墓葬，有了一些新的收获。通过对一些资料的科学鉴定，得知该墓葬的上限约在距今 7000 年，下限约在距今 4700 年。简报分为：一、墓葬，二、出土器物，三、结语，共三个部分。有手绘图、照片。

据介绍，滕家岗遗址位于昂昂溪城区东南 1 公里处。3 座墓葬，有仰身直肢、侧身屈肢及直肢葬 3 种不同的葬式，但均为二次葬、红土葬，人骨的体质特征为北亚蒙古人，随葬品少，没有陶器。随葬品有玉器、骨器、牙饰、石镞等。玉器下葬时被人毁坏。年轻女性头骨变形。按民俗学的方法解释，应是在婴幼年头骨发育时期，刻意长期勒头所致。变形源于当时的古老习俗，与女性佩戴头饰和头冠之类的装饰有直接关系。2 条带状沟，可以起到防止头饰脱落的作用，也可能与生产劳动有关。

290.黑龙江省齐齐哈尔市滕家岗子遗址采集的几件细石器

作　者：吉林大学、哈尔滨师范大学　侯静波

出　处：《中原文物》2014 年第 6 期

1980 年黑龙江省文物考古工作队对黑龙江省齐齐哈尔市滕家岗子遗址进行考古调查并发掘，采集了大量细石器。简报分为：一、遗址位置，二、文化层堆积，三、采集石器，四、采集石器的年代等问题的思考，共四个部分。有手绘图。

据介绍，简报通过对其中几件典型石器的介绍及研究，认为它的年代应该和1980 年发掘墓葬为同一时期，属新石器时代晚期，距今 4500 年左右。

鸡西市

291.密山县新开流遗址

作　者：黑龙江省文物考古工作队　杨　虎、谭英杰等

出　处：《考古学报》1979 年第 4 期

兴凯湖是我国东北边疆最大的淡水湖，位于黑龙江省密山县与苏联滨海州交界

处，北部在我国境内。兴凯湖以北有小兴凯湖，两湖之间被长达 40 余公里的沙岗隔开，俗称"湖岗"。小兴凯湖水位较高，湖水通过湖岗上的缺口流入兴凯湖，靠湖岗西端的缺口叫"新开流"。湖区北部开阔的平原和滩地，水草丰美，而今多已垦为农田。湖岗上林木繁茂，湖区水面辽阔，水草茂盛，生长各种鱼类和水禽。这草木丰茂的沃野和水产丰富的水域，正是原始居民居住和渔猎的良好处所。1972 年 7 月，黑龙江省博物馆考古部在新开流东 1.5 公里的湖岗上发现 1 处新石器时代遗址。清理新石器时代墓葬 32 座，鱼窖 10 座。文化层出土的遗物也很丰富。简报分为：一、遗址概况，二、文化层堆积，三、遗迹，四、遗物，五、结语。共五个部分。有照片、手绘图。

据介绍，新开流遗址的鱼窖、葬俗具有特色；石器、骨（角、牙）器的种类和形制，陶器的纹饰等构成一个富有特征的、不同于国内迄今已发现的诸新石器时代文化。下层，陶器为夹砂灰褐陶、黄褐陶，纹饰以大而深的刻菱纹、三角纹、竖道纹、戳刺椭圆窝纹等为特征。镞、尖状器、刮削器等石器的形式较上层少。上层的主要特征是：墓葬的祔葬制，葬式中一次葬与二次葬、仰身直肢葬与屈肢葬并存，随葬品一般较少，有陶罐、渔猎工具和小件饰品，有的尚有鱼骨、野猪牙、犬牙床、鹿（狍）角和鳖腹骨等。上、下层的石器均以渔猎工具为主，表明先民过着以渔猎尤其是捕鱼为主的生活。上、下层年代也应相去不远，简报推断为距今 6150 ～ 5850 年之间。

292.黑龙江省刀背山新石器时代遗存

作　者：武威克、刘焕新、常志强
出　处：《北方文物》1987 年第 3 期

刀背山位于穆棱河中游右岸，海拔 352 米。属长白山系老爷岭东脉。其山正南北走向，北坡俯视穆棱河，南坡紧倚鸡冠山，东坡属鸡东县，西坡为鸡西市，主峰为县、市的分界岭。遗址位于刀背山西坡脚下，西距鸡西市区 7 公里，东距鸡东火车站 8 公里。1980 年冬季，鸡西市市政工程处在此山西坡采路基石的碎石堆积中发现了一批石、陶、玉器和部分人体碎骨。考古人员前往调查，1981 年又前往调查，1982 年春第三次前往进行了测量及绘图。简报分为：一、地形和地层堆积，二、遗迹，三、遗物，四、结语，共四个部分。有手绘图、拓片。

据介绍，遗迹有土石包、石墙，遗物有采集的陶片 60 余片及石器、玉器。从现场情况看，此地应为 1 处墓葬地。年代应与新开流上层文化相去不远，大致在距今 5000 年以上。

鹤岗市

293.鹤岗市郊梧桐河下游右岸的几处原始社会遗址

作　　者：邹　晗

出　　处：《黑龙江文物丛刊》1984 年第 1 期

鹤岗市位于黑龙江省的东北部，地势西北高东南低。西北为小兴安岭和青黑山山脉，东南部为三江平原的北端，多低洼沼泽地。主要河流有梧桐河及其支流鹤立河、石头河、乌鸡河、伏尔基河等。梧桐河发源于小兴安岭，流经鹤岗市与萝北县，左岸为萝北县属，右岸在鹤岗市境内，流长约 85 公里。大、小鹤立河由北向南贯穿市区注入梧桐河。

1982 年 5 月，市文管站组织了对市属东南郊区的考古调查，在梧桐河下游右岸发现 3 处古代遗址。对调查情况，简报配以手绘图予以介绍。

鹤岗东南部属于三江平原北部，地貌多低洼沼泽。从这次调查的情况看，遗址一般都分布在低洼平原中的高丘上，个别则在紧靠河岸的台地上。已发现的这几处遗址都集中分布在梧桐河下游右岸地区。尽管只有少数几处遗址，但说明了当时的人们多居住在较大河流的下游。

这次调查发现的遗址虽然不多，遗物也不甚丰富，但这些材料的发现，无疑填补了鹤岗市早期历史的空白，丰富了地方历史的内容，至少说明了早在原始社会时期，鹤岗市梧桐河流域已有原始居民活动。

双鸭山市

294.黑龙江饶河小南山遗址试掘简报

作　　者：黑龙江省博物馆

出　　处：《考古》1972 年第 2 期

饶河县位于黑龙江省东部边境，东临乌苏里江。小南山位于饶河镇南端，俯临乌苏里江西岸，海拔 106 米。小南山附近的村民曾多次在这里发现石器时代的遗物。1971 年 9 月，考古人员对小南山遗址进行了复查，并于 10 月 10 ~ 19 日组成发掘组对小南山遗址进行试掘。简报配以照片予以介绍。

据介绍，这次发掘所获得的遗物，绝大部分都是居住面范围内出土的。这次发掘所得的陶器，绝大多数均是残片，完整的只有 1 件陶罐。陶器的质料只有夹砂粗红陶 1 种。陶器的种类很少，仅有罐、钵两种。石器共发现 84 件，绝大多数是打制石器。简报推断小南山的遗存是属于新石器时代的文化遗存。

295.饶河小南山新发现的旧石器地点

作　者：杨大山

出　处：《黑龙江文物丛刊》1981 年第 1 期

1980 年 5 月末至 6 月初，饶河造船厂在小南山下搞基建过程中，发现了一些第四纪哺乳动物化石，立即向省文物管理部门报告。考古人员在小南山工地长 29 米、宽 17 米的四条大沟中找到了一些古生物化石和旧石器以及骨器，这应是我国最东的 1 处旧石器地点。简报分为四个部分予以介绍，有手绘图。

据介绍，饶河小南山旧石器地点出土有第四纪哺乳动物真猛犸象化石，所以其地质时代，简报认为应为更新世晚期之末。因为真猛犸象是东北更新世晚期猛犸象—披毛犀动物群中 1 个地区代表种。又根据真猛犸象化石的碳十四绝对年代测定值为距今 13000±460 年，亦证其地质年代属更新世晚期之末。这处旧石器地点出土的旧石器，基本具有北京猿人遗址所出石器的特点；从加工技术看，北京人遗址中出土的砍砸器一面打击居多，而饶河小南山出土的砍砸器是两面打击的，可见黑龙江饶河出土的石器比华北地区北京人遗址出土的有所发展。

296.黑龙江饶河县小南山新石器时代墓葬

作　者：佳木斯市文物管理站、饶河县文物管理所　李英魁、高　波等

出　处：《考古》1996 年第 2 期

饶河县位于黑龙江省东北部，小南山地处饶河镇南端。小南山是座孤立山丘，南端陡峻，北端低缓，故一般称南端为"大南山"，北端为"小南山"。此山东临乌苏里江，西、南、北 3 面为平原。墓葬位于小南山之巅，1991 年 7 月发现时已被破坏，出土文物也已散失，在县公安部门的积极配合下，大部分文物被追回。从现场看，墓圹已无法辨认。

简报分为：一、概况，二、遗物，三、小结，共三个部分。有手绘图。

据介绍，该墓为 2 人合葬墓，无棺椁，头向西，仰身直肢，左侧尸骨比右侧尸

骨长 30 厘米左右，尸骨上下有一层厚约 5 厘米的红色土。追回的随葬品 126 件，其中玉器 67 件、石器 56 件、牙坠饰 3 件。简报推断，小南山墓葬年代大体相当于红山文化晚期，不晚于辽宁牛河梁红山文化的积石冢。

简报称，126 件随葬品中，一级文物 7 件，二级文物 13 件，三级文物 51 件。玉器的数量，几乎相当于新中国成立以来黑龙江省各地出土史前玉器之总和。从半成品石料的加工技术看，它为研究金属出现以前切割石器的绳切法提供了实物资料。3 件坠饰系动物牙齿钻孔制成，这在黑龙江南岸属首次发现。

简报指出，该墓葬的发现是黑龙江地区近年的重大考古发现之一，认为小南山是"黑龙江的牛河梁、阿苏江畔的金字塔"也不为过。

297.饶河小南山遗址出土的几件玉器

作　者：赵　刚

出　处：《北方文物》2008 年第 1 期

饶河县位于黑龙江省东部边境，东临乌苏里江。小南山遗址位于饶河镇东南部，俯临乌苏里江西岸，海拔 106 米。从 20 世纪 60 年代至今，小南山遗址不断有重要古代文物出土。1991 年，又从山顶 1 座新石器时代墓葬中集中出土了一批数量可观的玉器，成为迄今所知黑龙江流域出土玉器最多的地方。小南山出土的多数玉器已见资料报道，个别征集的器物尚未公布。简报配以手绘图，介绍了其中的 3 件玉器。

这 3 件玉器是：

斧（1965 年小南山新石器时代遗址出土，现藏于黑龙江省文物考古研究所），磨制光洁，淡褐色。顶略残，刃部完整。

璧（1971 年 8 月征集，现藏于黑龙江省文物考古研究所），用杂以褐色斑点的酱黄色玉细磨而成，通体呈椭圆形，中间饰圆形孔。

珠（出土或征集年代不明，小南山出土，现藏黑龙江省文物考古研究所），黄玉精磨而成。近似于圆形，中间有一圆形孔。

简报称，过去小南山遗址中出土玉器 70 多件，其数量与种类是黑龙江省其他遗址所罕见的。上述 3 件玉器和小南山出土的同类玉器如出一辙。这些玉器，为进一步研究这一地区的古代文化增加了新的资料。

大庆市

298.黑龙江肇源望海屯新石器时代遗址

作　者：丹化沙
出　处：《考古》1961 年第 10 期

望海屯遗址是黑龙江省新石器时代末期较典型的遗址之一。这一遗址早在 1949 年前就被群众发现，后来遭到日寇的盗掘和破坏，所发现的大部分材料，至今仍保存于黑龙江省博物馆。前几年考古人员为了进一步了解嫩江左岸地区原始文化，曾几次进行调查。简报分为：一、地理环境及文化层，二、墓葬和居住遗址，三、文化遗物，四、结语，共四个部分。有照片、拓片。

据介绍，望海屯遗址地表层厚 0.4 米，其下为黄土层，包含渤海文化遗存；再以下为黑土层，属新石器时代文化层，并发现有新石器时代的墓葬、土穴住址和大量的动物骨骼。墓葬共发现 4 座，有的人骨架上涂以朱色，器表也涂以朱色，随葬品有陶罐。另有居住遗迹。肇源望海屯遗址是新石器时代末期遗址。从陶印模的发现等来看，可能还有了金属。石器非常少见，陶器却极为丰富，并发现了大量的各种兽骨。简报认为当时人类过着多种经济生活——以渔猎为主或间牧畜与农耕。制陶技术及其工艺已达到相当高的水平。这时期的人们已过着聚居的生活，由文化层堆积的厚度看，很可能数代繁衍于此。可能还有定型住所和较大的定居村落点。根据遗址及遗物的某些特点和文献记载，简报认为这个遗址具有古代夫余（北夫余）部落和挹娄部落的特点，而北夫余部落的文化因素可能更多一些。

299.大庆市沙家窑新石器时代遗址调查

作　者：郝思德、岳日平
出　处：《北方文物》1987 年第 1 期

1984 年 6 月初，考古人员在大庆市西南双榆乡一带进行地貌考察时，于沙家窑东北的沙丘上发现 1 处古文化遗址。通过实地调查，发现遗址地表散布着较多的压制石器、陶片和古生物化石，并见到 1 座已遭扰乱的古墓葬，应为新石器时代文化遗物。简报配以手绘图予以介绍。

据介绍，沙家窑位于大庆市西南约 80 公里，属于大同区双榆乡。采集石器、石片 73 件，按加工方法分打制、压制、磨制3种，其中压制的居多，计38件。石器原料常见的有燧石、碧玉、玛瑙和砾石等，器型主要为刮削器、尖状器、镞、石叶、带脊石片和锛等。打制石器仅3件，原料为燧石、砾石，均是刮削器，体积较大。简报诊断其文化内涵接近昂昂溪文化。一般认为，昂昂溪文化的时代，大致为距今4500～4000年。

300.黑龙江省杜尔伯特李家岗新石器时代墓葬清理简报

作　者：杜尔伯特蒙古族自治县博物馆　任青春、曹凤君
出　处：《北方文物》1991年第2期

1989年5月，黑龙江省杜尔伯特蒙古族自治县烟筒屯镇新合村农民发现1处新石器时代墓葬。1990年4月，省文管会有关专家会同县博物馆业务人员对这处墓葬址进行了初步清理。简报分为：一、墓葬概况，二、随葬器物分述，三、小结，共三个部分。有手绘图、照片。

据介绍，这处墓葬址位于新合村老地房屯东北1.5公里处的李家岗南坡。墓葬是农民于世龙等人在土坑内取土时发现的，根据当事人的讲述，为单人葬与多人葬2个墓坑，随葬器物计24件。简报推断，李家岗墓地为新石器时代墓葬址。

简报称，李家岗墓地的发现具有重大的意义，它对进一步研究黑龙江地区嫩江流域的新石器时代考古文化提供了新的资料和线索。

301.大庆地区新石器时代遗址调查

作　者：唐国文
出　处：《北方文物》1990年第4期

大庆地区位于黑龙江省西部、松嫩平原中部，东部与安达市、肇州县接壤，西部与杜尔伯特蒙古族自治县毗邻，北部为林甸县，南部与肇源县相连。1982年5月至1983年7月，大庆市文物管理站对该市所辖的大同区、红岗区、萨尔图区、让胡路区、龙凤区近5500平方公里的地面上，进行了全面的文物调查工作。先后发现新石器时代遗址、遗物点23处，青铜时代遗址、遗物点3处，辽金时代遗址、遗物点32处。简报仅对8处比较典型的新石器时代遗址配以手绘图予以介绍。

据介绍，8处遗址为：畜牧场遗址、大青山遗址、双胜遗址、狐仙塘遗址、八里岗遗址、大架泡子遗址、平桥A遗址、沈家围子遗址。这8处原始文化遗存，大多是坐落在雨季湖泊附近的沙丘、土岗或台地上的。采集到的细石器，多是渔猎生产工具，制作的方法以压制为主。同时也有打制和磨制石器并存，但数量甚少。除石器的加工

方法相同外，出土陶器碎片的几个遗址，陶器相互间也不尽相同。

简报称，若想得到大庆地区的新石器时代文化遗存更准确的断代，还有待于今后更多的考古发掘品的出土。

302.黑龙江肇源县小拉哈遗址发掘报告

作　者：黑龙江省文物考古研究所、吉林大学考古学系　于汇历、赵宾福
　　　　张　伟等

出　处：《考古学报》1998 年第 1 期

肇源县位于黑龙江省的西南部，东邻肇东、双城，北接肇州、大庆和杜尔伯特蒙古族自治县，西、南隔嫩江、松花江分别与吉林镇赉、大安、扶余毗连。该县地处松嫩平原的中部，地势坦荡、土地肥沃、水源充足、草原广阔。小拉哈是 1 个以蒙古族居民为主的自然屯，地处肇源县的西北部，隶属义顺蒙古族自治乡东义顺村。遗址位于小拉哈屯的北部，是一处面积较大的沙土岗地。这里北靠水面辽阔的洪源湖，东南距肇源县城 60 公里，往西 30 公里为嫩江，东边为通辽至大庆铁路线。

1978 年春，肇源县引嫩工程指挥部在兴修水渠时首次发现了小拉哈遗址。1979 年 7 月，黑龙江省文物考古研究所会同绥化地区文管站对遗址进行了调查和钻探。1991 年 9 月，黑龙江省文物考古研究所又进行了复查。从调查和复查所采集的标本来看，小拉哈遗址不仅有新石器时代的遗物，而且还包含了青铜时代和早期铁器时代的遗存。1992 年 7～9 月，考古人员对该遗址进行了较大规模的发掘。发现房址 4 座、墓葬 7 座、灰坑 146 个、灰沟 6 条、蚌壳遗迹 2 个。出土石器 61 件、玉器 4 件、骨角器 150 件、蚌器 21 件、青铜器 3 件、铁器 1 件、完整及可复原陶器 213 件，合计出土遗物 453 件。简报分为：一、地层堆积与分期，二、第一期文化遗存，三、第二期文化遗存，四、第三期文化遗存，五、结语，共五个部分。有照片、手绘图。

据介绍，小拉哈遗址的发掘是在松嫩平原地区开展的一次规模最大的考古工作。首次从材料上填补了嫩江流域长期以来在新石器时代较早阶段和早期青铜时代考古研究方面的两项空白。简报将遗存分为 3 期，其中第一期又分为甲、乙两组。

一期甲组遗物是目前在嫩江流域发现的年代最早的新石器时代遗存。该组遗物的陶器主要是以夹砂直口筒形罐为基本器型，以刻划弦纹、席纹和戳印纹为主要纹饰。年代简报推断为公元前 4500 年左右，属新石器时代早期偏晚阶段。

一期乙组遗存主要以施条形附加堆纹的罐类陶器为主，另见有少量的细石器和骨器。年代简报推断为公元前 2130～前 1777 年，应属本地区年代最晚的新石器时代遗存。

二期遗存是本次发掘的主要收获。这种遗存目前在松嫩平原地区尚属首次发现，年代当属中原地区的夏商之际。其与周边同期文化有本质的不同，值得注意。

三期遗存数量不多，但种类尚全。年代简报认为应属中原地区的战国至西汉时期。

303.杜尔伯特蒙古族自治县敖林西伯乡庄头村发现新石器时代墓葬

作　者：王　淳、李凤戈、曹凤君

出　处：《北方文物》2007 年第 4 期

敖林西伯乡庄头墓葬址位于杜尔伯特县敖林西伯乡庄头村西 2.5 公里处，西北侧为嫩江、乌裕尔河干流。2005 年，当地农民取土时发现了 1 座随葬有石器、陶器的新石器时期的墓葬，出土文物随之散失，后被该乡教师廖玉坤收购。经文管所人员多方努力，将人骨骼（不完整）和 3 件完整石器征集为馆藏文物。简报配以照片予以介绍。

据介绍，廖玉坤老师讲，墓葬为单人葬，头朝东，仰身直肢，属土坑葬。随葬的石器有序排列在尸骨左侧中间部，分别是砍砸器、柱状石锋、圆形石饼，右侧中间放有 1 个陶器（已损坏）。出土石器有半月形石磨棒 1 件、柱状石斧 1 件、圆饼形石器 1 件。这 3 件石器，造型精美，器形较大，制作技术比较先进，与以往发现的石器的器形有较大的差别。该墓葬的具体年代，尚待研究。

伊春市

304.伊春市发现大型硅化木群

作　者：郝贵义

出　处：《北方文物》1986 年第 1 期

伊春市文物普查队于 1984 年 7 月在伊春市北部的乌拉嘎金矿局团结矿发现了一片种类丰富、植株繁多的木化石群体——伊春硅化木群。

据介绍，伊春市硅化木群位于乌拉嘎金矿局团结矿东北 1 公里、乌拉嘎至保兴公路 3 公里处的右侧，东西宽 100 米，南北长 150 米左右。硅化木群埋藏在距地表 7 米深处（金矿工人称之为“海底”）。经初步分析，所采集的化石标本，其大部植株为松柏类，是现存红松、落叶松、樟子松等树木的原始种类；亦有少数阔叶乔木，如大叶榆等。近年来，硅化木在伊春市各地均有零星发现，但像乌拉嘎硅化木群这样种类纷繁，数量众多，分布集中，实为我国所罕见。简报经过类比认为，该硅化木群与毗邻的嘉荫龙骨山中保罗纪晚期恐龙化石、硅化木为同一时期。

简报称，伊春硅化木群的发现，对研究中保罗纪时期小兴安岭地区的古地理、古气候、森林发展史及其与恐龙之间的相互关系，都具有重要的科学价值。

305.伊春铁力小龙山旧石器时代遗址调查与试掘简报

作　者：李有骞

出　处：《北方文物》2012 年第 3 期

2011 年，考古人员发现了伊春铁力市小龙山遗址。该遗址位于小兴安岭南麓呼兰河畔的小龙山上。共获得石制品 105 件，包括石核、细石核、石片、石锤、砍砸器、锛形器、尖刃器和刮削器等。原料以火山喷出岩为主，其中流纹岩数量最多。根据地层堆积年代和石器工业面貌判断为旧石器时代晚期。简报分为：一、地貌与地层，二、石制品，三、结语，共三个部分。有手绘图。

据介绍，铁力市位于小兴安岭南麓向松嫩平原的过渡地带，小龙山是铁力市东南桃山林业局黑龙江地质二队村南的 1 座孤山，高出当地河面约 35 米。小龙山是在小兴安岭南部发现的第 1 处旧石器时代遗址，以向心剥片、砾石工具和细石叶技术为突出特征，未见陶片、磨制石器。

佳木斯市

306.桦川万里霍通原始社会遗址调查

作　者：郝思德

出　处：《黑龙江文物丛刊》1984 年第 1 期

1974 年 5 月中旬，为配合有关部门编纂《中国历史地图册》的工作，黑龙江省博物馆考古人员前往松花江下游地区调查几座辽金时期的古城。调查中，在桦川县悦兴公社东北、松花江右岸的万里霍通古城内西部，发现 1 处新石器时代遗址。1979 年 5 月又复查了这处遗址。这是目前所知松花江下游最早的 1 处古文化遗址，对研究该地区新石器文化的面貌提供了新的资料。2 次调查所采集的遗物，简报配以手绘图、拓片予以介绍。

据介绍，遗址坐落在县城东北约 20 公里处的一个岗丘上，东南 500 米即万里霍通大队。这次采集的石器较多，共 71 件，按制作方法不同可分压制、磨制、打制三种，其中压制的细石器占绝大多数，磨制的很少，打制的仅见 1 件。万里霍通遗址与新开流遗址在文化内涵上存在着一致性，二者也有一定的差别。简报认为，这些差异应与其所处的地域和时间不同有关，采集的遗物应有早晚之分。

简报称，万里霍通遗址的发现，对进一步探讨松花江下游及三江平原的新石器时代文化无疑是一件有意义的工作。

七台河市

牡丹江市

307.黑龙江宁安牛场新石器时代遗址清理

作　者：黑龙江省博物馆　赵善桐等
出　处：《考古》1960 年第 4 期

1958 年 10 月，考古人员到宁安县三灵屯、牛场作了田野考古调查和挖掘，并到林口县北站乡进行了渤海墓葬的清理。简报分为：一、牛场遗址的地理位置和地层情况，二、文化遗物，三、居住址，四、小结，共四个部分。介绍了牛场遗址的清理，有手绘图、照片。

据介绍，牛场遗址 1949 年前曾有人调查过。1956 年对牡丹江复查时，发现此遗址已被取土破坏达 80%。训练班趁这次实习的机会，用了 3 天时间，清理遗留下来的一小部分。挖掘面积 60 平方米，出土文物 1000 余件。

清理的这些遗址，从文化层堆积之厚、出土遗物种类之多、制作方法的进步来推测，简报认为，可能是新石器时代晚期的居住址。根据出土的大量石网坠、陶网坠，精致的鱼钩和像鹿、獐、狍等兽骨以及骨矛头等来分析，当时人们可能以从事渔猎为主。磨盘的使用也是农业的标志。

308.黑龙江省海浪河中下游考古调查简报

作　者：黑龙江省博物馆　张泰湘、魏国忠
出　处：《考古》1965 年第 1 期

海浪河是牡丹江最大的一条支流，发源于黑龙江和吉林交界的张广才岭小白山山脉中，全长 160 公里余。1964 年考古人员到海浪河中下游两岸进行考古调查，历时 23 天，发现新石器时代遗址 8 处。简报配以手绘图予以介绍。

据介绍，牡丹江市以西有海浪河、密占河、石河等几条支流。龙头山、长汀镇、黄岗、山咀子、沙儿虎、柳毛通、磖子等 7 处新石器时期遗址就处于这些支流岸边，其中龙头山遗址带有明显的细石器文化之风。

309.黑龙江宁安县东昇新石器时代遗址调查

作　　者：宁安县文物管理所
出　　处：《考古》1977 年第 3 期

1972 年 8 月，考古人员对宁安县东昇新石器时代遗址进行了调查，简报配以手绘图予以介绍。

据介绍，东昇新石器时代遗址在宁安县兰岗公社东昇大队附近。遗址面临牡丹江支流蛤蚂河。采集到的遗物有石器近百件，其中有斧、刀、镰、矛及许多小件饰品，还有陶器、骨器、角器、牙器、蚌器。简报称，东昇遗址发现的遗物同牡丹江流域的某些新石器时代遗址大体相同，或属同一文化类型。但有些器物，如大型陶豆等则是新的发现，给这一地区的考古研究增添了新的材料。同时也进一步证明，远在新石器时代这里同中原地区已有了密切的关系。

310.黑龙江省海林县牡丹江右岸的古代摩崖壁画

作　　者：黑龙江省博物馆
出　　处：《考古》1972 年第 5 期

摩崖壁画位于黑龙江省海林县境内柴河公社群力大队附近之牡丹江右岸，西北距群力屯约 500 米。1958 年和 1960 年春，考古人员对此处进行过窥见和勘查。1965 年又进行了 1 次调查和临摹。由于崖高 23 米，不易攀登，乃于隔江对岸从远处用高倍望远镜观其轮廓，再至崖下攀登至距画面约 5 米处描绘细部，并行修改和现场设色，至县城后临摹而成。简报配以照片予以介绍。

据介绍，磖子是一个天然的高耸于江面的近乎垂直的峭壁。山岩因经年风化而成大块脱落，造成了很多带有垂直平面的石壁。该画即绘在磖子上部的一块石壁上。此山石均系花岗石质，因成分结构之不同而成青、灰、棕、褐、浅褐等不同色彩。本画绘在浅褐色的石地上，主体涂以朱红色，唯因年久有所减褪。简报推测当时着色可能采用赭石等矿物作颜料。这类摩崖壁画在黑龙江省迄今仅发现此一例，由于缺乏对比材料,目前还难以确定其年代。不过从画面所反映的内容来看,有席坐和乘舟的人物、鹿的形象等,可能是为了一定的巫术目的而绘制的原始宗教遗迹,但它真实地反映了活动在这个地区居民的渔猎生活,而且是我国原始艺术的一项代表,它的发现是值得引起我们重视的。

311.黑龙江海林锦山遗址调查

作　者：于汇历
出　处：《北方文物》1986 年第 3 期

1983 年 5 月,海林县山市公社锦山大队农民在田里劳动时,捡到磨制石器、石磨棒和陶片,写信报告了当地文物管理部门。同年 7 月上旬,考古人员前往该地进行实地调查,简报配以手绘图予以介绍。

据介绍,锦山大队位于海林县城西南约 20 公里。西、北、南 3 面倚山,东面的山市河由西北蜿蜒流向东南,在距锦山大队约 5 公里处注入海浪河。遗物发现于山市河右岸的一级阶地上,地表已辟为水田。采集到了陶器和石器标本。这次调查采集标本不多,从椭圆形钵、石磨棒及直刃、弧刃、斜刃等形制的石斧方面看,与牡丹江流域渤海砖厂遗址采集的同类器相同,简报推断二者或许属于同一文化类型。

312.黑龙江宁安市牛场遗址发现的几件石器

作　者：范忠泽
出　处：《北方文物》2004 年第 2 期

黑龙江省宁安市境内的牛场遗址,是牡丹江流域原始社会晚期文化中的典型遗存之一。1981 年,考古人员对遗址进行过文物调查。1982 年,对遗址进行发掘时发现了许多遗迹和遗物。遗迹有房址、灰坑,遗物有陶器、石器、骨器等生产工具和生活用具。其中采集到的 6 件石器和 5 件玉器较为珍贵。简报配以手绘图、照片予以介绍。

据介绍,计有柱状石锛 1 件、板状大玉锛 1 件、梯形板状小石斧 1 件、板状小玉锛 1 件、板状小玉斧 1 件等。简报称,这些石器、玉器制作精良,与以往发现的同类型器物有较大不同。这为我们进一步探讨牛场遗址的文化内涵提供了实物资料。

313.黑龙江省海林市杨林南山旧石器遗址石器研究

作　者：田　禾、陈全家、李有骞

出　处：《北方文物》2010 年第 3 期

在我国东北地区北部，自 20 世纪 30 年代发现顾乡屯遗址开始，在近 80 年的时间里，发现了近 40 处旧石器时代遗址。这些遗址分布在黑龙江中上游、大兴安岭、松嫩平原、长白山地和三江平原。遗憾的是小兴安岭和张广才岭一带在这方面还是空白。2008 年 5 月，考古人员对牡丹江的支流海浪河流域进行旧石器专项考古调查，共发现了 8 处旧石器时代遗址，杨林南山遗址是其中发现石器数量和类型最为丰富的遗址之一。共发现石制品 97 件，出自地层中的有 13 件，其余 84 件皆为地表采集。简报分为：一、遗址概述，二、石器分类与描述，三、工业总体特征及相关遗存的比较，四、结语，共四个部分。有手绘图。

据介绍，杨林南山遗址的原料以角岩为主，其次是板岩，再次为少量黑曜岩、凝灰岩和安山岩，还有个别为流纹斑岩、石英岩、水晶和霏细岩。石器种类丰富，包括石锤、石核、剥片、工具等，反映了较为完整的石器加工技术链条和相对完整的工业特征。以中小型石器为主，但在工具中以大中型为主。从重量上看，不论石器还是工具都以较轻型为主。杨林南山遗址的工具中不仅有大型的砾石工具，还有软锤加工矛形器以及正向修理的尖刃器。其中 3 件矛形器显示了从硬锤到软锤的制作过程，是石器制作工艺流程研究难得的重要资料。简报推测该遗址的年代在旧石时代晚期，距今约 5 ~ 2 万年。

黑河市

绥化市

314.黑龙江安达县青肯泡遗址调查记

作　者：赵善桐

出　处：《考古》1962 年第 2 期

1958 年 11 月，安达县东风人民公社在挖土时，发现了大批陶片、石器、鱼骨、动物碎骨等。考古人员前往该地作过两次调查，认为是 1 处新石器时代遗址。简报分为：一、石器，二、骨器，三、角器，四、陶器，五、动物骨骼，共五个部分。有照片、手绘图。

据介绍，遗址位于安达县东风人民公社地区内青肯泡东北沿土岗上。简报认为应属细石器时代遗存。出土遗物表明，生活在这里的先民，在辽阔的草原上，从事畜牧、狩猎、捕鱼和农耕等生产活动。

315.黑龙江省肇东县后七棵树遗址发掘简报

作　者：黑龙江省文物考古研究所、吉林大学北方考古研究室　郝思德
出　处：《北方文物》1988 年第 3 期

1964 年夏，考古人员在对松花江中游两岸的原始文化遗址进行考古调查时，于肇东县境内发现后七棵树遗址，并采集到部分标本。1986 年 5 月，复查了该处遗址，发现遗址破坏情况较严重，应及时进行抢救性清理工作。7 月发掘了这处遗址。简报分为：一、地理环境和地层堆积，二、遗物，三、结语，共三个部分。有手绘图。

据介绍，后七棵树遗址的地层堆积较为简单，有的已被扰乱。通过发掘，了解到遗址的文化内涵甚为单纯，未见有任何遗迹。发现的遗物绝大多数是陶器，骨器极少，石器不见。陶器以细砂黄褐陶居多，次为细砂灰褐陶、夹砂黄褐陶和红褐陶，泥质黄褐陶少见。皆为泥条盘筑法制成，小型器则用手捏制而成。除素面外，纹饰陶占有相当的比重。简报称，由于文化层堆积简单，发掘面积有限，加之出土遗物较少，所以，遗址的文化特征、年代及同其他考古文化的关系等问题，还有待于今后的工作和研究来进一步认识。

大兴安岭地区

316.漠河出土的打制石器

作　者：杨大山
出　处：《黑龙江文物丛刊》1982 年第 1 期

1981 年 8 月上旬，中国人民解放军五一四部队程延太同志，在驻地漠河老沟河附近的小桥边，拾到 3 件类似石器的石块，并报告了省博物馆。经鉴定，程延太拾到的 3 件石块并非石器。考古人员决定在老沟河一带、适宜于远古人类生存的环境中进行考察，结果在老沟河的一、二级阶地交界处发现一处打制石器遗址，找到了一批石器。简报分为三个部分予以介绍，有手绘图。

据介绍，发现的石器基本上可分为 2 大类：1 类为中小型的尖状器和刮削器，另 1 类是器形较大的砍砸器和敲砸器。此处遗址应是古人类的 1 处居住场所，而不是石器加工场所。从出土石器来判断，有的可能为手握使用的，有的可能为投掷使用的；有的可能为砍伐或剥割使用的，有的可能为狩猎使用的。故遗址属于 1 处古人类生活居住遗址。简报称，漠河县老沟河遗址，应是迄今我国最北的 1 处打制石器地点，属旧石器时代晚期遗址。

317.黑龙江省呼玛老卡遗址调查简报

作　　者：黑龙江省文物考古研究所　张　伟、程　松、赵景文
出　　处：《北方文物》1996 年第 2 期

20 世纪 80 年代末，中国与苏联曾达成协议共同修建水电站。为此，考古人员于 1989 年 5 ～ 7 月进行了前期工作，在呼玛县三卡乡老卡村发现了老卡遗址。简报分为：一、遗址的概况，二、文化遗物，三、几点认识，共三个部分。有手绘图。

据介绍，遗址位于老卡村西北约 200 米处，北距三卡乡约 4 公里，西北至呼玛县城约 70 公里。面积约 3 万平方米，保存较好，文化遗物均为石制品，共采集标本 53 件。石料以硅质岩、流纹岩为主，还有少量蛋白石和玛瑙。石制品包括石核、石片和石器。时代简报推断为旧石器时代晚期。

318.黑龙江省大兴安岭大子杨山遗址调查简报

作　　者：黑龙江省文物考古研究所　张　伟
出　　处：《北方文物》1998 年第 2 期

1989 年 7 月，考古人员结束了黑龙江中苏合建水电站淹没区中方一侧的第一期普查工作后，又抽集部分人员调查了大子杨山遗址。简报分为：一、遗址的概况，二、文化遗物，三、几点认识，共三个部分。有手绘图。

遗址位于大子杨山森警大队部东北 3 公里处，隶属于大兴安岭地区松岭林业局。因修建防火瞭望塔，遗址已受到一定破坏。遗物主要为石制品，还有零星陶器残片。采集标本 63 件，其中 1 件陶片。石制品石料主要为碧玉、玉髓及玛瑙等。简报推测大子杨山遗址时代大体相当于旧石器晚期。但是遗址中还采集到陶片，因为无原生层位，陶片是否与石制品共存，不得而知。如果二者是共存关系，那么该遗址可能已进入到新石器时代早期；反之，该遗址就可能包含着以旧石器时代晚期文化为主的两个不同时期的文化遗存，这都有待于以后的发掘。

上海市

319.上海澱山湖发现的新石器时代遗物

作　者：康　捷

出　处：《考古》1959 年第 6 期

1959 年 1 月，下放干部李洪德先生等人将在青浦县澱山湖打捞铁矿石时发现的一些石器、陶片寄给郭沫若先生，结果证实是新石器时代遗存。

简报分为：一、石器，二、陶器，三、兽骨，共三个部分。有手绘图。

据介绍，石器有锛、镰、刀、矛、镞等。陶器有粗红陶壶、陶片等。此地先民应过着以农业为主、兼营渔猎的生活。

320.上海县发现新石器时代遗址

作　者：何其烈

出　处：《文物》1960 年第 2 期

上海郊区上海县最近发现了长 1 公里、宽约 500 米的新石器时代遗址。在这个遗址上初步掘得了新石器时代的许多石斧、石锛、石镰、石刀和红色印纹软陶片、黑陶片、灰陶片等。这一发现对研究上海地区的历史具有重大的意义。这个遗址在上海县马桥俞塘河和沙港河的汇合处附近的黑土层中，离地表约 1.5 米，其文化层极为丰富。

简报介绍，近 1 年多来，由于上海近郊青浦、嘉定、川沙、松江等县相继发现汉墓、楚墓和新石器时代遗址，已从根本上纠正了上海地区濒海、历史短的错误推断。不久以前在嘉定县发现的楚墓，说明上海旧址早在 2000 多年前的春秋时期就成了楚国春申君黄歇的封地。上海旧名"春申""歇浦"就是由此得名的。现在上海县新石器时代遗址的发现，更为研究上海历史文化、经济发展以及古代人民生活，提供了丰富的实物材料。

321.江苏上海县马桥俞塘新石器时代遗址调查

作　者：上海市文物保管委员会　姜泉生等
出　处：《考古》1960 年第 3 期

1959 年 12 月 7 日，上海县马桥人民公社联工第六小队通知文管会，报告他们在挖粪坑时，在离地表深约 1.5 米处发现化石。文管会即派人前去调查，在该处四周发现红色印纹软陶片及烧土。9 日，又去了解，发现石镰和骨器各 1 件，红色印纹软陶 50 多片。10 日，又发现很多陶片，尤其是沿河洪北岸的台地上，有大量的印纹硬陶片和红色印纹软陶片和石器散布在地面上。根据出土遗物及其分布情况初步分析，简报推断这可能是 1 处新石器时代遗址。简报配以照片、手绘图予以介绍。

据介绍，遗址位于俞塘南北两岸，距竹港和俞塘的汇合处约 80 米，东距北桥徐闵公路约 2 公里。遗址中的石器多用页岩制作，磨制居多。采集到的陶片 200 多片、骨器。简报认为，从遗物来看，基本属于淀山湖遗址，都是东南区的文化。

简报称，这个遗址的发现，对研究上海地区的历史文化提供了更好的线索。

322.上海市青浦县崧泽遗址的试掘

作　者：上海市文物保管委员会　黄宣佩
出　处：《考古学报》1962 年第 2 期

崧泽村位于上海市西南青浦县境内，西距青浦县城约 4 公里。附近地势较为低平，海拔仅 3.03 米，深入土内尺余就有潜水冒出。村中有崧泽塘、假山滨和横柳等小河道穿过。村北有 1 个土墩，高约 4 米，长宽各约 90 米，俗称为"假山墩"。相传这里为古代葬地，清光绪《青浦县志》卷 12，有"（晋）左将军袁山松墓在崧泽镇后"的记载。1958 年在假山墩上及附近平地发现印纹的陶片。旋经过调查，始知为一处古文化遗址。

1960 年 11 月，为了解该遗址的范围和文化面貌，曾进行第 1 次钻探。1961 年 5 月 21 日至 6 月 18 日，又进行了第 2 次试掘。简报分为：一、试掘坑位和地层概况，二、遗迹，三、遗物，四、结语，共四个部分。

简报认为该遗址可分为上层、中层、下层。上层属春秋战国时期。中层堆积极为复杂。在较深的中层地层中，埋存大批不见墓坑的人骨架。在高于人骨架约 30 ~ 40 厘米的地方，又有几块人们烧火遗留的烧土面和少量的陶片、残石器及动物骨骼，并发现了不见或少见于随葬品的陶环和陶网坠。可以说，这里既为墓地，又有人们活动的迹象，存在着遗址边沿和墓地相互叠压的情况，也说明了墓地距遗址的中心可能不会太远。下层文化遗迹、遗物很少，也许是遗址早期堆积的边缘所在。

一般认为，崧泽文化应在良渚文化之前，属新石器时代。

323.上海青浦县发现千步村遗址

作　者：黄宜佩、徐英铎
出　处：《考古》1963年第3期

1962年7月间，在青浦县崧泽村东南的千步村地方发现1处古代遗址。这一带地势极低，青浦县淡水养殖场在这里开掘鱼塘，暴露出古文化堆积，发现了几件磨制石器。简报配以拓片、手绘图予以介绍。

简报介绍，在这里采集到的遗物有石器和陶片。石器共7件，全系磨制石器，有刃口近乎平直、上端带有斜柄的三角形石刀，圆背平刃和平背弧刃的半圆形带孔石刀，长条形的有段石锛和砺石。其中除了有段石锛外，都为良渚文化中所常见的。陶片有夹砂红陶、泥质灰黑陶和印纹硬陶三类。

简报称，根据出土遗物的特点看来，这处遗址下层可能属良渚文化，上层出土的几何形印纹硬陶，可能时代较迟些。

324.上海马桥遗址第一、二次发掘

作　者：上海市文物保管委员会　黄宣佩等
出　处：《考古学报》1978年第1期

马桥遗址是在1959年12月当地进行基本建设时发现的。遗址位于上海西南方，上海县马桥镇东1公里处。遗址发现后，考古人员作过2次发掘。第1次在1960年，探明遗址的范围东西长60余米，南北长80余米，面积约5000平方米。第2次在1966年。

简报分为：一、地层堆积，二、遗迹和墓葬，三、文化遗物，四、结语，共四个部分。配以照片、拓片、手绘图，介绍了这两次发掘的情况。

据介绍，共发掘墓葬10座，出土陶器、瓷器、石器等遗物。年代简报推断为距今约4000年。同时还发现有商代中晚期至西周早期以及春秋战国时期的文化遗存。简报认为，马桥遗址的这两次发掘，进一步增进了对于我国东南地区古文化面貌的认识，有一定的收获。

325.青浦县崧泽遗址第二次发掘

作　　者：上海市文物保管委员会　黄宣佩、张明华等
出　　处：《考古学报》1980 年第 1 期

上海市青浦县崧泽遗址，曾于 1960、1961 年进行试掘，已了解它的内涵为 3 层：下层属于马家浜文化，中层为崧泽墓地，上层为几何印纹硬陶遗存。1974 ～ 1976 年，遗址所在地兴建校舍，考古人员配合工程在遗址周围进行第 2 次发掘，又发现一批新石器时代的墓葬和文化遗物。简报分为：一、发掘坑位和地层堆积，二、墓葬与遗迹，三、文化遗物，四、几点认识，共四个部分。有照片、手绘图。

据介绍，共发掘墓葬 46 座，发现石料与石器半成品堆积地以及红烧土面等。出土陶器造型多样，压印纹组成的图案朴实美观，镂空纹饰玲珑别透，施用淡黄、红褐等鲜艳的彩纹。这些陶器，既是实用的生活器皿，又是精美的工艺品。女性佩带玉饰的风气已开始盛行，墓葬中不少女性悬挂玉璜，有的佩带石镯，个别死者口中还置有玉琀。陶文或符号已开始在陶器上出现。从墓葬所反映的情况来看，这时人们的社会地位还是平等的。葬式多为单人仰身直肢，平地掩埋；有葬具的仅见两例（M33、M46）。随葬器物在同期的墓葬中差异不大。两座合葬墓都是女性和儿童合葬，反映出子女从母的习俗。男性和女性随葬器物的数量，从这次发掘已作性别鉴定的 29 座墓来看：男性 11 座，随葬器物共 52 件，每座平均 4 ～ 5 件；女性 18 座，随葬器物共 125 件，平均每座约 7 件。女性随葬品略多于男性，葬有玉器和彩陶的墓基本都是女性墓。故年代简报认为应处于母系氏族社会晚期。此遗址的年代，简报认为早于良渚文化而晚于马家浜文化。

326.上海福泉山良渚文化墓葬

作　　者：上海市文物保管委员会　黄宣佩
出　　处：《文物》1984 年第 2 期

上海市青浦县重固公社的福泉山，是一座高约 6 米、南北宽 84 米、东西长 94 米的土墩。1982 年 11 月，上海市文物保管委员会配合当地公社筑路工程，对福泉山土墩进行了部分清理、发掘，在第 4 号探方内发现 1 座良渚文化墓葬，出土了大量随葬玉器。简报配以手绘图等予以介绍。

据介绍，此墓清理时未见墓坑，但在人骨上下发现小块的朱红色薄片，可能是葬具残留的痕迹。墓底距墩面 1.3 米，葬式似为仰身直肢。墓内随葬器物丰富，计有：石质料的珠、管、坠等一堆，共计 69 件，玉臂饰件 1 件、玉坠 1 件、玉锥形器 1 件、

玉漏斗形长管 2 件、玉斧 1 件、小玉琮 2 件、小玉饰片 17 件，另有黑陶盉 1 件、陶器盖 1 件。细刻兽面纹象牙器 1 件。有玉镯 1 件，玉琮 1 件，玉璧 3 件，玉斧 1 件、石斧 9 件、玉琮 2 件、玉锥形器 3 件、玉漏斗形长管 1 件，共计出土玉、石、牙、陶器 119 件。年代简报推断为良渚文化早中期。简报称，此次发现的玉器玉质好、数量多、制作精良，在太湖地区良渚文化墓葬中是少见的。

327.上海松江县汤庙村遗址

作　者：上海市文物保管委员会　张明华、孙维昌
出　处：《考古》1985 年第 7 期

汤庙村遗址位于黄浦江上游泖河东约 1 公里、松江县城西约 10 公里的昆冈公社汤庙村，走马塘和华田泾在此处交会。1962 年，上海市文物保管委员会组织考古调查时，在华田泾两岸曾发现新石器时代至晋代的陶、瓷片，残石器和砖瓦等。1980～1982 年，为配合基建工程进行了 3 次小规模的发掘，发现新石器时代的水井、墓葬和文化遗物。简报分为：一、发掘坑位和地层堆积，二、遗迹与墓葬，三、文化遗物，四、小结，共四个部分。有手绘图、照片。

据介绍，汤庙村遗址的文化遗存，主要包括灰黑土层的遗迹、遗物和墓葬、水井及文化遗物。

灰黑土层的内涵十分复杂，包括有崧泽文化、良渚文化、商周、春秋战国、晋、唐、宋各个时代的遗物。由于这一层堆积土色无变化，出土遗物相混，时代最晚的遗物为宋代，所以灰黑土层应是宋代扰乱层。由于汤庙村遗址崧泽文化墓葬随葬品比较丰富，地层单纯，器物形制有比崧泽遗址第三期更晚的因素，绝对年代（随葬陶器经上海博物馆科学实验室热释光测定，距今 4860±230 年）更加接近良渚早期类型，所以，汤庙村遗址崧泽文化墓葬及随葬器物，是我们研究崧泽文化向良渚文化演变的重要的实物资料。

328.上海青浦福泉山良渚文化墓地

作　者：上海市文物保管委员会　孙维昌等
出　处：《文物》1986 年第 10 期

上海青浦福泉山遗址，上海市文物保管委员会在 1979 年进行了试掘，1982 年作了第 1 次发掘，1983～1984 年又作了第 2 次发掘。通过这两次发掘，探明了此处土墩的形成过程、遗址的文化内涵，清理了新石器时代崧泽文化墓葬 16 座、良渚文化

墓葬 10 座、战国墓 3 座、西汉墓 46 座和唐墓 1 座、宋墓 1 座以及良渚文化晚期大土坑 1 个；出土石、陶、玉、骨、铜器和象牙雕刻器等 1000 余件，取得了较大收获。简报分为：一、土墩概况，二、遗迹和墓葬，三、出土遗物，四、结语，共四个部分。配以彩照、手绘图，先行介绍了福泉山良渚文化墓地的发掘情况。

据介绍，遗迹有大土坑 1 个，清理墓葬 10 座。早期墓葬出土陶器 6 件，晚期墓葬出土石器、陶器、玉器、骨器 555 件。简报推断，3 座早期墓葬的年代属良渚文化早期，7 座晚期墓葬的年代属良渚文化晚期，距今约 4300 年。

简报称，以福泉山良渚文化大墓与上海马桥、松江广富林良渚文化墓葬比较，可以看出：马桥和广富林良渚墓葬的规模都较小，均系平地堆土掩埋，未发现墓坑和葬具，随葬品也较少，一般仅 1～2 件，其中除一座墓随葬 1 件玉锥形器外，出土物多数都是石器和陶器，均为素面，制作较粗糙，与福泉山的良渚晚期墓葬有相当大的差别。此外，在福泉山良渚文化大墓中还出土 1 件彩陶背水壶，在上海新石器时代文化中尚属首次发现。它的造型和纹饰都很美观，与山东大汶口文化中晚期遗址出土的 I 式彩陶背壶相同。简报认为，这一器物很可能是从山东大汶口地区交换来的。如果是这样，那么早在 4000 多年前，上海地区良渚文化的先民，已与山东大汶口文化的先民建立了某些联系。

329.上海青浦县金山坟遗址试掘

作　者： 上海市文物保管委员会　张明华
出　处：《考古》1989 年第 7 期

金山坟遗址位于上海西南端的青浦县蒸淀乡东团村，与浙江省紧邻，遗址中心是 1 个东西长 65 米、宽 15～20 米、高约 2 米的不规则长条形土墩，相传为宋宰相何执中墓。20 世纪 60 年代初，文物普查时发现。1985 年 12 月 10～23 日，考古人员进行了 1 次试掘，探明遗址范围以土墩为中心，含大蒸港两岸，共约 4 万平方米。发现新石器时代墓葬 2 座、古井 4 座、灰坑 18 座，以及文化遗物 57 件。简报分为：一、发掘坑位和地层堆积，二、文化遗物，三、小结，共三个部分。有手绘图、照片。

据介绍，遗址遗存可分为下、中、上 3 层。下层年代测定为距今 4860±230 年，接近良渚文化。中层仅清理 1 座墓葬，测定为距今 4505±145 年，亦应属良渚文化。此墓人骨有火烧迹象，简报认为是因非正常死亡而火葬。

简报称，遗址还出土有一些更晚的遗物，如 1 件姜黄釉泥质红胎双系陶罐，器形具有战国晚期的特征，是我国早期施低温釉陶器的珍贵标本。出土的葫芦籽、芙菱籽、稻谷壳、木挂钩、陶球等，对宋代上海的农业史及民俗风情也有一定的研究价值。

330.青浦福泉山遗址崧泽文化遗存

作　者：上海市文物管理委员会　张明华等
出　处：《考古学报》1990 年第 3 期

　　福泉山遗址，20 世纪 60 年代初考古调查时发现，遗址位于青浦县城东北约 9 公里的重固镇西，遗址中心是 1 个长 90 米、宽 80 米、高 7.5 米的大土墩。为了配合基建工程，考古人员于 1979 年进行试掘，1982 ～ 1984 年正式发掘。发现马家浜、崧泽、良渚文化堆积，新石器时代至战国、汉、唐、宋各时代的墓葬 76 座，遗物 1000 余件和一部分重要的生活遗迹，是上海地区遗存最丰富、收获最大的古文化遗址之一。为了完整地反映福泉山遗址的考古收获，组织专业人员撰写遗址的发掘简报，分工整理编写出各时代文化遗存的发掘报告。作为福泉山遗址发掘重要组成部分的崧泽文化遗存，即是其中的一个专题，1979 年试掘的资料较少，在此一并叙述，所选用的标本编号前加 "79" 以示区别。简报分为：一、地层堆积情况，二、早期遗存，三、晚期遗存，四、结语，共四个部分。有照片、拓片、手绘图。

　　据介绍，崧泽文化早期遗存堆积较薄，未发现墓葬。除几件骨器和 2 件陶器（纺轮、网坠）外，余皆陶器残片。陶质以夹砂灰褐陶占极大的比例。值得重视的是，在早期遗存中发现 1 件彩绘黑皮陶残豆把，经上海市农业科学院红外光谱分析和上海博物馆科学实验室吴福宝师傅用他首创的甲型变色剂鉴定，证实为陶胎漆绘，是我国继距今 6000 多年的河姆渡文化发现漆绘之后，在距今 5000 ～ 6000 千年古文化遗存中的首次发现。晚期文化遗存，是以 16 座墓的随葬器物为主体，基本组合为鼎、豆、罐、壶、杯等，个别有釜、甗。具体年代据简报推断，早期遗存为距今约 6000 ～ 5700 年；晚期遗存为距今 5300 ～ 5000 年。至于社会性质，简报认为应处于以农业生产为主的母系氏族社会末期。但从男女合葬墓的出现等现象看，晚期已孕育着父系氏族制度的诞生。

331.1987 年上海青浦县崧泽遗址的发掘

作　者：上海市文物管理委员会　张明华、宋　建
出　处：《考古》1992 年第 3 期

　　崧泽遗址位于上海西部的青浦县境内，距市中心约 30 公里，青沪公路在此经过。1958 年发现，先后经过 2 次大规模发掘。遗址中心主要堆积已大部清理完毕，文化面目基本清楚，下层为马家浜文化，中层为崧泽文化，上层为春秋战国遗存。有关发掘报告、专集亦已公开发表。

1987年，上海市计划委员会筹挖油墩港，因水道涉及遗址西侧的保护范围，考古人员前往探掘，开探坑12个，发现了我国最早的直筒腹水井等一批古代遗迹与遗物，为太湖地区古文化增添了新的资料。简报分为：一、发掘坑位及地层堆积，二、文化遗存，三、结语，共三个部分。有手绘图、照片。

据介绍，由于发现了马家浜文化的水井和用陶片等铺成的室外活动场地，具有明显的居址性质，因此T5、T9～11很可能是马家浜文化遗存的中心区域，由此向东、西两面延伸。马家浜文化的堆积层都比较薄，显然部分已为晚期文化搅乱，甚至有的被破坏殆尽，如T12的马家浜文化残器就是被彻底破坏后混杂在崧泽文化层内。崧泽文化，本次探掘没有发现典型的居住遗存。至于马桥文化，虽然只发现了1个灰坑和很薄的一层堆积，但是为马桥文化的分布提供了新的地点。

马家浜文化2座水井的发现，为研究新石器时代的生产、生活状况提供了新的资料。本次发掘的直筒形三号井，直接被压在马家浜文化层下，且井内出土马家浜文化夹砂红陶盆等，因此简报认为确属马家浜文化无疑。本次发掘的马家浜文化内涵与以前发掘的下层堆积基本相同，属马家浜文化晚期。简报另介绍，在探掘的100多平方米的马家浜文化生活遗存中有许多动物遗骸，经鉴定，动物种类有家猪、麋鹿、梅花鹿、獐、水牛和鲸（?），说明动物仍然是先民们的重要食物来源。J5填土中出土的1颗果核，浙江农业大学农史室经鉴定属典型的梅子（Prunus mume），从而为认定梅原产中国提供了最早的实物例证。

332.上海市闵行区马桥遗址 1993～1995 年发掘报告

作　者：上海市文物管理委员会　宋　建、何继英、周丽娟、李　峰、江　松等
出　处：《考古学报》1997年第2期

马桥遗址位于上海市闵行区，在上海市区西南大约29公里。遗址发现于1959年，60年代进行过两次发掘。1993～1995年为了配合当地的建设工程，大规模发掘了马桥遗址。马桥遗址的发掘成果非常丰富，除了有各类人工制品外，还有不少生态方面的自然遗存。简报分为：一、前言，二、遗址分布范围，三、地层堆积，四、良渚文化遗存，五、马桥文化遗存，六、讨论，共六个部分。介绍了发掘概况与主要收获，有照片、拓片、手绘图。

据介绍，马桥遗址发现于20世纪50年代末，至60年代中叶先后进行了两次发掘。考古报告已于1978年发表。该报告认为马桥遗址遗存具有鲜明的特性，明显区别于周边文化。1978年夏在庐山召开的"南方印纹陶学术讨论会"上，比较一致的意见是，将夏商周时期的太湖地区作为1个独立的文化区。会上已有学者提出了"马桥文化"

的命名。嗣后提出的相关文化命名还有"后良渚文化""马桥—肩头弄文化"和"高祭台类型"。因马桥遗址发现较早，文化遗存最丰富，具有典型性，现在一般使用"马桥文化"这一名称。

简报结合马桥文化遗存 1993 ～ 1995 年发掘的主要收获，就以下几个相关的问题进行了讨论。

问题一，马桥文化的时空分布。

简报指出，马桥文化的空间分布中心区域在杭州湾以北的环太湖地区。在太湖周围的大部分区域都发现了马桥文化遗存。比较重要的遗址有太湖以东、东南的闵行马桥，嘉兴雀幕桥；太湖以南的吴兴钱山漾和长兴上莘桥；太湖以北、东北的无锡许巷和苏州横塘星火。在太湖西南的浙江德清也发现了马桥文化遗址。马桥文化的时间，大体相当于夏代和商代。马桥遗址仅是马桥文化的早中阶段，不能在时间上覆盖整个马桥文化。

问题二，马桥文化的特征。

简报提及一些马桥文化的显著特征。如陶器分夹砂和泥质陶两大类，生产工具和武器以磨制石器为主。铜器种类和数量都少。

问题三，马桥文化和良渚文化的关系。

简报称，马桥文化和良渚文化的石器虽说都以磨制石器为主，但良渚文化和马桥文化在石器方面较大的差异是：良渚文化常见的耘田器不见于马桥文化，马桥遗址的发掘品中不见石犁；马桥文化的石戚、石戈、石矛等不见于良渚文化；马桥文化的其他陶器与良渚文化完全没有联系；良渚文化观念形态、等级制度等的物化形式如玉器、高台墓地等在马桥文化中几乎完全绝迹。

简报还讨论了马桥文化的堆积过程、马桥文化的居住遗址等问题。指出马桥遗址是 1 处总面积超过 10 万平方米的大村落。已发现遗迹有柱洞、水井、窖穴、陶片堆等。

333.上海市松江县姚家圈遗址发掘简报

作　者：上海市文物管理委员会考古部　宋　建、陈　杰、何民华
出　处：《考古》2001 年第 9 期

姚家圈遗址位于上海市松江县小昆山镇山前村姚家圈东北，北距小昆山镇约 1.4 公里。姚家圈遗址于 1979 年被发现，1980 年进行了地面调查，采集的文化遗物有 2 类："一类是崧泽文化的各类夹砂陶鼎足以及灰陶罐的器底等；另一类是早期印纹陶马桥类型的文化遗存，有段石锛和拍印叶脉纹、回字纹的印纹陶片等。"考古人员于 5

月 8 日至 6 月 12 日对该遗址进行了正式发掘，出土了一批新石器时代的文化遗物，但是没有发现马桥文化遗存。简报分为：一、地层堆积，二、文化遗物，三、自然遗物，四、结语，共四个部分。有手绘图。

据介绍，根据姚家圈遗址的地层叠压关系，简报将新石器时代的文化遗存分为 2 期：第一期时代大致与钱底巷第三期和崧泽第三期相当，但是它们的下限稍有差异，钱底巷第三期的结束时间最早，崧泽第三期次之，而姚家圈第一期的下限则最晚；第二期遗存是第一期的直接延续，从总体上分析，应属于崧泽文化向良渚文化的过渡阶段。

简报称，姚家圈遗址与相邻的汤庙村和广富林遗址，起始年代比较接近。后 2 处遗址稍晚，都处于崧泽文化向良渚文化的过渡阶段。

334.上海金山区亭林遗址 1988、1990 年良渚文化墓葬的发掘

作　者：上海博物馆考古研究部　张明华、李　峰
出　处：《考古》2002 年第 10 期

亭林遗址位于上海市西南部金山区亭林镇。1966 年当地自来水厂建造机房时发现。1972 ~ 1975 年，在配合基建工程中，考古人员进行了几次小面积的发掘，发现了夏商、春秋战国和晋唐时期的文化堆积。1977 年被公布为上海市市级文物保护地点。1984 年，当地农民在附近挖土时发现 1 座良渚文化墓葬。1988 年，镇政府要建公园，上海市文物管理委员会考古研究部于 5 月 23 日至 7 月 22 日，在遗址偏北的规划区进行抢救性发掘，开探方 7 个，发掘面积 668 平方米。1990 年 3 月 23 日至 28 日的发掘开探方 3 个，发掘面积 300 平方米。2 次共发掘宋墓 2 座、唐墓 1 座、良渚文化墓葬 23 座，另有印纹陶文化的灰坑等。

本简报只报道所发掘的良渚文化墓葬。简报分为：一、地层堆积，二、墓葬概况，三、随葬器物，四、结语，共四个部分。有手绘图。

据介绍，亭林良渚墓地各墓时代上不排除有早晚的差别，但基本上同属于良渚文化晚期，相对年代距今约 4000 年。中国社会科学院考古研究所考古科技实验研究中心测定的碳十四数据为公元前 1690±150 年（ZK2272，M2 内人骨）。简报指出，亭林墓地的发现，为良渚社会自上而下的阶层结构：王墓（反山）—诸侯、首领墓（福泉山、草鞋山等）—平民墓（江海、金山坟等）中间，填补了以 M16 为代表的第三阶层的墓葬资料。亭林墓地发现的保存较好的人骨架，为研究良渚人的葬俗，提供了一份具有特殊意义的资料。

335.上海青浦区寺前史前遗址的发掘

作　者：上海博物馆考古研究部　周丽娟、陈　杰
出　处：《考古》2002 年第 10 期

　　寺前遗址位于上海市青浦区城北约 4 公里处，现属青浦区大盈乡天一村。寺前为古代地名，因居于宋元时期的慧日教寺西南而得名。遗址坐落在村后土墩及其北侧的农田中，是在 1966 年取土填浜、扩大耕地面积时发现的，后曾进行过小规模的试掘，认为主要是新石器时代和两周时期的文化遗存。1990 年 11 月至 1991 年 1 月，为配合基本建设，对该遗址进行了抢救性发掘。本次发掘主要位于 I 区和 II 区，发掘面积共 138.5 平方米，简报分为：一、地层堆积，二、崧泽文化遗存，三、良渚文化遗存，四、结语，共四个部分。有手绘图。

　　据介绍，根据地层叠压关系及各层遗物的器形特征，崧泽文化遗存可分为三段。通过对比分析，简报推断：寺前遗址崧泽文化遗存的时代大体相当于崧泽文化晚期阶段；寺前遗址良渚文化遗存的时代大体相当于良渚文化中晚期阶段。

336.上海奉贤区江海遗址 1996 年发掘简报

作　者：上海市文物管理委员会　张明华
出　处：《考古》2002 年第 11 期

　　江海遗址位于奉贤县县城所在地南桥镇西南 2 公里、江海镇江海村的北侧。沪杭公路（上海—杭州）在此南北向经过。遗址所在地原是一片农田，1994 年因修筑亭大公路（金山县亭林镇—南汇县大团镇）时发现。经上海市文物管理委员会与工程单位协调，于 1996 年 5 月 21 日至 7 月 26 日进行了第 1 次发掘，揭露面积共 293 平方米，发现墓葬 1 座、陶窑 1 座、灰坑 2 个，出土玉、石、陶器共 63 件及一些动物骨骼。11 月中旬，又在此前发现文化层堆积较丰厚的 TG10 南侧进行第 2 次发掘。随着清理工作的开展，发现遗址的文化层堆积越向南延伸越稀薄，其中心极有可能已被筑路工程取土挖成的鱼塘所破坏，遂临时决定对南部的 T1（E）～ T15（E）只作 0.8 米 ×4 米的探沟清理，北部靠近 TG10 的 T16（E）～ T25（E）作常规清理。此次揭露面积共 298 平方米，发现了玉、石器 13 件和部分动物骨骼。简报分为：一、地层堆积，二、良渚文化遗存，三、马桥文化遗存，四、结语，共四个部分。有手绘图、照片。

　　据介绍，通过发掘，江海遗址的文化面貌已经比较清楚，发现有晋代、马桥文化及良渚文化遗存。晋代遗存因离耕土最近，文化堆积已基本破坏殆尽，仅见少量

残留灰坑，出土器物也比较少。马桥文化遗存保留较少，由于以前地面采集标本的范围较广，因此简报推测马桥文化的堆积大多已被筑路取土工程所毁坏。江海遗址中良渚文化遗存的性质十分明确，在出土器物的形制及组合方面，与青浦果园村遗址较一致，其碳十四测年数据为距今 4505±145 年，简报认为可资参考。

337.上海松江区广富林遗址 2001 ～ 2005 年发掘简报

作　　者：上海博物馆考古研究部　宋　建、周丽娟、陈　杰、霍　杨等
出　　处：《考古》2008 年第 8 期

广富林遗址位于上海市西南的松江区方松街道广富林村。遗址于 1959 年发现，后曾试掘，发现 2 座良渚文化墓葬和春秋战国时期的文化遗存。自 1999 年开始，考古人员对广富林遗址进行了有计划的勘探和发掘，发现了良渚文化的墓地和新石器时代末期一类新的文化遗存，获得了初步成果。2001 ～ 2005 年，考古人员又在广富林遗址进行了多次发掘。简报分为：一、地层堆积，二、第一阶段，三、第二阶段，四、第三阶段，五、结语，共五个部分，介绍了 2001 ～ 2005 年发掘的新石器时代文化遗存。有彩照、手绘图。

据介绍，该遗址存共分 3 个阶段：第 1 阶段大致相当于良渚文化第四期；第 2 阶段既同第 1 阶段之间存在文化延续性，又包含一部分非当地传统的龙山时代文化因素；第 3 阶段即广富林文化。

简报称，以广富林为代表的文化遗存可命名为"广富林文化"，是在 2006 年 6 月举办的"环太湖地区新石器时代末期文化暨广富林遗存学术研讨会"上正式提出的。遗迹有水井、灰坑和陶片堆等。遗物以陶器最多，也有少量石器和骨、角器。陶器按陶质分为夹砂和泥质两大类，另有少量印纹陶。印纹陶中极个别紫褐色者烧制火候较高，胎质较硬。陶器纹饰的制作技法主要有压印、刻划、堆贴和拍印，绳纹是最常见的压印纹饰，刻划纹具有鲜明特色，拍印纹主要是各种几何形纹饰。陶器主要器类有鼎、钵形釜、甗、瓮、罐、豆、盆、钵和器盖等。鼎的数量最多，大多数为侧扁三角足圜底鼎，个别为平底，足尖多被捏捺，鼎足内壁多见椭圆形按窝。钵形釜为夹砂陶，胎较厚，有的有錾。甗的数量比较少。罐和瓮盛行底内凹的风格。印纹陶主要是罐类，形制多样，凹底或圜底附加圈足是其共同特征。豆有细柄和粗柄之分，细柄上常饰较粗大的凸棱，粗柄则饰凸弦纹。器盖流行覆碗式，平顶捉手。广富林文化中有几件特殊器物的残片，它们是白陶鬶、竖条纹杯和封口盉，都是孤器，虽然并不能反映广富林文化的基本特征，但对理解其文化的渊源关系具有非常重要的意义。广富林文化的石器有犁、镞、刀、斧、锛和凿等。犁为等腰三角形，中线

上琢钻四孔。镞的前锋截面有三角形、菱形和六边形等不同形制。

简报称，广富林文化中的良渚文化因素甚少，却同王油坊类型的关系比较密切。根据新发现的资料，简报提出广富林文化来源有 3：1 是广富林文化中的以来自于黄河、淮河流域的王油坊类型为主，同时也有龙山时代其他地域的文化因素；2 是广富林文化中的南来者主要以印纹陶罐类为代表，其原生地在浙南闽北地区；3 是外来因素中只有个别者是制品的直接输入，相当一部分为仿制，另有一部分在综合多种因素的基础上加以改造。

338.上海出土新石器时代稻谷和农具

作　　者：上海博物馆　孙维昌
出　　处：《农业考古》2009 年第 1 期

上海位于长江三角洲冲积平原的最前缘。1949 年中华人民共和国成立前，上海地下古代遗迹仅知金山区戚家墩 1 处，年代为春秋战国至汉代。建国 59 年来，迄今已发现了古文化遗址 28 处，其中最重要的是青浦区崧泽遗址，将上海的人类发展史提早至距今 6000 年前的马家浜文化。初步构建起自马家浜文化为始，经崧泽文化、良渚文化，至马桥文化和商周时期文化的年代学框架。20 世纪 80 年代以后，上海考古进入新阶段，瞄准重点课题，先后在青浦福泉山、闵行马桥和松江广富林等遗址，开展有计划的考古发掘。福泉山与中国文明起源、良渚文明进程的研究，广富林与上海早期移民文化的追寻，马桥与人类生存发展和自然发展变迁相互关系的探索等，成为近 20 年来上海考古的 3 大支柱。本简报回顾了建国 59 年来上海考古的工作历程，发现其中有关农业考古方面的实物资料，也是十分丰富和重要的。简报分为：一、崧泽遗址下层发现马家浜文化的稻谷颗粒，二、上海各遗址、墓葬出土的农具纪实，两个部分。

据介绍，简报重点介绍了 1961 年崧泽遗址发现的马家浜文化时期稻谷颗粒，崧泽文化、良渚文化石犁多件及良渚文化石镰、耘田器、石锄、石刀等。

339.上海考古发现的新石器时代水井

作　　者：上海博物馆　孙维昌
出　　处：《农业考古》2013 年第 3 期

上海先民在距今 6000 年前的马家浜文化晚期已发明了水井。水井的发明，标志着人类已经掌握了开发和利用地下水资源的技术与方法，大大减少了对江河湖泊等地表自然水资源的依赖，使人们可以到远离地表水的纵深地带定居生活。水井的出现不仅扩大了人们的活动范围，也增加了人们生产、生活的内容，是史前人类征服自然、改造自然能力的具体体现。简报配以照片、手绘图予以介绍。

据介绍，青浦崧泽遗址发现的 2 口马家浜文化水井，距今约 6000 年；松江杨庙村遗址发现的 1 口崧泽文化水井，距今约 5000 ~ 4600 年；青浦西洋淀、松江广富林也发现有 2 口良渚文化水井。简报具体介绍了这些水井的修筑技术、井中遗物等。

江苏省

南京市

340.江苏江宁元山镇遗址的试掘与调查

作　者：尹焕章、黎忠义
出　处：《考古》1959 年第 6 期

1959 年 4 月，考古人员在江宁县元山镇烟脂村发掘了 4 处遗址（台 153～台 156），这是在 1957 年的文物普查时发现的。

据介绍，台 153 位于元山以东约 1 公里，距李家岗村约 350 米。台 154 位于元山南约 2.5 公里陶家桥东南。台 155 位于陶吴镇东约 500 米。台 156 位于灰山遗址东约 500 米。这些遗址都相去不远。出土遗物以陶器、石器为主，应以新石器时代遗存为主。

341.宁镇山脉及秦淮河地区新石器时代遗址普查报告

作　者：南京博物院　尹焕章、张正祥等
出　处：《考古学报》1959 年第 1 期

宁镇山脉为海拔 500 米以下的丘陵地带。广义的宁镇山脉的范围，包括：西南起江宁县铜井镇和朱门镇的苏皖界，东北经南京、镇江到武进县孟河镇，全长 150 多公里；以及北起丹徒县宝堰镇西南花山，南止句容县袁巷西南白马山，全长 33 公里的茅山山脉。宁镇山脉地区及秦淮河流域，联结成为一个近于平行四边形的区域，总面积约有 5000 平方公里。包括江苏省的南京、镇江两市和江宁、句容、丹徒 3 县的全部地区及溧水和丹阳 2 县的北部、武进县的西北隅、安徽省马鞍山市的一部分。1951 年南京博物院首先在秦淮河流域的湖熟镇发现了 15 处新石器时代遗址，以后又在南京市区和镇江以东的大港葛村一带，发现了与湖熟文化性质相同的遗址多处，引起学界注意，决定进行普查。普查工作从 1957 年 3 月 15 日开始，到 7 月 2 日结束。

计在野外工作 89 天，行程 4000 余公里。共到过苏皖两省的 17 个县市，发现和勘查的新石器时代遗址有 131 处，其中除溧水的窑冈山、溧阳的罗家山、芜湖的大荆山和蒋公山 4 处是山坡型遗址外，其余 127 处均为台形遗址。这一地区的台形遗址，加上以前发现的 25 处，共计有 152 处。简报为了便于查阅，兹按勘查时间的前后，编号说明，目次如下：

一、普查的目的与经过

二、遗址概况

（一）玄武湖区

（二）南京东北沿江区

（三）南京西南沿江区

（四）慈湖区

（五）秦淮河区

（六）宝堰河区

（七）高资河区

（八）镇江区

（九）上党区

（十）辛丰区

（十一）谏壁大港沿江区

（十二）太平河区

（十三）九曲河区

（十四）孟河区

（十五）附述其他类型遗址

三、结语。

342.南京汤山葫芦洞直立人化石地点考古发掘的主要收获

作　者：南京市博物馆、北京大学考古学系汤山考古队　魏正瑾

出　处：《文物》1996 年第 10 期

南京汤山，位于南京城东约 30 公里，是南京地区著名的古文化风景区。1990 年，当地农民在汤山山地西段北侧采石的时候，发现 1 个较大的溶洞，名之为"葫芦洞"。1993 年在洞内发现 1 件古人类颅骨化石，同时还出土了许多古脊椎动物化石，引起了各方面的关注。1993 年 12 月至 1994 年 1 月，考古人员对汤山葫芦洞南壁下的小洞进行了考古发掘。同时，对之前已被农民挖出的古脊椎动物化石进行了收集整理。

简报分为四个部分,有照片、手绘图。

据介绍,汤山葫芦洞是1个自然形成的石灰岩溶洞。在其形成以后的漫长年代中,洞内逐渐堆积了厚达数米的地层。在地质年代、自然环境上,与北京周口店直立人遗址很相似。

简报认为,南京汤山葫芦洞化石地点1993～1994年的考古发现,特别是直立人化石的出土,是我国古人类学和旧石器时代考古学领域的重要收获。这一发现填补了直立人化石地点在江南地区的空白,对于研究我国境内直立人的分布及其演化模式具有重要的学术意义。

343.江苏高淳县薛城新石器时代遗址发掘简报

作　者:南京市文物局、南京市博物馆、高淳县文管所　周裕兴、王志高、张金喜
出　处:《考古》2000年第5期

薛城遗址位于江苏省南京市所辖的高淳县薛城乡薛四村,南距县城所在地淳溪镇约4公里。薛城遗址是1997年8月薛城乡卫生院在新建办公楼挖房基沟槽时发现的,考古人员于同年9～12月对已暴露的部分房基进行了抢救性发掘。发掘面积约120平方米,发现新石器时代墓葬115座、灰坑91座、房址2座、灶穴2个,出土陶器及玉器、石器和骨器等文物共计600余件。此次发掘的主要收获。

简报分为:一、地层堆积,二、下层文化遗存,三、中层文化遗存,四、上层文化遗存,五、结语,共五个部分予以介绍。有手绘图。

据介绍,薛城遗址的文化内涵较单纯,均属新石器时代。此次发掘中据层位关系和遗物特征所划分的下、中、上3层文化遗存分别代表了该遗址的早、中、晚期。简报推断,薛城遗址早期约相当于马家浜文化中、晚期,中期约相当或略早于北阴阳营文化第二期,晚期约相当于崧泽文化中、晚期。

简报称,薛城遗址的发掘成为全面认识这一地区原始文化的契机,为这一地区进行考古学区、系、类型的研究提供了一批珍贵的资料,同时对进一步认识宁镇山地和太湖流域新石器时代文化也有着非常重要的意义。

张之恒先生有《长江下游新石器时代文化》(湖北教育出版社2004年版)一书,可参阅。

无锡市

344.江苏江阴县发现原始社会的鹿角镐

作　　者：江阴县文化馆
出　　处：《文物》1979 年第 10 期

1975 年 12 月，江阴县夏港公社在夏港河改道工程中，红星大队四队农民在新开河南段（靠近革命大队的璜塘河畔）河床内距离地表 6 米左右发现圆形古井 1 处，处理淤泥时挖到完整无损的鹿角镐 1 件。伴随出土的有一些黑陶残件碎片。在井址以南 10 米处又出土 1 段树木的主干，两头已朽。鹿角镐由农民交给了公社文化站转送县文化馆收藏。简报配以照片。

简报介绍，这件鹿角镐柄的末端原来是鹿角的分开板，保留乳头状的节。铺头着泥处和镐柄执手处角质细腻，摩擦得光滑发亮，说明曾经长时间用于生产。古井周围没有文化层发现，仅有黑陶残件碎片可作佐证。这些碎片系夹砂陶和细泥陶，色泽暗黑，属于罐、壶状器物。与相隔约 1 公里的西郊公社红光大队古井中出土的良渚文化器物作比较，其胎色、质地、厚薄基本相似。因此，简报初步推断鹿角镐及伴出的黑陶残件碎片属于良渚文化类型的遗物。

简报称，太湖流域是良渚文化分布广泛的地区。当时的生产工具以磨光石器为主，骨器和蚌器很少。这件鹿角镐在太湖流域出土文物中是一个新发现，为研究这一带原始社会的生产工具提供了一件稀罕的实物。

345.江苏江阴高城墩出土良渚文化玉器

作　　者：陈丽华
出　　处：《文物》1995 年第 6 期

1984 年，在江苏省江阴县石庄乡高城墩发现一批良渚文化玉器。经调查，高城墩为 1 处新石器时代遗址，土墩高出地面约 8 米，现呈椭圆状，东西长约 60 米，南北宽约 35 米。发现的 5 件玉器均出于土墩的西南处。简报配以彩照。

据介绍，出土的琮、钺等玉器，均属良渚文化玉器。更多结论尚有待进一步的考古工作。

346.江阴高城墩遗址发掘简报

作　者：江苏省高城墩联合考古队　陆建方、唐汉章、翁雪花、李新华、蔡卫东等
出　处：《文物》2001年第5期

高城墩遗址位于江苏省江阴市石庄镇大坎村高城墩自然村北。遗址所在地区属太湖西北平原。在这片平原上，西至武进龙虎塘、东抵横林、北到长江、南达沪宁线的范围内，集中分布着圩墩、乌墩、潘家塘、笠帽顶、寺墩、城海墩、青墩等几十个马家浜至良渚文化时期的遗址。高城墩遗址西南3公里为笠帽顶崧泽文化遗址，东南15公里为寺墩遗址，是目前所知纬度最北、距长江最近的良渚文化高台墓地遗址。遗址为江南地区常见的墩形遗址。原来面积近1万平方米，相对高度约10米。1975年冬至1976年春，当地村民在墩子中心建窑并开始取土制砖，遗址遂遭严重破坏。至1984年砖窑停工时，遗址仅残存北部2000多平方米。高度也降至7米左右。在此期间，大量文物毁坏或流失，仅有2件玉琮和若干玉璧等少量文物为常州博物馆收藏。土窑停工后，又由于村民取土建房，遗址仍不断被蚕食，在村民中又征集到玉璧、玉镯和石斧等。1998年11月，考古人员对遗址进行了调查钻探。1999年11月至2000年6月，对遗址进行了抢救性发掘。简报分为：一、前言，二、地层堆积，三、遗址，四、随葬品，五、讨论，共五个部分。有彩照、手绘图。

据介绍，1999年11月至2000年6月的发掘，证实高城墩遗址是人工堆筑的高土台墓地，发现的14座墓葬总体呈"人"字形排列，以M13为中心，墓葬已普遍使用棺椁。14座墓葬共出土玉、石、陶器232组369件。其中玉器153组287件，种类有琮、璧、钺、镯、锥形器、坠、串饰、指环及珠、管等；石器有钺、斧、有孔锛、镞等；陶器有鼎、豆、罐、壶等。墓葬时代据简报推断大体应属良渚文化中期偏晚阶段。简报指出，由于遗址受到较大破坏，我们今天看到的高城墩只是整个遗址的四分之一，即它的规模、布局、墓葬的最高和最低等级，出土文物的类型、数量、图案等均非全貌，甚至亦非主体风貌。因此，简报认为，不能单凭目前掌握的情况来给它定位，或者说，我们对它的定位应该高于它的现状。

347.江苏宜兴市骆驼墩新石器时代遗址的发掘

作　者：南京博物院考古研究所　林留根、田名利、徐建清
出　处：《考古》2003年第7期

骆驼墩遗址位于江苏省宜兴市新街镇塘南村，地处宜溧山地的山麓向平原地区的过渡地带。2001年11月至2002年7月，考古人员对该遗址进行了大规模发掘，

取得了重大收获。遗址现存面积约25万平方米，分南、北2区。遗址北区和南区的发掘面积共1309平方米。发现的最主要遗迹和遗物属于马家浜文化时期，包括墓葬52座、瓮棺39座、灰坑5座、房址3座、大型贝类及螺壳堆积1处、祭祀遗迹4处。另外，还发现崧泽文化的墓葬1座、灰坑2座，良渚文化墓葬3座、灰坑3座，以及印纹陶时期的灰坑4座。出土陶器及石器、骨器、玉器等约400件，还有各类动物骨骸标本约2000件。简报分为：一、发掘的主要收获，二、骆驼墩文化遗存的特征、年代及分布规律，三、发掘意义，共三个部分。有手绘图。

据介绍，与其他同样以平底陶釜为主要特征的马家浜文化遗址相比，骆驼墩文化遗存的时代较早，文化面貌单纯。通过调查和试掘，在宜兴西溪遗址和元帆遗址也发现了完全相同的文化遗存，这进一步扩大了骆驼墩文化遗存的分布范围。骆驼墩文化遗存主要分布在太湖西部地区，处于天目山及其余脉宜漂山地的东缘，这种分布规律显示出骆驼墩文化遗存与同时期太湖东部的草鞋山、罗家角遗址等马家浜文化系统不可避免地会产生频繁的交流和碰撞。骆驼墩文化遗存第一阶段的相对年代，简报推断在距今7000年左右。

348.江苏江阴祁头山遗址 2000 年度发掘简报

作　　者：祁头山联合考古队　陆建芳、左　骏等
出　　处：《文物》2006年第12期

祁头山遗址位于江苏省江阴市城东新区夏家村东北。遗址地处太湖之北，北距长江南岸5公里，东距张家港东山村遗址约7公里，东南距无锡彭祖墩遗址30公里。2000年8月，因修建新长铁路，在遗址范围内大规模取土，发现许多陶器、石器。当年8月至2001年1月，考古人员对该遗址进行了抢救性考古发掘。

简报分为：一、地层堆积，二、分期及遗迹单位，三、结语，共三个部分。有彩照、手绘图。

据介绍，共清理灰坑39座、墓葬132座。出土各类遗物200余件，其中石器18件、玉器17件、陶器166件。该遗址的文化面貌较有特色，遗址和遗物共分为四期。其中第一期至第二期的年代约为马家浜文化中期，第三期至第四期的年代约为马家浜文化晚期，少数遗物已进入崧泽文化早期。祁头山遗址墓葬的葬式以俯身葬为主，头向朝东。墓内的随葬品较少，其中陶盆、陶钵、陶豆等被放置于死者的头部下面，陶质高柄豆的豆柄被人为敲去，断裂处打磨平整后再随葬。陶釜被人为破碎后，置于死者上身及身侧。玉器则集中放置于墓主人的颈部及两耳处。生产工具在墓葬中发现得不多。该遗址的发现为研究长江下游史前文化提供了新资料。

349.江苏江阴南楼新石器时代遗址发掘简报

作　　者：江苏江阴南楼遗址联合考古队　陆建芳、张童心、左　骏、高振威等

出　　处：《文物》2007 年第 7 期

南楼遗址位于江阴市青阳镇南楼的顾有村。发掘区位于村北的一块高地上，其东侧、西南侧是低洼河地，北为阴大河。2006 年初，当地农民在遗址上大规模植树，由于其文化层和墓葬距地表较浅，遗址遭到很大的破坏。考古人员对南楼遗址进行抢救性发掘，从 2 月开始，到 5 月底结束。该遗址的遗存主要分为两个阶段：崧泽文化遗存和商周遗存。商周时期以 H1、H2 等灰坑为代表，出土遗物相对较少。

简报分为：一、遗迹，二、出土器物，三、结语，共三个部分。配以彩照、手绘图，先行介绍崧泽文化遗存。

据介绍，发掘发现了大量的崧泽文化时期的遗物、遗迹。遗物有鼎、豆、壶、罐、杯、纺轮等陶器，璜、玦、镯、环等玉器，斧、钺、锛、凿等石器。遗迹有大型壕沟、房址和墓葬。其中 3 座房址呈"品"字形排列，这在崧泽文化中较为少见。在 7 号墓、12 号墓中还发现了木棺的痕迹，为研究崧泽文化的葬具提供了重要的实物资料。

350.江苏无锡鸿山邱承墩新石器时代遗址发掘简报

作　　者：江苏省考古研究所、无锡市锡山区文物管理委员会　张　敏等

出　　处：《文物》2009 年第 11 期

邱承墩遗址位于江苏省无锡市鸿山镇东北约 1 公里处，东南距苏州市区约 20 公里，西北距无锡市区约 20 公里。该遗址地处太湖北部东侧的冲积平原，是典型的江南水乡，2005 年考古人员对其进行了抢救性发掘。

简报分为：一、地层堆积，二、遗迹与遗物，三、结语，共三个部分。有彩照、手绘图。

据介绍，该遗址新石器时代的文化层堆积分为三期：第一期的年代相当于马家浜文期；第二期的年代处于崧泽文化晚期向良渚文化的过渡阶段；第三期的遗存皆属良渚文化，年代分为前、后两段。简报介绍的主要为后段，年代相当于良渚文化中期偏晚阶段或良渚文化晚期偏早阶段。该遗址第二期的并列双祭台保存较完整，在太湖地区为首次发现。该遗址第三期遗物中，人面纹锥形管、葫芦形挂饰是首次发现的造型特殊的玉器，也为良渚文化玉器的研究增添了新器型。第三期高台墓地的发现，对于综合研究太湖北部的良渚文化具有重要的意义。

徐州市

351.江苏邳县刘林新石器时代遗址第一次发掘

作　者：江苏省文物工作队　尹焕章、张正祥
出　处：《考古学报》1962 年第 1 期

刘林新石器时代遗址，位于江苏省邳县西北 30 公里，在中运河东岸的火石埠的西南边。1959 年发现，发掘有墓葬 52 座等遗迹，出土有骨器、陶器、石器等遗物。在灰层中，有大批的动物骨骼出土，如鹿角、鹿骨、猪骨、猪牙、鱼骨、龟壳、麻龟版等，而且许多骨骼上都有火烧的痕迹。把狗随葬在人的足边，说明当时猎取野兽时，大致是携带猎犬的。结合骨镖和很多网坠等的出土，可以看出当时人们的经济生活，渔猎还占一定的比重。许多石斧、石镰和勾割谷物的牙质勾形器的发现，反映当时农业经济已经有一定程度的发展。遗址的面积为 24000 平方米，墓葬分早晚期，说明当时住在这里的是 1 个定居相当久的氏族。氏族成员已制造骨梳，用以理发；制造骨钏、石镯、玉环、玉管等，作为饰品。

简报初步认为刘林遗址的时代，晚期与景芝镇、大汶口同时，而早期与青莲岗文化相去不远。

352.江苏邳县四户镇大墩子遗址探掘报告

作　者：南京博物院　尹焕章、张正祥、纪仲庆等
出　处：《考古学报》1964 年第 2 期

大墩子遗址位于苏鲁边境，属江苏邳县，在县北 40 余公里。大墩子遗址现突出附近地面 4.3 米，为 1 个漫坡状的土墩。因为此遗址地势较高，它的南部自明清以来就成为丛葬区域。农业集体化后，墩顶成为当地唯一窖藏大量山芋的地方。是 1962 年 12 月发现的，这次探掘就是为了配合生产队挖山芋窖而进行的。时间从 1962 年 11 月 12 日开始，到 12 月 21 日结束，共发掘 36 天。简报分为：一、遗迹，二、墓葬，三、结语，共三个部分。有彩照、折页手绘图。

据介绍，共发掘墓葬 42 座，包含 3 种类型。

据简报推断，刘林类型的遗存约略晚于中原的仰韶文化；而青莲岗类型遗存（仅指苏北）约与中原仰韶文化同时；花厅类型因比刘林类型略晚，因此其相对年代大

约与中原龙山文化早期相当。

简报称，古代生存于大墩子的 3 个时期的人们，大致是以农业生产为主。厚达 5 米以上的文化堆积层，必须经过长时期的定居才会形成。此外，还发现各种各样的农业生产工具，如大量翻土用的石铲，收割用的獐牙勾形器、石刀、骨镰，碾磨谷物的石磨棒。猪、狗可能是当时豢养的家畜。此外骨鱼镖、镞、网坠等工具和鹿、獐、牛、鱼、龟、蚌等的残骸的发现，说明当时渔猎生活仍占有一定的地位。当时主要生产工具多发现于男性墓内，纺轮等多发现于女性墓内，这说明在当时的生产活动上，男女已有了比较明确的分工。在刘林和花厅两种类型的墓葬中，都存在着随葬品多寡不均的现象。多的达 50 ～ 60 件，有的还用狗殉葬；少的只 1 ～ 2 件，有的甚至一无所有。这些似乎都表明了当时已开始出现了贫富分化和私有制。但应指出，随葬生活用具丰富的墓葬，往往也同时随葬有大量的生产工具。而墓 38 除了有大量的生产工具外，还发现一堆骨、牙料，与四条砺石伴出。说明当时富有者也是要参加各种生产劳动的。同时，无论贫富都葬在 1 个氏族公共葬地内，这也说明他们的社会地位是平等的。刘林和花厅这两个时期的社会，已进入父系氏族公社的阶段。青莲岗类型本身因目前资料尚少，尚难对其社会性质作出较为可信的推断。不过由于目前考古工作者一般都认为仰韶文化尚处于母系氏族公社阶段，青莲岗类型的相对年代既然与仰韶文化相当，因此也有停留在母系氏族公社制末期的可能。

此外，在刘林类型墓葬中发现的几片穿孔龟甲，有的内盛 6 枚骨针或骨锥，有的套在人的右肱骨上，使我们对于龟甲的用途有了进一步的认识，即既可作甲囊使用，又可以起护臂的作用。再如工整美丽的彩陶器，薄如蛋壳而光亮的三足高柄杯等，都反映了当时高超的工艺美术成就。

353.江苏邳县刘林新石器时代遗址第二次发掘

作　者：南京博物院　尹焕章、袁　颖、纪仲庆等
出　处：《考古学报》1965 年第 2 期

刘林遗址位于江苏邳县西北约 30 公里。1960 年 3 ～ 6 月考古人员进行过第 1 次发掘，曾发表报告。由于地处分洪道以内，遗址不断遭到破坏。为此 1964 年春季进行了第 2 次发掘。发掘时间从 1964 年 4 月 10 日起，到 6 月 28 日止，共计 80 天。简报分为：一、地层堆积，二、遗迹，三、墓葬，四、文化遗物，五、墓葬的分期（兼及文化层），六、结语，共六个部分。有照片、折页手绘图。

据介绍，此次发掘发现 3 处烧土层堆积和 1 处灰坑、1 条灰沟，发掘墓葬 145 座，出土遗物有陶器 308 件、大量陶片及石器、骨器等。简报认为，刘林墓地是新石器

时代一处氏族公共葬地,各墓群分属各个大家族的葬区。父系氏族公社已取代了母系氏族公社。贫富开始分化,但还不十分显著。此时男子在生产中占有重要地位,妇女则居于从属地位,她们可能只从事一些辅助性生产和家务劳动。

354.1987 年江苏新沂花厅遗址的发掘

作 者: 南京博物院 钱 锋等
出 处: 《文物》1990 年第 2 期

花厅遗址在江苏省新沂县城西南 18 公里,位于马陵山丘陵地南端海拔 69 米的高地上,范围南至花厅村,北至徐庄北,东至北沟圈子,西至吴山头。遗址于 1952 年发现,1952 年 12 月和 1953 年 11 月两次进行发掘。经研究,该文化暂被称为"花厅类型",一般认为其时代属大汶口文化早期。1987 年 4 月,花厅村农民在村北取土时挖出很多玉器。考古人员于 10 月 16 日至 12 月 10 日进行了较大规模的发掘。简报分为:一、地层,二、墓葬与猪坑,三、随葬器物,四、结语,共四个部分。有彩照、手绘图。

据介绍,26 座墓葬主要随葬品为陶器,还有玉器、石器。有人殉及贫富分化现象。M4、M16、M18、M20 这 4 座大墓都各有 100 余件随葬品,其中玉器多达 20 ~ 30 件。这批墓葬的文化面貌,应属大汶口文化,从早期到中晚期不等。

常州市

355.江苏常州圩墩村新石器时代遗址的调查和试掘

作 者: 常州市博物馆 陈 晶
出 处: 《文物》1974 年第 2 期

圩墩村新石器时代遗址发现于 1960 年。在《江苏古代历史上的两个问题》(《江海学刊》1961 年第 12 期)一文中,将此遗址列为新石器时代青莲岗文化。自 1965 年以来,考古人员对该遗址进行了初步调查,发现遗址内涵比较丰富。1972 年 11 ~ 12 月,又进行了小规模的试掘。简报分为五个部分,有手绘图。

据介绍,圩墩村遗址位于戚墅堰镇西南,为 1 个东西宽、南北窄的土墩,今于墩村就在墩顶上。遗址范围东西长 200 米,南北宽 100 余米。有墓葬、红烧土层等遗迹。墓地埋藏密集,绝大多数为俯身直肢,都是头北脚南,随葬品数量很少,少见石制生产工具。从已经鉴定的 20 具人骨架的性别、随葬品的数量来看,似乎女性占相当的地位。M7A、7B 可能是双人葬，都是女性，年龄在 20 岁上下，这可能是同一氏族中亲族的遗骨埋在了一起，这一迹象似乎可推知这一氏族公社的墓地还是以血缘为纽带而埋葬的。简报推断这是 1 处新石器时代早期带有自身特点的遗址。

356.圩墩新石器时代遗址发掘简报

作　者：吴　苏

出　处：《考古》1978 年第 4 期

圩墩新石器时代遗址，位于常州市东郊戚墅堰镇南约 250 米、大运河的南岸，距运河仅有 40 ～ 50 米。1960 ～ 1961 年，南京博物院在苏南地区进行考古复查时，发现了该处遗址。

1972 年冬，常州市博物馆在遗址中部偏南处进行试掘，清理墓葬 24 座，出土一批遗物。

1973 年秋，当地生产队在遗址上的麦田里挖排水沟时，发现完整的人骨架 5 具以及连接成片的红烧土。随后，由南京博物院和常州市博物馆进行发掘。发掘面积 20 万平方米以上。简报分为：一、地层堆积，二、遗物，三、结语，共三个部分予以介绍。有手绘图、照片。

据介绍，从遗物观察，圩墩遗址文化面貌与苏南地区青莲岗文化的特征是相同的，可将其归属于青莲岗文化江南类型；遗址的 3 个文化层出土遗物的特征，是与青莲岗文化江南类型早、中、晚 3 期的划分相一致的。对于长江下游的新石器时代文化，过去一般都认为其年代要晚于黄河流域的原始文化，发展水平也落后于黄河流域。通过圩墩遗址以及苏南其他青莲岗文化典型遗址的发掘，简报发现并非如此。当黄河流域存在发达的原始文化时，长江下游地区也有着相当发达的土著文化，从而形成了以黄河流域原始文化为主体的我国远古文明。简报认为这一点也已被碳十四年代测定所证实。

357.江苏武进潘家塘新石器时代遗址调查与试掘

作　者：武进县文化馆、常州市博物馆　陈　晶

出　处：《考古》1979 年第 5 期

潘家塘遗址，在常州市东南，戚墅堰镇的西北，属于武进县青龙公社。它是继常州圩墩村新石器时代遗址后又在邻近地区发现的 1 处新石器时代遗存。1977 年 3 月考古人员进行了试掘。简报配以照片。

据介绍，发现有红陶和灰陶片，发现 1 组偏东西向排列的较有规则的器物，有红陶豆、红陶鬶、红陶鼎、灰陶豆、灰陶壶、红陶壶各 1 件，石锛 1 件。其中，1 件完整的陶鬶十分珍贵。其排列前后约长 1 米，估计是 1 组随葬品，而骨架也已腐朽，故无明显痕迹。时代简报推断为崧泽文化中期。

358.江苏武进寺墩遗址的试掘

作　者：南京博物院　周甲胜
出　处：《考古》1981 年第 3 期

寺墩遗址位于江苏省常州市东北 15 公里，属武进县郑陆公社红卫大队。寺墩是 1 个高出地面约 20 米的椭圆形土墩，东西长 100 米，南北宽 80 米。当地农民在平整土地时，1973 年春在土墩之北，1978 年夏在土墩之东，出土了 2 批玉璧、玉琮，考古人员予以征集并作了调查。共对寺墩遗址进行了两次试掘。第 1 次是 1978 年 12 月，第 2 次是 1979 年 2 月至 3 月，共发现墓葬 2 座，灰坑 2 个，出土陶器、石器、玉璧、玉琮等遗物 42 件。简报分为五个部分，有手绘图。

据介绍，寺墩遗址可分上、下文化层。下文化层属崧泽文化，上文化层属良渚文化。而在整个太湖地区，原始文化的发展序列都是由马家浜类型崧泽类型到良渚文化。遗物中最重要的是玉璧、玉琮。在《周礼·大宗伯》上有"苍璧礼天，黄琮礼地"的记载，安阳殷墟发掘的大墓中也常有琮、璧出土，因此，过去都认定琮、璧是商周时代的遗物。而此次发掘表明，早在良渚文化时玉璧、玉琮已经出现。

359.江苏武进寺墩遗址的新石器时代遗物

作　者：常州市博物馆　陈丽华
出　处：《文物》1984 年第 2 期

寺墩遗址位于常州市东北 15 公里处，属武进县郑陆乡三皇庙村。1973 年 10 月，郑陆农民把当地出土的玉璧、玉琮送常州市文物商店鉴定，文物商店当即转告常州市博物馆。博物馆前往出土地点调查，发现了寺墩遗址。简报分为"崧泽文化遗物""良渚文化遗址""几点认识"共三个部分。有照片。

据介绍，这里是一个高出地面约 20 米的土墩。调查时，即征集到出自寺墩东坡的 18 件玉、石器。计有玉璧 3 件，玉琮 12 件，以及石斧、玉刀等。1978 年 10 月又在墩北的农田中采集到一批崧泽文化陶器，计 19 件。良渚文化遗物有石器、玉器、陶器等。玉器制作应已掌握圆盘旋转抛光技术，制作精美。

360.1982 年江苏常州武进寺墩遗址的发掘

作　者：南京博物院　汪遵国、李文明、钱　峰

出　处：《考古》1984 年第 2 期

寺墩遗址位于江苏省常州市东北 15 公里，属武进县郑陆公社三皇庙大队。遗址分布在土墩下的东、北方农田中，现有面积约 6 万平方米。当地农民在平整土地、取土烧砖中，多次发现重要遗物，其中主要的有：1973 年春，在墩东出土玉制璧、琮等 30 多件；1976 年左右在墩北出土崧泽文化、良渚文化的陶器 20 ~ 30 件；1978 年 9 月在电灌站北低田中出土玉制璧琮 3 组，20 多件。1979 年 9 月，墩东庄桥村农民在村西建屋挖土，挖出玉璧 4 件、玉琮 1 件。1980 年，考古人员前往调查征集，初步确定寺墩之东可能是 1 处面积较广的良渚文化墓地。1982 年 10 ~ 11 月，在墩东进行较大规模的发掘，总共发掘面积为 800 平方米。特别重要的是这次发现了 2 座随葬玉制璧、琮较多的良渚文化墓葬（M3、M4），出土陶器和玉、石、骨器共 172 件。简报分为：一、良渚文化遗存，二、良渚文化墓葬，三、结语，共三个部分。有手绘图、彩照。

据介绍，这次发掘的第二层及其墓葬中出土的陶器，有鳍形足、丁字足的鼎，带凹流的供袋足鬶，圆锥形足盉，篮纹圈足簋，点线纹圈足盘，贯耳壶，篮纹缸，平底瓮等。无论从器形和纹饰看，都是良渚文化的典型器。出土的石器，有扁薄长方形弧刃的有孔斧、有段锛、半月形刀、长锋圆链、镞身断面呈菱形的镞等，以及玉制璧、琮，皆为与良渚文化陶器共存的器物。因此，寺墩遗址的下层文化层及其墓葬的文化性质，简报认为应为良渚文化。这次墓中同出的两侧带缺口的刀、有把刀，说明此类器在良渚文化时亦已出现。遗址的测定年代大致上晚于钱山漾（距今 5260 ~ 4580 年），早于雀幕桥（距今 4328 年）和亭林（距今 4200 年）。寺墩遗址的下层文化及其墓葬的年代，大致在距今 4700 ~ 4200 年。

寺墩墓地的墓葬，没有墓圹、葬具，皆为掩土埋葬。这是长江下游太湖地区自古以来流行的葬俗，一直延续到青铜时代。据文献记载，掩土埋葬是吴、越两国盛行的葬俗。简报认为寺墩良渚文化墓葬是吴越先人即古代越族的墓葬。参考发掘中出土的商代祭祀天地的璧、琮等玉器，以兽面纹为主体纹饰的青铜器，是商代文化中的重要实物见证之一。而良渚文化中发现的玉制璧、琮和兽面纹饰，最为普遍，时代最早。在商代以前，璧、琮等玉制礼器在山西襄汾陶寺、陕西华县梓里、甘肃永靖秦魏家、安徽潜山薛家岗、广东曲江石峡等史前文化的墓葬和遗址中发现，兽面纹饰亦在山东日照两城镇、江苏江宁点将台出土的玉锛和陶片上发现。这说明，中国即将进入文明时代时，已出现重要的共同文化因素，这同

样是值得重视的。

一般认为，良渚文化的年代为距今约 5000 ～ 4000 年。

361.1985 年江苏常州圩墩遗址的发掘

作　者：常州博物馆　陈丽华、黄建康、唐星良等
出　处：《考古学报》2001 年第 1 期

圩墩遗址位于常州市东郊戚墅堰圩墩村，京杭运河与沪宁铁路在遗址的北端穿过。自 1972 年以来，南京博物院、常州市博物馆等单位对该遗址先后进行了 3 次发掘。1985 年 9 月，常州市博物馆联合中山大学人类学系考古专业 1983 级实习队，对圩墩遗址进行了第 4 次发掘，清理灰坑 1 个、墓葬 38 座以及其他一批遗物。简报分为：一、地层堆积，二、马家浜文化遗存，三、崧泽文化墓葬，四、春秋时期遗存，五、结语，共五个部分。有照片、手绘图。

据介绍，马家浜文化的年代约为距今 6200 ～ 5900 年。采集与渔猎仍为主要经济生活，但出土了炭化的稻米，可见在马家浜文化时期，人们已掌握了原始的水稻种植技术。木器的使用也已相当普遍。发掘的 33 座马家浜文化墓葬中，许多男性墓葬中有生产工具和兽骨作为随葬品，似乎表明至少在马家浜文化晚期，男性在生产、生活中的地位已有所提高。

崧泽文化遗存的 5 座墓葬均未发现墓坑，但墓葬随葬品较为丰富，有生产工具、生活用具、装饰品等，其中 M122 随葬品多达 33 件。另外值得注意的是，在该墓墓主人的嘴中发现 1 枚算珠形玉玲，这可以说是研究我国古代墓葬用玉制度起源的又一例证。圩墩遗址崧泽文化遗存大致处于崧泽文化中期偏晚阶段。从文化内涵分析，圩墩遗址马家浜文化遗存与崧泽文化遗存之间缺乏明确的前后传承关系，但在该遗址马家浜文化遗存晚期阶段的某些器形上，如矮把带凸棱和饰圆形镂孔的浅腹豆、扁平长条形石铸等，都显示出与崧泽文化早期同类器相同的特征。两者以玉为饰的传统也反映出某种内在的联系。

362.江苏金坛三星村新石器时代遗址

作　者：江苏三星村联合考古队　王根富、张　君等
出　处：《文物》2004 年第 2 期

三星村遗址位于江苏省金坛市西岗镇东南约 2 公里。这里地处太湖平原与宁镇丘陵的分水岭——茅山山脉的东侧，在丹金溧漕河之西，属地势低平、河网密布的

平原地带。该遗址在三星村以东，总面积达 10 万平方米。地势相对较高，现分为东、西两区。1993 ~ 1998 年，南京博物院联合金坛市文物管理委员会，组成三星村联合考古队，共清理新石器时代墓葬 1001 座、房址 4 处、灰坑 55 个，出土陶、石、玉、骨、角、牙、蚌器以及动物骨骼等计 4000 余件。

简报分为：一、地层堆积，二、遗址，三、出土遗物，四、结语，共四个部分。有彩照、手绘图。

据介绍，该墓地的使用年代约为距今 6500 ~ 5500 年。墓葬分布密集，葬制可分为单人一次葬、多人一次合葬、二次葬、二次迁葬与一次葬合葬等几种形式。随葬品除了精美的玉器和陶器外，还出土两套有完整组合的石钺以及刻画抽象符号的板状刻纹骨器。简报将该文化遗存分为三期，认为它们是连续发展的同一考古学文化。

苏州市

363.江苏昆山陈墓镇新石器时代遗址

作　者：金　诚
出　处：《考古》1959 年第 9 期

1956 年，当地窑厂工人取土时发现了 4 件打制石刀、2 件有孔石斧。1957 年考古人员进行了试掘。简报配以照片。

据介绍，陈墓镇位于昆山县城西南 24 公里处，遗址范围东西约 150 米，南北约 60 米，出土打制、磨制石器 20 多件以及陶片等。简报推断为新石器时期遗址。

364.江苏昆山荣庄新石器时代遗址

作　者：王德庆
出　处：《考古》1960 年第 6 期

荣庄位于昆山县南约 2.5 公里。遗址在荣庄西侧的稻田下，遗址从堤坡的断崖露头，自西北向东南成缓坡形，南北宽达 200 ~ 300 米。简报配以照片。

据简报介绍，遗址被破坏程度相当严重，从清理的过程中，发现文化层不厚，出土遗物基本相同。在文化层底部清理了灰坑 3 个，均深入黄色生土层中，有方形和不规则的圆形两种。在灰坑中，发现有腐朽的枝植、小竹管和类似蒲包的纺织物。

出土陶器质料有细泥（灰）红陶、黑皮灰陶、夹砂粗陶和硬（釉）陶四种。还出土有石器。这些与杭州老虎山等遗址出土物相似。昆山毗邻浙江省，这种遗址的发现有助于了解江、浙两省的文化关系。

365.江苏吴江梅堰新石器时代遗址

作　者：江苏省文物工作队　陈玉寅
出　处：《考古》1963 年第 6 期

吴江县梅堰镇东北袁家埭，西距太湖 3.5 公里，西北接近蟹大荡、桃花漾，东为北草荡。这一地区湖荡毗连，为一冲积平原。1958 年冬，在这里发现了大量鹿角。1959 年冬，又发现了大量兽骨和鹿角。考古人员对其予以发掘，遗址的面积约为 65250 平方米，出土有石器、玉器、骨器、角器、蚌器和陶器等 122 件，采集遗物达 4000 余件。简报分为：一、地层堆积，二、遗物，三、结语，共三个部分。有照片。

据介绍，遗址上层应属良渚文化，下层有青莲岗文化，比良渚文化要早。

366.江苏吴县光福镇发现一批新石器时代的石犁

作　者：吴县文物管理会　叶玉奇
出　处：《文物》1981 年第 10 期

1979 年 10 月，吴县光福镇第三针织厂的职工在该厂基建施工中，发现 7 件石犁和 1 把石锥。考古人员赶到时，出土地点已被浇灌了水泥。据在场工人反映，这批石器是在离地面 2.5 米深、集中在不到 4 平方米的褐灰泥里发现的。简报配有照片。

据介绍，石犁的原料是硬度不高的页岩，当地人称之为"泥板石"，产地在离此地不到 10 公里的砚石山。分析犁的制作过程是：先把页岩劈成片，然后砸打成形，再凿孔磨制而成。其年代，简报推断相当于良渚文化的新石器时代晚期。简报称，这批犁发现于不到 4 平方米的范围内，很可能是当时的 1 个窖穴的堆积。

367.江苏吴县出土新石器时代稻谷

作　者：江苏吴县文物管理会　张志新
出　处：《农业考古》1983 年第 3 期

1974 年 6 月，考古人员在吴县车坊公社摇城遗址（即澄湖遗址）发掘时，从 1 口古井中，清理出数十粒稻谷，和这些稻谷伴出的，还有 1 件夹砂灰陶器。简报配有照片。

简报称，摇城古井中出土的稻谷应该是新石器时代晚期良渚文化期的遗物，距今已约 4500 年了。这些稻谷出土时已完全炭化，但谷粒颖壳表面的脉纹仍清晰可见，个别谷粒尚可见护颖。这些炭化稻谷，大部分为粳型稻谷，有些比较细长的似属籼型稻谷。

368.江苏昆山绰墩遗址的调查与发掘

作　者：南京博物院、昆山县文化馆　汪遵国、陈兆弘
出　处：《文物》1984 年第 2 期

绰墩遗址在江苏昆山正仪镇北 2 公里，位于阳澄湖和傀儡湖之间的狭长地带，是 1 处濒临湖泊的土墩遗址。土墩高出地面 6 米，面积约 2000 平方米。据《昆山县志》记载，唐玄宗时宫廷艺人黄番绰，擅长参军戏，死后葬在这里，故名"绰墩"。1981 年砖瓦厂在此取土时，发现有玉器、石器，证实其为良渚文化墓葬 1 座。简报分为"地层堆积""随葬器物""结语"三个部分。有手绘图等。

据介绍，出土有陶片、陶器、石器、玉器等。遗址的文化层堆积依次为马家浜文化—崧泽文化—良渚文化—吴文化。遗址为研究太湖地区古代文化序列又提供了一个实例。

369.江苏常熟良渚文化遗址

作　者：常熟市文物管理委员会　黄步青、徐振球
出　处：《文物》1984 年第 2 期

江苏省常熟市位于长江下游太湖平原的北部。1949 年以来，在三条桥、黄土山、嘉菱荡 3 处良渚文化遗址中，发现了玉璧、玉琮、石钺、穿孔石刀等。简报分为"三条桥遗址""黄土山遗址""嘉菱荡遗址"，共三个部分。有照片、手绘图。

据介绍，三条桥位于常熟西南，尚湖的南岸。1969 年 5 月在取土中发现玉石器 6 件。黄土山位于常熟城南 10 公里，属莫城公社凌桥大队，是 1 个东西长 200 米，南北长 100 米，高出地面 4～5 米的椭圆形土墩。1976 年 4 月，凌桥砖瓦厂在墩西北取土，于 3.5 米深处发现玉、石器 8 件。嘉菱荡位于常熟西 20 公里，属张桥公社庙桥大队。1983 年 4 月，公社窑厂在嘉菱荡东南高出地面 3 米的台地上取土，发现玉、石器 12 件。以上 3 处，均属良渚文化遗址。

370.江苏吴县出土的石犁

作　者：江苏省吴县文物管理委员会　叶玉奇
出　处：《农业考古》1984 年第 1 期

1979 年 10 月，江苏省吴县境西濒临太湖的光福镇南上淹湖畔，在基建施工中，出土了一批石犁。这类石犁的形制较大，形状若等腰三角形，特点是在这些犁上，还残留着各种各样的刻线和印痕。这些刻线和印痕，对于研究石犁的制作、安装和使用等问题，提供了重要的实物资料。简报分为：一、地层概况，二、石犁的形制和特点，三、石犁的质料、制作和使用分析，四、石犁的时代及意义，共四个部分。有照片。

据介绍，石犁共计 7 件，有使用痕迹。简报推断石犁系用当地石材制成，制作过程包括开劈成片、划线绘图、打凿成形、加工琢磨等步骤。简报认为石犁应属良渚文化时期遗物，在当时促进了生产力的发展。

371.金坛北渚荡发现马家浜文化遗址

作　者：刘　光、刘建国
出　处：《考古》1985 年第 8 期

北渚荡遗址，位于江苏金坛县城北偏东约 2.5 公里，东北距东村 200 米。遗址平面呈不规整椭圆形，南面略高，北面稍低，高处距地面 2 ～ 3 米，低处几与地面平。遗址原来面积较大，有数万平方米，后经平整土地及烧砖取土等，破坏比较严重。1973 年 10 月 15 ～ 20 日，考古人员对该遗址进行调查试掘，在遗址南区发掘探方 1 座，南北长 5 米，东西宽 3 米。简报配以照片、拓片、手绘图。

该遗址出土遗物中，石器以弧刃穿孔石斧、长方形石锛与长条形石凿为多见；陶器以直颈圆腹壶、小口弧腹罐、折肩斜腹或圆腹钵、喇叭形圈足豆、宽扁形或扁锥外撇形鼎足以及鸡冠状扁耳为多见。这些特征与常州圩墩遗址中层、吴县草鞋山遗址下层所出遗物类似，而折肩钵、宽扁形足鼎、鸡冠都是马家浜文化晚期新出现的器物。简报推断该遗址时代亦相当于马家浜文化晚期。一般认为，马家浜文化的年代为距今 7000 ～ 5000 年。

372.江苏吴县张陵山东山遗址

作　者：南京博物院、周直保圣寺文物保管所　汪遵国、王　新等
出　处：《文物》1986 年第 10 期

张陵山遗址位于江苏省吴县周直镇南偏西 2 公里处，属淞南乡张陵大队，1956

年江苏省文管会调查时发现。有东、西2座土墩，相距约100米，当地人叫"东山""西山"，面积均约6000平方米。南京博物院配合砖瓦厂取土，于1977年5月发掘西山，清理崧泽文化墓葬6座、早期良渚文化墓葬5座，发掘简报已发表。后砖瓦厂又在东山取土，至1982年已挖去一半面积，使遗址中部低平，形成1.5～2米高的断崖。同年5月出土璧、琮等成组玉器，考古人员作了征集、调查。共进行了2次清理性的发掘：第1次是1982年8月，第2次是1984年6月。简报分为：一、地层堆积，二、墓群，三、结语，共三个部分。有拓片和照片。

据介绍，清理了属于崧泽文化、良渚文化、吴文化的墓葬4座，征集、出土遗物30余件和一些陶片。简报有"张陵山东山良渚文化玉器统计表"。

简报称，张陵山遗址的文化层堆积，自下而上依次是崧泽文化、良渚文化、吴文化。张陵山出土的玉器，由地质研究单位作了多种矿物学鉴定，又测定了比重和硬度，证明是透闪石阳起石系列的软玉，其接近平行纤维的显微结构，与中国已知各软玉产地玉料的显微结构都不相似。这些玉器的原料可能是就近取材，来自已经废弃的古矿床。

373.江苏吴县高景山、茶店头新石器时代遗址

作 者：吴县文物管理会
出 处：《考古》1986年第7期

1985年5月初，考古人员在高景山麓清理1座残墓的过程中，在山坡断面发现有红烧土、印纹陶片、夹砂粗陶片。初步调查，发现高景山东北麓坡下到茶店头村旁的小河边均有印纹硬陶片和红色印纹软陶片散布在地面。简报配以拓片、手绘图。

据介绍，遗址是环绕高景山东北麓坡下的农田里展开的，文化遗存分布在茶店关村西，部分遗存已在开河工程中被破坏。在2次现场调查中，采集到很多陶器残片和少量石器。石器中有打制粗糙、刃口磨光的石斧和通体磨光、刃部锋利仅残留一半的石镰。

374.江苏吴江县首次出土玉琮

作 者：吴江县文化馆 吴国良
出 处：《考古》1987年第2期

吴江县文化馆1979年6月征集到1件玉琮。玉琮于1970年在吴江县苑坪乡王焰村太湖河滩出土，系该村农民刘长安参加开河时在2.5米深的河泥中发现，未见

其他共存遗物。简报配以手绘图等。

据介绍，玉琮系透闪石琢制，橄榄青色带褐斑，有轻微蚀变。形状为扁方柱体筒形，外方内圆，单节。从玉琮质地、形制、纹饰、琢刻方法看，与吴县草鞋山、昆山绰墩、武进寺墩、青浦福泉山所出土的玉琮都相同，时代当属良渚文化。但玉琮的象征兽面纹，嘴巴为平面阴刻，并有三角形弧线作嘴角，又自具特色。吴江出土玉琮尚属首次，这为研究太湖地区良渚文化玉琮提供了新的实物资料。

375.江苏沙洲县新石器时代遗址调查简报

作　者：王德庆、缪自强
出　处：《考古》1987 年第 10 期

沙洲位于苏州市北部，濒长江下游三角洲南岸，由江阴和常熟两县划出部分社队合并建成。1984～1985 年苏州博物馆派员配合该县开展全国文物普查，相继在鹿苑、塘桥、西张、港口、妙桥等地发现了 5 处新石器时代遗址，揭示了沙洲县新石器时代的初步面貌。简报分为五个部分，有手绘图。

据介绍，发现有墓葬等遗迹，石器、陶器、玉器等遗物。简报认为，这几处遗址可分为上、下层。下层大体与崧泽和草鞋山遗址中层相当；上层已向良渚文化演变。

376.江苏省昆山县少卿山遗址

作　者：苏州博物馆、昆山县文管会　陈兆弘等
出　处：《文物》1988 年第 1 期

少卿山遗址位于昆山县千墩镇东北。1958 年，少卿山出土过不少石器和陶器。经江苏省文物工作队调查，确定为属于良渚文化的新石器时代遗址。1977 年 4 月，从这里采集到穿孔石斧、有段石锛和双孔石刀，还有若干种几何印纹陶片。1983 年 12 月，山脚开挖池塘，又出土了穿孔石斧、陶球和几种陶片。1984 年开筑公路，9 月，在 1 座良渚文化墓葬（M1）中出土琮、瑗、斧、镯等玉器 1 组 19 件。同年 12 月 10 日至 30 日，又发现了 1 座崧泽文化墓葬（M2）。简报配以照片、手绘图。

据介绍，从少卿山遗址调查发掘所见地层叠压关系和出土遗物，可知其新石器时代文化序列为马家浜文化—崧泽文化—良渚文化。这为太湖流域新石器文化的序列确定又提供了一个例证。后附专家所作鉴定报告，确认 M2 出土的下颌骨属 1 名中年女性。

377.江苏张家港许庄新石器时代遗址调查与试掘

作　　者：苏州博物馆、张家港市文管会　王德庆
出　　处：《考古》1990 年第 5 期

　　许庄位于张家港市场杨舍镇，1986 年当地村民挖土烧砖时发现，1987 年 5 月发掘。遗址总面积 3 万多平方米。简报分为：一、遗址概况，二、地层堆积，三、墓葬及出土遗物，四、采集遗物，五、结语，共五个部分。有手绘图。

　　据介绍，发掘崧泽文化墓葬 2 座，另有良渚文化遗存。出土有陶器、玉器、石器等。遗存既见江南地区常见遗物，又有徐海地区的执把壶，反映了南北文化的交织。

378.江苏张家港徐家湾新石器时代遗址

作　　者：苏州博物馆、张家港市文物管理委员会　王德庆等
出　　处：《考古学报》1995 年第 3 期

　　徐家湾在张家港市市区东南约 12 公里，北距长江岸约 14 公里。遗址坐落在徐家湾村北的旱地上，中部有苏圩公路从南向北穿过，将遗址分为东、西 2 区。当地百姓反映，遗址原为东西宽 150 米、南北长约 300 米、高 4 ～ 5 米的大土墩。自 1976 年以来，在农田基本建设和窑厂取土中，常出土有石器、玉器和陶器等遗物。1985 年春，进行文物普查时发现该遗址，并征集到完整的石斧、石锛、石刀和玉镯、玉璜等遗物 10 余件。同时，清理已暴露在遗址断崖的新石器时代墓葬 1 座。同年 4 月，考古人员对遗址进行了抢救性发掘，8 月结束。除清理出一批唐、明、清各时期墓葬外，新石器时代主要发现为墓葬 16 座、灰坑 18 个、居住遗迹 3 处、水沟 1 条，出土玉、石、陶器 400 余件。简报分为：一、地理环境和发掘情况，二、地层堆积情况，三、遗迹和墓葬，四、出土遗物，五、结语，共五个部分。专门介绍新石器时代遗存，有照片、手绘图。

　　简报指出，徐家湾遗址的发现，证明张家港市一带至迟在 5500 年前已经成为陆地。此前张家港市人类活动的历史，只能推溯到春秋战国时期。这对研究长江三角洲成陆历史是有价值的。至于徐家湾遗址的性质，简报认为应是定居的农业生活，渔猎生产已不占重要地位。从墓葬情况看，徐家湾遗址早、中期，似乎正处于母系氏族社会晚期。

379.草鞋山遗址发现史前稻田遗迹

作　者：不详

出　处：《农业考古》1996 年第 3 期

位于苏州市郊唯亭镇陵南村的草鞋山遗址是长江下游太湖平原典型的古文化遗址，总面积约 45 万平方米。此次在距今约 6000 年的马家浜文化时期地层发现了由浅坑、水沟、水口和蓄水井组成的遗存，其中在 1 处被揭露的长 20 米的范围内发现了呈两行排列、南北走向、相互连接的浅坑约 20 个。浅坑面积一般 3 ~ 5 平方米，个别小的 1 平方米，大的达 9 平方米，形状或椭圆形或长方圆角形。其四周有土冈，东部及北部边缘有水沟和水口相通，水沟尾部有蓄水井。显然这组遗存与水的设施关系密切。据参与现场发掘和考察的中日两国考古学家与农学家分析判断，遗存全部结构应看作是早期水田状遗迹。

简报称，草鞋山遗址古稻田的考古发掘，首次发现距今约 6000 年的新石器时代马家浜文化时期人为加工的水田状遗迹，是探索我国早期稻作农业文化的一次突破性的进展。

380.江苏常熟罗墩遗址发掘简报

作　者：苏州博物馆、常熟博物馆　张照根、周公太、常利平等

出　处：《文物》1999 年第 7 期

罗墩遗扯位于常熟市练塘镇罗墩村，东北距市区约 7 公里。1992 年 2 月，罗墩村村民在罗墩取土时零星发现良渚文化玉镯、玉珠和石钺，上交常熟博物馆。市博物馆随即派员赴现场调查，发现罗墩遗址为 1 处高出地面的良渚文化高台墓地，虽遭历年取土，现仍高出地面约 4 米，顶部残存面积约 200 平方米。1993 年 4 月及 1994 年 10 月，考古人员对罗墩顶部残存的 200 平方米土台墓地进行了 2 次抢救性发掘，清理良渚文化墓葬 14 座，出土玉、石、陶器 250 件，并对良渚残土台进行了局部解剖。简报分为：一、地层堆积，二、墓葬，三、遗物，四、结语，共四个部分。有彩照、手绘图。

据介绍，罗墩遗址为良渚文化残土台，现清理的 14 座墓葬仅是原土台墓地的一部分。从现存 14 座墓分布情况看，墓葬排列有序。随葬品有陶杯、陶盆、陶盘、陶钵、陶纺轮以及石钺、石锛等，属良渚文化早期遗存。石钺作为兵器的可能性大，与部分人骨残缺分离的现象联系起来分析，简报认为这些死者很可能死于部落间的战斗，死后被本部族人运回埋藏。

381.江苏昆山市少卿山遗址的发掘

作　　者：苏州博物馆、昆山市文化局、千灯镇人民政府　丁金龙、张照根、程振旅
出　　处：《考古》2000 年第 4 期

少卿山遗址位于昆山市千灯镇东北。1958 年，江苏省文物工作队进行考古调查时发现少卿山遗址。1977 年，在土山内出土了穿孔石斧、有段石锛和双孔石刀等遗物。1983 年，农民在土山脚下挖池塘时发现穿孔石斧、陶球等遗物。1984 年，修筑少卿公路时，在土山的南侧发现琮、瑗、钺、镯等玉器 1 组 19 件（应为 1 座墓葬的随葬品）。1984 年 12 月 10～30 日，考古人员对少卿山遗址进行了试掘。

1997 年，为配合少卿公路拓宽工程和少卿公园建设，考古人员对少卿山遗址进行了抢救性发掘，实际发掘面积 200 平方米。简报分为：一、地层堆积，二、良渚文化早期村落，三、良渚文化土台及相关遗迹，四、遗物，五、结语，共五个部分。有手绘图。

据介绍，少卿山遗址是 1 处面积较大的内含崧泽文化和良渚文化等遗存的新石器时代遗址。少卿山遗址良渚文化土台，既用作墓地，又是祭祀土地之主的地方；良渚文化早期村落可分居住区和墓葬区 2 个部分，村落遗址中发现有大量的水稻植物，证明良渚文化早期不仅已从采集野生稻发展到了人工栽培，而且水稻种植已很普遍。

382.江苏吴江广福村遗址发掘简报

作　　者：苏州博物馆、吴江市文物陈列室　丁金龙、杨舜融、张照根等
出　　处：《文物》2001 年第 3 期

广福村遗址位于吴江市西南 58 公里处的桃源镇广福村，地处江苏省最南部。它北临太湖，南与浙江省接壤，1985 年在文物普查中首次发现。该遗址地势略高于周围，四面环水，原有面积 4 万平方米左右，现存面积约 2 万平方米。1996 年 12 月，考古人员对广福村遗址进行抢救性发掘，清理出一批马家浜文化墓葬、房址以及马桥文化水井、灰坑等。简报分为：一、地层堆积，二、马家浜文化，三、马桥文化，四、结语，共四个部分。有照片、手绘图。

据介绍，该遗址马家浜文化可分 2 期：第 1 期距今约 6000 年，当时已开始种植水稻；第 2 期为从马家浜文化向崧泽文化过渡阶段。马桥文化仅发现遗迹，不见地层堆积。简报认为这可能是当地距海较近，经常受到海水侵蚀的原因。

383.江苏张家港市东山村新石器时代遗址

作　者：南京博物院、张家港市文广局、张家港博物馆
出　处：《考古》2010 年第 8 期

东山村遗址位于张家港市金港镇南沙办事处，东南距张家港市区 18 公里，北离长江约 2 公里。1989 年发现该遗址后，由苏州博物馆分别于 1989 年和 1990 年进行了两次抢救性考古发掘，主要发现了马家浜文化和崧泽文化时期的文化层堆积以及若干房址和墓葬。1995 年，东山村遗址被公布为江苏省文物保护单位。近年来，由于经济建设和小区的不断开发，周围民居林立，已经对遗址构成了严重威胁。于是，由南京博物院主持，张家港市文广局、张家港博物馆等单位联合参加，分别于 2008 年 8 ～ 11 月和 2009 年 3 月至 2010 年 2 月对该遗址进行了两次抢救性发掘。简报分为：一、马家浜文化墓葬，二、崧泽文化聚落，三、结语，共三个部分。有彩照、手绘图。

据介绍，共发现了 10 多座马家浜文化墓葬和 1 处包括房址和墓地的崧泽文化聚落，其中首次在长江下游地区揭露 9 座崧泽文化早中期高等级大墓。崧泽文化早中期大墓与小墓的分区埋葬以及大房址的发现，证明至少在距今 5800 年前后，已有明显的社会贫富分化。这为研究长江下游地区社会文明化进程提供了重要资料。

384.江苏昆山姜里新石器时代遗址 2011 年发掘简报

作　者：苏州市考古研究所、昆山市文物管理所、昆山市张浦镇文体站
　　　　王　霞、丁金龙等
出　处：《文物》2013 年第 1 期

姜里遗址位于江苏省昆山市张浦镇姜里村，2008 年第 3 次全国文物普查时发现。2011 年 7 月，因新农村建设，在姜里村北开挖河道时，出土了马家浜、崧泽、良渚及马桥文化遗物，另有汉六朝和唐宋时期遗物。2011 年 7 ～ 9 月，苏州市考古研究所对此遗址进行了抢救性发掘。经过考古调查，确认遗址主要分布于姜里村中部的姜里潭东、西两岛及潭的西北，面积约 9 万平方米，其中心区文化堆积厚达 2 米以上，分五个部分进行了介绍，配有照片和手绘图。

第一部分为"地层堆积"。

第二部分为"马家浜文化"，介绍了房址、河道等遗迹和陶器、石器等遗物。

第三部分为"崧泽文化"，介绍了土台、房址、灰坑、水井、水田和池塘等遗

迹和墓葬 27 座以及陶器、石器等遗物。

第四部分为"良渚文化"，介绍了灰坑、红烧土、墓葬 2 座等遗迹和陶器、石器等遗物。

第五部分为"结语"，提到崧泽文化中期可能已出现了人殉的现象，水田与池塘遗址，为我们了解与研究不同文化阶段的水田提供了新资料。

属于良渚文化的 M13 墓主为老年女性，埋葬在 1 个填满陶器（片）的坑内，且位于坑的东端，骨架上身仰直，下肢弯曲。器物坑内大多为瓮、罐、盆等大型器物。M13 葬式特殊，在其西边还发现有带状红烧土，关于其性质还有待进一步探讨。

南通市

385.江苏海安青墩遗址

作　者：南京博物院　纪仲庆等
出　处：《考古学报》1983 年第 2 期

青墩遗址在江苏省海安县城西北约 28 公里，属沙岗公社青墩大队。1973 年 8 月，该大队在这里建立居民点时，开挖了 1 条纵贯全村、全长 236 米的青墩新河，发现大量的陶、石、骨器和鹿角、兽骨等古代遗物。1976 年春，考古人员来这里调查，采集和征集了一些出土遗物，其中包括在江南一带良渚文化遗存中常见的璧、琮、坠、环等玉器。1977 年 11 月该馆还在这里作过 1 次试掘。1978 年 4 ~ 5 和 1979 年 4 ~ 5 月，先后对该遗址进行两次发掘。简报分为：一、地理环境和文化层，二、居住遗迹和遗物，三、墓葬和随葬品，四、结语，共四个部分。有照片、手绘图。后附有关于玉器、孢粉、化石、种子的专家鉴定。

据介绍，此遗址为 1 个距今至少 5000 年的新石器时代遗址，出土随葬品 478 件，其中陶器 229 件，另有石器、骨器等。说明至少距今 5000 年时当地已成陆地，对于研究我国海岸线的形成和当地先民的生产、生活，均有价值。

连云港

386.江苏新海连市锦屏山地区考古考查和试掘简报

作　者：南京博物院　王　英等
出　处：《考古》1960 年第 3 期

1957 ~ 1958 年，新海连市地区大兴水利，发现了不少古文化遗址和墓葬（包括锦屏山尾矿堪内曾出土 9 个编钟的战国墓葬）。1959 年 11 ~ 12 月，考古人员在该地区作了普查和试掘，又新发现了不少的古文化遗存。简报分为四个部分，有手绘图等。

据介绍，二涧水库遗址在尾矿堪东南 2.5 公里处，锦屏山脚下，离新海连市 7.5 公里。共发现有龙山文化和青莲岗文化两种遗存，龙山文化在后，青莲岗文化在前。

387.江苏连云港市二涧村遗址第二次发掘

作　者：江苏省文物工作队　王　英、尤振尧
出　处：《考古》1962 年第 3 期

连云港市在我省东北部，东濒黄海，北邻山东日照、临沂两县，南与淮安县相距很近。1958 年以来，这里发现的遗址很多，尤以新石器时代遗址为多。遗址先后经过 2 次发掘。第 1 次是在 1959 年 11 ~ 12 月。1960 年 3 月 28 日到 4 月 20 日由省文物工作队组织第 2 次发掘。这次发掘收获比较大，出土重要遗物 100 余件，陶片 2500 余片；清理了龙山文化灰坑 7 个，烧土面 1 处，青莲岗文化的墓葬 7 座。

简报分为：一、发掘经过，二、地层关系，三、文化遗存，四、对遗址的认识，共四个方面。有照片。

据介绍，通过两次发掘，知道这里除包含汉代遗址以外，还包含着龙山文化和青莲岗文化两种新石器时代遗存。它一方面补充了龙山文化及青莲岗文化在江苏境内的分布，另一方面在地层上解决了两种文化之间的先后关系。龙山文化遗物，从出土最多的陶器上讲，都为镂空的陶豆、制蛋壳黑陶杯、白陶鬶、鬼脸式鼎足，这些与其邻近的山东日照、临沂两城镇及山东历城县城子崖所出的在形式上完全相同；与江苏省徐州高皇庙、檀山集丘湾、新沂三里墩等遗址下层龙山文化相同。

根据出土物较为粗糙的情况以及地处江淮边区，简报认为这里可能是青莲岗文化早期的遗存。

388.连云港将军崖岩画遗迹调查

作　者：连云港市博物馆　李洪甫
出　处：《文物》1981年第7期

连云港市郊西南9公里锦屏山马耳峰南麓的将军崖发现1处岩画遗迹。岩画刻于海拔20米处。在长22米、宽15米的平整光亮的黑色岩石上，分布为3组，内容有人面、农作物、鸟兽、星云等图案以及各种符号。简报配以照片予以介绍。

同刊同期载有同一作者《将军崖岩画遗迹的初步探索》一文，认为"将军崖岩画所反映的文化面貌，其时代与中原地区的新石器时代晚期相当，是我国已发现的最早的原始社会石刻艺术遗存"。

389.江苏灌云大伊山遗址1986年的发掘

作　者：南京博物院、连云港市博物馆、灌云县博物馆　吴荣清等
出　处：《文物》1991年第7期

大伊山位于江苏省灌云县城北2公里处，北距连云港市33公里，东北距黄海燕尾港42公里，是1座海拔226.7米的孤山，遗址位于大伊山东麓青风岭岗地上。遗址是1981年伊山乡砖瓦厂取土时发现的，东、南部已遭破坏，大量石棺墓被毁。清理早期新石器时代文化的石棺墓葬24座，岳石文化和西周的灰坑各1个，汉代墓葬10座。简报分为：一、地层堆积，二、早期新石器时代文化遗存，三、岳石文化遗存，四、结语，共四个部分。配以拓片和照片。

大伊山遗址新石器时代遗存的年代，简报测定为距今约6500年。大伊山石棺墓地表明先民仍过着生产力低下、氏族成员间没有明显贫富差距的母系社会生活。岳石文化遗存主要为灰坑，是发现的最靠东南的岳石文化遗存。

390.江苏连云港藤花落发现龙山文化稻田遗迹

作　者：林留根等
出　处：《农业考古》2000年第3期

江苏省连云港市藤花落遗址首次发现了龙山文化稻田遗迹。在98Ⅱ区发现水沟、

水坑、水田等与稻作农业有关的遗迹。经测定，发现的炭化稻米为粳稻。

简报称，山东多处发现的稻作农业遗址，时代大多为距今 3900 ~ 3500 年，而日本北九州稻作农业出现的时间为距今 3000 年左右。简报认为日本稻作农业是从中国大陆传过去的，有理由相信以此处遗址为代表的稻作农业对东邻日本产生过深刻影响。

淮安市

391.淮安县青莲岗新石器时代遗址调查报告

作　者：华东文物工作队

出　处：《考古学报》第 9 册

青莲岗新石器时代遗址是 1951 年 12 月 15 ~ 18 日在江苏淮安境内调查中发现的，当时采集了石器、陶片、兽骨等标本约 129 件。1952 年 1 月 3 ~ 5 日，再作了 1 次调查，得到石器 3 件、完整陶器 1 件及陶片等共 66 件，并对整个遗址的面积有了进一步的了解。经过 2 次调查后，感觉到遗址受破坏的情况十分严重，应该在短时期内作一次清理。1952 年 4 月 22 日 ~ 28 日进行了又一次调查。这次时间较充足，调查比较详细，采集了石器、陶片、烧土等 133 件。第四次是 1953 年冬季，为了配合淮安附近的南支河工程，到青莲岗，为时仅 1 天，但又采集到陶印模、残陶杯、残陶钵、残陶豆、残圈足器等约 10 件。简报分为：一、调查经过，二、遗物，三、结语，三个部分。配以照片、手绘图。

据介绍，发掘表明，青莲岗的先民正处于原始社会末期。在淮河下游、江苏省北部，生存着我们的祖先，他们吸收了其他地区不同文化的优点，创造了自己独特的文化。他们过着定居的生活，有了相当进步的手工制造技术，能够制造精美的石器，并使用这些石器来劳动生产。尤其精致的扁平带孔石斧，是这时期的杰作。这时期的制陶业已相当发达，技术上能使用轮制，但手制的方法仍然保留着。一般说来，细泥质的陶器多用轮制，砂质的陶器多以手制。人们喜欢用陶珠、陶管来装饰自己，用彩色装饰陶器。年代简报推断为龙山文化兴起之前。

盐城市

392.江苏阜宁县东园新石器时代遗址

作　者：南京博物院、盐城市博物馆、阜宁县文化局　朱国平、梁建民、赵永正、田雅儒等

出　处：《考古》2004 年第 6 期

东园遗址位于江苏省阜宁县南部约 9 公里，北依施庄镇东园村，东距范公堤 4 公里，西北距古淮河 24 公里。1978 年 10 月，东园村村民取沙土时发现该遗址，当时采集了石斧、石环等遗物。1985 年，盐城市博物馆曾派人进行调查，征集了自 1978 年以来该遗址出土的一些遗物。自 1978 年以来，东园遗址一直因为村民取沙土而受到破坏，近年来面积逐渐缩小，现残存不过原先三分之一的面积。考古人员自 1998 年 10 月至 1999 年 1 月对该遗址进行了抢救性发掘。简报分为：一、地理环境与地层堆积，二、遗迹，三、遗物，四、结语，共四个部分。有彩照、手绘图。

据介绍，东园遗址是江淮地区 1 处重要的新石器时代遗址，现存面积约 3500 平方米。1998 ~ 1999 年对该遗址的发掘，发掘面积 810 平方米，共清理房址 1 座、墓葬 8 座、灰坑 6 个以及柱洞 97 个，出土遗物有陶器和石器。该遗址与江淮地区同时期遗址所出文化遗物相似，其年代相当于良渚文化早期或大汶口文化中期。

393.江苏东台市开庄新石器时代遗址

作　者：盐城市博物馆、东台市博物馆　俞洪顺、赵永正等

出　处：《考古》2005 年第 3 期

开庄新石器时代遗址位于江苏省东台市溱东镇西北的开庄村，西与兴化市毗邻。1995 年 12 月 9 日，东台市前进砖瓦厂在挖土时发现了石器和大量陶片。经调查后确认这是 1 处新石器时代晚期遗址，考古人员于当月 14 日开始对遗址进行抢救性发掘。这次发掘出土了较为丰富的文化遗物，显示出一种独特的文化面貌。简报分为：一、地层堆积，二、遗迹，三、遗物，四、结语，共四个部分。有照片、手绘图。

据介绍，遗迹有灰坑、灰沟等，遗物有陶器、石器、骨器和玉器等。开庄新石器时代文化可分为两期，早期和马家浜文化晚期至崧泽文化早期相当，晚期和良渚文化早中期或大汶口文化中晚期相当，两期前后衔接。简报指出，由于资料不足，江苏北部淮河下游地区新石器时代还没有建立本区域文化谱系，开庄遗址为我们探讨这一区域文化提供了新的资料。

扬州市

镇江市

394.江苏镇江市戴家山遗址清理报告

作　者：镇江博物馆　谈三平
出　处：《考古与文物》1990 年第 1 期

　　戴家山位于镇江市东郊丹徒镇西、长江右岸。1985 年 5 月，在进行全市范围的文物普查中，在岗上的 1 处耕地里发现有一些夹砂红陶片及鼎足和磨光石锛、石镞，随即进行了钻探。在探方的西北角发现灰坑 1 座，灰坑内出土有一定数量的打制石器、磨制石器以及大量的陶器、陶片。其中打制石器是这次发掘最主要的收获。简报分为：一、遗址及遗迹介绍，二、文化遗物，三、结语，共三个部分。

　　据介绍，灰坑中出土的打制石制品共 77 件，原料全为黑色燧石，计有打制石器、石核和废石料等。简报认为这是 1 处新石器时代晚期的细石器文化遗址。

395.江苏丹阳西沟居新石器时代遗址试掘

作　者：南京博物院、镇江博物馆　林留根
出　处：《考古》1994 年第 5 期

　　西沟居遗址位于丹阳市导墅乡留干村西沟居东约 300 米的平原上，高出四周稻田约 1 米，遗址东西长约 40 米、南北长约 50 米，面积约 2000 平方米。遗址之上及四周有土墩墓分布。1988 年 11 月至 1990 年 1 月，考古人员对丹阳市导墅乡、皇塘乡、蒋墅乡 3 乡交界地带的土墩墓群进行发掘，因在遗址上的马家墩这一春秋时代的土墩墓的封土中发现有良渚文化的遗物，并在墓葬填土之下发现了良渚文化墓葬，为了搞清各文化的交错叠压关系，遂决定对土墩墓周围的遗址进行钻探和试掘。计试掘面积 52 平方米。T1 在马家墩西侧，T2 在马家墩北侧，两方相距 11.3 米，其中 T2 较为典型，遗物较丰。简报分为：一、地层堆积，二、文化遗迹，三、文化遗物，四、结语，共四个部分。有照片。

　　据介绍，试掘中发现灰坑 1 个、墓葬 1 座。墓葬中人骨已朽，未见葬具，在墓

坑的一端发现陶鼎、豆、罐各1件,皆疏松不可取。西沟居遗址处在大庆湖地区最西端的平原河网地带,也是太湖地区与宁镇地区的分野地带。遗址较为单纯,因发掘面积小,地层所出遗物不多,绝大部分器物出于灰坑中。所出遗物如石制斧、锛,陶制鼎、豆、杯、罐、壶、盘以及各式鼎足都表现出良渚文化早期风格和特征,由此可以看到,西沟居遗址中的某些文化因素与宁镇地区新石器文化体系有着一定的内在联系,但却又表现出更多的从属于太湖地区新石器时代文化的倾向。

396.江苏镇江市左湖遗址发掘简报

作　者:南京博物院、镇江博物馆　林留根、王奇志
出　处:《考古》2000年第4期

左湖遗址位于镇江市丹徒镇南1公里处的左湖村西北。在遗址西北起伏的丘陵岗地上,有6座呈半弧形分布的土墩墓,当地人称之为"四脚墩"。四脚墩向东南约500米即是左湖遗址。遗址属宁镇地区典型的台地遗址,面积约3万平方米,当地群众称之为"磨盘墩"。遗址经多年人为和自然破坏,其主体部分形成了高约1米的二级落差。1991年5~8月,考古人员对该遗址进行了发掘,此次发掘总面积为365平方米,发现了宁镇地区新石器文化和湖熟文化等遗存,取得了一批较重要的资料。

简报分为:一、地层堆积,二、新石器文化遗存,三、湖熟文化遗存,四、结语,共四个部分。有手绘图、拓片。

据介绍,左湖遗址包含了新石器文化和湖熟文化两种遗存,其中新石器文化遗存属于宁镇地区较早阶段的新石器文化。此类遗存在宁镇地区发现很少,所出较为丰富的各类遗物对认识研究宁镇地区较早阶段的新石器文化面貌提供了非常重要的资料。特别是较为完整的地面房屋建筑遗迹的发现,填补了这一时期宁镇地区新石器时代文化的空白。左湖遗址新石器文化遗存的年代,约距今7000~6800年。

简报称,F1地面房屋建筑的发现是此次发掘的重要收获之一。

397.江苏句容丁沙地遗址第二次发掘简报

作　者:南京博物院考古研究所　陆建方、杭　涛、韩建立等
出　处:《文物》2001年第5期

丁沙地遗址位于句容市西北,其西距南京市的东阳镇2公里,北距龙潭镇3.5

公里，富产煤、铜、硫铁、长石、石英等矿藏。发源于山间的两条小河蜿蜒流下，形成诸多河边沙地，丁沙地即其中之一。遗址在 1988 年后由于水泥厂取土被大规模毁坏。1988 ～ 1989 年，考古人员对遗址进行钻探、测绘和试掘，确认遗址总面积在 5 万平方米以上，并出土了一批距今 7000 ～ 6500 年的陶器、石器。试掘探方位于遗址的东部。1997 年春，南京市的文物爱好者在遗址西南部、丁沙地村北砖瓦厂取土处发现了少量加工过的透闪石玉料残件及黑曜石质的打制石器，引起陆建方先生的高度重视。1998 年 5 月，确认此处为新石器时代玉石作坊遗存。1998 年 7 ～ 11 月，考古人员对此进行了抢救性发掘。

简报分为：一、地层和遗迹，二、遗物，三、结语，共三个部分。有彩照、手绘图。

据介绍，出土陶器 10 余件、玉器（料）78 件、各类玉器加工工具数百件，另有大量陶片。其中玉器均为半成品，有的尚保留线切割痕迹。玉料包括玉璞和加工后的残剩料。玉器加工工具有阴线雕刻工具、片切割工具和打磨工具。此遗址应为 1 处以玉器加工为主并制作少量石器的玉石加工作坊。简报认为此地是良渚文化玉礼器的主要生产区。

泰州市

398.江苏兴化戴家舍南荡遗址

作　者：南京博物院考古研究所、扬州博物馆、兴化博物馆　张　敏、李则斌
　　　　束家平等

出　处：《文物》1995 年第 4 期

该遗址位于兴化市林湖乡戴家舍村南约 2.5 公里处。1989 年修建农田时发现，1992 年 10 ～ 12 月发掘。简报分为：一、地层堆积，二、文化遗迹，三、文化遗物，四、结语，共四个部分。有照片。

据介绍，遗物以陶器为主，应属龙山文化晚期遗存。此处先民，有可能在距今约 4000 千前的大海侵中迁徙或消亡。

宿迁市

399.江苏泗洪县顺山集新石器时代遗址

作　　者：南京博物院考古研究所、泗洪县博物馆　林留根、甘恢元、江　枫等

出　　处：《考古》2013 年第 7 期

顺山集遗址位于江苏泗洪县梅花镇大新庄西南约 400 米处，东南距泗洪县城约 15 公里。遗址坐落于北向延伸的重岗山北段 1 处坡地之上。20 世纪 90 年代以来，整个重岗山包括遗址所在区域，开始了大规模开挖沙矿，对遗址造成了较大破坏，环壕暴露于采沙坑断面。考古人员对该遗址进行了数次考察，初步判定为可能存在大型环壕聚落的新石器时代中期遗址。

考古人员于 2010～2012 年连续 3 年对顺山集遗址进行了 3 个阶段的考古发掘，截至 2012 年 12 月底，总发掘面积 2750 平方米。确认该遗址为距今 8000 年的大型环壕聚落，共清理新石器时代墓葬 92 座、房址 5 座、灰坑 26 座、灰沟 6 条、灶类遗迹 3 处、大面积红烧土堆积及狗坑各 1 处，出土陶器、石器、玉器、骨器近 400 件。简报分为：一、遗址概况，二、工作概况，三、环壕，四、第一期文化遗存，五、第二期文化遗存，六、第三期文化遗存，七、文化特征与年代，八、结语，共八个部分。有彩照、手绘图。

据介绍，顺山集遗址第一、二期文化遗存，在环壕聚落、圆形地面式房址、使用磨盘和磨球等生产工具、种植水稻等方面具有鲜明特色。居住区周围的环壕，周长达 1000 米，普遍宽达 15 米。根据其固定的陶器组合、自身独特的文化面貌、明确的时代分期和广阔的分布范围，简报认为以顺山集遗址第一、二期文化遗存为代表的遗存可归为一支新的考古学文化，可将之命名为"顺山集文化"，并替代原先提出的"青莲岗文化"。它距今约 8500～8000 年，主要分布于淮河支流古滩河水系，与后李文化、裴李岗文化、彭头山文化有持续、广泛的联系。顺山集遗址第三期遗存具有跨湖桥文化、城背溪文化及皂市下层文化等文化因素，表现出明显的本地传统与外来因素相融合的特征，因出土材料有限，其文化面貌尚不十分清晰。

简报指出，顺山集遗址的发现与发掘是近年来淮河中下游地区新石器时代中期偏早阶段考古的重要突破，为我们深入认识和研究淮河中下游地区史前文化、探索中国东部地区的交流与融合提供了新的材料。而该遗址大型环壕聚落的发现，更是填补了淮河中下游地区该时期环壕聚落考古的空白。

400.江苏泗洪顺山集新石器时代遗址发掘报告

作　　者：南京博物院考古研究所、泗洪县博物馆　林留根、甘恢元、闫　龙

出　　处：《考古学报》2014 年第 4 期

泗洪地处江苏西北部淮河以北地区，东南倚洪泽湖，属淮河流域下游。考古人员于 2010 年 3 月至 2013 年 2 月，对遗址进行了 3 次考古发掘工作，发掘面积共 2750 平方米。简报分为：一、地层堆积，二、第一期文化遗存，三、第二期文化遗存，四、第三期文化遗存，五、结语，共五个部分。有彩照、手绘图。

据介绍，顺山集遗址测年工作分别由北京大学考古文博学院科技考古与文物保护实验室、中国科学院地球环境研究所加速器质谱中心及位于美国迈阿密的 BETA 实验室分别完成。在对顺山集遗址进行发掘的同时，对距遗址约 4 公里的韩井遗址进行了小面积试掘，其文化内涵及年代与顺山集相同，顺山集遗址第一至三期遗存均见于韩井遗址。简报根据数组数据初步推断，顺山集遗址第一期遗存上限当距今 8500 ~ 8400 年，第二期遗存下限当距今约 8000 年。第三期遗存两组测年数据偏老，其确切年代有待今后系统测年确认。

简报称，顺山集作为同时期该区域面积最大的环壕聚落遗址，其延续时间长、文化内涵丰富，在同类遗存中具有典型代表性，为本区域该时期的考古学文化研究建立了可资参考的标尺，填补了空白。

浙江省

杭州市

401.杭州老和山遗址 1953 年第一次的发掘

作　者：南京博物院　蒋缵初

出　处：《考古学报》1958 年第 2 期

老和山位于杭州西湖西北，高 200 米左右。1953 年，为配合浙江大学修建校舍，考古人员对其进行了清理，发现了老和山遗址。简报分为：一、前言，二、地层概况，三、出土遗物，四、结语，共四个部分。有照片、手绘图。

据介绍，出土有陶器、石器等 321 件。年代应属新石器时代末期。简报指出，这处遗址不是孤立地存在的，在西湖周围的黄家山、凤凰山、九曜山、葛岭和西湖浚湖工程中都有零星石器出土。以黑陶著称的良渚遗址即在其西北 15 公里左右，如果把老和山遗址的出土物和良渚遗址的进行比较，就可以发现两者之间是有着密切关系的。如石器的特点是相似的；陶器方面除良渚所出的黑陶器特别丰富外，其基本器形和纹饰是一致的，不过老和山遗址所出的陶器在制法和纹饰等方面显得更原始一些而已。因此，也可以说良渚遗址所代表的文化要比老和山遗址的更为发展了一步，或者说老和山遗址有自己的地方特色。

402.浙江余杭反山发现良渚文化重要墓地

作　者：浙江省文物考古研究所

出　处：《文物》1986 年第 10 期

反山遗址位于杭州市区西北，杭宁公路（杭州—南京）25 公里北侧，属余杭县长命乡雉山村，1971 年发现。是 1 座高约 5 米、东西长 90 米、南北宽 30 米左右的人工堆筑的熟土墩，是分布在北湖、长命、安溪、良渚四乡的良渚遗址群中的 1 处。从断面观察，包含物中有少量良渚陶片，并偶见汉墓残砖。反山之西 20 余米，有 1

处断崖，露出大片灰层，包含物属良渚文化。山南现存 3 个小池塘，北侧较远处还有 1 个大池塘，这些池塘可能与堆筑此墩挖土有关。

为配合长命乡制动材料厂建厂工程，考古人员于 1986 年 5 月 8 日开始对反山遗址进行第一期发掘。在东汉墓葬下发现良渚文化墓葬 7 座。有木质葬具——棺或椁的痕迹，随葬品布满棺床。南北向的墓中，一般南端置玉饰数串；中部玉器最丰富，玉琮均置于此；北端放置陶器和涂朱嵌玉的一些器物；玉钺和石钺放于两侧或一侧；杖端饰置于另一侧。在能辨认骨架的墓中，死者头向南。7 墓共出土随葬品 739 件（组），随葬品数量居首位的 M14 多达 260 件（组），M17 的一组玉管（M17：32）多达 106 颗。随葬品中玉器占绝大多数，并有璧、琮等重器，是这处墓地的显著特征。

这次反山良渚墓地的发现和清理，再次证明了玉制琮、璧和饕餮纹饰早在良渚文化中即已出现。这对于研究中华民族共同体的形成和阶级、国家的出现等重大历史课题具有重要意义。

403.余杭瑶山良渚文化祭坛遗址发掘简报

作　者：浙江省文物考古研究所
出　处：《文物》1988 年第 1 期

1987 年 5 月初，余杭县安溪乡瑶山发生盗掘良渚文化玉器事件，考古人员进行了抢救性发掘清理，发现了 1 处良渚文化时期的祭坛遗迹和 11 座良渚文化时期的墓葬。简报分为：一、概况，二、祭坛遗迹，三、墓葬结构，四、采集遗物，五、随葬器物，六、结语，共六个部分。有彩照、手绘图。

据介绍，瑶山位于杭州市西北郊。此次发现有祭坛遗址，其边长约 20 米，面积约 400 平方米；发掘墓葬 11 座；出土遗物 707 件（组），有陶器、漆器、石器、玉器。另清理墓葬 1 座（M12），此次被盗掘的正是此墓，追回玉器多达 344 件。M12 应是 1 座出土有 7 件玉琮的大墓。简报指出，玉琮为良渚文化的重器。此次发掘的遗存的年代，简报推断应与反山遗存一样，为良渚文化中期偏早或稍早，距今当在 5000 年以上。简报指出，瑶山良渚文化祭坛遗址的发现，是半个世纪以来良渚文化考古研究的又一重要成果，它对于我们研究良渚文化时期的社会性质，认识原始宗教在我国及东亚地区原始社会向文明时代发展的历史进程中的作用，有着重要的意义。

今有刘恒武先生《良渚文化综合研究》（科学出版社 2008 年版）一书，可参阅。

404.浙江余杭反山良渚墓地发掘简报

作　者：浙江省文物考古研究所反山考古队　王明达等
出　处：《文物》1988 年第 1 期

反山位于杭州市区西北、杭宁公路 25 公里北侧，属余杭县长命乡雄山村。20 世纪 70 年代调查时发现这是 1 座熟土墩，考古人员于 1986 年 5 月 8 日至 7 月 5 日、9 月 3～10 日进行了第一期发掘。简报分为：一、地理环境和墓地概貌，二、墓穴布列和墓葬结构，三、随葬器物，四、小结，共四个部分。有彩照、拓片、手绘图。

据介绍，反山高出现今地表 4 米左右，周围有大小池塘 5～6 个，似与堆筑反山时取土有关。西侧 20 余米有一断崖，暴露文化层遗物属良渚文化。据调查，西端已被挖去近 10 米长的一段。出土遗物有陶器、玉器、象牙等共 1200 余件（组）。年代简报认为应属良渚文化中期偏早，距今约 5000～4800 年。墓地中人工堆筑的高台、土方估算达 2 万立方米左右。而墓葬中 M12、M14、M16、M17、M20 的墓主人或为军事首领，或为酋长、巫师。

简报称，反山出土有众多精美玉器，为中外学术界所瞩目。值得一提的是神人兽面像的发现，使我们认识到，良渚玉器上通常雕琢的主题纹样，即过去所谓的"兽面纹"，实为神人兽面像的简化形式。无论是繁是简，反映的都是良渚部族崇拜的"神徽"。商周青铜器的主题纹饰饕餮纹或许正是良渚文化玉器上的"神徽"发展的结果。

405.浙江余杭汇观山良渚文化祭坛与墓地发掘简报

作　者：浙江省文物考古研究 2 所、余杭市文物管理委员会　刘　斌、蒋卫东、费国平等
出　处：《文物》1997 年第 7 期

汇观山位于浙江杭州市西北约 25 公里——杭宁公路之侧，地属余杭市瓶窑镇外窑村。汇观山是 1 座孤立的自然山丘，东与反山及良渚文化中心址莫角山相距仅约 2 公里。整座山为长条形，呈东南—西北走向。它的北部俗称"馒头山"，相传原先开矿时曾有玉器出土。中部是整座山的主高点，海拔约 22 米，顶部是 1 块较为平坦的台状凸起的高地，东西长 40 米余、南北宽 30 米余、高约 2 米。上有近代 3 排灰浆墓穴及乱坟，当地人称"汇棺山""会馆山"或"魏馆山"，知其音读而无定字，在发掘时依音读而定为"汇观山"。1990 年春，瓶窑镇 1 户居民在汇观山顶部方形土台的西南角建房时，出土了玉璧、玉镯、石钺等一批良渚文化重要遗物。不法分

子在贩卖玉器时，被公安部门截获。考古人员确认汇观山应是 1 处重要的良渚文化遗址。1991 年 1 月，进行了抢救性的清理。同年 2 月至 6 月，对汇观山进行了正式发掘。简报分为"遗迹""遗物"和"结语"，共三个部分。有彩照、手绘图。

据介绍，主要遗迹有祭坛、墓地，4 座墓葬共出土随葬器物 173 件（组）。祭坛的建成使用年代，约为良渚文化早期或中期偏早，而墓葬的年代有一定的跨度。M1、M2 的埋葬年代约为良渚文化中期偏早阶段，而 M3、M4 的埋葬年代应该略晚。简报推测，汇观山祭坛应是 1 处没有棚顶设施的台状地面式建筑，应是与良渚文化玉器所体现的宗教巫术相适应的一种祭祀场所。从理论上讲，汇观山祭坛应当包含更广泛更丰富的内容，如上山下山的通道、祭坛的附属建筑、祭坛周围的村落，等等。不过，由于历年来石矿的开采和村镇的迅速发展造成的破坏，已很难使汇观山祭坛彻底复原了。简报还推测，作为一块圣地，祭坛最后成为显贵们的专用墓地。埋在祭坛上的这些大墓的墓主，很可能就是这个祭坛最初的设计者和最终的使用者。简报认为，1 个祭坛作为祭祀场所被设计建造时，已经决定了它最终将被作为墓地。所以当 1 个祭坛最终转变为墓地时，也应有一个新的祭坛在别的地点被建立起来。

406.良渚文化汇观山遗址第二次发掘简报

作　者：浙江省文物考古研究所　南　辕

出　处：《文物》2001 年第 12 期

汇观山遗址位于杭州西北部，东临反山。1991 年在此进行了抢救性发掘，发掘面积约 1500 平方米，清理了良渚文化祭坛 1 座以及埋于祭坛顶部的 4 座良渚文化大型墓葬。由于各种原因，1991 年仅发掘清理了祭坛的主要部分，第三级台面只做了局部清理。1999 年下半年，考古人员对汇观山遗址进行了保护性发掘和清理。简报分为四个部分，配以照片予以说明。

简报称，通过这次发掘，对汇观山祭坛的总体面貌及营建过程有了进一步认识。祭坛主体为三层台面，呈阶梯状。第三级台面低于祭坛顶部约 2.2 米，总面积超过 1000 平方米。其中，东、西 2 侧均是利用原来基岩的缓坡，是将凹凸不平的基岩凿削平整而成；南北两侧则用土逐层堆筑、夯实而成。南侧为开阔的活动场地。在祭坛北侧有 3 道阶梯状石块护坎，由此推测，汇观山北侧可能有通往山巅祭坛的台阶通道。年代简报推断为良渚文化中期偏早。

浙江省文物研究所编有《良渚文化研究》（科学出版社 1999 年版），可参阅。

407.浙江良渚庙前遗址第五、六次发掘简报

作　者：浙江省文物考古研究所　方向明、楼　航
出　处：《文物》2001年第12期

庙前遗址位于杭州市余杭区良渚镇的荀山南侧，在良渚遗址群的东南角。1988～1992年，浙江省文物考古研究所在此先后进行过四次发掘。1999年10月至2000年7月，又在第一、二次发掘区的东北部进行了第五、六次发掘。简报分为：一、地层堆积，二、遗迹，三、遗物，四、结语，共四个部分。配以彩照、手绘图，介绍了第五、六这2次发掘的情况。

据介绍，第五、六次发掘，发掘面积1000余平方米。遗迹有房址3处、灰坑、水井1口、墓葬25座等，均为长方形竖穴土坑墓。遗物以泥质黑皮陶和夹砂黑皮陶为主，另有璧、钺、镞、刀、耘田器等玉石器。简报推断这批遗物大多属于良渚文化中期偏晚阶段，少量属于马家浜文化时期。

408.余杭莫角山遗址1992～1993年的发掘

作　者：浙江省文物考古研究所　赵　晔等
出　处：《文物》2001年第12期

莫角山俗称"古上顶"，坐落于浙江省杭州市余杭区瓶窑镇东部、良渚遗址群西侧，东南距杭州市区约20公里。这一区域良渚文化遗址分布密集、类型丰富，规格极高，1996年被国务院公布为全国重点文物保护单位。简报分为：一、地理位置及地理环境，二、遗址的认识和发掘过程，三、地层堆积，四、遗迹，五、结语，共五个部分。配以彩照、手绘图，介绍了1992～1993年对余杭莫角山遗址的发掘。

据介绍，莫角山是浙江余杭良渚遗址群中规模最大的1处人工堆筑的高台遗址，平面呈较规整的长方形，总面积达30余万平方米。1992年9月至1993年7月进行的发掘，在高台遗址之上呈"品"字形分布的3个高土台之间，发现了面积达3万平方米的大型夯土建筑基址和成排的柱洞，最大的柱洞直径60厘米。此外，还发现了打破夯土基址的排列规整的沟埂遗迹，以及其下堆积大量石块的积石坑和多处灰坑。结合1987年在莫角山发现的大面积的红烧土堆积以及莫角山遗址在良渚遗址群的中心位置，简报认为莫角山遗址应是良渚文化的礼仪中心。简报强调，莫角山遗址从设计、营建、组织指挥、劳动力投入、种种礼仪活动痕迹等诸多方面所显现的生产力发展水平、社会组织结构和意识形态，是良渚文化进入文明阶段最具说服力的证据之一。

409.余杭良渚遗址群调查简报

作　者：浙江省文物考古研究所　赵　晔

出　处：《文物》2002年第10期

　　良渚遗址群位于浙江省杭州市北郊，地跨余杭市瓶窑、安溪、良渚三镇。其基本范围以良渚师姑坟遗址至安溪羊尾巴山遗址的连线为东界，以小运河（良渚港—庙桥港）为南界，以瓶窑毛园岭为西界，以毛园岭经天目山余脉至羊尾巴山为北界。1994年经计算机测算，这一区域面积为33.8平方公里。简报分为：一、地理环境，二、工作简况，三、遗址概览，四、相关认识，共四个部分。有良渚遗址一览表，介绍115个遗址，分述其名称、文化分期、类型、面积、外貌、保存现状、考古工作等。

　　简报称，早在20世纪30年代，良渚遗址已引起学界关注。对良渚遗址的正式发掘始于1955年，到2001年底在此已发现良渚文化遗址100余处。调查发掘表明，良渚遗址群是良渚文化繁荣时期的政治、经济、宗教和文化中心。简报介绍了历年来的考古发掘情况，是对良渚遗址群考古工作的一个小结。

　　简报称，在已发现的良渚遗址中，莫角山是1座人工营建的大型夯土平台，面积超3万平方米，应是良渚时期的权力中心遗址。反山、瑶山是良渚时期最高规格的贵族墓地。简报指出，良渚遗址的保护情况不容乐观。由于良渚玉器声名远播，受利益驱使，不断有人盗掘遗址。迄今约三分之一的遗址被盗掘，有的遗址已被彻底破坏。

410.浙江余杭上口山遗址发掘简报

作　者：浙江省文物考古研究所　赵　晔

出　处：《文物》2002年第10期

　　上口山位于浙江省杭州市余杭区良渚镇葛家村东部，东南距杭州市区约23公里。遗址北临天目山余脉大遮山，南近东苕溪。发掘时上口山为1座孤立的土丘，东西长约40米，南北宽约20米，高出农田0.6～1.5米，地势东高西低。遗址东南角被取土破坏，实际面积约600平方米。根据近年的调查，上口山遗址原与西部的葛家村遗址相连，为姚家墩聚落的组成部分。简报分为：一、地层堆积，二、遗迹，三、遗物，四、结语，共四个部分。有照片、手绘图。

　　据介绍，发现有灰坑19个、灰沟6条、墓葬8座。上口山遗址是良渚遗址群内的1个小型遗址，堆积时间较长，遗迹埋藏较丰富。该遗址良渚时期地层出土的陶片数量较多，不像显贵墓地或祭坛所用的堆土那么纯净，简报推断主要为生活堆积。

411.浙江余杭钵衣山遗址发掘简报

作　者：浙江省文物考古研究所　丁　品等
出　处：《文物》2002 年第 10 期

钵衣山遗址位于杭州市余杭区良渚镇安溪村北约 1 公里，在天目山余脉东山的南侧坡地。遗址位于良渚遗址群的北部，往东约 600 米是瑶山遗址。1989 年 9 ～ 10 月，考古人员对遗址进行了抢救性发掘。2000 年 11 ～ 12 月，又对原发掘区东侧的 2 处遗迹作了清理。简报分为：一、地层堆积，二、遗迹，三、遗物，四、结语，共四个部分。有照片、手绘图。

据介绍，遗迹有良渚文化时期的灰坑、墓葬、窖藏、作坊等；遗物有陶器、玉器、石器等，似已受外来文化因素影响。钵衣山遗址墓葬应属良渚文化中期或稍早。在良渚文化中期，钵衣山遗址是 1 处小型墓地，到良渚文化晚期，这里成为与日常生活密切相关的活动场所。

412.浙江建德市久山湖新石器时代遗址的发掘

作　者：杭州市文物考古所　张玉兰等
出　处：《考古》2006 年第 5 期

久山湖遗址位于浙江建德市大同镇久山湖村东南的屋后山上。该遗址在 20 世纪 80 年代初发现，并于 1985 年公布为县级文物保护单位。1986 年下半年，在遗址北部建造工厂时发现玉器、石械等新石器时代遗物。此后，当地村民在遗址区不断建造民宅，对遗址造成一定程度的破坏。1989 年 11 月，杭州市文物考古所主持对其进行了抢救性发掘。简报分为：一、遗址及发掘概况，二、地层堆积及遗迹，三、出土遗物，四、结语，共四个部分。有手绘图。

据介绍，出土有陶器、石器、玉器等遗物。简报将该遗址的年代定为新石器晚期，大致与良渚文化晚期相当，可以看出当地受到良渚文化的强烈影响。简报称："本次发掘面积虽然不大，出土的文化遗物也不很丰富，但资料较为重要，有利于相关研究的深入。"

413.余杭市余杭区良渚古城遗址 2006 ～ 2007 年的发掘

作　者：浙江省文物考古研究所　刘　斌等
出　处：《考古》2008 年第 7 期

良渚古城遗址位于浙江省杭州市余杭区瓶窑镇，在良渚遗址群西侧，东南距离杭州市区约 20 公里。在遗址群内，目前已发现良渚文化遗址点 135 处，分布密集，规格极高。其中，有规模宏大的莫角山遗址，经考古发掘证明，该遗址的人工堆积厚度可达 10 余米，应该是良渚古城的中心居住区所在。在遗址群内还有反山墓地、瑶山祭坛和墓地、汇观山祭坛和墓地等，都属良渚文化最高规格的墓葬，出土了大量精美玉器。另外，在这一区域内，经考古发掘的主要遗址还有吴家埠、罗村、姚家墩、庙前、钵衣山、梅园里、官庄、上口山、石前圩、文家山、卞家山、横圩里等。还发现有良渚文化的中等级墓地和平民墓地以及不同等级的建筑遗迹等。这些不同等级的遗址反映出明显的社会分化和集团差别。2006 ~ 2007 年，考古人员发现了良渚古城遗址并进行了发掘，古城位于良渚遗址群西侧，南北长 1800 ~ 1900 米，东西宽约 1500 ~ 1700 米，总面积 290 余万平方米。城墙底部铺垫石块，其上堆筑较纯净的黄色黏土，底部宽约 40 ~ 60 米，保存较好的地段高约 4 米，年代下限不晚于良渚文化晚期。简报分为：一、地理环境及已往认识，二、城墙的发现及调查发掘过程，三、发掘概况及地层堆积，四、出土遗物，五、初步认识，共五个方面。有彩照、手绘图。

简报称，良渚古城是在长江下游地区首次发现的良渚文化时期城址，也是中国目前所发现的同时代最大的城址。城内有面积 30 余万平方米、高约 10 米的莫角山大型建筑基址，还有反山贵族墓地等重要遗址。在城外，位于古城东北方向约 3.5 公里的自然山上有瑶山祭坛和贵族墓地，位于西北方向约 1.5 公里的自然山上有汇观山祭坛和贵族墓地。古城的发现，使得以往有关良渚文化的发现得以整合，开始窥见其全貌。

简报指出，位于良渚古城北面约 2 公里的土垣遗址（当地居民称为"塘山"），经过初步的调查和发掘，可以确认是良渚文化时期人工堆筑而成。在其东部的卢村段曾出土玉料及良渚文化晚期贵族墓葬。由于此土垣遗迹顺山脉走向而沿山前修筑，过去曾推测它是良渚遗址群北部以防范山洪为主的防护设施。在古城南城墙的南面约 500 米处，与塘山遗址对应的为东西向分布的卞家山遗址。2002 ~ 2005 年的发掘，发现了良渚文化晚期的码头遗迹及良渚文化中、晚期的墓地。在分布的地理位置及形态、走向上，它与古城北面的塘山遗址似呈呼应之势。

简报指出，良渚古城的发现，再次证明了以莫角山为中心的区域是良渚文化的中心。从目前钻探和发掘的初步结果看，城墙的底部普遍铺垫石块作为地基，石头以上主要用纯净的黄色黏土堆筑而成。这种黄色土也并非就地取材，而是取自附近的山坡或山前台地。城墙内外均有壕沟水系，城外的北面、东面水域面积较宽，应是沿自然水域的边缘修筑。这种修筑城墙的方式与城市布局，反映了长江下游早期城市的一种模式。简报认为，良渚古城周围当时存在较大的水域面积。浅黄色粉沙质的淤积土，直接叠压着良渚文化晚期堆积，反映出良渚文化末期这一带曾发生洪水。

简报指出，以前基于对反山、瑶山、汇观山等贵族墓地材料的认识，曾认为良渚遗址群的繁荣期应该集中在良渚文化早、中期。现在通过良渚古城的发现，改变了原有的看法，良渚文化晚期这里仍然是一个繁荣发达的文化中心。

简报最后指出，目前对于良渚古城的发掘和研究工作才刚刚开始，仅仅有一个阶段性的认识。

414.浙江桐庐小青龙新石器时代遗址发掘简报

作　者：浙江省文物考古研究所、桐庐博物馆　仲召兵、刘志方等
出　处：《文物》2013 年第 11 期

小青龙遗址位于浙江省杭州市桐庐县城南街道石珠村。桐庐县城北为舞象山，南为大奇山，小青龙遗址即坐落在大奇山北麓 1 条西北—东南向的垄状岗地上。因工程建设，遗址西北部部分墓葬已遭彻底破坏，经国家文物局批准，2011 年 9 月至 2012 年 9 月，考古人员对遗址进行了考古发掘。遗址分为南、北两区，北区清理新石器时代墓葬 34 座、建筑遗迹 3 处、沟槽 2 条、灰坑 22 个，南区清理新石器时代墓葬 10 座、灰坑 6 个、烧火坑 1 个，两区共出土陶器、玉器、石器、漆木器等各类器物 200 余件。此外，北区东部还发现有战国时期文化层堆积。简报分四个部分加以介绍，配有手绘图。

第一部分为"地层堆积"、第二部分"遗迹"，分别介绍了相关情况，在此不赘述。第三部分"出土器物"，分类进行介绍：

陶器。完整和可修复的陶器共约 20 件。其中，墓葬出土的陶器为泥质灰陶和少量泥质黑皮陶，器型以双鼻壶为主，另有少量纺轮、豆。灰坑出土的陶器以鱼鳍形鼎足为主，常见刻划纹和戳点纹，另有少量豆、罐、盆，纹饰有弦纹和镂孔。

玉器。主要有珠、管、锥形器、钺、璧、琮等。

石器。以锛、钺、镞为主，另有少量刀和纺轮。

漆木器。以觚为主，另有 4 件破残严重无法辨认。

第四部分"结语"，断定小青龙遗址的年代相当于良渚文化早期偏晚至晚期偏早阶段。

简报指出，钱塘江中上游地区的史前考古工作开展得很少。钱塘江中上游地区的考古学文化面貌与太湖流域的良渚文化既具有很强的统一性，又不同程度地表现出地方特色。这进一步表明，在太湖西部及南部广大的山地丘陵地区可能存在良渚文化的若干新类型，可统称为"良渚文化山地类型"。

简报进一步指出，长期以来，浙江的史前考古工作主要集中在东部的平原地区，浙西、浙南的山地丘陵地区考古基础较为薄弱，严重地制约了我们对这些地区的认识。小青龙遗址规格较高，遗迹很多，出土器物丰富，它的发掘是浙西南地区良渚文化探索的重大突破，为了解钱塘江中上游山地丘陵地区的考古学文化面貌、手工业技术水平、聚落形态及这一地区与东部平原地区的史前文化关系提供了珍贵资料。

宁波市

415.河姆渡遗址第一期发掘报告

作　者：浙江省文物管理委员会、浙江省博物馆

出　处：《考古学报》1978 年第 1 期

河姆渡遗址位于杭州湾南岸、四明山和慈溪南部山地之间的 1 条狭长的河谷平原上。萧甬铁路（萧山—宁波）自西向东在平原的中部通过。遗址往西 25 公里是余姚县城，往东 25 公里是宁波市，所在地在余姚县罗江公社东方红大队河姆渡村东北。遗址西面、南面紧临姚江，过江是四明山麓；东面、北面是一片平原。根据有关地质钻探资料，在这片平原的耕土层以下有大片厚度不一的泥炭层。穿过平原是慈溪南部山地。遗址适在丘陵和平原的过渡地段，其地势由西南向东北略呈缓坡。1973年夏天，河姆渡村村民在大搞农田水利基本建设中发现了这个遗址。同年 11 月开始第一期发掘，翌年 1 月顺利结束。简报分为：一、前言，二、遗迹，三、出土遗物，四、小结，共四个部分。配有照片、手绘图。附有浙江省博物馆问题组《河姆渡遗址动植物遗存的鉴定研究》。

简报称，河姆渡遗址的发掘，证实至少在约 7000 年前，先民不仅在黄河流域，在长江流域也已开始过上以农业为主的定居生活，出现了猪、狗的驯养，水牛也可能是饲养的。渔猎和采集仍是这一时期不可缺少的辅助经济部门。河姆渡遗址第四层揭露的大片木构建筑，是迄今已知的最早的干栏式木构建筑。这种建筑式样，是巢居的直接继承和发展，到河姆渡时期，可能已成为长江流域水网地区的主要建筑形式。它不同于黄河流域穴居／半穴居／地面建筑这一发展过程，它是沿着巢居—半巢居（干栏式建筑）—地面建筑的线索发展的。在河姆渡文化的干栏式建筑，其木构件已有成熟的榫卯，反映了木结构技术已经有了相当久长的发展历史。

简报称，河姆渡遗址第一期发掘，虽然揭示了一些问题，但由于发掘面积小，问题还只是露了一个头，墓地也未发现，要对已提出的问题得到圆满的解释，尚须

进一步工作，打算在今后若干年内继续发掘和探讨。对第一期发掘中已涉及的，如遗址的年代、四个层次之间的关系、河姆渡第四文化层时期的经济形态和生产力发展水平等问题，另文探讨。

416.浙江宁波市八字桥发现新石器时代遗址

作　者：林士民

出　处：《考古》1979 年第 6 期

1976 年 3 月，宁波市妙山公社八字桥大队，在开河挖渠时，发现了大量陶片，还有石器、木桩、稻谷、红烧土和兽骨。考古人员先后 3 次对该遗址进行了调查。简报配以手绘图予以介绍。

据介绍，八字桥遗址位于钱塘江以南、姚江以北的宁波平原，在妙山八字桥村。遗址南面 9 公里是著名的余姚河姆渡遗址，往东 23 公里是市区。遗址从暴露的陶片情况看，面积约 1 万平方米以上。在遗址附近农耕土下，发现大面积泥炭层，有的泥炭层中间夹着淤泥层。从这些迹象判断，这里古代很可能是沼泽地带。陶器从碎片看，以夹砂陶为主，泥质陶次之。陶器的形制主要有釜、鼎、罐、钵、豆和盆等。石器石料系变质岩和砂岩，以磨制为主，主要有斧、锛、刀、件、砺石等。在遗址中还发现夹在陶片中炭化了的稻谷、红烧土块、猪的上下颌骨、牛角、足骨、鹿角以及加工过的木器残片、凸榫的建筑残构件。简报认为此遗址的时代应早于河姆渡二层文化。

417.浙江河姆渡遗址第二期发掘的主要收获

作　者：河姆渡遗址考古队

出　处：《文物》1980 年第 5 期

1973 年 11 月 4 日至 1974 年 1 月 10 日，考古人员对河姆渡遗址进行了第一期发掘。1977 年 10 月 8 日开始至翌年 1 月 28 日对该遗址进行了第二期发掘。这次发掘共发现墓葬 27 座，灰坑 20 个，还有大片的木构建筑遗迹。出土 4700 多件文物，其中随葬品 42 件，地层中出土的 4670 件，计陶器 1460 多件、骨器 2270 余件、石（玉）器 650 多件、木器 270 件左右。器物中有一些是第一期发掘中未曾见过的，为进一步研究河姆渡文化增添了新材料，并丰富了我们对该遗址内涵的认识。简报分为六个部分，有照片、拓片、手绘图。

据介绍，此次发掘的主要收获：一是对约 7000 年前先民的居住方式有了进一步的认识，应是从栽桩架板的干栏式建筑，进步到栽柱打桩式的地面建筑；二是通过对发掘的 11 具人骨架的分析，发现成年男女仅 2 人，其余均为未成年人，可见平均寿命较短；三是陶器，由简单粗糙发展到精致美观。

418.浙江余姚市鲞架山新石器时代遗址调查

作　　者：河姆渡遗址博物馆考古调查组　姚晓强、黄渭金
出　　处：《考古》1997 年第 1 期

1994 年 1 月，河姆渡遗址博物馆考古调查组对河姆渡遗址周边遗址、遗存进行调查时，在距河姆渡遗址东北约 1 公里处的鲞架山东南侧山脚发现了 1 处新石器时代遗址，采集了一批标本。简报分为：一、遗址概况，二、上层文化，三、下层文化，四、结语，共四个部分。有手绘图。

据介绍，鲞架山遗址位于余姚市河姆渡镇东部，遗址面积 1.4 万平方米。惜因砖瓦厂取土，遗址破坏甚重。遗址上层文化采集到的石器，其年代简报推断应相当于良渚文化时期，距今约 5000 ~ 4000 年，其文化应属河姆渡文化范畴。下层文化出土的夹炭红衣陶，其年代应相当于河姆渡遗址第三、四期文化，距今约 6000 ~ 5000 年。简报从遗址西北部呈"品"字形排列的夹炭红衣陶罐及附近断面上分布的陶片分析，似为氏族墓地。

简报称，在河姆渡遗址方圆 1000 米内，西有周家汇头遗址，东有王其弄遗址和鲞架山遗址共 4 处新石器时代遗址。说明当时这一地区人类活动频繁，社会、经济相对繁荣。

419.浙江余姚市鲻山遗址发掘简报

作　　者：浙江省文物考古研究所、厦门大学历史系　王海明、蔡保全、钟礼强
出　　处：《考古》2001 年第 10 期

鲻山遗址是 20 世纪 70 年代末河姆渡遗址发掘后在姚江谷地开展的专项考古调查中发现的，当时确定的范围是在鲻山的东北面。1995 年，宁波至余姚的 61 省道工程通过鲻山的南坡脚，挖掘路基时发现大量河姆渡文化的陶片等遗物，经调查后确认遗址的范围应包括鲻山的南坡、东南坡。1996 年 9 ~ 12 月，考古人员对遗址进行了抢救性发掘，实际发掘面积 306 平方米。简报分为：一、地层堆积，二、遗迹，三、遗物，四、结语，共四个部分。有手绘图。

据介绍，鲻山遗址是继河姆渡遗址之后在姚江谷地发掘的又 1 处重要的河姆渡

文化遗址。其堆积状况、文化面貌、内涵特征及时代均大体与河姆渡遗址相对应。錙山遗址的第10、9层约相当于河姆渡遗址的4A层－第8层，与河姆渡遗址的3C层相近；第7、6层与河姆渡遗址的3A层相当；而第5、4、3层则与河姆渡遗址的第2层同时。

简报称，燧石质打制石器的发现是本次发掘的重要收获。錙山遗址发掘获得的大批新资料，极大丰富了河姆渡文化的内涵，增加了对河姆渡文化发展环节的认识，必将推动河姆渡文化相关问题研究的深入开展。

420.浙江余姚田螺山新石器时代遗址 2004 年发掘简报

作　者：浙江省文物考古研究所、余姚市文物保护管理所、河姆渡遗址博物馆
　　　　孙国平、黄渭金等

出　处：《文物》2007 年第 11 期

在中国众多的新石器时代遗址中，河姆渡遗址对诸多学科领域和研究方向产生了广泛而深远的影响，同时它在文化源头、稻作农业、干栏式木构建筑、聚落形态和环境变迁等方面却留下了亟待解答的疑问。浙江余姚田螺山遗址的发现为我们提供了一个重新审视河姆渡文化的机遇。

简报分为：一、地理位置与发掘概况，二、地层堆积，三、第一期遗存，四、第二期遗存，五、第三期遗存，六、结语，共六个部分。配以彩照、手绘图，介绍了该遗址 200 年的发掘情况。

据介绍，田螺山遗址位于浙江省余姚市三七市镇相岙村，地处姚江谷地北侧低丘环绕的小盆地中部，西南距河姆渡遗址约 7 公里。是当地一家工厂打井时发现的。2004 年 2 ~ 7 月，考古人员对该遗址进行了发掘，发掘面积为 300 平方米。根据土色、土质、地层叠压关系和出土器物的形制，将该遗址分为早晚紧密衔接且文化内涵各具特色的 3 个阶段。

简报称，发掘和钻探情况表明，该遗址是迄今为止发现的河姆渡文化中地面环境条件最好、地下遗存比较完整的 1 处依山傍水式的古村落遗址，具有与河姆渡遗址相近的聚落规模和至少相似的年代跨度，对于研究距今约七八千年的河姆渡文化具有重要价值。

温州市

嘉兴市

421.浙江嘉兴马家浜新石器时代遗址的发掘

作　者：浙江省文物管理委员会　姚仲源、梅福根
出　处：《考古》1961 年第 7 期

1959 年 3 月间，浙江杭嘉湖地区发现了几处新石器时代遗址，对于其中较重要的嘉兴马家浜遗址，考古人员进行了发掘。简报分为：一、地理环境，二、地层，三、遗址和葬地，四、遗物，五、结语，共五个部分。有手绘图、照片。

马家浜遗址位于嘉兴县城南偏西 7.5 公里。北及东北临九里港，西有坟屋浜，南为马家浜，是一个三河交叉的平原。遗址面积东西长约 150 米，南北宽约 100 米。发掘地点就在遗址的中部。简报附有"嘉兴马家浜葬地人骨架出土表"，出土遗物可分骨器、石器、玉器、陶器和自然遗物等五类。

简报称，嘉兴马家浜遗址的发掘，揭开的面积不大，仅是 1 次试掘，但可概略地了解到此处的文化堆积情况。出土的遗迹有房子、灰坑和墓葬，而遗物中多骨器，又发现大量的兽骨，这一特点是目前江南遗址中不多见的。

422.浙江嘉兴雀幕桥发现一批黑陶

作　者：浙江省嘉兴县博物馆、展览馆
出　处：《文物》1974 年第 4 期

雀幕桥位于嘉兴城东、平嘉公路 7 公里之刘兴桥港上。1972 年 8 月，东风大队农民在雀幕桥北约 70 米的百亩滩兴建友谊桥，在挖土填坡时发现了一批黑陶。简报配以照片、手绘图予以介绍。

据介绍，陶器出土地点位于友谊桥之西约 10 米、高出水田约 1 米的一片高土坡上。据当地人讲，文物发现在 1 个略如圆形的木板里面，同时还挖出许多木头，下面还有木头。考古人员在底部发现了 5 根井字相交的圆木，均为未加工之原木。在圆木上有残存木板。圆木距地表 2.2 米。在陶器出土地点南 100 米处的桑园上，发现了陶片、鼎足和红烧土块，还有小片灰层。可见附近还有遗址。出土的陶器，完整的有 9 件，计黑陶鬶、黑陶贯耳罐、黑陶双鼻高颈壶、黑陶带流宽把杯、黑陶罐、黑陶双鼻小罐、黑陶敞口罐及管形骨饰 1 件等。木料经测定年代为公元前 2100 年左右，简报称属良渚文化遗存。

423.浙江省平湖县出土二件大型破土器

作　者：平湖县博物馆　朱金奎
出　处：《农业考古》1982 年第 2 期

1981 年 2 月，平湖县前进公社通界大队平整土地时，掘出 2 件石制破土器。简报配以手绘图予以介绍。

据介绍，两器基本一致，出土地点为 1 处新石器时代遗址，周边未发现其他遗存。简报认为应属新石器时代原始社会晚期农业生产工具。

424.浙江嘉善新港发现良渚文化木筒水井

作　者：陆耀华、朱瑞明
出　处：《文物》1984 年第 2 期

1982 年 4 月 10 日，嘉兴地区文物普查队在嘉善县大舜公社新港大队清理了 1 口古代木筒水井遗迹。简报配以照片予以介绍。

简报介绍，清理时，井口已暴露在地面上。井壁为 1 个木筒，井内充满灰黑色淤土，含少量陶片。井底垫 1 层厚 10 厘米的河蚬贝壳。井筒断面呈椭圆形，口部略残，系用原生木段剖为两半，挖空后拼合并用长榫固定而成。木筒底部、榫和卯孔都留有石器加工痕迹。上述木筒从口径、深度和构造（无底、有孔、缝）看，可以肯定是井壁，而不可能是窖壁。底部的贝壳层能起过滤、净化井水的作用。简报推断该水井遗址应属良渚文化晚期。

425.浙江嘉兴市雀幕桥遗址试掘简报

作　者：嘉兴市文化局　陆耀华
出　处：《考古》1986 年第 9 期

雀幕桥遗址位于浙江嘉兴城东、平嘉公路（平湖—嘉兴）7 公里处。1972 年曾出土过 1 组良渚文化的陶器。1980 年调查时，曾发现良渚文化器物 5 件。1983 年 3 月初，对该遗址进行了小面积的试掘。简报分为四个部分介绍了这次试掘的情况，有手绘图。

据介绍，出土遗物有石器、陶器、玉器。下层应相当于崧泽文化；中层应相当于良渚文化；上层比良渚文化要晚，文化面貌暂难判定。简报称，雀幕桥遗址上层的发现，对今后研究古吴越文化和确定印纹陶遗存的分期将有所帮助。

426.浙江嘉兴大坟遗址的清理

作 者：陆耀华

出 处：《文物》1991年第7期

大坟遗址位于嘉兴大桥乡南子村，西距市区19公里，在平嘉公路的北侧。这里是河道环绕的1个三角形地，东侧中部有1个高墩，俗称"大坟"，1980年文物调查时发现，定为新石器时代遗址。1989年9月，由于砖瓦厂取土，遗址遭到破坏。在东端不到3平方米的残存土墩里，清理了1座良渚文化墓葬，编号为M1。后又在西端断面上清理了1个残破的土坑，在坑内发现了鼎、豆和玉锥形饰，并且收集到在这一地点出土的陶缸、玉钺和玉锥形饰等。这可能也是1座良渚文化墓葬，因此编号为M2。考古人员对高墩残余部分进行了清理，发现灰坑3个、水井1座。简报分为：一、地层堆积，二、遗迹和遗物，三、小结，共三个部分。有照片、拓片、手绘图。

根据调查和发掘清理的状况分析，大坟遗址是在崧泽文化堆积的基础上形成的良渚文化堆积。出土遗物中的人像葫芦瓶，造型独特，形象生动，在嘉兴地区是首次发现，可能具有某种宗教的意味，是原始艺术的珍品。

427.浙江桐乡普安桥遗址发掘简报

作 者：北京大学考古学系、浙江省文物考古研究所、日本上智大学联合考古队
　　　　赵 辉、芮国耀等

出 处：《文物》1998年第4期

普安桥遗址的发掘是中日联合考古队浙江北部史前考古研究课题的中心项目。1994年开始实施，1994年12月至翌年初，考古队用月余时间，参观考察了嘉兴地区5县市的收藏，实地调查38处古遗址，从中认真分析比较，认为通过发掘桐乡市普安桥遗址最有可能实现本课题目的，且该遗址因为修路已经遭到部分破坏，继续保存前景堪忧，故决议在此发掘。普安桥遗址的发掘是1995年8月开始的，当年发掘了70天。1996年大约同一时间进行了第2次发掘。至1998年，该遗址的发掘工作尚未完成。简报分六个部分，对1997年春2次发掘予以介绍。

据介绍，普安桥遗址东距上海约110公里、西距杭州约60公里，地属桐乡市百桃乡。遗址东侧有自然村，村东有小河，上建一石桥，名"普安桥"，遗址即因此得名。普安桥遗址堆积主要由土墩和被其叠压的文化遗存这两大部分组成。简报推断：早期遗存属崧泽文化，晚期属良渚文化，是一个年代跨度稍大却基本连续的过程。

目前为止，清理出的晚期遗存有墓葬 19 座、房址 4 座、灰坑 26 个，绝大部分出自土墩之上。这对于研究土墩堆积、葬式葬具、房屋建筑等均有意义。

428.桐乡新桥遗址试掘报告

作　　者：浙江桐乡市博物馆　张梅坤
出　　处：《农业考古》1999 年第 3 期

新桥遗址在浙江桐乡市崇福镇西南近郊，东西长 160 米，南北宽约 100 米，总面积 1600 平方米。遗址地处运河南岸，新桥南堍东侧，因桥阻水，急流直冲遗址的中心部位，文化层成片塌方。1982 年对该遗址进行了试掘，开 10 米 ×2 米探沟 2 条。简报分为：一、地层，二、遗迹，三、遗物，四、结语，共四个部分。有照片。

据介绍，这次试掘，揭露面积仅 40 平方米，约占整个遗址的千分之二。与罗家角遗址相近，上部文化层在常年水位以上。由于干湿交替的影响，第一、第二文化层有机质的遗物保存较差。即使这样，遗迹和遗物还是十分丰富，如灰坑 5 个，有自然遗存和动物遗存等。简报指出，新桥出土的点种器，比较罕见。罗家角未见，其他马家浜文化遗址无所闻，新桥的当属首次发现。类似的工具，当地农村继续使用，用木或木镶铁制成。对新桥遗址的陶器、石器、玉器和角骨器的分析，简报推断新桥遗址属于马家浜文化，它的相对年代早期到罗家角的第三文化层，晚期与罗家角第一文化层相当。

429.浙江海盐县龙潭港良渚文化墓地

作　　者：浙江省文物考古研究所、海盐县博物馆　孙国平、李　林
出　　处：《考古》2001 年第 10 期

龙潭港遗址地处海盐、海宁、嘉兴 3 县市交界处的 1 个较高土墩上，现隶属于海盐县横港乡桃园村。1997 年初，遗址面临砖瓦厂取土破坏，考古人员实施了抢救性发掘。发掘区选择在土墩的中心，为期 3 个多月的发掘取得了很有价值的收获。简报分为：一、自然环境和文化堆积状况，二、墓地布局，三、墓葬类型，四、随葬器物，五、结语，共五个部分，介绍遗址堆积下部良渚文化墓地的情况。有手绘图。

据介绍，龙潭港墓地是在杭嘉湖地区良渚遗址群范围以外新发现的 1 处良渚文化重要遗址，墓地的主体应形成于良渚文化晚期偏早阶段，距今约 4600 年。简报称，这一墓地虽然规模不大，但它泾渭分明的布局结构在浙江还是首次发现，在长江三角洲的整个良渚文化分布区中也是罕见的。

430.浙江嘉兴吴家浜遗址发掘简报

作　者：浙江省文物考古研究所、嘉兴市博物馆　徐新民等
出　处：《文物》2005 年第 3 期

吴家洪遗址位于嘉兴市新塍镇来龙桥村，东距嘉兴市区约 18 公里。这里地处杭嘉湖平原，海拔 2 米左右，河网密布，土地肥沃。该遗址面积约 1 万平方米，1986年当地农民挖鱼塘时发现，随即由嘉兴市博物馆进行了抢救性发掘，面积 47 平方米，当时发现有马家浜文化时期的墓葬等。2001 年 11 月至 2002 年 1 月，因农田基本建设，对该遗址进行了抢救性发掘。

简报分为：一、地层堆积，二、遗迹，三、遗物，四、结语，共四个部分，介绍了 2001 年的发掘情况。有手绘图。

据介绍，遗址发现有灰坑、墓葬、房址等遗迹，出土有陶器、石器、玉器、骨器等少量遗物。

该遗址的年代，简报推断为马家浜文化晚期。

431.浙江嘉兴南河浜遗址发掘简报

作　者：浙江省文物考古研究所　刘　斌、蒋卫东等
出　处：《文物》2005 年第 6 期

南河浜遗址位于嘉兴城东约 11 公里，地属大桥乡云西村和南子村，这里是崧泽文化与良渚文化遗址分布的密集地区。1996 年 4 月下旬至 11 月中旬，为配合沪杭高速公路的建设，浙江省文物考古研究所组织人员对该遗址进行了抢救性发掘。发掘范围分作 A、B 两区。在 A 区共清理良渚文化墓葬 4 座、崧泽文化墓葬 85 座、灰坑22 座、房屋遗迹 7 座以及崧泽文化的祭台 1 座。在 B 区清理商周及明清时期灰坑各 1 座、崧泽文化墓葬 7 座及灰坑 1 座。

简报分为：一、地层堆积，二、遗迹，三、随葬器物，四、结语，共四个部分。有照片、手绘图。

据介绍，共发掘墓葬 96 座，出土陶器 600 余件、玉器 64 件、石器 80 余件、骨角牙器 10 余件。此次发掘的重要成果是第 1 次发现了崧泽文化祭台。该祭台略呈正南北方向，长方形覆斗状，南边已遭破坏。祭台经历了 2 次向东和向南扩筑，均采用分层贴筑的方法，平面的土质、土色呈条状分布。

该遗址的年代，简报推断上限为距今约 6000 ～ 5900 年，下限为距今 5100 年左右。

432.浙江桐乡新地里遗址发掘简报

作　者：浙江省文物考古研究所、桐乡市文物管理委员会　蒋卫东、丁　品、
周伟民、朱宏中等

出　处：《文物》2005 年第 11 期

新地里遗址位于浙江省桐乡市留良乡湾里村四组，北距桐乡市市政府所在地梧桐镇约 13 公里，西距原崇德县治所崇福镇约 7 公里。遗址为 1 处孤立的长条形高墩，位于出土过良渚玉琮的湾里村遗址东北约 500 米。高墩的大部分已被历年来农民建造的房屋压盖，仅东北部和西部的一小块仍为桑树地。高墩的四周有中沙渚塘、圣荡漾、马新港、落家港、西浜等河流环绕，虽然各河道形成的年代由于没有进行相应的考古工作而无法确定，但被河流水道环绕封合的高墩类型遗址在浙北嘉兴地区乃至整个太湖流域，是良渚文化遗址等级较高的一种具有典型性的地理环境状况。2000 年 11 月底，桐乡市留良乡湾里村在当地农村平整土地将高墩推平的过程中，发现了陶片、石器等良渚文化遗物，引发了一些不法分子的盗掘活动。2001 年 3 月至 2002 年 1 月，考古人员进行了抢救性发掘，较大面积地揭示了一处良渚文化高土台的营建和使用过程。清理良渚文化墓葬 140 座，发掘了灰坑、灰沟、井、祭祀坑、红烧土建筑遗迹等多种良渚文化遗迹，出土了陶、石、玉、骨、牙、木等各类质料的良渚文化器物达 1800 件（组）。简报分为四个部分予以介绍，有彩照、手绘图。

据介绍，新地里遗址所在的嘉兴地区是良渚时期一个相对独立的区域，在良渚文化的演进历程和文化面貌上，都具有鲜明的地域特色。早期具有相当浓重的崧泽文化遗风，中期以陶鼎和玉琮为主要遗物。晚期以石嵌在墓葬中的出现为特色。

433.浙江平湖市庄桥坟良渚文化遗址及墓地

作　者：浙江省文物考古研究所、平湖市博物馆　徐新民、程　杰等

出　处：《考古》2005 年第 7 期

庄桥坟遗址位于乍浦港以北 5 公里的浙江省平湖市东南部林埭镇群丰村，南距平湖市所在地当湖镇约 13 公里，向南 5 公里即是杭州湾。2003 年 5 月下旬，庄桥坟遗址因盗掘而被发现。6 月 1 日，对该遗址进行了长达 15 个月的抢救性考古发掘。

简报分为：一、地理位置与发掘经过，二、遗址概况，三、遗迹，四、遗物，五、结语，共五个部分。有彩照、手绘图。

据介绍，共清理 236 座墓葬，发现人工土台 3 座，以及灰坑、沟、祭礼坑等遗迹近 100 处。出土遗物以陶器为主，总计 2600 余件（组）。

自 1936 年发现良渚遗址以来，庄桥坟是目前发现的最大的良渚文化墓地。12 座埋葬狗的墓葬和埋葬狗与猪的祭祀坑，丰富了对良渚文化时期宗教信仰和埋葬习俗的认识。H70 发现的石犁，可以证明良渚文化时期犁耕农业的发达程度。庄桥坟遗址的物质生活来源足以保障本聚落的生存需求，或许还为更高一级聚落提供相应的物质资料。

简报强调，庄桥坟遗址的文化内涵对认识良渚文化时期的意识形态以及当时聚落规模、形态与社会组织结构等有相当重要的意义。

434.浙江平湖戴墓墩良渚文化遗址发掘简报

作　者：平湖市博物馆　程　杰、杨根文等

出　处：《文物》2012 年第 6 期

戴墓墩遗址位于平湖市乍浦镇，北距市区约 8 公里，遗址总面积约 16 万平方米。2001 年 3 月，在乍浦镇大港化工厂内发现了陶器、石器，考古人员及时进行了抢救性发掘。共发掘清理 68.5 平方米，发现良渚文化红烧土堆积 1 处和良渚文化墓葬 5 座。简报分为：一、遗迹，二、墓葬，三、采集和征集遗物，四、结语，共四个部分。有彩照、手绘图。

据介绍，遗址随葬器物有陶器、玉器、石器等。发掘表明，这是一处良渚文化祭坛和墓地的复合遗址。5 座墓葬的年代，简报推断为良渚文化中期。

此次发掘出土了一批精美的陶器，其中带盖宽把陶杯是良渚文化陶器中的精品。

湖州市

435.吴兴钱山漾遗址第一、二次发掘报告

作　者：浙江省文物管理委员会

出　处：《考古学报》1960 年第 2 期

钱山漾遗址位于湖州市南 7 公里处。1956 年春，考古人员在当地调查时，在河水干枯的浅滩上采集到石器数千件。3 月起，进行了第 1 次发掘。1958 年 2 ～ 3 月，进行了第 2 次发掘。简报分为：一、前言，二、地层堆积和遗迹，三、文化遗物，四、结语，共四个部分，介绍了这两次发掘的情况。有照片、手绘图。

据介绍，遗存可分上、下 2 层，下层当属新石器时代晚期，上层当已进入铜石

并用时代。从现存的遗址面积看来，住在这里的应是一个较大的部族。遗址中有大量的农业生产工具；有稻谷、芝麻、花生等 8 种农作物遗物；还有一些牛、猪、狗、鹿、龟、蚌等动物遗骨。这些东西构成人们经济生活中的重要部分。当然，最重要的还是农业经济。先民在植物的栽培和家畜的驯养方面已经积累了丰富的经验，为定居生活的稳固提供了更大的可能性。遗址中还出土了酸枣核、毛桃核和菱角，不论这些东西是野生的还是人工培植的，都说明人们在生活资料的来源上已不是一个或几个方面。丝麻织品的出现表明可能已有最简单的织机。有的地方可能已用木材建房。木桨的出土，表明已有水上交通工具——船。

436.浙江湖州钱山漾遗址第三次发掘简报

作　者：浙江省文物考古研究所、湖州市博物馆　丁　品等
出　处：《文物》2010 年第 7 期

钱山漾遗址位于湖州市东南约 7 公里的八里店镇路村。该遗址最早由慎微之于 1934 年发现。1956 年和 1958 年，原浙江省文管会对该遗址进行过两次发掘。2005 年 3 ～ 6 月，浙江省文物考古研究所、湖州博物馆联合进行了第 3 次发掘，发掘地点位于 20 世纪 50 年代两次发掘区域以南约 350 米处。遗址主要包括新石器时代晚期和马桥文化两个时期的遗存，其中新石器时代晚期遗存又分为 2 期，即钱山漾一期文化和钱山漾二期文化遗存。另外，遗址上部还有少量春秋战国到宋代堆积。

简报分为：一、地层堆积，二、钱山漾一期文化遗存，三、钱山漾二期文化遗存，四、结语，共四个部分。配以照片、手绘图，先行介绍了该遗址的新石器时代晚期遗存。

据介绍，本次发掘的重点是 1 处反复营建、居住形成的土台遗址。土台的主体由新石器时代晚期先民三次营建而成，后来，马桥文化先民又在土台上局部营建后居住生活。土台的规模由小渐大，营建的目的主要是居住。土台的北、西部被宋代沟状堆积破坏严重，残存土台大致呈东西向长方形，东西长约 60 米、南北宽约 50 米、面积约 3000 平方米。此遗址的新石器时代晚期遗存，出土遗物较为丰富，主要为陶器、石器，还有部分玉器、骨器等。其中，钱山漾一期文化的年代为距今 4400 ～ 4200 年，钱山漾二期文化的年代为距今 4100 ～ 3900 年。

简报认为，钱山漾一、二期文化填补了良渚文化到马桥文化之间的缺环。

绍兴市

金华市

437.浙江浦江县上山遗址发掘简报

作　者：浙江省文物考古研究所、浦江博物馆　蒋乐平等

出　处：《考古》2007年第9期

上山遗址位于浙江浦江县黄宅镇渠南村、渠北村和三友村之间。遗址周围地势相对平坦，间布一些或连或断、多平整为耕地的小山丘。上山遗址即坐落在一南一北两个相毗邻、相对高度约3～5米的小山丘上。南丘俗称"上山"，因此命名为"上山遗址"。北丘俗名"石山头"。遗址南边2公里处有浦阳江从西南向东北流过，东边约100米处有一条从北向南流过的浦阳江支流蜈蚣溪。实际上，遗址周围的水稻田下都有深厚的沙石分布，是古代水流泛滥形成的沉积物。2000年秋冬之际，浙江省文物考古研究所进行浦阳江流域的新石器时代遗址考古调查时发现该遗址。2001、2004、2005～2006年，浙江省文物考古研究所、浦江博物馆联合对遗址进行了3次发掘。

简报分为：一、地层堆积，二、遗迹与遗物，三、结语，共三个部分。有彩照、手绘图。

据介绍，该遗址遗存年代从新石器时代延续至唐宋以后。作为遗址主体内容的上山文化遗存，发现的遗迹有灰坑、房址，遗物主要有石器和陶器，有稻壳、稻叶遗存，还出土有几把可称为"镰形刀"的工具，简报猜测与稻的收割有关。但从出土遗物整体来看，渔猎经济仍占重要地位。可参见同期所载《上山遗址出土的古稻遗存及其意义》。

简报认为，上山遗址是长江下游地区迄今发现的年代最早的新石器时代遗址。

衢州市

舟山市

438.舟山群岛发现新石器时代遗址

作　　者：王和平、陈金生
出　　处：《考古》1983年第1期

　　舟山，以舟所聚，故名。其旁小岛罗列，称之"舟山群岛"。位于长江口以南、杭州湾以东、象山港以北，岛屿星罗棋布地点缀在浩瀚的东海上。由舟山、岱山、大巨、泗礁、乘山、普陀山、桃花、六横、蚂蚁、滩许等大小670个岛屿组成。随着兴修水利、搞农田基本建设和其他大量取土工程的进行，在定海、岱山、嵊泗3县陆续发现新石器时代遗址和遗物。考古人员对舟山本岛的定海县白泉遗址、岱山县大巨岛太平公社的孙家山遗址等进行了调查。

　　简报分为：一、白泉遗址，二、孙家山遗址，三、结语，共三个部分。有手绘图。

　　据介绍，白洋遗址出土有陶器、石器。石器仅石斧、石锛、石纺轮几种。该遗址的相对年代，简报认为和余姚河姆渡第二文化层年代大致相当。孙家山遗址石器出土数量、器型多，磨制精致。器型有斧、锛、箭头、凿、刀、犁形器、耘田器、环等。出土的1件石器半成品，很可能是用一长条石块琢打、磨制完成后，再一段段切割制成同样大小的石器之一。该遗址年代约相当河姆渡第一文化层或崧泽中层文化。有的遗物可能晚至良渚文化。

　　简报称，从2处遗址的实物和遗址的位置来看，当时先民的生产方式无疑要包括狩猎、农耕、家养畜牧业、渔捞和采集在内。

439.浙江定海县唐家墩新石器时代遗址

作　　者：王明达、王和平
出　　处：《考古》1983年第1期

　　唐家墩遗址位于舟山本岛的北部——定海县马岙公社安家大队，东北距海3.25公里，遗址面积4000平方米左右，墩台高出地面1.3～1.6米。该遗址因烧窑取土被发现。1979年9月，考古人员对该遗址作了试掘。

　　简报分为：一、地层堆积，二、出土器物，共两个部分。有手绘图。

　　据介绍，遗址出土了陶器、陶片及石器。年代简报认为相当于良渚文化时期。

一般认为，良渚文化的年代为距今约 5000 ～ 4000 年。

440.浙江定海唐家墩又发现一批石器

作　者：王和平

出　处：《考古》1984 年第 1 期

唐家墩新石器时代遗址位于舟山本岛西部的定海县马岙公社安家大队附近。
1979 年 5 月，考古人员对该遗址进行了试掘工作。最近，又在这处遗址及附近的
五一、茂盛大队出土了一批新石器时代的石器。有的石器在舟山群岛还是第一次发现。
简报配以手绘图、照片予以介绍。

据介绍，这次唐家墩遗址及其附近出土的石器，形式多样，计有近 20 件，主要
有石斧、石锛、石犁（破土器）、玉镞、石铲等，均系采集品，石质主要是变质岩、
火成岩等。尤其是 3 件石犁，如马面鱼头形石犁确属少见，其形制分别与浙江富阳
新联龙岗头、余杭潘畈余安堰出土的破土器基本相似。这些石犁（破土器）的发现，
是继岱山县大巨岛太平公社孙家山遗址出土石犁之后的新的发现。它的发现表明，
当时舟山群岛一些较大的岛屿已经进入犁耕农业阶段，这为研究海岛原始农业的生
产发展情况提供了重要的实物证据。

441.浙江舟山地区出土的青铜农具和破土器

作　者：舟山地区文化局　王和平

出　处：《农业考古》1984 年第 1 期

简报配以照片，介绍了在舟山地区出土的农具。

据介绍，1982 年春，舟山岛西部的定海县石礁公社东方大队窑厂附近发现东周
青铜镈和青铜锸 2 件农具，在该处地点中还发现许多夹砂陶及印纹硬陶片。考古人
员继而对这一出土现场进行了调查。该处原是 1 处周代文化遗址，但这处文化遗址
大部分已被挖掉，幸存的完整器仅 2 件青铜农具。1978 年以来，在定海县马岙公社
安家大队唐家墩、岱山县大巨岛太平公社孙家山、岱山县泥峙公社缸窑等地先后发
现了一批破土器，共计 8 件，分布在舟山、岱山、大巨 3 大岛。时代简报推断为新
石器时代晚期。

台州市

442.浙江仙居下汤遗址调查简报

作　者：台州地区文管会、仙居县文化局　金明明

出　处：《考古》1987年第12期

下汤遗址位于仙居县城西南28公里处、横溪区郑桥乡东南下汤村北端1块俗名"太墩"的高地上，高出周围地面2米许，面积约25000平方米，保存较完整的约11000平方米。1984年文物普查时，发现了这一遗址，考古人员多次进行复查，采集了大量陶器、石器。

简报分为：一、石器，二、陶器，三、结语，共三个部分。有手绘图。

据介绍，遗址上层已被历年取土削去，从断面看，文化层内涵较丰富，灰炭、灰烬、红烧土块、石器、陶片等堆积成层。在地面上也可采集到磨制石器、陶器等。简报认为，下汤遗址是浙江南部地区目前发现的比较重要的1处遗址，材料较新，文化内涵也较丰富，为探索这一地区的原始文化提供了重要线索。

至于遗址的时代，由于器物都是采集来的，只能根据某些器物的特征初步推断为新石器时代晚期。

丽水市

安徽省

443.安徽新石器时代遗址的调查

作　　者：安徽省博物馆　胡悦谦等
出　　处：《考古学报》1957年第1期

简报分为：一、遗址的分布，二、遗物，三、遗物特征，四、初步的推测，共四个部分。配以照片、手绘图，介绍了配合治淮等工程中发现的10处新石器时代遗址。

据介绍，这10处遗址为嘉山县泊岗遗址、灵璧县蒋庙村遗址、绩溪县胡家村遗址、肥东县龙城遗址、大城头遗址、大陈墩遗址、亳县青凤岭遗址、钓鱼台遗址、当涂县天子坟遗址、临泉县老丘堆遗址等。先民应以农业生产为主，饲养家畜，兼营渔猎。淮河区遗址受龙山文化影响。长江区遗址则有江南特点。

444.安徽枞阳、庐江古遗址调查

作　　者：安徽省文物考古研究所　杨立新、高一龙
出　　处：《江汉考古》1987年第4期

枞阳、庐江两县地处江淮地区南部，濒临长江。1981年秋，考古人员从9月上旬至10月底对这一地区的古文化遗址进行了初查。发现遗址8处，并对其中的1处（小北墩遗址）进行了小面积的试掘。

简报分为：一、孙墩遗址，二、浮山遗址，三、小北墩遗址，四、杨家墩遗址，五、结语，共五个部分。有手绘图。

据介绍，小北墩遗址的主要遗存为新石器时代崧泽文化中期文化。与附近的薛家岗文化完全不同，值得注意。另有少量商周遗存。

浮山、孙墩遗址均当于龙山时期遗存，文化性质待定。

445.安徽淮北地区新石器时代遗址调查

作　　者：中国社会科学院考古研究所安徽工作队　梁中合、吴加安、傅宪国
出　　处：《考古》1993 年第 11 期

淮北地区泛指安徽淮河以北的广大地区。这一地区的考古工作起步较晚，系统的考古调查和发掘工作是从 20 世纪 80 年代中期开始的。多年来，淮北地区的考古学研究一直为考古学界所关注，为了搞清苏、鲁、豫、皖四省交界地区古文化面貌及相互关系，中国社会科学院考古研究所安徽工作队，于 1989 年和 1990 年春季对淮北地区进行了以史前遗址为重点的考古调查，共调查了史前遗址 60 余处，新发现遗址 4 处。简报分为：一、新石器时代早期遗存，二、大汶口文化遗存，三、龙山文化遗存，四、结语，共四个部分。有手绘图。

据介绍，此次调查主要在淮北的阜阳地区和宿县地区的部分县进行，仅有 1 种文化的遗址少见，大多含有 2 种或 2 种以上文化。基本信息可见简报所附表格。调查资料表明，淮北地区史前遗址大体包括三个阶段的文化遗存。随着时间的推移，不论是遗址的数量还是规模，都呈不断增长的趋势。新石器时代早期遗址发现的数量还很少，当然这可能是因为该时期的遗存往往埋藏较深而不易被发现。大汶口文化和龙山文化阶段的遗存，从数量上明显增多，遗址的规模也较大，这类遗址往往堆积较厚，延续的时间较长。

简报称，安徽淮北地区位于苏、鲁、豫 3 省交界处。淮河上游、涡河中游及沱河上游，都是遗址分布的密集区。尤其淮河上游地区临泉县及阜南县南部地区的东西 30 公里、南北约 35 公里的范围内，分布有史前遗址达 11 处之多，平均不到 10 平方公里就有 1 处史前遗址，反映出当时人口居住的密集程度已达相当高的水平。

446.皖北大汶口文化晚期聚落遗址群的初步考察

作　　者：中国社会科学院考古研究所安徽工作队　梁中合、吴加安、贾笑冰
出　　处：《考古》1996 年第 9 期

1989 年到 1990 年春，考古人员在安徽省北部的阜阳、宿州市作了大量的考古调查工作，基本上搞清了皖北史前遗址的分布情况。该地区大致分布有 3 个遗址群，这 3 处遗址群之外，仅零星分布有若干处遗址。遗址群分布于淮河的主要支流之间，这些河流在文献中都可以找到相应的记载。3 个遗址群中，东北部的遗址群主要集中在濉河与黄河故道之间，遗址的总数为 9～10 处；西南部的遗址群，主要分布于淮

河与泉河之间，共有 11 ~ 12 处遗址；位于中部的遗址群，规模最大，分布于浍河与北淝河之间，共有 17 处遗址。其中又以尉迟寺的面积最大，堆积也较厚，所以考古人员选择了这个遗址，于1989年秋季进行了首次发掘。简报分为三个部分予以介绍，有手绘图等。

据介绍，通过对尉迟寺遗址的大面积发掘、整理及初步研究，简报认为尉迟寺聚落遗址具有中心聚落的性质，计有大型遗址 1 处（尉迟寺）、中等遗址 3 处、小型遗址 12 处。尉迟寺遗址应是大汶口文化晚期的 1 处中心聚落，在其周围散布着 10 多处二、三级聚落，它们与中心聚落互相拱卫、相互依托、彼此影响、密不可分。

447.皖北地区史前遗存中农业经济的考古调查

作　者：中国社会科学院考古研究所　王吉怀、王增林
出　处：《考古》1999 年第 11 期

皖北地区具有独特的地理环境和优越的气候条件，非常有利于古代文化和原始农业的发展。早在 20 世纪四五十年代对这一地区就有过考古调查，80 年代末，考古人员先后在十几个县市共发现史前文化遗址 60 余处，其中在蒙城尉迟寺遗址进行了重点发掘，发现了大量的农作物遗迹。1997 年春，再次对以尉迟寺为中心的几个重点遗址作现场调查，在尉迟寺周围的利辛、太和、亳州、濉溪、宿州等市县，选择了石山子、安郎寺、古台寺、刘崮堆、禅阳寺、灰角寺、富庄、大寺 8 个遗址进行现场调查和采样分析。

简报分为：一、调查收获，二、结语，共两个部分。有手绘图。

据介绍，通过对以上 8 个遗址的遗物样品测试情况来看，除了在灰角寺采集的土样中植物硅酸体的含量较少外（分析结果与土样采集的部位有关），其他遗址中均有丰富的植物硅酸体；在大寺遗址和富庄遗址还存在有类似于硅化谷子壳的表皮碎片，表明这两个遗址先民的食物中可能有谷子。本次考察的 8 个遗址，均在一个地区之内，又具有相同的文化性质，在农业经济形态方面，也应具有相同的面貌。从聚落的角度来看，简报确定有建筑遗存的遗址有刘崮堆、安郎寺、灰角寺、禅阳寺，这些遗址构成了皖北地区一个严谨的聚落网，在时代上，均属于大汶口文化晚期阶段。简报肯定地说，聚落形成并达到了一定的规模，是在农业产生发展的基础上实现的，因此，皖北地区是研究新石器时代晚期聚落形态及农业起源的重要地区之一。

合肥市

448.安徽肥西县古埂新石器时代遗址

作　者：安徽省文物考古研究所　杨德标、杨立新
出　处：《考古》1985年第7期

古埂遗址坐落在安徽肥西上派钲东1.5公里处，属上派钲胡湾大队朝东生产队。遗址北距合肥18公里，西1.5公里即是合肥至安庆的合安公路。上派河经遗址的东北流入巢湖。1981年肥西县文物组普查文物时发现此遗址。1983年考古人员对古埂遗址进行发掘，田野工作自5月30日起至6月22日止，历时24天。出土完整器物较少，大多为陶片及残石器等。

简报分为：一、地层堆积，二、早期文化，三、晚期文化，四、结语，共四个部分。

据介绍，古埂遗存明显堆积着两期不同的文化遗存。

早期遗存，以夹砂红陶为主，占全部陶器（片）的70.6%，其次是灰陶，黑陶极少。生产工具中，石斧、石锛等磨制较粗糙，陶网坠、陶弹丸等制作简单。其中尤以方柱形网坠具有偏早期文化的特征，这类网坠在安徽省所发掘的原始文化遗存中，尚属初次发现。据上所述，简报推断古埂早期文化遗存的时代，大致相当于大汶口文化中期或略早。

晚期文化遗存，红陶显著地减少，黑陶明显增加；陶质仍以夹砂粗陶为主，泥质陶次之。古埂晚期遗存中出土的长颈红陶苗等，是长江下游地区良渚文化中常见的器物。两侧各刻划多条竖划纹的扁侧形鼎足，与江苏吴县张陵山上层出土遗物相似。黑陶扁侧足罐形鼎，又与安徽省薛家岗文化第四期相同。因此，古埂晚期文化遗存的时代，简报推断大体相当于良渚文化时期或薛家岗文化四期。

简报称，早期与晚期文化遗存，两者在江淮之间似互有交往与融合，但在生产工具上又可看出早晚期的不同。这种不同于缺环，恰好反映出南北文化的差异。

今有吴卫红先生《朔知东南风：从凌家滩到长三角的区域文明探源》（上海古籍出版社2021年版）一书，可参阅。

芜湖市

449.芜湖蒋公山遗址调查小记

作　者：殷滌非
出　处：《考古》1959 年第 9 期

蒋公山距芜湖市东门约六七公里，在大荆山石壁造像之西，青弋江环带于前，是圩田中突起的一个小山。简报配以照片予以介绍。

据介绍，石器发现于 1956 年 10 月，据当时开山捡拾石器之人讲，石器出土于蒋公山的南部黑土层中。在调查时，曾在山之西南角的黑土中，发现有烧土、炭渣和少数陶片，但未发现石器和骨器、兽骨等遗物。这些陶片是否与所出石器共存，还不能肯定。遗物共有石器和陶片两类：石器有石斧、石锛等 39 件；陶片有红、黄泥质陶片，灰色陶片和夹砂红陶片 28 件。

简报认为这是 1 处新石器时代遗址。

450.安徽芜湖月堰遗址新石器时代墓葬发掘简报

作　者：安徽省文物考古研究所　叶润清等
出　处：《文物》2009 年第 8 期

月堰遗址位于安徽省芜湖市三山区峨桥镇响水涧村东北约 300 米，东北距芜湖市约 22 公里，西南距繁昌县城约 10 公里。遗址地处长江南岸、长江重要支流漳河西侧。2007 年 3 月至 2008 年 1 月，考古人员对该遗址的中心和重点区域进行了抢救性发掘，发掘面积为 6000 平方米。

简报分为：一、墓葬位置与层位关系，二、墓葬形制与随葬器物概况，三、典型墓葬与随葬器物的特点，四、结语，共四个部分。有照片、手绘图。

据介绍，此次发掘了墓葬 24 座，发现房址、灰坑、窖穴、沟等近 300 处，出土了大量陶器、石器及少量玉器等。

该遗址时代，简报认为应在崧泽文化末期至良渚文化的过渡期。

蚌埠市

451.安徽蚌埠双墩新石器时代遗址发掘

作　者：安徽省文物考古研究所、安徽省蚌埠市博物馆　阚绪杭、周　群等
出　处：《考古学报》2007 年第 1 期

双墩遗址位于安徽省蚌埠市淮上区小蚌埠镇双墩村，1985 年 11 月文物普查时发现。遗址南距淮河约 4 公里、北距北肥河约 2.5 公里，位于双墩村北 200 米的台地上，台地呈三角形，为该遗址的中心范围，保存面积约 12000 平方米。遗址地表为历代乱葬堆，坟茔空隙间为现代农田。遗址上层和四周均遭到破坏，东侧破坏更为严重。1986 年秋蚌埠市博物馆曾在遗址进行了抢救性发掘，1991 年春和 1992 年秋考古人员又进行了两次发掘。简报分为：一、地层堆积，二、遗物，三、刻划符号，四、结语，共四个部分。介绍了 1991 年春和 1992 年秋两次考古发掘工作，有彩照、手绘图。

据介绍，到简报发表为止，淮河中游地区早中期新石器时代遗址，经过考古调查和发掘的有 20 多处。其分布范围，从河南东部与安徽交界的鹿邑至信阳一线至东部江苏的洪泽湖，北达安徽与山东交界处，往南到大别山北麓至滁州一线。但双墩遗址却有着填补空白的重大价值，具有区别于周边文化的特征。双墩遗址出土的陶器、石器、骨角器、蚌器和刻划符号等文化遗物，在淮河流域中游地区早中期新石器时代遗址中最具有典型性和代表性。如此次发掘发现的陶器，以红褐色为主，素面为主，在中国制陶历史上应占有一席之地。又如刻划符号数量多，种类繁，有单线、双线、多重线，鱼形、猪形、鹿形、叶脉形、花瓣形等。这些遗物在 2005 年 11 月 12～13 日"双墩遗址暨双墩文化学术研讨会"上得到学术界的高度评价，与会专家认为双墩文化是目前淮河中游地区已发现的年代较早的新石器时代文化遗存，对建立淮河中游地区史前文化年代分期框架和谱系研究具有重要意义。

简报认为双墩遗址的年代为公元前 5330～公元前 4949 年。

淮南市

马鞍山市

淮北市

452.安徽濉溪石山子新石器时代遗址

作　者：安徽省文物考古研究所　贾庆元
出　处：《考古》1992 年第 3 期

石山子遗址位于安徽省淮北市濉溪县平山乡赵楼行政村石山子自然村北，因村庄北端有一孤耸奇秀的小山而得名，其西北距濉溪县城约 8 公里。濉河流经遗址北侧。石山子遗址是 1984 年春濉溪县文管所进行文物普查时发现的。1987 年秋，省文物考古研究所又进行了复查。遗址地势平坦，其南北长约 210 米，东西宽约 160 米，面积 3 万多平方米。在淮北所复查的 100 余处先秦遗址中，石山子遗址是其中时代较早的 1 处。经报批后，于 1988 年 9 月 8 日至 10 月 12 日进行了第 1 次发掘，历时 35 天，因财力和人员所限，仅开 5 米 ×5 米探方 4 个，发掘面积 100 平方米。简报分为：一、地层堆积，二、遗迹，三、遗物，四、结语，共四个部分。有手绘图。

据介绍，此次发掘发现史前遗迹甚少，仅发现早期灰坑 1 个，出土遗物均为碎陶片，以夹砂红褐陶为主，纹饰以附加堆纹居多，器型有釜、鼎、罐、盆、短锥形鼎足和 1 件残陶拍。发现完整器甚少，多为破碎的口沿、底、腹片、耳系等，种类有陶器、石器、骨器、角器和蚌器等。

简报称，石山子遗址的文化内涵与安徽省近年来发掘的定远县侯家寨遗址有相似之处，两者陶器均以夹砂红褐陶为主，流行鋬子、耳系等。侯家寨一期文化中的卷沿带鋬子釜、长圆锥形鼎足、弧长方形中间内凹器耳、鹿角勾形器等均为石山子遗址一期文化中的代表性器物。侯家寨一期文化的测定年代为距今 6350±110 年，经树轮校正为距今 6900 年左右。据此，简报认为，石山子遗存一期文化的年代与侯家寨一期文化时代大体相当；二期文化的时代，据两期遗物分析，关系较为密切，在年代上是衔接的。

铜陵市

安庆市

453.潜山薛家岗新石器时代遗址

作　　者：安徽省文物工作队
出　　处：《考古学报》1982年第3期

　　薛家岗遗址是1978年潜山县文化局在文物普查时发现的。遗址位于安徽省潜山县河镇公社永岗大队，北距县城约7.5公里，南距王河镇4公里，东距潜水约200米。遗址现为一椭圆形台地，台地高出周围农田2～4米。遗址上有两条隆起的土埂，将遗址分为东、中、西三区，总面积6万平方米。遗址西100米处有一长形土垅，上面不断有零星新石器时代遗物出土，因此，土垅也应属遗址范围。1978年春季，考古人员对遗址进行试掘。1979年秋季和1980年春季，又先后进行两次发掘。三次共发掘新石器时代墓葬103座，残房基3座，灰坑1个；商代残房基1座，灰坑21个；出土陶器、石器和玉器等文化遗物1000余件。简报分为：一、地层堆积，二、第一期文化遗存，三、第二期文化遗存，四、第三期文化遗存，五、第四期文化遗存，六、商代文化遗存，七、结语。共七个部分。有照片、手绘图。

　　简报指出，薛家岗遗址面积大，文化层堆积较厚。安徽已发掘过的古文化遗址中，薛家岗遗址是1处典型而又重要的原始文化遗存。虽然发掘的面积小，但出土器物十分丰富，器物形制显示出自身的特征和典型性，为了有别于其他诸原始文化，简报称之为"薛家岗文化"。

454.望江汪洋庙新石器时代遗址

作　　者：安徽省文物考古研究所　阚绪杭等
出　　处：《考古学报》1986年第5期

　　汪洋庙遗址位于安徽省望江县漳口公社汪洋大队境内，遗址坐落在汪洋庙村东的三角形土岗上面，分布范围约4万平方米，南距焦漳湖畔的漳口镇约5公里，西北临新坝河。遗址西北30余公里，即为安徽省近年来发现的薛家岗新石器时代遗址。汪洋庙遗址是1978年8月该县举办的文物普查学习班实习时发现的。1980年秋，通过试掘确认是保存较好的1处新石器时代遗址。1981年3月25日至4月29日和1982年9月27日至11月10日，先后进行了2次发掘。发掘坑位主要集中在遗址的中心，位于土岗的最高处、粮站东围墙外侧。简报分为：一、地层堆积情况，二、下文化层，三、上文化层，四、结语，共四个部分。有照片、手绘图。

据介绍，共发现灰坑9座、墓葬2座以及一批陶器、石器等遗物。墓葬未发现墓坑，人骨无存。遗址属新石器文化，与薛家岗文化有一定联系。

455.安徽潜山县天宁寨新石器时代遗址

作　者：安徽省文物考古研究所　高一龙

出　处：《考古》1987年第11期

天宁寨遗址位于潜山县城境内的东南隅。著名的天柱山风景区距县城西北约15公里。发源于大别山南麓的皖河、潜水分别在遗址的东西两侧约200米和1公里处流过。遗址现为一椭圆形台地，高出周围农田8～10米，总面积约3万平方米。遗址以南7.5公里即为薛家岗新石器时代遗址。天宁寨遗址是1978年文物普查时发现的。1982年秋，考古人员对遗址进行了试掘。1984年春季，对遗址又进行了第2次发掘。2次发掘，总计揭露面积264平方米。发现新石器时代墓葬12座，出土陶器、石器和玉器等文化遗物70余件。简报分为四个部分予以介绍，有手绘图。

据介绍，天宁寨遗址可分为上、下两个文化层。文化特征与邻近的薛家岗新石器时代遗址很相似。下层大体相当于薛家岗二期；上层大体相当于薛家岗三期。薛家岗文化，是在继承本地传统的基础上，又吸收了较多崧泽文化因素而发展起来的，一般认为其年代为距今5500年左右。

456.宿松黄鳝嘴新石器时代遗址

作　者：安徽省文物考古研究所　贾庆元等

出　处：《考古学报》1987年第4期

黄鳝嘴遗址，位于安徽省宿松县程岭乡刘塝自然村境内的大塔山北，其西南距县城约17公里，北距荆桥岭1公里，东南距程岭乡政府4公里，距泊湖7公里。黄鳝嘴遗址是1981年春季考古调查时发现的，同年冬季进行试掘。1982年春季和1984年春季又进行2次试掘。2次发掘总面积约370平方米。简报分为：一、地层堆积，二、墓葬，二、文化遗物，四、结语。共四个部分。有照片、手绘图。

据介绍，2次发掘共发掘墓葬17座，出土遗物140余件，有石器、陶器、玉器等。年代与薛家岗一期相当，属新石器文化。文化面貌与江汉平原的原始文化关系密切。

457.安徽望江县新石器时代遗址调查

作　　者： 望江县文物管理所　宋康年

出　　处：《考古》1988年第6期

望江县位于安徽省西南部、长江北岸，与湖北、江西两省毗邻，县内山脉起伏，湖泊星罗棋布，是一片有山有水的丘陵。1984年4月至1985年9月，文物普查工作队在全县范围内进行了1次全面的考古调查，发现新石器时代遗址43处，商周遗址3处，除狮子墩遗址是发现在圩区杨湾乡外，其余均分布在丘陵地区的台地上。最近组织专人又对其中戴家墩、麻冲、七星墩、双墩、狗尾山、枫岭墩等6处新石器时代遗址进行了重点复查工作。简报分为：一、戴家墩遗址，二、狗尾山遗址，三、麻冲遗址，四、七星墩遗址，五、双墩遗址，六、枫岭墩遗址，七、结语，共七个部分。有手绘图。

据介绍，这次调查是一次系统工程，基本弄清了全县范围的新石器时代遗址的分布情况、文化面貌、发展规律以及其相互间之关系。它们的文化堆积一般在1～3米，文化面貌较为清楚，戴家墩等6处遗址的分布情况充分证明：靠近水源及有一定坡度的台地上，均有古人类活动的遗迹。再从地面上暴露的器物看，石器基本上都是通体磨光，极少打制。器型有石斧、石锛、石铲、石刀等砍伐器，用于砍伐及农耕，说明这些遗址上居住的先民们过着以农耕为主的经济生活。

简报称，戴家墩等6处遗址除采集的石器较完整外，陶器大部分系残片。石器中多见以砂质灰岩石制成、质地坚硬的磨光石器。陶系基本上是夹砂红陶，灰陶次之，泥质陶极少；器型多鼎、豆、壶、罐以及镂空灰陶豆座，未发现鬲；纹饰以素面居多，有少量网状纹、弦纹、刻划纹。从上述特点看，简报认为它们均具有新石器时代遗存的风格，与前几年望江县发掘的汪洋庙遗址的器物基本相似，又与邻近的潜山薛家岗文化有一定的渊源关系，同时又有自身的特点。一般认为，薛家岗文化的年代为距今5500年左右。

458.安徽望江汪家山发现新石器时代遗址

作　　者： 宋康年

出　　处：《考古》1992年第10期

汪家山遗址位于望江县溪口乡龙寺村东北，距乡政府所在地瀼口镇约500米，西南距瀼湖约400米。遗址地处丘陵地带，平面长方形，整个遗址东高西低，高出四周地面约3～5米，其上地势平坦。遗址为1982年发现，1985年全县进行文物普查时，又对之进行了复查。复查时采集的部分新石器时代遗物，简报配以手绘图予以介绍。

据介绍，采集的陶器，陶质多为夹砂红陶和泥质灰陶，少量泥质黑衣陶。素面居多。纹饰主要有弦纹，其次是附加堆纹、篮纹、方格纹等。制法为轮制，个别手制。计有鼎 3 件，壶、罐、豆、铲、凿各 1 件，盆、钵、锛各 2 件，网坠、镞各 3 件，斧 4 件。此外，还采集到鼎足 5 件，形状有鸭嘴状、锥柱状、扁三角状等，陶质为夹砂红陶或夹砂红褐陶。简报推断，遗址的时代属新石器时代晚期。

459.安徽望江县新石器时代遗址的调查

作　者：宋康年
出　处：《考古与文物》1992 年第 1 期

1984 ～ 1985 年，考古人员在望江县范围内开展了全面的考古调查工作，发现新石器时代遗址 42 处，商周遗址 4 处，除狮子墩遗址是发现于洲区外，其余的分布在丘陵地区的台地上。后对其中戴家墩、麻冲、七星墩、双墩、狗尾山、枫岭墩 6 处新石器时代遗址进行了重点复查工作。简报分为：一、戴家墩遗址，二、麻冲遗址，三、七星墩遗址，四、双墩遗址，五、狗尾山遗址，六、枫岭墩遗址，七、几点认识，共七个部分。有手绘图。

据介绍，戴家墩等 6 处遗址的分布情况充分证明：即凡是靠近水源又有一定坡度的台地上，均有古先人活动的遗迹。再从地面暴露的器物看，石器基本上是通体磨光，极少打制，有石斧、石锛、石铲、石刀等砍伐器，是用于砍伐、农耕的生产工具，说明在这些遗址居住的先民们过着以农耕为主的经济生活。时代应与崧泽文化时代大致相当。

460.安徽安庆市夫子城新石器时代遗址的发掘

作　者：安徽省文物考古研究所　宫希成
出　处：《考古》2002 年第 2 期

夫子城遗址位于安庆市皖河农场中联大队龙口村，北距皖河约 4 公里。遗址现存面积约 1.5 万平方米，龙口村即坐落其上。由于当地村民建房取土，遗址已遭到严重破坏。1987 年，安庆市博物馆曾在此试掘探沟 1 条，获得几件泥质黑陶豆等遗物。为进一步了解遗址的堆积状况和文化面貌，1990 年 10 月，安徽省文物考古研究所又对其进行了发掘，发掘的实际面积达 114 平方米。简报分为：一、地层堆积，二、遗迹，三、出土遗物，四、结语，共四个部分。有手绘图、照片。

据介绍，夫子城遗址第 5、6 层的出土遗物特征基本相同，差异甚微。所出陶器以夹砂红陶为主，泥质黑陶也占有较高比例，器类以鼎、豆、壶为主。但在同类器物中，地层中出土的陶器一般来说要比墓葬中随葬器物的个体大。简报推断，夫子城遗址的文化性质应属于薛家岗文化，其年代大致与薛家岗遗址的第二期相当。

简报称，夫子城遗址的发掘，无疑为薛家岗文化的研究提供了很多新的信息。

461.安徽怀宁孙家城新石器时代遗址发掘简报

作　者：安徽省文物考古研究所、怀宁县文化管理所　朔　知
出　处：《文物》2014 年第 5 期

孙家城遗址位于安徽省怀宁县西北的马庙镇栗岗村孙家城和费屋两个村民组内。此遗址于 20 世纪 80 年代被发现，周边围有城垣，现存城垣面积约 25 万平方米。2003 年起，考古人员对此遗址进行了多次调查和局部钻探，并于 2007 年 10 月至 2008 年 1 月进行了考古发掘。发掘表明，此城垣属新石器时代（另文报道）。另外，在此遗址费屋地点还发现了薛家岗文化早期和早于薛家岗文化的地层堆积。简报分为：一、地层堆积，二、孙家城一期文化，三、孙家城二期文化，四、薛家岗文化早期，五、结语，共五个部分。有彩照、手绘图。

据介绍，孙家城新石器时代遗址的发掘，发现了墓葬、红烧土坑、灰坑、沟、基槽等遗迹，出土了陶器、石器、玉器等遗物。从地层堆积和陶器演变来看，此次发掘的新石器时代文化可分为孙家城一期文化、孙家城二期文化、薛家岗文化早期三个阶段，其中孙家城一、二期文化衔接紧密，应属同一性质文化的两个阶段。简报认为此次发掘为寻找薛家岗文化的渊源提供了新的线索。

黄山市

462.安徽黄山蒋家山新石器时代遗址调查

作　者：程先通
出　处：《考古》1995 年第 2 期

简报分为三个部分，配以手绘图，介绍了黄山地区蒋家山新石器时代遗址的情况。

据调查，蒋家山遗址是黄山地区迄今发现的内涵最丰富的 1 处新石器时代文化

遗址。出土的石器中，石料多采用本地所产的青灰岩、灰页岩和砾石，但也发现2件黑燧石石器。石器多数磨制，少数打制；多数制作精细，磨制光滑，造型美观，但少数磨制粗糙。这反映了遗址在时代上有明显的差异。器型较多，但大型石器不多。双肩石刀、短背长刃石刀在周围遗址中很少见，反映了遗址自身特点。陶器的质地分夹砂陶与泥质陶两种，以夹砂红陶和施红色陶衣的器物居多，红衣陶中又多灰胎红衣陶。玉器为该地区首次发现。

简报称，从蒋家山遗址采集的石器、陶器、玉器分析，该遗址可分为新石器时代中、晚期两种类型。遗存具有一定的个性特点，同时，可能与浙江北部的新石器文化存在着某种联系。

滁州市

阜阳市

宿州市

463.安徽萧县花家寺新石器时代遗址

作　　者：安徽省博物馆　胡悦谦
出　　处：《考古》1966年第2期

1960年12月，考古人员赴皖北各县调查征集文物，在萧县文化馆见到石斧1件，即询问出土地点，获知是1957年在花家寺村出土。花家寺村在萧县东南，距县城约12.5公里，属皇藏人民公社。花家寺遗址为一台形遗址，面积约5000平方米，高约9米。1957年修建倒流河的新河道，通过台地的中部，把它分为东西两段，台地上层土亦被挖除。12月12日在倒流河西岸西段遗址上，采集到彩陶1片，黑陶片和篮纹、方格纹等陶片数片；在东岸东段遗址上采集残穿孔石斧1块，刻花夹砂粗红陶片和雷纹灰陶片各1片，考古人员进行了试掘。简报分为：一、地层情况，二、文化遗物，三、结束语，共三个部分。有拓片、手绘图。

据介绍，出土遗物有石器3件、陶片及动物骨骼多件，以野猪骨骼为多，还有不少田螺壳。年代简报推断为龙山文化晚期。

464.安徽宿县发现新石器时代遗址

作　者：莫　和、王　敏

出　处：《考古》1986年第4期

宿县地处淮北平原，土地肥沃，有终年流淌的浍、瀹等河穿境。美好的自然环境为原始社会先民们在这里劳动、生息、繁衍提供了条件，留下了丰富的古文化遗存。

1985年秋，考古人员在宿县南部进行文物普查，在桃园区的芦城子、大营区的吴城子和禅堂等地调查，发现新石器时代遗址3处。简报分为：一、芦城子遗址，二、吴城子遗址，三、禅堂遗址，四、小结，共四个部分。有手绘图等。

据介绍，芦城子遗址位于桃园区东坪乡芦城村东面约50米处的浍河北岸，面积约13万平方米。吴城子遗址位于大营区陈李乡王圩村西，四周为平原，北距瀹河约1000米，整个遗址约6万平方米。禅堂遗址位于宿县东南角、瀹河北岸。简报称，从以上3个遗址采集的陶器来看，它们的基本特征与山东、豫东、苏北同期文化特征有些近似；从鼎足形制来看，与鲁西南、豫东龙山文化关系较密切。

465.萧县金寨村发现一批新石器时代玉器

作　者：安徽省萧县博物馆　宋彦昭等

出　处：《文物》1989年第4期

1986年安徽省萧县金寨村农民芦正芳、芦正华在翻土时发现一批玉石器。简报配以照片予以介绍。

据介绍，金寨村位于萧县城东南40公里的皇藏区，四面环山。玉器出土于金寨村东南100米处的小盆地中，此地早有"玉石塘"之称，每逢暴雨，即有玉管冲刷出来，当地人称为"玉石滚"。1958年挖水塘时，曾经在此地挖出大批玉环、玉瑗、玉管、玉球。这次勘查中，在玉石塘周围约36000平方米范围内，捡到不少砾石、白陶片、灰陶片、粗细夹砂黑陶片。这些陶片多为轮制，饰绳纹、弦纹、指甲纹等。在1958年挖的水塘壁上，可见3米厚的文化层，内含红烧土层、夹砂陶片和兽骨、蚌壳等，应为古代居住区遗迹。在出土玉石器的土坑内1.7米深处，有近8～10厘米厚的黑色糊状结泥层，推测应是墓底。结合出土的有段石锛、有孔石斧、白陶水盂的器形分析，玉石塘应为1处新石器晚期遗址，遗址的北端（水塘周围）似为居住区，南端（玉器出土处）是墓葬区。这批发现的167件遗物中，有玉器134件、绿松石片27件、石器4件、陶器2件。

简报指出，金寨遗址出土的这批玉石器，形制与上海福泉山、江苏昆山绰墩遗址良渚文化的同类器相似。但玉器中没有琮,所出的刀形玉器又为良渚文化所未见。采集的陶片中有马家浜文化的典型器红陶腰沿釜和夹细砂红陶盆形鼎、灰陶豆的残片。简报认为金寨所出的玉器为马家浜文化向良渚文化过渡期的遗物。

466.安徽宿县小山口和古台寺遗址试掘简报

作　者:中国社会科学院考古研究所安徽队　王吉怀、吴加安、梁中合
出　处:《考古》1993年第12期

宿县小山口遗址和古台寺遗址,均是20世纪80年代中期县文管所调查时发现的。1990年春,对这两个遗址再次作了调查,发现这两处遗址均存在1种有别于大汶口文化的遗存。这一新的发现,为我们寻找皖北地区新石器早期遗存提供了重要线索。1991年进行了试掘。简报分为:一、小山口遗址,二、古台寺遗址,三、结语,共三个部分。有手绘图。

据介绍,小山口遗址包括了新石器时代早期、大汶口文化、龙山文化3个时期的遗存;古台寺遗址包括了新石器时代早期和大汶口文化两个时期的遗存。这两处遗址的发掘,对进一步认识皖北地区大汶口、龙山文化的面貌和性质,提供了丰富的实物资料,同时也填补了这一地区新石器时代早期文化的空白。以小山口为代表的早期遗存,在淮北地区有一定的分布,它们是皖北地区带有明显特征的一种新的文化类型,代表了该地区新石器时代较早的一个发展阶段,我们暂时称之为“小山口一期文化”。年代经测定为公元前6000~公元前5650年。大汶口文化仅见于小山口遗址,大体相当于鲁西南龙山文化中期。

巢湖市

467.安徽含山出土一批新石器时代玉石器

作　者:张敬国、杨德标
出　处:《文物》1989年第4期

1985年春,含山县长岗乡农民在凌滩岗发现古墓1座,出土玉器、石器、陶器共51件。考古人员经调查,认为这里是1处古代墓地,周围是1处新石器时代遗址,面积约5万平方米。这座古墓尚未全部发掘。简报配以照片介绍了1985年发现的这批文物。

简报称,含山县长岗乡的这批玉石器,在安徽江淮地区还是首次发现。其中虎

形玉饰精雕细琢，是1件难得珍品。根据同出陶鼎足的形制推测，简报推断墓葬的年代大约相当于大汶口文化中期。

468.安徽含山凌家滩新石器时代墓地发掘简报

作　　者：安徽省文物考古研究所　张敬国等
出　　处：《文物》1989年第4期

凌家滩墓地位于含山县长岗乡凌家滩村南的一片高岗台地上，周围丘陵起伏，地势北高南低，裕溪河流经南部。墓地东西长约400米，南北宽约200米。1985年春，凌家滩村农民在台地上挖出石器、玉器等共51件。考古人员得知情况后立即上报，安徽省文物考古研究所派考古人员进行了勘察，初步认为这里是1处新石器时代墓地。简报分为"地层和文化遗存""出土遗物""结语"等几个部分，并配以照片。

据介绍，凌家滩墓地文化层分为上、下2层，简报推断下文化层绝对年代为距今5000～4000年，上文化层的年代略晚于下文化层，但相差不大。出土器物有石器、陶器、玉器等。

简报称，凌家滩墓地出土的遗物具有江淮地区土著文化的特征。与此相近的器物在江淮地区的巢县、庐江、肥东、肥西、长丰、六安等地都曾发现过，应是江淮地区土著民族古淮夷族的文化遗存。

469.安徽含山县凌家滩遗址第三次发掘简报

作　　者：安徽省文物考古研究所、含山县文物管理所　张敬国
出　　处：《考古》1999年第11期

凌家滩遗址位于安徽省含山县铜闸镇西南约10公里的凌家滩自然村，地处裕溪河中段北岸。该遗址坐落在一条长带形滩地上，地势由南向北逐步抬高，遗址最高点是凌家滩墓地。凌家滩遗址发现于1985年，并于1987年春和1987年秋进行过2次发掘。这2次发掘主要在墓葬区，发掘面积较小。从当时发掘资料分析，凌家滩墓葬区应是1处人工营建的独立墓地。为了确认凌家滩文化的类型和通过对凌家滩墓地、生态环境和大批精美玉器的研究探讨巢湖流域文明起源，考古人员于1998年10月至11月底，对该遗址进行了第3次发掘。此次发掘重点仍为凌家滩墓地，同时也在居住址石头圩和南半坎进行了小规模试掘。这次发掘共发现新石器时代祭坛1座、祭祀坑3处、积石圈4处、红烧土遗迹1处、房屋遗迹1处及墓葬29座，出土遗物约500件，种类有陶器、石器、玉器等。简报分为：一、前言，二、地层堆积，三、

祭坛遗迹，四、墓葬，五、出土遗物，六、结语，共六个部分。有手绘图、照片。

据介绍，凌家滩遗存的文化特征和性质虽有待进一步分析认识，但简报初步认为，它应是安徽巢湖流域一支相对独立发展的考古学文化。凌家滩遗存与文献上记载的古国之一"南巢"虽然在年代上相差1000多年，但凌家滩遗址与流放夏桀于南巢的放王岗相距不到20公里。所以简报指出，凌家滩遗址应包括在广义的南巢范围内，而且只有有了发达的凌家滩文化，才能有后来南巢古国的地位。

470.安徽含山县凌家滩遗址第五次发掘的新发现

作　者：安徽省文物考古研究所　张敬国等
出　处：《考古》2008年第3期

凌家滩遗址位于安徽省含山县铜闸镇西南约10公里的长岗行政村凌家滩自然村，属全国重点文物保护单位。该遗址此前曾经过四次较大规模的考古发掘，发现了分布密集的新石器时代墓葬、祭坛、祭祀坑、积石圈、房址等重要遗迹。出土有大量精美的玉器、石器、陶器等文化遗物。该遗址是新石器时代晚期分布在巢湖流域的1处大型高等级聚落。2007年5月10日至7月14日，安徽省文物考古研究所对凌家滩遗址进行了第5次考古发掘。发现了1处可能和祭坛有关的石头遗迹以及新石器时代墓葬4座、灰坑3座；出土各类玉、石、陶器近400件，并发现了1件用玉籽料雕刻的大型猪形器。另外，还发现战国至东汉时期的墓葬5座、隋唐时期墓葬2座，出土同期陶器、铜器等近40件。简报分为：一、发掘概况，二、主要收获，三、结语，共三个部分。先行介绍了新石器时代的发掘成果，有彩照、手绘图。

据介绍，2007年对含山县凌家滩遗址进行的第五次发掘，有许多重大发现，这些发现填补了许多学术空白，具有重要意义。如玉雕野猪，重达88公斤；又如占卜工具组合，反映出当时上层社会的精神生活。尤其是出土的玉版放置在玉龟腔体内，这与历来最令人难以置信的各种纬书所说，如《黄帝出军诀》的"元龟衔符"、《尚书中侯》中的"元龟负书"和《龙鱼河图》中的"太龟负图"等荒诞不经的神怪奇谈，却可印证起来，真是匪夷所思。

简报指出，凌家滩遗址是长江中下游地区新石器时代考古最重要的发现之一，说明巢湖流域是我国文明发祥地之一。所出土玉人，与红山文化一样都是双手置于胸前，表明5300多年前相距甚远的这两种文化，有着某种共通性。相关研究，可参见文物出版社2006年出版的《凌家滩文化研究》一书。

六安市

亳州市

471.安徽蒙城尉迟寺遗址发掘简报

作　者：中国社会科学院考古研究所安徽工作队　吴加安、梁中合、唐俊倜

出　处：《考古》1994 年第 1 期

尉迟寺遗址位于安徽省境内淮河以北的蒙城县许町镇毕集村，1986 年蒙城县文物管理所调查发现。1988 年对该遗址进行了调查，确认为新石器时代遗址。1989 年春季对该遗址再度调查，同年秋季开始对尉迟寺遗址进行发掘。截至 1991 年，先后发掘 3 次。简报分为：一、遗址概况与地层堆积，二、尉迟寺一期文化遗存，三、尉迟寺二期文化遗存，四、结语，共四个部分。有手绘图、照片。

据介绍，遗址位于毕集村东 150 米，南距北淝河 4 公里许，西南距蒙城县城 20 公里，宿蒙公路（宿县—蒙城）从遗址西侧穿过。蒙城尉迟寺遗址是 1 处面积较大、文化内涵丰富的新石器文化遗存，它包含有两种不同阶段的文化堆积：尉迟寺一期文化和尉迟寺二期文化。出土了一批文化遗物。尉迟寺一期文化特征清楚，陶器以夹砂陶为主，泥质陶次之，应属大汶口文化。但也具有强烈的地域性特征。从墓葬资料分析，尉迟寺一期文化的特点是，成人流行单人竖穴土坑墓，儿童流行瓮棺葬，人骨架腐朽严重，是否存在人工拔牙或头骨变形的习俗尚不清楚。上述特点与山东汶、泗流域大汶口文化晚期遗存区别较大，表现出皖北地区的自身特点。尉迟寺二期文化遗存不甚丰富，其文化面貌基本上与河南永城王油坊遗址中层和上层、鹿邑栾台二期文化相同，虽然有些器物如子母口双耳罐又具山东龙山文化特点，但从整体上看，尉迟寺二期文化更接近王油坊类型龙山文化，其年代与王油坊类型中晚期相当。

472.安徽蒙城县尉迟寺遗址 2003 年度发掘的新收获

作　者：中国社会科学院考古研究所安徽工作队、蒙城县文化局　张　莉、
　　　　王吉怀等

出　处：《考古》2004 年第 3 期

2003 年秋季，考古人员对尉迟寺遗址的中心部位进行了全面的揭露，获得了突破性进展。一排两组四间的红烧土建筑发现于龙山文化层，一组七足镂空器出土于红烧土房址中，成为这次发掘的重要收获。简报分为：一、地层堆积，二、大汶口

文化遗迹，三、龙山文化房址，三个部分。有彩照。

据介绍，此次发掘的是尉迟寺聚落的核心部位，也是原尉迟寺寺庙建筑基址的后半部，这一地点的龙山文化层在尉迟寺寺庙毁坏后受到了一定程度的破坏，但龙山文化房址有幸得以保存下来。龙山文化的红烧土建筑在尉迟寺遗址是首次发现，这一资料，填补了该遗址前 10 余次发掘缺少龙山文化建筑遗迹的空白，也为尉迟寺类型的大汶口文化发展到龙山文化在建筑风格上的表现提供了珍贵资料。本次发掘的另一项重大收获，是在大汶口文化层中发现 9 件大口尊组合埋藏的现象。在遗址以往的发掘中，大口尊主要作为儿童瓮棺葬的葬具，但这次发现的大口尊无人骨痕迹，应是一种祭祀现象。

简报指出，尉迟寺遗址在 13 次发掘中，均很少发现龙山文化的遗迹现象。此次清理出的龙山文化的红烧土房址，极大充实了尉迟寺遗址龙山文化的实物资料。尤其是罕见的七足镂空器的出土，为深入研究皖北地区龙山文化时期人们的意识形态增加了新的实物资料。同时，这些发现对研究该地区大汶口文化向龙山文化发展延续的轨迹，提供了宝贵的资料。

473.安徽蒙城县尉迟寺遗址 2003 年发掘简报

作　者：中国社会科学院考古研究所安徽工作队、蒙城县文化局　张　莉
　　　　张卫东、王吉怀等。
出　处：《考古》2005 年第 10 期

对安徽蒙城县尉迟寺遗址的考古工作，至今已开展了两个阶段，共进行了 13 次发掘。其中，第一阶段（1989～1995 年）的发掘资料和初步研究成果已经在《蒙城尉迟寺——皖北新石器时代聚落遗存的发掘与研究》（科学出版社 2001 年版）一书中有详细报道。第二阶段的发掘又进行了 4 次（2001 年春季、秋季及 2002 年春季、2003 年秋季），其中 2003 年度的发掘，作为第二阶段的最后 1 次工作，在聚落考古方面取得了巨大成果。简报分为：一、地层堆积，二、大汶口文化遗址及遗物，三、龙山文化遗址及遗物，四、结语，共四个部分。介绍了 2003 年度的发掘情况，有彩照、手绘图。

据介绍，2003 年，对尉迟寺遗址再次进行的大规模发掘，在遗址中心部位发现的具有三合院性质的建筑格局、套间房、大型祭祀遗存、龙山文化红烧土房址等，均为此前的历次发掘所不见。附有"出土器物统计表"。

简报称，从宏观的角度考察尉迟寺聚落的考古资料，可以看出尉迟寺遗址本身已经孕育着更高一级的文明因素，它标志着大汶口文化晚期的原始社会正处在向文

明社会过渡的重要阶段。

简报认为，尉迟寺聚落的最大特点之一，就是所发现的房址均为两间以上的建筑形式，历次发掘中尚未见到单间建筑。这种两间或多间为一组的房屋建筑形式，不仅说明了建筑技术的进步，还应当符合家庭组织结构的发展而导致居住格局改变的实际需求。居住间和储藏间的合理分配，与当时的家庭形态有着直接联系。

简报指出，仅就建筑技术而言，同一时期各地发现的史前排房建筑存在着各自的特点，但许多因素是共同的。简报归纳其建设过程是：

首先，先平整地面，再根据建房所需面积在筑墙处挖基槽，槽内立柱并用红烧土块填实，外抹草拌泥。

其次，修理居住面，建造室内设施并分隔房间。

第三，用火烘烤墙壁及地面，并铺盖房顶等。

排房的社会功能也大体相同。房屋内大多有用于烧火的火塘或灶台，位于室内一角或靠近墙壁处，推测多数应具有生活居住的功能。

简报最后强调，尉迟寺遗址的建筑格局具有自身特点。可以看出，尉迟寺聚落是在大汶口文化与土著文化的互动和融合中形成的一个晚期地方类型。对尉迟寺聚落及周边聚落群的考察证明，黄淮地区也是古代东夷族的聚居地，在接受周边地区文化影响的同时，本土文化迅速地发展。像尉迟寺遗址这样以农耕为基础的定居聚落的出现，是人类通向文明社会的一个起点。

池州市

474.安徽青阳县中平遗址调查

作　者：青阳县文管所　陶能生
出　处：《考古》1997 年第 11 期

中平遗址，位于青阳县西南部，距县城约 17 公里。东面是著名佛教圣地九华山，北靠庙前乡，西南邻近贵池市刘街，九华河的上游八都河从遗址西侧流过。遗址坐落在三面临山的低山丘陵上，面积约 2 万平方米。近年来，考古人员对该遗址进行了数次实地调查，并采集到一批实物标本，简报配以手绘图予以介绍。

据介绍，采集的石器除少数器物留有打琢痕迹外，余皆磨制较精。器型有斧、锛、刀、镞、镰、网坠等。陶器，所采集的标本除纺轮和部分鼎足外均较残碎。陶质大多为夹砂红陶和红褐陶，夹砂灰陶和泥质陶较少。褐陶火候不高，同一器物往往呈现两种不同颜色。器型有鼎、鬲、盘和纺轮等。

青阳县中平遗址与长江中下游地区的一些同时期遗址存在一定的相似性，选址都是在靠近水源、交通便利的丘陵或台地上。其所出遗物，有些属皖南地区新石器时代较早的遗存。

475.安徽东至县华龙洞旧石器时代遗址发掘简报

作　　者：安徽省文物考古研究所、吉林大学边疆考古研究中心　陈胜前、罗　虎
出　　处：《考古》2012 年第 4 期

2008 年夏与 2009 年初，考古人员对安徽东至县华龙洞遗址的出土材料进行了初步的整理与研究。

简报分为：一、发掘经过，二、地层与地理环境，三、石制品的初步观察，四、骨器材料的初步观察，五、其他材料，六、遗址性质与人类行为关系，七、讨论与结论，共七个部分。有手绘图。

据介绍，华龙洞旧石器时代遗址出土了丰富的动物骨骼化石、加工使用痕迹清晰的骨器和百余件石制品。其石制品组合具有旧石器时代晚期工业的特征。动物骨骼化石上同时发现了动物啃咬与人工切割的痕迹，简报推断该遗址的动物骨骼已被人类利用，但人类可能是利用动物残余的食腐者，而非这些动物的狩猎者。

宣城市

福建省

福州市

476.闽侯庄边山新石器时代遗址试掘简报

作　　者：福建省文物管理委员会　陈仲光、林登翔
出　　处：《考古》1961年第1期

1956年，考古人员在文物普查中发现了榕岸乡庄边山新石器时代遗址后，为了进一步探明遗址堆积范围和文化内涵，1960年1月间，对此遗址进行了17天的试掘。共开探沟3条，揭露面积78.3平方米，清理灰坑2个、新石器时代墓2座、战国墓1座。简报分为：一、庄边山遗址和出土遗物，二、墓葬，三、结语，共三个部分。有手绘图、照片。

据介绍，遗址位于闽侯榕岸乡庄边山，北临闽江，距福州市约20公里。发掘共出土石器52件、骨器4件、陶器42件和陶片3360片。发现新石器时代墓葬2座，墓室为土坑浅穴，长方形，仰身直肢，存残头骨。简报推断，上述两座新石器时代墓葬所出器物与前述遗址堆积层中所出的陶器和陶片比较，没有什么显著不同，因此可以确定，它们是属于同一时期的。战国墓M3为土坑竖井式，平面呈梯形，无墓道，简报暂定为战国末期，可能迟到西汉。

简报称，战国墓的首次发现，对于福建来说，有着重大的意义：第一，为我们提供了判断遗址年代的下限线索，可以初步判定，庄边山新石器时代遗址的年代下限不会晚于战国；第二，为今后进一步探索秦汉时期福建地区的历史文化面貌，提供了宝贵的线索。

477.福建闽清永泰新石器遗址调查

作　　者：曾　凡
出　　处：《考古》1965年第2期

1962年8月至10月初，考古人员到闽清、永泰等县进行考古调查，发现一些新

石器晚期遗址。简报配以手绘图予以介绍。

据介绍,遗址主要集中在闽东阪东和永泰长庆。阪东公社在闽清的东南30余公里,四周群山环绕,形成一个比较开阔的盆地,为闽清最富饶的地方。河两岸有许多丘陵,均高不及30米。在阪东附近的十几座山丘上,几乎都有遗物,但都很稀少,主要是历年经雨水冲刷、水土流失之故。比较重要的遗址有西牛山、后坪山、后门寨等。长庆公社在永泰西北约70余公里,境内崇山峻岭,有一条狭长的山谷和注入大樟溪的河流,河流两岸有些丘陵。东岸地势较缓,丘陵较多;西岸地势陡峭,丘陵较少。比较重要的遗址有顶头埔、大坑境等。

简报称,闽清和永泰新发现的这些遗址的共同点是:石器少,陶器都以印纹硬陶为主,花纹以回纹和菱形回纹居多;它们在时代上大体相近,都是福建新石器时代末期的文化遗存。至于闽清后门寨遗址所发现的釉陶器可能更晚一些。

478.福建闽侯白沙溪头新石器时代遗址第一次发掘简报

作　　者:福建省博物馆　郑金星、陈　龙
出　　处:《考古》1980年第4期

溪头遗址位于闽侯县城西南约12公里、白沙镇东北约2公里的溪头村南台地上。遗址东西长约105米,南北宽约90米。北部现被村庄覆盖,遗址发现于1956年,其后多次复查。1975年12月至1976年1月进行了发掘。简报分为四个部分予以介绍,有手绘图。

溪头遗址墓葬分布比较密集,无论单葬或合葬、有无葬坑,人骨架大多数头顶向北偏西,但也有少数南偏东、南偏西的。葬式则多单身的仰身直肢葬,但也有2个侧身屈肢葬的。10具人骨架全部采集,并经上海自然物博物馆人类学组作了鉴定,男女都有,中年居多,也有老年和青年的。可以说,这是一个氏族公共葬地。M7为单人侧身屈肢葬,死者年仅23岁左右,为1名女青年。从埋葬时双手被捆绑、上下肢骨被折断、侧身屈肢呈跪卧状来看,明显地表现出非正常死亡的状态。M3为大人合葬,从葬式、他们的性别和年龄来看,显然是夫妻合葬。这座墓葬的死者是一次埋葬的,这应是以男子为主体,而把女子作为从属者来处理的。随葬遗物主要是日常用的陶器。夹砂陶多炊器,以釜为主,泥质陶多饮食器皿,如罐、豆、杯、壶等,造型与纹饰比较美观,器外表作灰或黑色。另外还有少量石锛、石刀、石镞、陶纺轮等生产用具。此处遗址的年代,简报认为与昙石山遗址为同一时代。一般认为,昙石山文化是以闽江下游为中心的福建东南沿海地区的新石器时代文化。

479.闽侯溪头遗址第二次发掘报告

作　　者：福建省博物馆　林公务等

出　　处：《考古学报》1984 年第 4 期

福建闽侯溪头新石器时代遗址位于闽江下游北岸，闽侯县白沙镇溪头村西南的台地上。南距闽江约 2 公里。遗址的东、北部大部分被现代的村舍民房所压，西部以及南部的边沿地带，被一条环绕着台地的现代道路所破坏。溪头遗址于 1954 年考古调查时发现。1975 年底至 1976 年春，进行了第 1 次发掘。1979 年 10 月中旬至 1980 年 1 月底止，又进行了第 2 次发掘。这次发掘共清理了新石器时代墓葬 42 座和新石器时代灰坑（蛤蜊壳堆积坑）32 个。此外，还有唐代竖穴土坑墓、宋代砖室券顶墓各 1 座以及宋代房基 1 处（唐、宋遗迹另文报道）。出土石器、骨器、玉器、贝器、陶器等遗物近 300 件，还有大量的陶片。简报分为：一、地层堆积，二、遗迹，三、墓葬，四、文化遗物，五、结语，共五个部分。有照片、拓片、手绘图。

据介绍，溪头遗址文化遗存可分为上、下两层。下层为贝丘堆积。两次共发掘墓葬 51 座、蛤蜊壳坑 32 个，属新石器时代。文化面貌与我国台湾大岔坑文化有相似之处。年代简报推测为距今 5500 ～ 4000 年。上层非贝丘堆积，应已进入青铜时代。

480.福建平潭壳坵头遗址发掘简报

作　　者：福建省博物馆　林公务

出　　处：《考古》1971 年第 7 期

平潭是福建东部的一个岛县，由福建第一大岛——海法岛以及其他 127 个大陆小岛组成。壳坵头遗址于 1964 年发现，其后曾多次复查。遗址遭受严重破坏，东段被官清公路切断，遗址中的大部分贝壳堆积早在 1958 年就被当地百姓为烧壳灰而挖取。1985 年秋至 1986 年春，考古人员进行了为时近 4 个月的考古发掘，共清理新石器时代灰坑（贝壳堆积坑）21 个、残墓葬 1 座，出土石器、骨器、玉器、贝器、陶器等文化遗物 200 余件以及大量陶片。简报分为：一、地层堆积，二、遗迹，三、遗物，四、结语，共四个部分。有手绘图、照片。

简报称，该遗址的年代，大体在距今 6000 ～ 5500 年，是福建境内新石器时代文化中一种新的文化类型，也是目前福建境内所知最早的新石器时代文化遗存。

简报指出，壳坵头文化遗存的内涵特点，在生产工具方面，主要是石器和骨器。石器中打制的或经粗磨的为数不少。器型以小型梯形锛为主，还有少量福建境内过去未

曾发现的穿孔石斧、穿孔石刀和石杵、臼等。利用河卵石制作的石球也较多。骨器多利
用动物肢骨制作而成，主要有凿、匕、锥、镞等，多数只限于刃部加工，仅少量磨制精细。
从总体观察，壳丘头文化遗存的生产工具制作还比较简单，主要是为了实用。在生活
用器方面，主要是陶器，以夹砂陶为主，约占 90%，且掺和粗砂及贝屑的较多，泥质陶
数量有限，不及 10%。陶色杂，红、黄、灰、黑兼而有之，往往同一件器物上，就呈现
多种颜色，说明其烧制水平尚不稳定。制法多属手制，器物内壁多残留垫窝，胎质厚薄
不均。器类简单，以圆底及圈足器为主，主要有釜、罐、盘、豆、碗、壶等。陶器装饰中，
以拍印的麻点纹、压印的贝齿纹、戳点纹以及多线平行刻划纹最为典型，也最具特色。

简报指出，从发掘情况看，先民的生产力水平还十分低下，生产方式也较原始，
经济生活的主要来源是靠捕捞、采集或狩猎，在很大程度上依赖于自然环境。从出
土动物骨骼鉴定情况判断，当时平潭岛的生态环境要比现在好得多，山上有茂密的
森林，岛上遍布阔叶林，植被茂盛，并有着广泛的蕨类等植物及灌木生长。

481.福建闽侯庄边山遗址发掘报告

作　者：福建省博物馆　林公务等
出　处：《考古学报》1998 年第 2 期

庄边山是 1 座面积不及 5 万平方米的长条形孤立山丘，因形似卧牛，当地人称
之为"卧牛山"，位于闽江下游南岸、闽侯县竹岐乡榕岸村之东南。山之西半部为遗址，
地表遍布贝壳碎屑，也散见石器、陶片等文化遗物。庄边山遗址为 1956 年文物普查
中发现。1960 年春，考古人员在此进行试掘，清理了新石器时代墓葬 2 座、灰坑 2 个，
还发现西汉初年墓葬 1 座，获得了一批实物资料，于 1961 年经福建省人民政府公布
为"第一批省级文物保护单位"。"文化大革命"中，部分村民在遗址北部擅自取土，
造成大片文化堆积层逐年崩陷。为了不使遗址继续毁坏，1982 年对该遗址进行了抢
救性发掘。简报分为：一、遗址状况及地层堆积，二、下层文化遗存，三、上层文
化遗存，四、结语，共四个部分。有照片、手绘图。

庄边山上层文化遗存的年代，简报推断为不早于距今 4000 年，不晚于距今 3500
年。庄边山下层遗存应在距今 5000 ~ 4000 年。庄边山下层墓葬表现在葬制方面的
特点：以单人土坑葬为主，均无葬具；墓坑多以贝壳充填；葬式多为仰身直肢，仅
个别为仰身或侧身屈肢；随葬器物中以陶制生活用具为主，个别随葬石锛、贝铲、
纺轮等生产工具；大多数墓葬的随葬物品差异不大；早期墓葬多无随葬品而晚期则
逐渐增加。庄边山下层墓葬的人骨鉴定表明，庄边山下层时期的儿童死亡率相当高。
在可鉴定的 46 座墓葬中，未成年儿童为 24 座，成年人仅为 22 座，儿童比例高达

50% 以上，是十分惊人的。庄边山遗址下层出土的生产工具中，以小型石锛为主，还有镞及部分骨器、贝器，能胜任农业的大中型工具甚为罕见。再联系庄边山遗址的周围环境（当时的庄边山不过是江岸的一个小孤洲），还不能完全断定当时农业是否存在。人们生活的食物来源主要还依靠捕捞、采集和狩猎。这种生产力水平十分低下的原始状态，无疑是造成儿童死亡率高的重要原因。

简报指出，庄边山遗址是福建省闽江下游地区极为重要的史前遗存。而这次发掘面积大、所获资料丰富，对福建史前考古的研究，无疑是弥足珍贵的。

厦门市

莆田市

三明市

482.福建龙溪县发现新石器时代遗址

作　者：马海骘
出　处：《考古》1961 年第 5 期

1958 年漳州第一中学同学找寻矿石，在漳州市东 7 公里的云岩洞附近找到了几件石锛。同年 10 月考古人员去龙岩洞勘察，在马下山发现了新石器时代遗址，并采集了不少石器和陶器，11 月 7 日再到岩云洞进行了 1 天的调查。在岩云洞的马下山和仙顶岩等地发现了同样的石锛 10 余件和许多陶片。简报配以手绘图予以介绍。

据介绍，上述二山从地形看似属两部分，然而所出遗物实际上仍同属 1 个遗址范围内。这两次发现的遗物，均分布在马下山和仙顶岩一带，分布的范围甚广，尤以马下山最多。遗物大多暴露于地面上。从发现的石器看，种类比较单纯，仅有石锛一种。值得注意的是陶器的种类比较复杂，黑砂陶和印纹陶同时存在。遗址文化堆积层均已受自然力的长期破坏，灰层已被冲散，遗址的中心地带究竟在何处，一时尚未找到。

泉州市

漳州市

483.福建漳浦新石器时代遗址调查

作　者：曾　凡
出　处：《考古》1959 年第 6 期

1958 年 1 月，考古人员为配合眉力水库建设，对即将淹没地区进行了发掘，共发现遗址 4 处，清理新石器时代残墓 4 座。简报分为"遗址概况与采集遗物""墓葬概况与随葬品"共两个部分，有照片、手绘图。

据介绍，遗址 4 处稍有破坏，采集的遗物有石器、陶器。墓葬人骨大多腐烂无存，随葬品有石器、陶器等。简报认为遗址与墓葬均为新石器时代遗存。

484.福建东山县坑北发现新石器时代遗址

作　者：杨启成
出　处：《考古》1965 年第 1 期

坑北新石器时代遗址系 1957 年 3 月发现的，位于东山县城西北约 2.5 公里的井心山南坡。1960 年 5 月进行了发掘。简报配以手绘图予以介绍。

据介绍，出土遗物有石器和陶器两类。石器有石锛 7 件，均磨制，其中有段石锛 1 件、残石环 1 件，制作精致。陶器多为残片，以夹砂粗陶占绝大多数，火候很低，陶质粗糙而疏松，是这个遗址的主要特征。陶色有红、灰、黑和橙黄四种。素面的较多，有纹饰的较少，纹饰有粗、细绳纹和篮纹、回纹、方将纹、曲折纹。简报称，福建新石器时代遗址都是以印纹硬陶为主要特征，而东山坑北遗址以夹砂粗陶为主，这是福建省新石器遗址中少见的现象。

485.福建东山县大帽山发现新石器贝丘遗址

作　者：徐起浩
出　处：《考古》1988 年第 2 期

1986 年 7 月考古人员在福建省东山县大帽山进行地震考察时，在大帽山南东坡海拔约 65 米处发现有古贝壳层，之后在对贝壳层的开挖过程中又采集到了一批古代人类生活遗存，计有长身石锛 2 件（1 残）、磨光小石锛 1 件、红褐色绳纹和素面泥质陶器口沿、夹砂陶器的口沿和圈足、脊椎动物骨骼、鱼类骨片和贝壳等。

简报分为：一、贝丘遗址的地理位置及分布概况，二、古人类生活遗存，共两个部分。有手绘图、拓片、照片。

据介绍，贝丘遗址分布在大帽山南东坡海蚀平台北侧坡度约 20°的缓坡上，主要为贝壳层组成。该贝壳层 20 年前已被附近村庄群众采掘至少 5 吨，后因植树造林被杂草掩盖才未被继续挖掘。石器全在贝壳表层发现。陶片和动物骨片也在贝壳表层分布较多，仅少量夹在贝壳层中。古人类生活遗存有生产工具、生活用具。大帽山古人类生活遗存发现点的地理环境是适合古人类生活居住的，依山临海，地势较平坦，位处大帽山东南坡。遗物表明是 1 处古文化遗址，属贝丘类型。古人类选择依山临海的地方生活，以狩猎和渔猎为主，能制作精良的石器和烧制陶器，不仅能猎取潮间带贝类、鱼类动物，还能猎取潮下带贝类、鱼类动物。

其时代简报推断应属石器时代晚期，距今约 4000 年，与用碳十四同位素法测定的该贝丘遗址上的古贝壳年龄完全一致。

486.福建漳州市史前文化遗址调查

作　者：福建省博物馆　郑　辉
出　处：《考古》1995 年第 9 期

漳州市位于福建省南部，下辖 10 个县区，面积 12500 平方公里。其南部与广东省接壤，东部隔海与台湾省相望。1985 年以来，考古人员对该区进行了大规模的文物普查工作。发现先秦古文化遗址 276 处，采集了一大批标本材料，对该地区的先秦文化面貌有了进一步了解。通过对这批材料的整理，结合对遗址的复查，可以确认，这些遗址中只有 3 处属于史前时代遗存。这 3 处遗址都分布在海边或者岛屿上，均属贝丘遗址。

简报分为：一、腊洲山遗址，二、大帽山遗址，三、覆船山遗址，四、小结，共四个部分。有手绘图。

据介绍，腊洲山遗址坐落于诏安县梅岭乡小玄钟村腊洲山的北坡及山顶。大帽山遗址位于东山岛上。覆船山遗址位于芗城区芝山乡岭下村西。3 处遗址的遗物有陶器、陶片、石器等，经测定年代为距今约 4000 年，为新石器晚期遗址。贝类动物为先民主要食物来源。

487.福建东山县大帽山贝丘遗址的发掘

作　　者：福建博物院、美国哈佛大学人类学系　范雪春、林公务、焦天龙
出　　处：《考古》2003 年第 12 期

大帽山贝丘遗址位于福建东山县陈城镇大茂新村东北约 1 公里的大帽山东南坡。该遗址发现于 1986 年，随后考古人员进行了多次调查。为了研究闽台史前文化之关系和南岛语族的起源等课题，经国家文物局和福建省文物局批准，自 2001 年以来，中美学者联合开展了对福建东部沿海地区史前时代区域交流模式及航海术发展状况的研究。为了配合该课题的开展，于 2002 年 11 ～ 12 月，对大帽山遗址进行了发掘。简报分为：一、遗址环境与地层堆积，二、出土遗物，三、结语，共三个部分。介绍了遗址的地层堆积、文化遗物的类型学分析和贝壳的统计分析等，有手绘图、拓片。

据介绍，大帽山遗址是 1 处堆积比较单纯的海岛型贝丘遗址。此次发现的两个文化层并没有经过后期人为的破坏。对出土遗物的分析还表明，大帽山遗址的文化内涵比较单纯，均为同时期的新石器时代遗存。这表明，大帽山遗址被废弃以后，后人没有再在其上生活。这些现象为正确判断该遗址的文化性质和年代提供了基础。大帽山遗址的年代，简报推断为距今 5000 ～ 4300 年。

南平市

488.福建浦城县牛鼻山新石器时代遗址第一、二次发掘

作　　者：福建省博物馆　郑　辉等
出　　处：《考古学报》1996 年第 2 期

浦城县位于福建省最北部，与浙江、江西省交界。牛鼻山遗址在浦城县东北约 30 公里的管唐乡党溪村牛鼻山南坡。该山为 1 座相对独立的小山头，高程约为 40 米，其东、北皆为连绵的高山峻岭，西、南是开阔的山间盆地，并有党溪从遗址附近经过。牛鼻山遗址于 1986 年全省文物普查时被发现，其后经省、县文物部门多次复查，确定为 1 处重要的新石器时代遗址，被列为"县级文物保护单位"。由于当地农民烧砖取土，遗址遭到一定程度的破坏。1989、1990 年秋，福建省考古队先后两次对该遗址进行了抢救性发掘。共清理新石器时代墓葬 19 座，灰坑 8 个，东晋、宋代墓各 1 座（本报告从略）。出土石器、玉器、陶器等文化遗物 300 多件，另有大量陶片。

简报分为：一、地层和分期，二、下层文化遗存，三、上层文化遗存，四、结语，共四个部分。介绍了这两次发掘的情况，有照片、手绘图。

据介绍，牛鼻山遗址的年代，简报推测为距今5000～4000年，其文化特征与福建地区史前文化的代表昙石山文化有密切联系，是闽北地区一次重大的史前文化遗址。

489.福建浦城县黑岩头新石器时代墓地发掘简报

作　者：福建闽越王城博物馆

出　处：《南方文物》2012年第3期

黑岩头墓地位于浦城县仙阳镇管九村后山自然村西北的黑岩头山上，2006年7月修建浦南（浦城／南平）高速公路时发现，考古人员进行了抢救性发掘。共发现新石器时代墓葬7座、商代冲沟1处，出土有陶器、石器等。简报分为四个部分，先行介绍新石器时代遗存，有手绘图。

简报称，此处墓葬的年代，第一期在距今约4500年至4300年。第二期在距今4000年左右。目前，尚未发现与黑岩头墓地遗存完全一致的文化遗存。故而专家建议将黑岩头一、二期墓葬遗存暂且命名为"黑岩头一期遗存"和"黑岩头二期遗存"。

龙岩市

490.福建长汀河田新石器时代遗址的调查

作　者：厦门大学人类博物馆　林惠祥等

出　处：《考古学报》1957年第1期

1955年，福建长汀河田区苗圃工人捡到3个石镞，考古人员根据这一线索前往长汀县东河田镇一带调查，发现了这处遗址。简报分为：一、发现经过，二、遗址，三、文化遗物，四、推论，共四个部分。有照片。

据介绍，河田镇周围石器、陶片较多的地方有乌石崃、竹子山、黄屋山、俞屋山、牙背山等。先民除从事农业外，兼及采集、渔猎，懂得纺织。简报认为，此处应为古时越族1处新石器时代遗址。

491.介绍闽西出土的两件石器

作　者：丘荣州、郭陞元

出　处：《考古》1982 年第 3 期

1981 年春，考古人员采集到 2 件石器：1 是在龙岩县白沙中学挖房基时，于 0.7 米深处挖得的石斧 1 件；1 是在永定县坎市中学建操场时，于 1 米深处挖得的砍砸器 1 件。简报配以照片予以介绍。

据介绍，石斧采用青石磨制而成，顶部有孔，刃部有缺残，刃口似有血迹，简报认为是龙山文化遗物。砍砸器系旧石器晚期遗物。

492.福建省长汀县河田镇乌石崾发现石犁

作　者：福建省龙岩师专　邱荣洲

出　处：《农业考古》1990 年第 1 期

1986 年 12 月，考古人员在长汀县河田镇乌石崾一带发现了 2 件石犁。简报配以照片予以介绍。

据介绍，石犁较大较重，长 21 厘米，宽 13 厘米，有使用痕迹，年代经测定为距今 4500～4000 年。简报指出，长舌犁的出土，证明了该地区主要是汀江流域的古越族人，完整地走过了原始农业的刀耕、锄耕和犁耕 3 个发展阶段，由此可见，这一地区新石器时代的持续时间要比以往估计得更长些。石犁的问世标志着原始农业进入犁耕阶段，标志着生产力的发展，是古代农业史上的一次革命，促进了农业的发展，使古越族文化踏进文明时代；也证明了我国 3 大古老民族之一的古越族，在历史上是对创造古代文明有贡献的伟大民族。

493.福建漳平市奇和洞史前遗址发掘简报

作　者：福建博物院、龙岩市文化与出版局　范雪春、黄运明、危长福、吕锦燕、
　　　　王银平等

出　处：《考古》2013 年第 5 期

奇和洞遗址位于福建省漳平市东北 42 公里处，西南距象湖镇灶头村 4 公里。奇和溪在西距洞口 80 米处自北向南流过。奇和洞有北、东、东南 3 个支洞。这些支洞大小、深浅不一，其内存留较好的晚更新世早、中期地层，出土动物化石属于我国南方常见的大熊猫—剑齿象动物群。奇和洞遗址发现于 2008 年，次年起至 2011 年 4

月进行了 3 次小规模发掘。在 3 次发掘中，发现了史前时期及宋代至清代不同时期的文化遗存。其中，史前时期文化遗存包括大量石制品、骨制品和陶片，并出土 3 个人颅骨和大量哺乳动物骨骼等。

简报分为：一、地层堆积，二、第一期遗存，三、第二期遗存，四、第三期遗存，五、结语，共五个部分。有彩照和手绘图。

据介绍，该遗址的史前文化堆积可分为三期，其绝对年代分别为距今约 17000 ～ 13000 年、12000 ～ 10000 年、10000 ～ 7000 年。值得指出的是，第一期遗存与我国台湾长滨文化的遗存颇有可比性。奇和洞遗址的发掘填补了福建地区旧石器时代向新石器时代过渡时期的空白。

简报指出，出土的人类颅骨，代表了生活在奇和洞内不同时期的居民，这为探讨旧石器时代向新石器时代转变过程中的人类体质特征、南北方人种差异、生业模式等问题提供了新的重要资料。

简报还指出，根据对遗址出土的动物群组成、骨骼破碎程度等分析，居住在奇和洞的先民正处在末次冰期结束之后、全球气候回暖的时期，过着采集和狩猎并重的生活。动物骨骼的数量表明狩猎经济占重要地位。出土的骨骼中完整者极少，且都有砸击痕迹，除选取若干作为骨器坯件外，吸髓是明显的特征。大量烧骨、烧螺壳也表明当地居民是熟食者。其中犬和猪两种动物的存在可能意味着奇和洞的居民已经采取驯养方式。此外，骨制鱼钩和带绳索捆绑痕迹的石网坠的发现，表明采拾螺贝和捕鱼等已成为补充食物的另一方式。

宁德市

江西省

南昌市

494.南昌莲塘新石器遗址调查

作　者：江西省文物管理委员会　陈柏泉、胡义慈

出　处：《考古》1963 年第 1 期

莲塘遗址在南昌县城莲塘镇的西南部，距南昌市区约 20 公里。这里共包括遗址 3 处。简报配以手绘图予以介绍。

据介绍，简报共介绍了 3 处遗址：

1 是奉新山遗址。其东距南莲公路（南昌—莲塘）约 400 米，北距莲塘镇约 1000 米，西距赣江支流抚河约 200 米，南面紧靠湖田。该遗址处于赣抚冲积平原的一条小丘陵上，在 2 公里长的地区内散见遗物，但以奉新山小丘陵为中心区。此遗址发现在 1958 年，以后曾不断进行过多次复查，且于 1961 年稍作试掘。

2 是上西山遗址。该遗址在奉新山遗址的东南，隔湖与之遥相对称。地表也暴露有成片的红烧土块；在冲刷断崖上，陶片、石器甚多。调查时，曾在距地表 10 ～ 50 厘米处出土陶甗 2 件，陶钵、陶豆各 1 件。该遗址文化堆积厚达 1 米余，未经扰乱，且多完整器。

3 是象尾山遗址。东距上西山遗址约 800 米，北面隔湖与奉新山遗址相对。该遗址地表暴露陶片、网坠、石器亦多，1958 年调查时曾采集得能复原的陶甗 1 件。

简报称，上述 3 处遗址，环湖呈"品"字形分布，距地表一般均在 15 ～ 20 米，同属于湖旁台地。简报称其为新石器遗址，但未提及距今多少年。

景德镇市

萍乡市

九江市

495.江西瑞昌县良田寺遗址调查

作　　者：瑞昌县博物馆　刘礼纯

出　　处：《考古》1987 年第 1 期

1984 年上半年，瑞昌县在进行文物复查时，在良田寺发现 1 处古文化遗址，并于同年 9 月对遗址作了详细调查。遗址未经过钻探和发掘。简报分三个部分并配以手绘图、照片和拓片介绍了调查情况。

据介绍，遗址位于瑞昌县西南 20 公里处，属山坡地遗址，南面 300 米处有寺下河，北面山丘，东西面田野，遗址因处良田寺位置，故称为"良田寺遗址"。西侧因农民取土，致使文化层堆积遭受破坏，大量遗物暴露于地面。遗址东西长 180 余米，南北宽 100 余米，总面积 18000 余平方米。文化层厚度为 1 米深。遗址表面为种植的杉树苗和农耕地，可从地面上拾到很多的宋、明、清时代的瓷片以及宋代网纹瓦片。从农民取土留下的土墙来看，遗址下层厚度约 55 厘米，土质为红烧土与红壤土混合，大部分遗物都出自该层土壤中。这次调查采集的标本主要来源于已被取土破坏的一部分。采集的遗物共 160 件（片），有石器、陶器两类，以陶器为主。良田寺遗址是瑞昌县首次发现的 1 处较早的古文化遗址。对采集的遗物进行比较观察，发现遗址有早晚不同性质的文化遗存，其中大部分为新石器时代晚期的遗物，较接近浙江的良渚文化。新石器时代遗存中，以夹砂红陶为主的素面器物较多，这些器物大多都采用手制或轮制。

简报称，良田寺遗址的发现，为研究长江中游的古文化分布和发展提供了重要资料。

新余市

鹰潭市

赣州市

吉安市

496.江西永丰县尹家坪遗址试掘简报

作　者：江西省文物工作队　刘　林、李家和
出　处：《考古与文物》1990 年第 5 期

尹家坪遗址是 1979 年由永丰县文物普查队发现的。1980 年 4 月，考古人员前往复查，证实确系 1 处古文化遗存，所见遗物标本也较为丰富。1981 年 10 月下旬，对该遗址进行了钻探、测绘并准备试掘，因遇上长时间连绵不断的阴雨天气，而中断了试掘工作。考虑到该遗址地处江西的中部地区、赣江中游的腹地，是连接和探索赣江流域上、下游古代文化的中心环节，于是 1983 年秋对该遗址进行了试掘。简报分为：一、地理和文化堆积，二、出土器物，三、小结，共三个部分。有手绘图、照片。

据介绍，尹家坪遗址从试掘面积看，地层堆积仍有 2.5 ~ 3 米厚，文化面貌比较单一，均属新石器时代晚期的地层。关于第二层所出的属于西周时期的几块印纹硬陶片，经查证均出在农耕土下与第二层上部的交接处，应为人工扰入的。该遗址由于试掘面积较小，所出的遗物还不够丰富；石器的出土数量较少，2 件制作精细、造型别致的黑皮磨光蛋壳铁器为在该类遗址中出土的精品。

简报称，尹家坪的发现与发掘，对于探索赣江流域古代文化之分布和其与上、下游之间的关系以及沟通和岭南地区、湘江中上游地区的联系，是颇为重要的。

宜春市

497.江西清江的新石器时代遗址

作　者：中国科学院考古研究所　饶惠元
出　处：《考古学报》1956 年第 2 期

江西清江一带新石器时代遗存，早在宋代即有出土，1949 年前后又曾多次发现遗物。简报分为：一、概述，二、地理环境，三、遗址，四、遗物，五、结束语，共五个部分。配以照片，介绍了清江的新石器时代遗址。

据介绍，清江遗址有如下现象：

凡有砂陶泥陶出土的遗址，石器多为大型且种类也繁复；那些单独有印纹硬陶的遗址，则石器较小而种类也简单些。这种现象，可能在研究陶片与石器共存的关系上，有可供借鉴的地方。另外，出土的石棒和石斧多件，是江南遗址中少见报道的。简报称，由于遗址较多，原始记录又较简单，这批新石器时代遗址年代虽然有早晚之别，但不好一概而论。

498.江西清江县新石器时代遗址的调查与分析

作　者：清江县博物馆　李玉林、李　昆
出　处：《考古》1988 年第 4 期

江西清江县的新石器时代遗址，20 世纪 50 年代初期，调查后认定为 35 处。从 1982 年全县大规模文物普查时复查的资料分析，其中大部分遗址应属商周文化遗存。这一重大改变，既是考古学值得探讨的问题，也涉及到清江人类社会发展规律问题。随着考古事业的不断发展，全县文物普查已调查 100 余处古遗址，为进一步研究分析清江新石器时代断代问题，提供了较为丰富的资料。简报分为：一、50 年代初定 35 处新石器时代遗址的基本情况，二、80 年代复查原定 18 处新石器时代遗址的基本情况，三、清江新石器时代遗址几个问题的初步分析，共三个部分。有手绘图、拓片。

据介绍，清江的古文化遗址，根据 1982 年全县文物普查资料，共调查发现 121 处。其中新石器时代遗址，发掘报告定为新石器时代的有樊城堆、筑卫城、营盘里等 7 处。据采集的标本暂定为新石器时代的有杨家埫、观下山、老虎岗等 3 处，还有新调查发现的盘子岭遗址。简报根据目前资料，认定全县新石器时代遗址总共为 11 处。通过今后工作，可能还有新的发现。因此，也可能还要作必要的订正。

499.靖安郑家坳墓地第二次发掘

作　者：江西省文物考古研究所、宜春地区文物博物事业管理所、靖安县博物馆
　　　　徐长青、翁松龄、韩德群、白　坚
出　处：《考古与文物》1994 年第 2 期

郑家坳墓地位于靖安县城西约 15 公里，紧邻烟竹区的水口乡南端来堡村境内，处在一西高东低的山坡高地上。该墓地是在 1983 年全省文物普查时发现的，同年 5 月，考古人员即对其进行了第 1 次抢救性发掘，清理墓葬 10 座，出土遗物 80 件。为进一步了解郑家坳遗存的文化面貌及属性，1990 年 12 月对其进行了第 2 次发掘。发掘

工作自 12 月 8 日开始至 1991 年 1 月 8 日结束，历时 31 天。计开探方 4 个，揭露面积达 180 平方米。清理墓葬 24 座、灰坑 1 个。出土和采集遗物有陶器、石器和玉器共 105 件，其中修复完整的陶器 62 件。

简报分为：一、地层堆积和文化分期，二、出土器物，三、结语，共三个部分。有手绘图、照片。

据介绍，通过对靖安郑家坳新石器时代墓地的第 2 次发掘，对其文化面貌和性质有了比较深刻和全面的了解。在墓葬方面，有较多的统一因素，多为南北向长方形土高竖穴结构，人骨和葬具均腐朽无存，多为一次葬，随葬品多为鼎、豆、壶、簋及石锛、纺轮之类陶器。从郑家坳墓地第 2 次发掘资料中还可以看出，其文化在从形成到发展的过程中，一直和周边地区各文化有着千丝万缕的联系。它属于江北薛家岗文化系统，或可谓是其分布于江南的一支。简报认为，郑家坳墓地的第 2 次发掘，对于解决郑家坳与拾年山相互衔接的关系问题，起了重要的作用。

500.江西靖安老虎墩史前遗址发掘简报

作　者：江西省文物考古研究所、厦门大学历史系考古专业、靖安县博物馆
王意乐、崔　涛、徐长青等
出　处：《文物》2011 年第 10 期

老虎墩遗址位于江西省靖安县高湖镇中港村邓家自然村村东约 200 米的台地上，在靖安县城西北约 15 公里处。台地是一个平均高度 3 ～ 4 米的小土台，保存面积约 5000 平方米。台地地表是历代坟茔和菜地，四周为平地，种植水稻和柑橘。老虎墩四周还分布着一些小台地，在这些台地上及中港盆地边缘的一些低矮平缓的山坡上都可以采集到史前和商周时期的陶片和石器。2009、2010 年，考古人员进行了发掘。

简报分为：一、地层堆积，二、下层遗存，三、上层遗存，四、结语，共四个部分。配以照片、手绘图，先行介绍史前遗迹和遗物。

据介绍，共发掘新石器时代晚期墓葬 112 座、灰坑 53 个、祭祀坑 26 个、房址 9 处、道路 1 条及大量遗物。遗存分为下层遗存和上层遗存。下层遗存有房址、道路、灰坑等，出土有石器和陶器；上层遗存有墓葬、房址、灰坑，出土器物主要是陶器。下层文化陶器表现出较早的形态，简报初步推断其年代在距今 6000 年之前；上层文化可能是江西省一支新的古文化类型，年代距今 5000 ～ 4500 年。

抚州市

501.江西临川新石器时代遗址调查简报

作　者：江西省文物管理委员会　程应林、彭适凡、李家和
出　处：《考古》1964 年第 4 期

1960 年 2 月，考古人员曾在临川县发现了古遗址、城址、窑址和古建筑等多处。1963 年 2 ～ 3 月进行了复查工作。核实和新发现的古文化遗址共 19 处。简报分为：一、遗址分布和探掘情况，二、随葬器物，三、结论，共三个部分。有手绘图。

据介绍，这 19 处遗址，多分布在河旁或平原边缘的丘陵上，小山岗高出地面 5 ～ 30 米不等，岗顶一般较平坦，但也有呈斜坡状的。不少遗址与古代城址（时代不明）连在一起，如罗家寨、岳家寨、赵下山、桃子山等遗址。考古人员对岳家寨、赵下山进行了试掘。出土及采集到的遗物主要为陶器和石器。铜器仅在罗家寨采集到 1 件铜鼎足。简报推断此批遗址的年代，相当于中原地区的春秋、战国时期。

上饶市

502.一九六一年江西万年遗址的调查和墓葬清理

作　者：江西省文物管理委员会　刘　玲、陈文华
出　处：《考古》1962 年第 4 期

1960 年 3 月，江西省文物管理委员会曾在万年县陈营、雅岗两地发现新石器时代遗址 4 处。为了对这些遗址作进一步的了解，又于 1961 年 11 月下旬派出工作组前往复查，并清理了同时期的土坑竖穴墓 1 座，另外还发现了猛山、梅山、山头彭家、粟子窝和窑背等 5 处遗址。简报分为：一、遗址，二、墓葬，三、结语，共三个部分。有手绘图、照片、拓片。

据介绍，5 处遗址所采集到的遗物大致相似，有其共同的特点：陶器均以印纹硬陶为主，并有部分印纹软陶及少量的素面红陶；陶土一般未经淘洗，在泥质陶中也常见到粗细不匀的砂粒和其他杂质，而且往往能见到气泡砂眼及器胎厚薄不匀的现象；陶色多为红色，灰色次之；制法多为手制口缘轮修，素面陶器表面多打磨平骨；

器形以圆底敛口敞唇为多，并有口沿内耳陶器出现；纹饰以云雷纹、回纹为主。因此这 5 处遗址应属于同一性质的文化。它们与 1960 年调查时发现的肖家山、扫帚岭等遗址大体相同。简报推断这些遗址的时代，应属于江南地区的新石器时代晚期。

503.一九六二年江西万年新石器遗址墓葬的调查与试掘

作　　者：江西省文物管理委员会　郭远谓
出　　处：《考古》1963 年第 12 期

万年县在江西省的东北部，境内多山，构成许多大小不同的盆地，适合人们居住。1960 ～ 1961 年，考古人员在陈营、雅岗和猛山等地发现新石器时代晚期遗址 9 处，并清理了同时代的土高竖穴墓 1 座。考古人员又于 1962 年 3 ～ 5 月再次勘察。这次发现的新石器时代遗址计有送嫁山、仙人洞、宁家湾（一）、宁家湾（二）和朱家背等 5 处，并发掘了土坑竖穴墓 6 座，试掘了仙人洞洞穴遗址。简报分为：一、遗址调查，二、墓葬，三、结语，共三个部分。配以照片、手绘图，介绍了 1962 年这次调查与墓葬发掘所得材料。

据介绍，送嫁山遗址在县城之西，与肖家山、扫帚岭遗址相毗邻。宁家湾（一）（二）和朱家背遗址，均在县城东南 15 公里的大源村之南。遗址的遗物分布范围，自 100 平方米至 10000 平方米不等。在这 4 处遗址上，共采集到石器 5 件、完整和能复原的陶器 4 件以及陶片 100 余片。6 座墓葬均发现于萧家山与送嫁山遗址。为竖穴土坑墓。随葬陶器 36 件，多的 1 墓 17 件，少的 1 墓 2 件。简报推断遗址与墓葬为同一时期，即新石器时代末期。

504.江西万年大源仙人洞洞穴遗址试掘

作　　者：江西省文物管理委员会　郭远谓、李家和
出　　处：《考古学报》1963 年第 1 期

万年县位于江西省东北部。县城东北 15 公里的大源公社小河山，有 1 个石灰岩溶洞名叫"仙人洞"，其口部曾发现动物骨骼和螺壳。1962 年 2 月考古调查时发现，同年发掘。获得遗物 300 余件，并发现烧火堆 12 处、人头骨 3 个、股骨 1 根和大量的动物骨骼等。简报分为"洞穴环境和地表情况""几点认识"等几个部分予以介绍，有照片、手绘图。

据介绍，该遗址遗存可分为早、晚两期。晚期的年代，属新石器时代晚期。

简报称，遗址中出土的生产工具和饰品等，有石器、骨器和蚌器，还有角牙器，

而以骨器占比例较大，器型较多，磨制也较好。

第一期文化的骨器多磨制，且有穿小孔的骨针，有切割倒钩的骨鱼杈，制作技术尚不够精细。打制石器较多，却少成型并少见第二步加工痕迹。磨制石器种类极少，而以一般遗址中少见的锥形器占多数，加工也不如骨器。蚌器虽较多，但加工特点主要在孔的钻凿方面。从第一期文化的这些工具看来，制作技术精粗很不一致，而穿孔却较普遍。从工具中的骨鱼杈以及大量的野生动物骨骼和外壳看来，第一期文化所反映的当时人们的生产活动，主要为渔猎和采集经济。这与江南地区已发现的一般遗址的当时人们的经济生活有所不同。

第二期文化的骨蚌器与前期有相同的因素，并出现了镞类器。石器不见打制的，而磨制石器有了常见的扁平石锛，也有与前期类似的穿孔石器。尽管这些工具的种类和件数不多，试掘出土的工具也难以反映当时的整个生产特点，但就已见的资料来说，两期文化有比较明显的差别而又有一定的相同因素。从第二期文化出土较多的动物骨骼看来，这一时期的生产活动，渔猎和采集经济仍占相当的比例。

505.江西万年大源仙人洞洞穴遗址第二次发掘报告

作　　者：江西省博物馆
出　　处：《文物》1976 年第 12 期

万年仙人洞洞穴遗址在我国已发掘的新石器时代早期遗址中，是最早的 1 处。它的下层距今至少在 8000 年以上。对这处重要的原始文化遗址，1962 年 3 ~ 5 月作了第 1 次试掘。这种以渔猎和采集经济为特征的新石器时代早期文化遗存，目前发现得还不多，曾引起文物考古界的注意。为了进一步了解其文化内涵，考古人员于 1964 年 4 月作了第 2 次发掘，历时 35 天，获得文化遗物 600 余件（片）、烧火遗迹 10 处、灰坑 3 个、人类头骨 1 个，动物骨骼碎片 6000 余块。简报分为四个部分予以介绍，有照片、手绘图。

据介绍，此遗址文化遗存应分 2 个时期，均为新石器时代早期的 1 种原始文化遗存。同地出土的商文化遗存，在第 1 次发掘时曾造成混乱，应予更改。

山东省

506.山东胶东地区新石器时代遗址的调查

作　者：山东省文物管理处

出　处：《考古》1963年第7期

为进一步了解山东东部地区新石器时代文化的面貌和特点，山东省文物管理处依据1957年各县文物普查的线索，对胶东一带的新石器时代文化遗址作了1次重点调查。从1961年7月中旬到9月中旬两个月时间内，主要调查了烟台、昌潍两专区内的9处遗址。遗址所处的地理环境有着共同的特征，即多在河流附近的台地上或依山的高坡上。

简报分为：一、紫荆山遗址，二、丘家庄遗址，三、南围外遗址，四、于家店遗址，五、杨家圈遗址，六、石羊遗址，七、石院遗址，八、三官庙遗址，九、丁家店遗址，十、结语，共十个部分。有手绘图。

简报依次介绍如下：

一、紫荆山遗址。在蓬莱县城西门外画河西岸的台地上，离城不到250米，地面由东南向西北略高起，其面积东西、南北长各约400米。有些地方暴露出灰层，厚1米左右。遗物是采集的。

二、丘家庄遗址，在烟台市西南的楚塘站南2公里处。遗址在丘家庄后高起的土岗上，东面1公里许有外家河，余三面环山。面积南北长150米，东西宽100米。文化层厚1米左右。采集的遗物有石器和陶片。

三、南围外遗址。在黄县县城南，北距豆市村、东距枣市村各约50米。其地比周围地区稍隆起，东西长200米，南北宽150米。中间被一条由城里通向智家村的南北大道切断，在大道两侧的断崖上暴露出灰层，包含遗物很少。采集有陶片等。

四、于家店遗址。在莱阳县城西3.5公里，该村压着遗址的南部。遗址在两条河之间的台地上，面积南北长400米、东西宽300米。文化层厚处约有3米，一般的也有1米多。暴露遗物有陶片、石器、红烧土块、兽骨等。遗址的最上层有战国遗存。地面上常见有绳纹陶片，其中采集到1件敞口、大沿外侈的深腹圆底陶盆，下腹和底部饰有细绳纹。

五、杨家圈遗址。在栖霞县城南 12.5 公里，遗址在村的东西和北面，位于杨础河流经地区的第二台地上，周围又被两条小河环绕，故水源充足。其东西长约 300 米，西北宽约 250 米。文化层厚 1.9 米左右。在此采集的遗物有陶片和残石器。

六、石羊遗址。在文登县城西南 20 公里，遗址在村西北约 200 米的高岗处，周围是丘陵环绕的小盆地，南边 500 米有昌阳河，东西两边各有一条小河。东西长 200 米，南北宽 150 米。中部最高的地方被汉墓打破，地面上也很容易见到汉代的砖瓦等遗物。文化层厚 1.5 ~ 2.5 米，暴露遗物有陶片、石器、兽骨、红烧土块等，也是采集的。

七、石院遗址。在即墨县城东南 10 公里。东西长约 300 米，南北宽约 200 米。文化层厚约 1 米。采集的遗物全是陶片。

八、三官庙遗址。在即墨县城北关外。遗址位于两河间高起的台地上。东西、南北各长约 150 米。文化层厚约 1 米。暴露的遗物很少。只采集到很少的陶片，和石院遗址的陶片相同。

九、丁家店遗址。在寿光县城东北 12.5 公里。遗址在村西的"捍患台"。土台高出周围地面四五米，其南北长 150 米，东西宽 50 米。暴露的遗物有陶片、石器、红烧土块等。遗址上常见到绳纹陶片和汉代砖瓦，可见这里也有周代、汉代遗存。

简报最后指出，经过这次调查，初步认识到山东胶东地区的新石器时代文化是相当复杂的。这次调查的 9 处遗址中，除大部分属于山东龙山文化外，紫荆山、丘家庄等少数遗址尚难归入这个系统。

507.山东省海阳、莱阳、莱西、黄县原始文化遗址调查

作　者：北京大学考古实习队、烟台地区文物管理委员会　严文明

出　处：《考古》1983 年第 3 期

1980 年秋冬之交，考古人员调查了海阳县的司马台、合子、初各庄，莱阳县的泉水头、于家店，莱西县的西贤都，黄县的唐家、邵家、乾家和旧城等共 10 处原始文化遗址。这些遗址大多离海较近，除了泉水头系贝丘遗址外，其他多是位于小河边的高地上面。简报配以手绘图予以介绍。

据介绍，发现有大汶口文化、龙山文化、岳石文化及较早的新石器遗存文化共 4 种文化遗存。其中岳石文化遗存尤其值得注意。

508.山东省蓬莱、烟台、威海、荣成市贝丘遗址调查简报

作　者：烟台市文物管理委员会、中国社会科学院考古研究所胶东半岛贝丘遗
　　　　址研究课题组　王锡平、林仙庭、袁　靖、焦天龙

出　处：《考古》1997 年第 5 期

20 世纪 70 年代末至 80 年代初，胶东地区开展了文物普查工作，其目的是摸清整个地区原始文化遗址的分布，搞好遗址的保护。已调查的新石器时代遗址材料均已发表。1994 年，考古人员赴烟台、威海、青岛 3 市开展工作，对分布于胶东半岛的贝丘遗址进行再调查。在补充分布于各贝丘遗址的贝类材料及有关认识的基础上，将 20 世纪 80 年代调查的蓬莱市南王绪、大仲家，烟台市福山区邱家庄、牟平区蛤堆顶、蛎碴堪，威海市义和，荣成市东初、北兰格、乔家、河口 10 处贝丘遗址的材料整理发表。这样，当年调查的胶东半岛新石器时代贝丘遗址的材料基本上就全部公之于众了。简报分为：一、序言，二、遗址、遗物概况，三、结语，共三个部分。有手绘图。

据介绍，上述 10 处遗址中有 8 处分布在胶东半岛北岸东端，2 处分布在胶东半岛南岸。它们在地貌上有许多共同特征，但据遗址中大量堆积的海生贝壳分析，当时的海岸线应比现在的海岸线距遗址近，这为复原当时的海岸线提供了参考资料。据暴露的贝壳分析，这 10 处遗址可分为 4 种类型：第 1 类以牡蛎为主；第 2 类以蚬为主；第 3 类以蛤仔为主；第 4 类以泥蚶为主。简报认为上述区别不但反映了不同遗址居民间食物种类的差异，同时也说明当时人所面对的小环境是不同的，这为进一步研究人与环境的关系提供了线索。

简报指出，在这些遗址中，邱家庄遗址发现最早，又经过一定规模的发掘，文化内涵清晰，简报将其称为"邱家庄文化"。

509.山东新石器时代早期考古新收获

作　者：山东省文物考古研究所　佟佩华

出　处：《华夏考古》2000 年第 3 期

1987 年，考古人员分别在邹平孙家遗址、章丘西河和绿竹园遗址、长清万德西南和张官遗址采集到一批新石器时代早期陶片。鉴于这批陶片不是通过发掘手段获取的，也没有可以作为比较的时间定位准确的标本，考古人员当时还很难辨识它们。1988 年 10 月至 1990 年 6 月，为配合济青高速公路工程建设，考古人员在淄博市临淄区齐陵镇后李官庄村西北约 500 米处的淄河东岸二级台地上，发掘出 1 种与山东地区已知考古学文化有着明显区别的古代遗存。简报分为：一、发现与发掘，二、

文化特征，三、有关几个问题的讨论，共三个部分。

据介绍，在从上到下依次划分为 12 个层次的文化堆积中，第 9 层文化遗物约相
于当北辛文化时期，第 10、11、12 层文化遗物为新石器时代早期。证明山东新石器
时代早期考古学文化早于距今 7000 年左右的北辛文化。在西河遗址 1991 年的发掘中，
也发现了大汶口文化中期墓葬打破新石器时代早期地层的资料。简报确定了这样 1
个文化发展序列：新石器时代早期文化—北辛文化—大汶口文化。简报推断：山东
新石器时代早期考古学文化上限要达到距今 9000 年以上，下限同北辛文化早期年代
衔接，整个文化的延续时间可能达到 1500 ~ 1800 年。

济南市

510.石器时代遗址调查

作　者：山东省文管处
出　处：《考古》1959 年第 6 期

考古人员在山东省平阴县于家林西约 100 米处，发现了石器时代遗址。据介绍，
该遗址北距旧东阿县城约 4 公里，处鲁西平原与山区接壤地带。遗址呈台形，面积
甚小，灰层堆积很厚。商、周以前的遗存，主要为黑陶片、石器，应为石器时代遗存。
此次发现，证明此处应为仰韶文化、龙山文化遗存。

511.济南东郊出土的龙山陶器

作　者：刘敦愿
出　处：《考古》1965 年第 7 期

济南市东郊甸柳庄（距城正东 3 公里）一带地势较高，逐渐向北倾斜。最近在
甸柳庄—洪家楼一线上，发现了 4 处龙山文化遗迹，采集到一些陶片与陶器，资料
十分零碎。简报将这些零碎资料加以整理，分为"老湾家""甸柳庄""洪家楼"
三个部分。有手绘图。

据介绍，老湾家在甸柳庄东南约 1 公里的山脚下，为一高地；甸柳庄采集到陶
片近 2000 块；洪家楼 1963 年发现灰坑 2 处。简报称老湾家、甸柳庄北、洪家楼三
地确属典型龙山文化无疑，只是甸柳庄南一处因资料少而且碎，虽大体可划入龙山
范围，但不甚明确。

512.山东历城柳埠发现大汶口文化遗物

作　者：济南市文化局　于中航

出　处：《考古》1965 年第 10 期

1964 年 1 月，柳埠区龙门公社上海螺峪大队农民在取土时，发现了大汶口文化遗物。简报配以照片予以介绍。

简报介绍，出土地点在柳埠四门塔东北 1.5 公里外、上海螺峪村 0.5 公里许的一块台地的边沿上，台地面积约 2 万平方米。南面有一条河流名"锦秀川"。出土时发现人骨架 1 具，随葬夹砂红陶实足鬶 1 件、石铲 1 件，另有 1 件灰陶壶已破碎。

陶鬶高 18 厘米，圆腹，高颈，口部呈三角形；泥条形把手，跨于颈腹上；颈根下有突钮；圆底，下附三短实足，一足残失；足上端有不明显的突棱；足尖圆而平。石铲为变辉长岩；略类宽舌状，断面作菱形，弧刃，有两处使用缺口；上端两面对穿一孔；穿孔及上端涂有朱彩。

根据遗物特征，简报推断应是大汶口文化墓葬早期遗物。

513.山东章丘龙山三村窑厂遗址调查简报

作　者：山东省文物考古研究所　王守功、李振光、王建国、宁荫棠

出　处：《华夏考古》1993 年第 1 期

龙山三村窑厂遗址，地处泰沂山脉北侧冲积平原的南端，位于章丘县龙山镇龙山三村西偏北 200 米处，东距城子崖遗址约 1 公里，距章丘县城 10 公里。遗址东西 400 米，南北 400 米，面积约 16 万平方米。

1991 年春，考古人员在对龙山城子崖遗址进行试掘时，在龙山三村窑厂的取土场上发现了这处遗址，并从断崖上清理了几个灰坑，采集了部分遗物。通过调查，发现一批后李文化、大汶口文化、龙山文化、唐宋时期的遗物。简报分为：一、地层堆积，二、后李文化遗存，三、大汶口文化遗存，四、龙山文化遗存，五、唐宋遗存，六、结语，共六个部分。有手绘图。

据介绍，龙山三村窑厂遗址文化层堆积厚、延续时间长、遗物丰富，是 1 处重要的古文化遗址。这里发现的鲁北新石器时代早期的遗物，主要有釜、盆、罐、支座等，与淄博市临淄区后李遗址出土的同时期遗物相类。新石器时代早期文化层堆积厚，文化层中黏土或亚黏土的堆积，也与后李遗址早期文化堆积相近。简报把龙山三村遗址新石器早期的遗物称为"后李文化时期的遗物"。大汶口文化时期的遗物从器物形制看，简报推断应属大汶口文化中晚期。遗址北部发现的龙山文化遗物，

从器型上看，简报推断似应属龙山文化早期，但与典型龙山文化早期遗物尚有较大差异。

514.山东章丘县小荆山遗址调查简报

作　者：章丘县博物馆　宁荫棠、王　方

出　处：《考古》1994 年第 6 期

章丘县位于山东省济南市郊，地处鲁中山区与鲁北平原的交接地带，境内南部为山区，东部是丘陵，中、西、北部为平原。黄河和小清河自西向东流经县境。章丘县古文化遗址现已发现 120 余处，但新石器时代早期遗址数量极少。小荆山遗址便是其中之一。

小荆山遗址位于县城东北部、长白山西余脉小荆山之阴，西南距县城 15 公里，北至刁镇 5 公里，西离漯河 1.5 公里，原章丘至邹平的公路从遗址南部横贯东西。

1991 年 10 月考古人员在田野调查时发现此遗址，但大部分已被破坏。整个取土场地表留有大量的新石器时代早期及汉代文化遗物。从取土场断崖观察，文化层厚 2 米左右，堆积分上下两部分：下层为新石器时代文化遗存，距地表深 1.5～2.5 米；上层为汉代堆积。简报分为：一、采集遗物，二、遗迹现象，三、小结，共三个部分。有照片。

据介绍，通过对该遗址的调查，考古人员采集到大量的新石器时代文化遗物，计有石器、骨角器、蚌器、陶器等。小荆山遗址大量出土石磨盘、石磨棒、穿孔石器及石铲、石斧、石支脚等。其石器制作方法为打制、琢制和磨制并存。遗址出土的陶器均为手制，火候较低，器物造型多不规整，以夹砂红褐、灰褐陶为大宗，不见泥质陶。代表器物有圜底釜、圜底双耳罐、圜底或平底钵、圈足碗等。器物纹饰简单，主要以饰于唇部的竖、斜、横指甲纹为主，有少量刺点纹和按窝纹。

遗址出土的夹砂红陶釜，在临淄后李遗址中曾发现同类器物压在北辛文化地层之下，时代应较早。遗址所出土的颅骨已开始石化也可说明其年代较为久远。小荆山遗址的发现，为山东新石器时代早期考古提供了珍贵的实物资料。

515.山东济南市发现一批新石器时代早期遗址

作　者：刘伯勤、孙　亮、宁荫棠

出　处：《考古》1994 年第 11 期

济南市位于山东省中部，辖 4 个市区和章丘、长清等 6 个郊区区县。地处泰沂山区西北缘、黄河两岸。1987年春以来，在文物普查中发现了众多的古文化遗址，采集了一批文物标本。其中有新石器时代早期的遗址6处，这些遗址都处于平原或低山丘陵地区的河畔，属河旁台地或濒河高地遗址，均包含着2个或2个以上时期的遗存。简报分为：一、遗址概况，二、遗物，三、结语，共三个部分。介绍其中4处新石器时代较早时期遗址的资料，有手绘图。

据介绍，这类新石器时代较早时期遗存有一定的分布范围，除上述6处遗址外，在邹平县孙家、淄博市临淄区后李，也曾有所发现。目前所知，它的分布范围大致在泰沂山区以北、黄河以南的区域内，而在海岱其他地区尚未见其踪迹。遗存中的深腹圆底釜、钵等器，与北辛文化中的同类器关系密切，加之分布在北辛文化的范围内，因此被看成海岱地区北辛文化的直接来源，当是没有疑问的。但北辛文化中发达的细泥陶系和三足器在这类遗存中却难觅其踪，似乎又显示着二者之间还有缺环。这类遗存的陶器既流露出陶器制作上的原始性，又似乎显示着这时的制作工艺距初始陶器已有一段距离。

简报称，长清张官遗址的陶器风格又略有不同。这里的深腹釜均为圆唇或尖圆唇，卷沿，沿下饰扁圆泥条附加堆纹或蛹状堆纹。这种现象与其他遗址相比，究属地区性的差异，抑或是年代上的不同，还是二者兼而有之，需要在今后的工作中作进一步的探讨。

516.山东章丘市小荆山遗址调查发掘报告

作　者：山东省文物考古研究所、章丘市博物馆　王守功、宁荫堂
出　处：《华夏考古》1996年第2期

小荆山遗址位于山东章丘市刁镇茄庄村西南约500米，西北距离刁镇4.5公里，南距章丘市政府所在地明水15公里，西约1.5公里有漯河经过。因遗址南邻海拔218米的小荆山，故称为"小荆山遗址"。面积约10万平方米，已遭严重破坏。1993年考古人员对该遗址进行过抢救性发掘，发现后李文化时期的房址2座、墓葬20余座，出土一批这一时期的遗物。简报分为：一、地层堆积及遗址分期，二、后李文化时期的遗存，三、结语，共三个部分。有手绘图。

据介绍，共发现房址8座，均为半地穴式建筑，面积多在30平方米以上，其中F18从残存部分看，面积应超过40平方米。房址一般先在平地挖出地穴部分，坑底不甚平整，然后垫以灰土或红烧土粒。在一些房址中，还发现部分烧烤的活动面。发掘灰坑22个，主要遗物为陶器、石器，可看出渔猎经济仍占一定比例。应属新石器时代早期文化。

517.山东章丘市西河新石器时代遗址 1997 年的发掘

作　者：山东省文物考古研究所　刘延常、兰玉富、佟佩华
出　处：《考古》2000 年第 10 期

西河遗址位于章丘市龙山镇龙山三村西北 500 米处，东距龙山文化命名地——城子崖遗址 1600 米，现存面积 10 万平方米。西河遗址是 1987 年山东省文物普查时发现的。1991 年，考古人员进行了第 1 次发掘，1992 年被定为山东省第二批重点文物保护单位。1997 年 8、9 月间，为配合 106 省道拓宽工程建设，考古人员对西河遗址进行了第 2 次抢救性发掘，揭露面积约 1350 平方米，发现 19 座新石器时代早期房址和一批灰坑，出土了大量的陶器、石器和骨器，遗址内还发现了部分龙山文化遗存。简报分为：一、地层堆积，二、新石器时代早期文化遗存，三、龙山文化遗存，四、结语，共四个部分。有手绘图、照片。

据介绍，西河遗址经过 1991、1993、1997 年 3 次勘探和发掘，发现新石器时代早期房址 30 余座，大致分布在 3 个区域。遗址西部及其他区尚未勘探，估计仍会有房址存在。简报推断西河遗址早期文化的上限可能已达到距今 9000 年以上，下限会延续到北辛文化早期年代，早期文化延续时间可能达到 1500～1800 年。另此次发掘的龙山文化遗迹全部是灰坑，在发掘区内未发现龙山文化地层和其他遗迹，简报推断时代似应属龙山文化早期偏晚和中期，同城子崖龙山文化遗存相当。

简报称，随着西河遗址发掘的继续和研究的深入，必将对黄河下游地区新石器时代早期考古学文化面貌、年代、分期、经济生活、聚落形态和社会性质的研究提供更多的科学资料。

518.山东章丘市小荆山后李文化环壕聚落勘探报告

作　者：山东省文物考古研究所、章丘市博物馆　王守功、宁荫堂
出　处：《华夏考古》2003 年第 3 期

小荆山遗址位于山东省章丘市刁镇茄庄村西南及韩庄村南，地处鲁北平原与鲁中山区的交接地带，因窑厂取土而发现。1999 年，考古人员进行了钻探，发现了环壕。简报分为：一、地理位置与环境，二、调查、发掘及勘探工作，三、环壕的形状与结构，四、环壕聚落布局，五、小荆山环壕聚落发现的意义，共五个部分。有手绘图。

据介绍，小荆山遗址是山东后李文化时期重要的环壕聚落遗址。通过分析发现，小荆山后李文化时期环壕的西半部利用了自然冲沟，东部为人工开挖而成。环壕聚

落内有居址、墓葬。简报认为，在山东地区，早在七八千年以前就存在着环壕聚落，其后的大汶口、龙山文化时代的一些遗址中也有环壕存在的迹象。小荆山后李文化的环壕是山东境内目前发现最早、结构最清楚的环壕。它的发现，将带动山东地区史前聚落形态及环壕聚落的研究。

后李文化，是早于北辛文化的一种考古学文化，年代一般认为是距今8500～7900年。考古界一般认为，山东新石器时代考古学文化谱系为：后李文化—北辛文化—大汶口文化—龙山文化—岳石文化。

519.山东章丘市大康遗址发掘简报

作　者：章丘市博物馆　孟庆红、段历山、曲世广

出　处：《华夏考古》2005年第1期

大康遗址位于章丘市相公镇大康村东南约1公里处，距章丘市驻地明水约10公里。遗址地势较为平坦，东巴漏河从遗址西侧绕过。2001年9月，因施工取土暴露部分遗物，考古人员进行了发掘。简报分为：一、地层堆积，二、遗迹，三、出土遗物，四、结语，共四个部分。有手绘图。

据介绍，遗迹有灰坑5个、墓葬1座。墓葬为土坑竖穴墓，仰身直肢葬。墓长约2.50米，宽0.90米，深0.80米。墓内出土黑陶杯1件。出土遗物主要为陶器。按陶质可分为夹砂陶和泥质陶两大类。陶色有黑色、灰色、红褐色等。该遗址的时代，简报推断为龙山文化时期。

简报称，种种迹象表明，大康遗址与其东南区域，很有可能为同一古文化遗址。简报指出，大康遗址发现龙山时期墓葬1座，足以说明该遗址规模不可小视。因此次发掘范围较小，难以窥见全貌，有待于今后进一步的工作。

520.山东平阴县周河遗址大汶口文化墓葬的发掘

作　者：平阴周河遗址考古队　钱益汇

出　处：《考古》2014年第3期

平阴周河遗址位于济南市平阴县洪范池镇周河村北，浪溪河支流旁的高地上，南距洪范池镇约1公里。1999年4～6月，为配合考古专业田野实习，考古人员对其进行了发掘，主要清理出一批大汶口文化和周代文化遗存。简报分为：一、墓葬形制与随葬品，二、结语，共两个部分。介绍了其中的5座大汶口文化墓葬，有彩照、手绘图。

据介绍，5座墓葬皆为长方形竖穴土坑墓，多为单人仰身直肢葬，也有侧身葬，并发现木质葬具（如M4）。从墓葬方向、随葬品组合以及种类等特征来看，这几座墓葬的年代，简报推断与M4大致同时，为大汶口文化中期或偏晚阶段。

简报称，这批墓葬的发掘为研究海岱地区大汶口文化的墓葬特征、制陶技术、彩陶艺术、等级制度、社会结构、文化交流等提供了新的资料。

青岛市

521.青岛市郊区的三处龙山文化遗址

作　者：孙善德
出　处：《考古》1964年第11期

考古人员于1964年3月在青岛市郊区作了为期两周的重点考古复查。简报分为：一、城阳遗址，二、傅家埠遗址，三、石院遗址，共三个部分。有照片、手绘图。

城阳遗址位于青岛北部35公里，在石桥河（亦称"墨水河"）南岸的台地上。此遗址是崂山县文化馆刘璞先生于1963年发现的。遗址上面为菜畦，遗物多暴露于地面，采集的标本有石器、陶器。

傅家埠遗址位于青岛市东北郊35公里、傅家埠村北400米处。东依崂山，南、北临小河，地势较高，地名"半千子"。该遗址于1958年发现，保存尚好，采集有石器和陶片。

石院遗址位于青岛市东北郊45公里石院村西200米处，地名"西城子"。于1958年发现，有丰富的石器、陶器及红烧土块等。前后采集有石器和陶片。

简报称，这3处遗址都具有新石器时代晚期龙山文化的特征，与山东日照两城镇遗址等很接近，应属于山东日照两城镇龙山文化类型。

522.山东胶县三里河遗址发掘简报

作　者：昌津地区艺术馆、考古研究所山东队　吴汝祚
出　处：《考古》1977年第4期

北三里河村，在胶县城南1.5公里处。在村西河旁高地上，有1处新石器时代遗址，面积约有5万平方米。在1974年秋和1975年春，考古人员对这处遗址进行了两次发掘，分为上下两层。笼统来说，上层可以称为龙山文化，下层可以称为大

汶口文化。但是仔细分析起来，它们和以城子崖遗址为代表的龙山文化、以大汶口遗址为代表的大汶口文化，都有着较大的差别。所以，考古人员暂把它们分别称为"三里河第一期文化"和"三里河第二期文化"。这两期文化，在年代上可能是衔接的；在文化面貌方面，虽然有着明显的变化，但是其间的承袭关系则是清楚的。简报配以手绘图予以介绍。

据介绍，三里河第一期文化，出土房屋4座，其中保存较完整的仅有F201这1座。这座房屋平面呈椭圆形，面积将近8平方米，有以浅槽为基的土墙建筑，墙上采用黄土羼和少量红烧土末加工而成，质坚硬，筑好的墙面平整，表面涂有1层黄土泥浆。这座房屋里面，西北部挖有1个深1.4米的大型窖穴，出土体积达1立方米多的粮食，经鉴定是粟。窖穴发现有30多个，还有墓葬60多座。葬式是以单人头西脚东的仰身直肢葬为主，少数为仰身屈肢葬，墓葬排列较整齐。随葬陶器主要放置在脚下，一般在距脚20～40厘米处。而在手臂处，则放置黑陶高柄杯、石钺、蚌匙等物。有些墓葬尸体的口中含有玉琀，手中握有璋。三里河第二期文化，只发现了一些零星的柱洞，尚未发现比较完整的房屋遗址。贮藏物品的窖穴，共发现30多个，形制与三里河一期文化的相同。此外，在墓地里发现有可能是举行祭祀等特殊活动或用途的场所2处。

简报称，三里河第一期文化的居民，以农业生产为主，饲养家畜，兼进行狩猎和采集的生产活动。在遗址中发现有大型窖穴和库房，并在窖穴内遗留有大量粟，正是农业发达的表现。1座墓葬中曾发现30多个猪下颚骨，表现出猪的饲养是发达的。随葬品已出现贫富区别。在三里河第二期文化居民的墓地里，墓葬的排列较凌乱，不像三里河第一期文化时期的墓葬那样排列有序。这种情况，或许反映出氏族中血缘纽带在松弛。

523.山东胶县三里河出土一件陶鬶

作　者：山东胶县图书馆　李　林、高愈诚
出　处：《文物》1981年第7期

胶县三里河新石器时代遗址，中国社会科学院考古研究所曾于1974年秋和1975年春进行过发掘，并发表了《山东胶县三里河遗址发掘简报》（《考古》1977年第4期）。

简报介绍，1979年11月，在三里河村西，农民平整土地时发现1件陶鬶。陶鬶手制，红色，陶土中夹杂有云母作羼和料。简报认为这件陶鬶属于新石器时代的大汶口文化，形制特殊，为过去所未见，是研究这个时期造型艺术不可多得的资料。

524.山东即墨县新石器时代遗址调查

作　者：孙善德
出　处：《考古》1981 年第 1 期

1979 年 4 月 2 ～ 13 日，考古人员对即墨县金口公社的南阡、北阡，店集公社的东演堤，王村公社的南坦，移风公社的徐家沟，留村公社的石原等 6 处古文化遗址又进行了复查。采集到部分石、骨、牙器和破碎的器物陶片，这些遗物虽然数量不多，但却表明遗址内涵比较复杂，有早有晚，具有一定的参考价值。简报分为六个部分予以介绍，有手绘图。

据介绍，此六个遗址，除石原遗址为 1958 年修水库时所发现外，其余五处都是 1974 年以后发现的。文化遗物以南阡、东演堤、石原 3 处比较集中、丰富，北阡、南坦、徐家沟 3 处则较少。就其文化遗物的特征来看，简报认为它们应是同一个时代的不同类型文化，即南阡、北阡、东演堤、南坦四处属于大汶口文化类型，石原、徐家沟二处属于龙山文化类型。

525.山东即墨县新石器时代遗址调查简报

作　者：即墨县博物馆　姜惠居
出　处：《考古》1989 年第 8 期

即墨县地处山东胶东半岛南岸，东濒黄海，南依崂山山脉，北临莱西、莱阳县，西与胶县、平度县接壤。考古人员在文物普查中新发现了 11 处文化遗址。这些遗址大都分布于沿海一带靠近河流的地方，5 处有代表性的遗址是：温泉镇丁戈庄、官庄乡东王圈、丰城乡河东、店集镇姜家马坪、长直乡张戈庄三里。简报分为五个部分分别予以介绍，有手绘图。

据介绍，这 5 处有代表性的文化遗址应属一个时代，在发展上有先后之分。丁戈庄、东王圈、河东、姜家马坪为序，是较早的一种类型，多分布于沿海岸线及山峦河流地带，其内涵虽早于龙山文化，却不同于大汶口文化。较晚的张戈庄三里，它的上层与龙山文化相似，其下层与以上 4 处文化相近。从出土遗物看，绝大部分是夹砂红陶、泥质红陶和少量灰陶，未发现彩陶、黑陶，轮制罕见。石器方面，打制、琢制较原始，只刃部磨光，制作粗糙，有长条形石斧、石铲等，尤其是坐落在沿海地区的遗址内，牡蛎壳、鱼骨、兽骨、陶片较多，俯拾皆是。简报称，这些遗址除农牧业外，渔业生产亦相当发达。

淄博市

枣庄市

526.山东滕县岗上村新石器时代墓葬试掘报告

作　者：山东省博物馆　王恩礼、蒋英炬
出　处：《考古》1963 年第 7 期

岗上村新石器时代遗址，最初发现于 1952 年春季。1952 ~ 1953 年，考古人员作过调查。1957 年春，山东大学历史系师生作过 1 次调查，并有简报发表于《文物》1958 年第 1 期。1959 年春季，又进行了 1 次调查，于河旁发现被水冲刷出的 2 座墓葬，进行了简单的清理，并征集到许多遗物。同年夏天又在河旁挖得 2 座墓葬，遗物亦甚丰富。1961 年夏季，考古人员进行探掘，由 5 月 14 日 ~ 27 日，清理了墓葬 8 座、东周灰坑 1 个，所得遗物达百余件。简报分为：一、发掘经过，二、墓葬形制，三、随葬品，四、小结，共四个部分，有手绘图。介绍了 1961 年夏季试掘所得 8 座墓葬的材料，并把历年调查采集或征集的遗物资料附在文末。

据介绍，岗上村位于滕县城东 9 公里，8 座墓除 1、2、5 保存较完整外，其他各墓均因河水冲刷等原因残破。随葬品多则 20 件，少则 2 件。简报认为岗上村遗址仍属山东龙山文化系统，但似早于两城、城子崖、姚官庄。从习俗、陶器看，也有接近青莲岗文化之处。

527.山东滕县北辛遗址发掘报告

作　者：中国社会科学院考古研究所山东队、山东省滕县博物馆　吴汝祚、
　　　　万树瀛等
出　处：《考古学报》1984 年第 2 期

北辛遗址位于滕县县城东南 25 公里余，村北有回名"寨墙里"，即遗址的所在地。北辛遗址是 1964 年春，由中国科学院考古研究所山东队会同滕县文化馆，对滕县境内进行考古调查时发现的。北辛遗址发现时，就被认为具有独特的文化面貌，与大汶口文化显然不同，在时代上可能要早于大汶口文化。其后，中国社会科学院考古研究所山东队和滕县博物馆在 1978 年秋和 1979 年春，进行了两次发掘，历时共 85 天。

简报分为：一、地层堆积，二、北辛文化遗存，三、大汶口文化，四、结语。共四个部分。有照片、手绘图。

简报指出，北辛遗址发掘的面积不大，发现的遗物却相当丰富，主要收获有以下几点：

一是这些遗物所反映的文化面貌和特点显然与大汶口文化有异，在时间上要早于大汶口文化，故应属于另一个文化。

二是发现的石器、骨器、陶器和其他遗物，已能反映出在大汶口文化之前这一地区的居民社会经济生活的一般状况。北辛文化的遗迹，有窖穴和瓮棺葬，农业已进入锄耕阶段，定居，饲养猪等家畜，狩猎、采集经济也较发达。北辛文化的年代，简报推测为距今 7300 ～ 6300 年。

三是为大汶口文化渊源的研究，提供了一定的线索。

总之，这次北辛遗址的发掘，将把鲁中南和江苏淮北地区新石器时代的研究工作，向前推进一大步。

528.枣庄山亭发现大汶口文化聚落遗址

作　者：鲁　波
出　处：《文物》1994 年第 5 期

1992 年 11 月 26 日至 12 月 18 日、1993 年 2 月 11 日至 5 月 12 日，考古人员为配合济枣公路（济南—枣庄）的建设，两次对山亭区西集镇建新遗址进行了发掘。清理大汶口文化的房址 28 座、墓葬 92 座、灰坑 220 余个，陶窑、水井各 1 座。另有龙山文化的灰坑 40 余个。出土陶、石、玉、骨、角、牙器 1500 余件。

简报称，遗址总面积约 3 万平方米，文化堆积 1 米左右。发掘区位于遗址北部，可分为两个部分：中部为居住区，东、西、北为墓葬区。东北方向有壕沟。房址多为平地开槽立柱式建筑，平面多呈方形、长方形，少数呈圆形。面积一般在 10 平方米左右，大的可达 40 余平方米，有的分间。房内置陶鼎、罐等生活用具。灰坑分布于房址周围，有的亦有立桩和出入台阶，应为储藏穴。墓葬均为长方形土坑竖穴式，可见木质葬具。多为单人仰身直肢，有 1 例屈肢和 2 例双人合葬墓、18 例儿童陶棺葬。随葬品较少，均为实用器；中期墓间隔增大，随葬品增多，出现了明器；晚期墓随葬品以明器为主，一般可达 20 ～ 30 件，多者可达 50 ～ 60 件，最多者可达 100 件。

简报指出，此次发掘填补了枣庄地区大汶口文化研究的空白，首次获得了较多、较完整的大汶口文化建筑居址和较完整的墓地资料，对研究大汶口文化的聚落形态具有重要意义。

529.山东枣庄市建新遗址第一、二次发掘简报

作　者：山东省文物考古研究所　何德亮、孙　波、燕生东
出　处：《考古》1995 年第 1 期

建新遗址位于山东省枣庄市山亭区西集镇建新村北侧。遗址在一片高出周围地面 1 ～ 1.5 米的平坦台地上，面积 3 万余平方米。遗址是在 1992 年修建济枣公路建设工程中发现的，其后作过多次调查。为了配合这项工程，于 1992 年 11 ～ 12 月和 1993 年 2 ～ 5 月对遗址进行了考古发掘,获得大汶口文化、龙山文化时期的陶器、石器、骨器等各类文物 1000 余件。简报分为四个部分予以介绍，有手绘图等。

据介绍，发现的房址已有柱洞。房内放置的陶器以鼎、罐为主，保存完好，摆放有序，无散乱现象，简报认为这可能与房子的突然废弃有一定关系。在房址周围还清理了一些窖穴和灰坑。墓葬均为长方形土坑竖穴，头向东或偏东南，以单人葬为主，双人合葬墓发现 2 座。葬式以仰身直肢葬居多，亦有屈肢葬和陶棺葬。多数墓有熟土二层台和随葬品，少的不足 10 件，一般 20 ～ 30 件，多的 50 ～ 60 件，有的近百件。随葬品以陶器为主。简报推断该遗址的大汶口文化属大汶口文化中期偏晚至晚期，龙山文化属龙山文化中期。

530.山东滕州市西康留遗址调查、发掘简报

作　者：山东省文物考古研究所鲁中南考古队、滕州市博物馆　李鲁滕　孙开玉
出　处：《考古》1995 年第 3 期

西康留遗址是 1964 年春季考古人员在全县境内进行考古调查时发现的。遗址南邻薛河故道，西邻小魏河，处两河交汇处的河旁高地。东西长约 450 米，南北宽约 440 米，总面积约 20 万平方米。1992 年春进行了发掘，同时在遗址西部调查、采集到一批墓葬出土遗物。简报分为四个部分予以介绍，有手绘图。

据介绍，该遗址属大汶口晚期文化。未成年人流行象征性的瓮棺葬。即以 1 件绳纹深腹罐或 2 件深腹罐、1 件深腹盆打碎后铺盖在尸身上下以为葬具。除发现 M15 颈部饰有 1 串骨珠外，其余 5 座均未发现随葬品。成年人墓葬已出现贫富差异，有的大墓随葬彩陶众多。

大汶口文化晚期夯土的发现，是这次发掘的重要收获之一。夯土的使用，在龙山文化时期已非常普遍，夯筑技术也发展到一个比较成熟的阶段。显然龙山文化的夯筑技术并非初始阶段，在距其不远的大汶口文化中、晚期，应该有了夯筑技术的发明与使用。西康留遗址的发掘，便证明了这一点。

西康留出土的三足器，与长江下游崧泽文化很相似，证明古老的黄河和同样古老的长江之间很早就有了文化上的密切关联。

东营市

531.山东广饶新石器时代遗址调查

作　者：山东省文物考古研究所、广饶县博物馆　何德亮、颜　华
出　处：《考古》1985 年第 9 期

广饶县居黄河下游、渤海之滨，位于山东省北部。古文化遗址多数分布在河流的两岸。1980 年，在文物普查中，全县仅新石器时代的遗址就发现了 10 余处。基于此，我们在过去文物普查基础上，于 1984 年 7 月下旬，又对该县部分新石器时代遗址作了复查。

简报分为：一、傅家遗址，二、五村遗址，三、寨村遗址，四、西辛遗址，五、钟家遗址，六、营子遗址，七、几点认识，共七个部分。有手绘图、照片。

据介绍，这一地区的新石器时代文化遗存有着自身的发展特点，与其他地区比较，既有相同的文化因素，也有各自不同的地方特点。由于资料不多，所以，还不能作更多的推论。

大汶口文化遗存，资料非常丰富，以傅家遗址最具特色。另外，还有寨村、五村等。在西辛遗址，也曾发现过这一时期的文化遗物。

龙山文化遗存，主要有钟家、西辛、营子等处遗址，以钟家遗址资料最丰富。五村遗址的灰陶罐、扁腹壶等，也是龙山文化时期的。

石质生产工具的制作，大汶口、龙山乃至岳石文化无大差别，均为通体磨光。

532.山东广饶县傅家遗址的发掘

作　者：山东省文物考古研究所、东营市博物馆　李振光、王建国、刘桂芹、
　　　　赵政强
出　处：《考古》2002 年第 9 期

傅家遗址位于山东省广饶县城关镇傅家村，北距县城约 1.5 公里。该遗址为鲁北地区重要的大汶口文化遗址，并包含周、汉及隋唐等代文化遗存。1985 年 10 月，为配合公路建设曾对该遗址进行过抢救性发掘，发掘面积近 70 平方米，发现大汶口

文化墓葬150余座及大量文化遗物。1988年3月，又对该遗址进行了全面钻探和试掘，有了较为全面的了解。

1995年冬，为配合潍高公路（潍坊—高青）拓宽工程，山东省文物考古研究所等对公路占压部分进行了抢救性发掘。发掘面积近500平方米，发现大汶口文化墓葬140余座及水井、房址、窖穴等遗迹，并发现丰富的文化遗物。

简报分为：一、地理位置及遗址概况，二、文化堆积，三、大汶口文化遗存，四、周和汉代文化遗存，五、结语，共五个部分。介绍了本次发掘情况，有手绘图。

据介绍，傅家遗址陶器陶质以泥质、夹砂红褐陶为主，另有少量的灰陶及泥质黑陶。发现的水井数量较多，为大汶口文化诸遗址少见，简报认为对我国早期水井的研究及鲁北地区生态环境的研究均有重要意义。简报称，与周邻地区大汶口文化相比，傅家遗址所出陶器器类单调、制作粗糙，少见石器；墓葬集中，分层埋葬，随葬品少，具有浓重的地方特色。遗址的发掘为鲁北早期文化的研究提供了一批丰富的物质文化资料。

烟台市

533.山东烟台市郊丘家庄发现新石器时代遗址

作　者：烟台市博物馆　李　游
出　处：《考古》1963年第7期

1962年4月，烟台市博物馆先后两次派人到丘家庄遗址进行调查。丘家庄位于烟台市南郊偏西处，距市区约18公里。遗址位于1座约300米的小丘陵上面，地面现均被开垦成耕地。在遗址范围内，到处可以发现陶器残片和石器等遗物。简报配以手绘图予以介绍。

据介绍，在这里发现的遗物有石器、陶器和骨器。石器中有斧、铲和砺石等。陶器方面未发现完整器，未发现黑陶，多是手制陶器，轮制陶器不多见，纹饰也只有一种绳状堆纹。值得注意的是，在这里发现有彩陶。发现的骨器有刀、匕、针、锥、镞和钩等，磨制得较精细。此外，还在灰土层中发现许多兽骨残骸，已辨认出来的有鹿角、猪牙等。

534.烟台郊区发现新石器时代遗址

作　者：烟台市博物馆
出　处：《考古》1965 年第 10 期

遗址位于芝水村的中间地段。芝水村位于烟台市的西南方，距市区约 8 公里。从地形观察，遗址处在 1 座丘陵地的西坡，一直延伸至夹河的入海处，距海约 1.5 公里。遗址的面积，就地面遗物分布范围看，南北长 350 米、东西宽约 85 米。陶器残片到处可见，出土的多为粗泥、细泥并带有纹饰的赤陶和灰陶器残片，偶然有石器发现。上层有明、清以来的墓葬。简报配以照片予以介绍。

据介绍，从采集的陶片中辨认出有：甗、鬲、罐、豆、钵和大型夹砂红陶缸形器。这些器物，有手制的，也有轮制。有的制作比较精致。

根据采集的遗物和群众过去曾多次捡到石斧之事，简报初步推断该处为 1 处新石器时代遗址。一般器物体形较大，是这个遗址较明显的特点。

简报称，芝水村出土遗物和 1962 年在丘家庄发现的新石器时代遗物比较，丘家庄屡次发现彩陶却无黑陶，芝水已发现黑陶未见彩陶，可能芝水村的时代较晚。

535.山东栖霞下渔稼沟发现新石器时代遗址

作　者：栖霞县文化馆　李元章
出　处：《考古》1966 年第 3 期

1965 年 2 月，栖霞县杨础人民公社下渔稼沟村村民，在整地时发现了几件石器和陶片。考古人员赴现场作了调查，并采集了一部分标本，简报配以手绘图予以介绍。

据介绍，遗址在栖霞县城西南 20 公里、下渔稼沟村西北二水之间的高地上。现存面积东西约 300 米，南北约 200 米。采集到石斧 7 件，陶器均为残片。简报称，从采集的遗物风格来看，与杨家圈遗址相同。此遗址的发现，为胶东地区新石器时代的考古提供了新的资料。

536.山东蓬莱紫荆山遗址试掘简报

作　者：山东省博物馆
出　处：《考古》1973 年第 1 期

考古人员通过 1961 年胶东地区的考古调查，认为需要对蓬莱县紫荆山遗址的内涵、性质作进一步的了解，于 1963 年 10 月又组织了试掘。简报分为：一、地层堆积情况，二、上层文化遗物，三、下层文化遗物，四、小结，共四个部分。有照片。

据介绍，紫荆山在蓬莱县城西门外、县第一中学的附近，其西、北两面傍海，金沙泉流经遗址东侧，是 1 处三面环水的小山丘。遗址即在东南山坡上，是 1 处近代墓地。这次在紫荆山遗址的试掘中，发现了典型龙山文化与以彩陶为特征之一的文化遗存的地层叠压关系，了解到胶东半岛上两种原始文化的相对年代关系。简报认为这里与曲阜西夏侯等遗址的情况一样：当典型龙山文化人们生活在这里之前，早已有使用彩陶的人们生息繁衍在这块肥沃的海滨土地上。这一发现为进一步探讨山东地区原始文化的年代关系提供了资料。

简报称，紫荆山遗址的上层文化与日照两城镇、潍坊姚官庄等典型龙山文化的遗存是一致的，其下层遗存，在胶东一带常有发现。它在陶器上的特点：全部手制；红陶占优势，其中以红地黑彩的单色彩陶更为突出；器型上常见柱形或锥形足的钵形鼎，敛口或直口的平底钵，带把子的圜底盂形器、双耳小口罐等，造型简朴、浑厚。与其上层典型龙山文化的文化遗存差别较大，两者还找不出直接承袭关系。但从邹县野店大汶口文化的早期遗存以及江苏刘林遗址中都可看到某些紫荆山下层文化的因素。简报认为紫荆山下层文化很可能系大汶口文化的原始阶段。

537.山东烟台市白石村遗址调查简报

作　者：烟台市博物馆
出　处：《考古》1981 年第 2 期

1973 年 4 月考古人员在全市的文物复查中，对烟台市郊白石村遗址进行了详细调查，对该遗址的文化内涵有了进一步了解，简报配以手绘图予以介绍。

据介绍，白石村位于烟台市西南，离市区约 1 公里，三面环山，一面靠海。通伸河由南来，经此汇入海口。遗址东邻台地，西边紧接山沟，南靠金皇顶山阴。遗址主要分布在台地阴坡，坡度较缓，地面散存较多蚌螺壳和一些石器陶器残片等。采集的遗物有生产工具、生活用具。

简报称，这次调查采集的器物中，石器以长条形的磨器较多，为别处少见。陶器全部手制，以夹砂红陶为主，器型以锥形足、钵形鼎居多，彩陶以两种彩为特点。这与福山邱家庄、蓬莱紫荆山下层文化遗存都有相似之处，简报推断应属于一个时期的文化类型，可能是大汶口文化的早期。一般认为，大汶口文化的年代为距今 6300 ～ 4600 年。

538.山东蓬莱县发现打制石器

作　者：山东省烟台地区文物管理组　李步青
出　处：《考古》1983 年第 1 期

1976 年秋季，考古人员在蓬莱县村里集一带进行田野调查发掘时，在村里集西侧山坡黄土层中采集到几件打制石器。随后，又在其附近石门口村，发现了几件化石。简报配以手绘图予以介绍。

据介绍，村里集公社位于蓬莱县城南 45 公里，化石发现地点位于石门口村西山谷中。有砍砸器 2 件、斧状器 1 件以及可能是人股骨及幼鹿牙床的化石各 1 件。时代简报推断为旧石器时代晚期或新石器时代早期。

539.山东省海阳县史前遗址调查

作　者：王洪明
出　处：《考古》1985 年第 12 期

海阳县位于山东胶东半岛南部，北部靠山，南濒黄海，沿海平坦。1949 年后，县境以内曾发现过 4 处古遗址，限于资料不全，不能较全面地反映本县的古文化面貌。1981～1982 年，考古人员对全县 804 个自然村作了细致的考察，共发现古遗址 71 处，其中史前遗址 24 处。尔后又对有代表性的遗址进行了多次复查。前后搜集了大批文物，为研究胶东南部沿海地区的古文化分布提供了依据。简报分为三个部分，有手绘图、照片。

据介绍，在调查中发现的早期新石器时代遗址有 8 处，其时代早于龙山文化，但又有别于大汶口文化。岳石文化遗址共发现 2 处：1 处是东村镇的柳树庄，另 1 处是司马台。其中司马台遗址遗物较多，面貌基本与平度东岳石遗址相似，有尊形器 5 件、甗 3 件。

简报称，海阳境内所发现的史前遗址，石器琢制居多；陶器以红陶、灰陶为主，夹砂、云母、滑石等，多三足器。不少器物明显地存在着本地区的独有特点，为进一步探索海阳地区史前文化的特点提供了线索。

540.山东省长岛县砣矶岛大口遗址

作　者：中国社会科学院考古研究所山东队　吴汝祚
出　处：《考古》1985 年第 12 期

砣矶岛是庙岛群岛中的一个较大的岛屿，在行政区划上属于长岛县砣矶公社。

大口遗址即在砣矶岛的大口村北，穷人顶（又名"求神顶"）的南麓。这个遗址在建公社医院时，大部分已遭破坏。1982年考古人员对这个遗址作了春、秋两季调查，同年9月进行试掘。发现房址2座，墓葬22座，兽坑9个，用火遗迹10处和陶、石器等。简报分为：一、地层堆积，二、遗迹，三、出土遗物，四、结语，共四个部分。有手绘图、照片。

据介绍，根据地层和墓葬出土的陶器，简报认为：第四层至第七层的遗存，可以作为大口遗址第一期文化，其中第七层为早期，距今4600年左右；第三层为大口遗址第二期文化；四至六层为晚期。

541.山东牟平照格庄遗址

作　者：中国社会科学院考古研究所山东队、烟台市文物管理委员会　韩　榕等
出　处：《考古学报》1986年第4期

照格庄遗址位于山东省牟平县城东南约1.5公里，东距照格庄村0.5公里，西北约1公里处为抗日战争时期胶东著名战斗遗址"雷神庙"。照格庄遗址于1972年春开挖水渠时发现，此后地、县文物干部曾作过多次调查。1979年8月，进行了复查，并对该遗址进行了正式发掘。发掘工作自1979年10月18日开始，至11月30日结束，历时35天。简报分为：一、地层堆积情况，二、文化遗迹，三、文化遗物，四、结语。共四个方面。有照片、拓片、手绘图。

据介绍，发现灰坑43个、灰沟3条，出土有陶器、石器、滑石器、牙器、角器、铜器、蚌器以及卜骨12块。简报认为，此次发掘，填补了山东地区史前文化系列中的一个缺环，并且为探讨典型龙山文化的去向翻开了新的一页。虽然现有的资料还不足以阐明照格庄遗址遗存与典型龙山文化之间是否存在因袭关系，很多问题尚待深入探讨；但是可以断言，照格庄遗址遗存绝不是一种外来文化，它很可能是由典型龙山文化发展演变而来的。进一步弄清这两种文化的递嬗关系，是摆在我们面前的一个新的研究课题。

542.胶东半岛发现的打制石器

作　者：李步青、林仙庭
出　处：《考古》1987年第3期

1973年以来，考古人员先后在蓬莱县、长岛县、海阳县等地进行考古调查、发掘时曾采集一些打制石器和动物化石。简报分为：一、胶东半岛的地理环境，二、

打制石器、化石与发现地点，三、小结，共三个部分。简要介绍了其中的一部分及发现地点，有手绘图。

据介绍，胶东半岛是我国最大的半岛，海岸线长 1500 余公里。北与辽东半岛毗邻，东与朝鲜半岛相对。北、东、南三面为渤、黄海域。境内为东西横列的浅山丘陵，形成中间屋脊，河流即由此南北分水。平原甚少，散布于沿海地带。第四纪地层发育齐全，广泛分布于山麓、河谷与海滨，其成因有残积、坡积、洪积、冲积、海积、风积或其混合类型。胶东半岛的打制石器是近年来的新发现。就其分布范围看，已北至长山列岛，南达半岛南海岸，较为广泛。目前在整个胶东半岛上发现的打制石器的数量和地点还不是很多，并且也缺少地层关系，有待开展进一步的工作。

简报指出，已发现的这些打制石器，就其制作技术、选料、造型诸方面对比分析，其时代显然有早晚差别。联系半岛的地理位置和已发现的新石器文化，可以看出本地区的原始文化应该有着自身的发展渊源，也为本半岛同邻近文化区域的相互联系提供了研究的线索。

543.山东长岛北庄遗址发掘简报

作　者：北京大学考古实习队、烟台地区文管会、长岛县博物馆　严文明、张江凯
出　处：《考古》1987 年第 5 期

1980 年秋，考古人员对山东长岛县史前遗址进行了全面的调查，得知大黑山岛东边的北庄遗址有较丰富的史前遗存。第一、二次发掘分别在 1981 年秋和 1982 年秋进行，发现了属于新石器时代的北庄一期、北庄二期、龙山文化和早期青铜时代的岳石文化依次叠压的地层关系，所见遗迹、遗物以北庄一期的为主，计有房基 16 座、灰坑近 30 个、墓葬 3 座。北庄二期仅有墓葬 4 座。此外还有一些战国时期的墓葬。简报配以手绘图，主要介绍了北庄一期、北庄二期的发掘情况。

据介绍，北庄的两期文化与鲁中南的大汶口文化，一方面有许多明显的差异，另一方面又有比较多的共同点。但是，从胶东地区其他几处遗址中比北庄一期还要早一些的文化遗存来看，情况又有所不同。这里的原始文化遗存时间越早，同鲁中南地区的原始文化的面貌差别也就越大。碳十四测定的数据表明，北庄一期的年代比鲁中南大汶口文化早期的年代要晚得多。这说明胶东地区只是在北庄一期文化以后，与其西面的大汶口文化分布区文化往来才大大加强了，接受来自西面的文化影响多了。值得注意的是，胶东半岛和辽东半岛的文化往来也是在北庄一期以后有了明显加强的趋势。苏秉琦先生曾经指出：胶东半岛和辽东半岛"作为我国腹地与我国东北部以及东北亚之间重要通道，在我国古代的特殊地理位置与特殊作用，不能

说它是次要问题"。解决这一问题的关键地点在长岛。这两次的发掘表明，苏先生的意见是很有道理的。

544.山东烟台毓璜顶新石器时代遗址发掘简报

作　者：烟台市文管会、烟台市博物馆
出　处：《史前研究》1987 年第 2 期

遗址位于烟台市郊区芝水村毓璜顶，实际上是处于 1 座山丘的西坡，一直延伸至夹河的入海处。距海边约 1.5 公里。遗物有陶器残片等。为新石器时代遗存。

545.山东烟台白石村新石器时代遗址发掘简报

作　者：烟台市文物管理委员会　　王锡平、吴洪涛
出　处：《考古》1992 年第 7 期

白石村遗址位于山东省烟台市芝罘区的西南山丘——金黄顶北麓的坡地上。遗址的东、南、西面层峦绵亘、林木丰茂，往北越过地势低平的市区，距今芝罘海湾约 1.5 公里。1972 年遗址被发现。1973 年烟台地区文管组和烟台市博物馆进行过调查。1975 年，山东省博物馆与烟台地区文管组联合进行了 1 次试掘。1980 年当地建设部门征用遗址部分土地修建居民楼，因此考古人员于 1980 年和 1981 年 2 次进行了抢救性发掘，发掘面积合计 227 平方米。这次发掘的重要收获是首次发现了早于蓬莱紫荆山和福山邱家庄下层文化的地层堆积，并出土了一批目前为胶东地区新石器时代最早的文化遗存。简报分为：一、地层堆积，二、一期文化遗存，三、二期文化遗存，四、结语，共四个部分。介绍了 2 次发掘的结果，有照片、拓片、手绘图。

据介绍，白石村遗址可分为两期，即第一期文化和第二期文化。钵形鼎、盆、筒形罐等，是白石村一期文化最具特色的器物，在新石器早期文化中很少见。白石村二期文化，因其早、晚差异，故又分为二段。TG1 的 2～5 层和 TG3 的 2～4 层，属于二期文化早段，与福山邱家庄遗址的下层相当。TG2 的 2、3 层为二期文化晚段，与邱家庄上层相当，相当于大汶口文化的早期。一般认为，大汶口文化的年代为距今约 6300～4600 年。

简报称，白石村一期文化同为山东地区目前最早的新石器文化。它对胶东半岛后来文化的发展产生了深远的影响。它的分布范围，现在看至少东至胶东半岛的东端，西至烟台一带。它具有一系列鲜明的文化特征，即使与继起的白石村二期文化相比较，也可以明显感觉到二者的突变性差异。为恰当地反映这一文化的内容、特征与性质，简报认为将其命名为"白石文化"是适宜的。

546.烟台白石村新石器时代遗址出土的鱼类

作　者：中国科学院海洋研究所　成庆泰

出　处：《考古》1992 年第 7 期

1980 ~ 1981 年在烟台白石村遗址出土了一些零散的海鱼骨骼。这是继 1974 年在山东胶县三里河新石器时代墓葬中出土海鱼骨骼之后又一新的发现。

据介绍，白石村出土鱼骨经分析鉴定，有 4 种海产经济鱼类：黑鲷、真鲷、鲈鱼和红鳍东方鲀。简报称，这些鱼骨的出土为进一步研究新石器时代人类对海产鱼类的利用以及今昔对比提供了重要资料。

547.山东栖霞市古镇都新石器时代遗址发掘简报

作　者：烟台市博物馆、栖霞牟氏庄园文物管理处　林仙庭、闫　勇、王金定、高大美、肖　靖、孙航伟、闫　虹、杨文玉等

出　处：《考古》2008 年第 2 期

古镇都遗址位于山东省栖霞市古镇都村东凤彩山西南的坡地上，南临汶水河，白洋河从其西侧流过。遗址的南部、西部分别被牟氏庄园和古镇都村所压。为配合公路建设，1999 年 4 ~ 7 月，考古人员对该遗址进行了抢救性发掘。简报分为：一、地层堆积，二、遗迹，三、遗物，四、结语，共四个部分。有照片、手绘图。

据介绍，发现有大汶口文化中晚期墓葬 15 座、房址 6 座、沟渠 3 条。其中房址的发现较为重要。出土遗物主要包括石器、骨器和陶器，陶器主要有罐、鼎、盆、杯、钵、器座等。M13 出土的磨光红陶双鼻三足罐等随葬品十分精美。

潍坊市

548.山东安丘景芝镇新石器时代墓葬发掘

作　者：山东省文物管理处　王思礼

出　处：《考古学报》1959 年第 4 期

景芝镇位于安丘县东南 24 公里。古墓葬在镇南偏西约 300 米的砖瓦窑场基地下面。1957 年山东全省开展文物普查时，于景芝镇窑场取土中发现了这一古墓葬区。经调查，认为是 1 处古文化遗址，并从窑场工人处征集到石箭头 1 件、红陶钵和大

口尖底缸各 1 件等遗物。1957 年 10 ～ 11 月进行了发掘。简报分为：一、墓葬形制，二、随葬器物的位置，三、随葬器物，四、结语，共四个部分。有照片。

据介绍，共发掘墓葬 7 座，均为长方形土坑竖穴墓，出土遗物 74 件，以陶器为主。简报认为此处新石器时代遗址，应属龙山文化。

549.山东潍坊姚官庄遗址发掘简报

作　者：山东省博物馆　郑笑梅
出　处：《考古》1963 年第 7 期

姚官庄遗址位于潍坊市南 10 公里处，西南面距姚官庄约 1 公里，面积有 10 多万平方米。1960 年 3 ～ 7 月，考古人员在此进行了发掘，开掘面积约有 1700 平方米，出土文物十分丰富，主要是龙山文化的遗存。简报分为：一、遗迹，二、遗物，三、墓葬，四、小结，共四个部分。有手绘图。

据介绍，共发现龙山文化灰坑 130 多个，墓葬 12 座。墓葬均为长方形竖坑墓，单人葬，仅一半墓有随葬品。龙山文化的生产工具主要是石器，骨角器和陶器仅占少数，未见蚌器。种类有铲、斧、锛、凿、刀、镰、箭头、锥、网坠、纺轮及制陶用的陶拍等，其中以斧、刀、箭头、纺轮的数量较多。生活用具主要为陶器，黑陶为主，骨角器较少。

550.山东安丘峒峪、胡峪新石器时代遗址调查

作　者：山东省博物馆　王思礼
出　处：《考古》1963 年第 10 期

1957 年 11 月，考古人员到峒峪、胡峪 2 处遗址进行了调查。简报分为：一、峒峪村遗址，二、胡峪村遗址，三、小结，共三个部分。有手绘图等。

据介绍，峒峪村（又称"上峒峪"或"老峒峪"）位于安丘县西南 27.5 公里，峒峪南河绕村南流过。遗址坐落在同峒村的东北部，地面微微高起，面积约 20 万平方米。胡峪村遗址在城西南 40 公里的胡峪村西 500 米，东、南、北面为宅子埠山、后埠子山和北山环抱。北山前有一胜泉。遗址保存情况不好，据普查时估计，南北约 750 米，东西 250 米，总面积达 18 万平方米。简报称，两遗址的遗存应以龙山文化为主。

551.山东诸城呈子遗址发掘报告

作　　者：昌潍地区文物管理组、诸城县博物馆　杜在忠等
出　　处：《考古学报》1980 年第 3 期

呈子遗址位于诸城县城南 15 公里，属皇华公社呈子大队。遗址主要分布在呈子村西的河湾台地上，台地以东另有 3 处小范围的文化堆积，也属遗址范围。简报分为：一、遗址概况，二、地层堆积，三、呈子第一期文化遗存，四、呈子第二期文化遗存，五、文化性质与分期，六、结束语，共六个部分。有照片、手绘图。

据介绍，遗址发现有房址、墓葬等遗迹，出土有陶器、石器等遗物。第一期、第二期文化有着密切关系，当属同一部落的先民在不同历史阶段创造的文化遗存，但中间似还有缺环。

简报指出，第一期时先民已过上以原始农业为主的定居生活。以养猪为主的家畜饲养业已占一定地位，已出现最初的贫富分化。葬式为家族合葬。第二期农业、畜牧业均有较大发展，制陶业已取得重大进步。

制陶普遍采用快轮技术，火候高，陶胎薄，造型规范化。陶器的各种把、柄、耳、足等附件不仅配置合理、美观，而且非常实用。人们根据不同需要，采用不同原料和技术，生产出黑、灰、红、褐、白、黄等不同陶色的器物。尤其像薄胎高柄杯、罍等胎薄如蛋壳，黝黑光亮，造型优美，是制陶业高度发达的代表作。但是这类器物已无多大实用价值，只是少数民族显贵的一种奢侈品。这反映了当时的制陶业不仅能成批生产一般生活器皿，也开始为少数人生产特需品。这样的生产水准必然要由富有制陶经验的专门家族来承担，他们的产品已不仅是为本民族的需要，而是可能以商品交换为目的了。社会生产的发展需要大批男子劳动力转移到农业生产上。在手工业家族内，也只有男子才能胜任繁重的手工业操作，男子已在社会主要生产部门中取代妇女而占统治地位，父权制已是根深蒂固了。这时大型墓葬的主人都是男子，女子已被推到从属和被奴役的地位。在呈子第二期文化墓葬中，鲜明地反映出贫富分化的局面，不同家族之间的分化也日渐严重。

552.山东潍县狮子行遗址发掘简报

作　　者：潍坊市艺术馆、潍坊市寒亭区图书馆　曹元启、杨传德
出　　处：《考古》1984 年第 8 期

狮子行遗址位于潍县东北约 10 公里处的狮子行村北面。它的东、南两面约 400 米是富康河，南面 500 米为烟潍公路。遗址高出周围地面 4 米左右，为一高埠。东

半部保存得较好，西半部因学校修操场已被铲平，总面积为14万平方米。文化层最深的地方达2米。

1974年狮子行联合中学在高埠前面建教室、修操场，当平整地面时，在深约2米处发现人骨架及陶片。考古人员对遗址进行了调查、清理，发现遗址的西南部有灰坑4个，墓葬1座，东南部有灰坑3个，确认这是1处内涵包括大汶口文化、龙山文化和商文化的遗址。1978年冬，考古人员再次赴现场复查时，发现东面断崖上暴露2座墓葬，并作了清理。在清理工作中，于断崖的西面开5米×5米的探方一个（T1），发现墓葬3座。又酌情向北向南扩方，又发现墓葬3座。共发现墓葬8座、灰坑3个，清理面积达100余平方米。简报分为：一、地层堆积，二、大汶口文化遗存，三、龙山文遗存，四、分期；五、结束语，共五个部分。有手绘图、照片。

据介绍，这次重点清理的9座墓和7个灰坑，均发现于第三文化层，属同一时代。狮子行遗址龙山文化的陶器与临沂大范庄、日照东海峪、胶县三里河、住坊姚官庄、潍县鲁家口、诸城呈子等遗址的陶器大致相似，有的几乎相同。墓葬头向均向东南，与诸城呈子遗址的墓葬一致。类似这一文化面貌的遗址，简报推断应属于典型的龙山文化。

简报称，狮子行遗址所反映的社会经济状况，是以锄耕农业为主。石刀、石镰等生产工具的普遍使用，对原始农业的加快发展，对社会生产力的提高，起着很大的促进作用。畜舍模型器和遗址中大量猪骨的发现，反映出畜牧业已很发达。制陶手工业方面，已有很大的提高。有的墓葬随葬着数量较多而又精致的陶器，说明墓主是社会产品的主要占有者；有的墓葬1件随葬品也没有。形成了鲜明的贫富不均的现实。

553.山东寿光火山埠遗址出土一件黑陶罍

作　者：贾效孔
出　处：《文物》1985年第10期

火山埠遗址位于寿光县孙家集镇胡营村东北0.5公里，1977年冬季平整土地时，出土陶器、石器、骨器、蚌器等200余件。简报配以照片予以介绍。

简报介绍，从出土遗物观察，这里是1处有大汶口、龙山、岳石、商、两周至汉代多层文化堆积的遗址。同年11月9日，在遗址东端发现1件陶罍。简报称，经鉴定，年代约在龙山文化中晚期。这件陶罍造型优美，工艺精致，是龙山文化陶器中罕见的珍品。

554.潍县鲁家口新石器时代遗址

作　者：中国社会科学院考古所山东工作队、山东省潍坊地区艺术馆　韩　榕等
出　处：《考古学报》1985年第3期

鲁家口遗址位于山东省潍坊地区潍县张氏公社鲁家口村西南约1公里处，西南距潍坊市15公里。鲁家口遗址于1972年春发现，同年由山东省博物馆及地、县文物干部共同进行调查。1973年春又对该遗址进行复查，并于1973年10～11月、1974年4～6月进行了2次发掘。简报分为：一、文化层堆积，二、大汶口文化遗存，三、龙山文化遗存，四、结语，共四个部分。有照片、手绘图。

据介绍，遗址南部原为一片近代坟地，当地群众称之为"张家林"。现今整个遗址已被平整为农田，除近代扰坑之外，发掘东周时期的墓葬11座、灰坑2个，商代灰坑1个等。出土一批遗物，有石器、陶器、蚌器等。

简报称，大汶口文化墓葬2座，遗物不多。年代约在公元前3500～前2800年。龙山文化有11座房基、29个灰坑及陶、石、骨、蚌器。其中陶且，一般认为是对男性崇拜的产物。年代应属龙山文化晚期早段，延续约300年。

555.山东昌乐县邹家庄遗址发掘简报

作　者：北京大学考古实习队、昌乐县图书馆　张江凯、赵朝洪、李学训
出　处：《考古》1987年第5期

邹家庄遗址距昌乐县城西南约19公里，东去北岩乡约5公里、邹家庄村西约0.25公里，西北与西南距苍山村和吕家庄各0.5公里许。其西、南、东3面有多座因古火山喷发而形成的低矮玄武岩山丘环抱，北面则基本上是扇面形的开阔平原地带，丹河自南而北流经遗址的西侧和北侧。20世纪六七十年代，由于在这里修水库，遗址受到了部分破坏，南侧、西侧和北部都已成了荆山水库的库区。现存面积东西长约1000米，南北宽约200米，计20万平方米左右。1983年和1985年秋季，考古人员对这处遗址先后作了2次发掘，发掘面积累计约1200平方米。清理了不同时期的灰坑、窖穴200多个，墓葬28座，商周时期的残破房基窖1座，并获得了一批龙山文化至商周时期的文化遗物。简报配以手绘图，介绍了两次工作的基本情况。

据介绍，邹家庄遗址的陶器，在陶色上是以黑陶为主，褐陶其次，灰陶数量极少。这在直观感觉上就与鲁西地区迥然不同。鲁西地区的龙山文化，灰陶和灰褐陶所占比例较大，而黑陶不多。换言之，邹家庄的两期龙山文化在鲁东地区龙山文化发展的总谱系中，早的不早，晚的不晚，只是处在早期偏晚至中期阶段，跨越的时间不

长，衔接还是比较紧密的。简报还提到筒形罐的传递过程值得注意。筒形罐先是由辽东半岛传入胶东，然后，至少是在龙山文化时期，又由胶东半岛进入了胶莱地区。这表明随着时间的推移，胶东地区和胶莱地区的文化往来是越来越密切了。

556.山东昌乐县原始文化遗址调查

作　者：潍坊市博物馆、昌乐县文物管理所　曹元启、李学训

出　处：《考古》1987 年第 7 期

昌乐县位于鲁中南丘陵东北部边缘，境内丘陵密布，河流纵横。考古人员于 1981 ~ 1982 年对此进行了深入细致的普查，先后发现并调查了古文化遗址 101 处。这些遗址大多数位于河流两岸的一级台地上，多数包含有两个时代以上的文化遗存。按文化类型分，有大汶口文化、龙山文化、岳石文化、商周文化及秦汉时期的文化遗存。简报分为：一、大汶口文化遗址，二、龙山文化遗址，三、岳石文化遗址，四、结语，共四个部分。有手绘图。

据介绍，大汶口文化遗址，共发现 22 处。主要分布于大丹河和白狼河流域，其他小流域亦有发现。比较典型的遗址有小李家庄遗址、程家庄遗址、林家河遗址和盖家庄遗址，面积都不大。龙山文化遗址共发现 60 处，邹家庄遗址面积超过 20 万平方米。延续时间长，中间没有缺环。应属两城类型。岳石文化，多与龙山或商周文化共存，采集到遗物的遗址共有 7 处。除庞家庄村西遗址和吕家庄遗址有明显地层堆积外，其他均未发现。遗址数量少，面积小，遗物少。

简报称，昌乐县原始文化遗址包含了大汶口、龙山、岳石 3 个发展阶段。除岳石文化尚不明晰外，大汶口和龙山文化在纵的发展关系上是紧密相连的，有明显发展脉络可寻。这将为在一个狭小地域内，更准确和直接地研究这两大文化的发展序列提供了新的资料。

557.山东临朐朱封龙山文化墓葬

作　者：中国社会科学院考古研究所山东工作队　韩　格

出　处：《考古》1990 年第 7 期

朱封遗址位于山东省临朐县城南约 5 公里弥河北岸的台地上，北面紧靠西朱封村，南面约 0.5 公里处弥河。遗址现存面积约 10 万平方米，北部压在西朱封村的下面。1989 年 10 ~ 12 月，考古人员对该遗址进行第 1 次发掘。

该遗址文化堆积最厚处达 4.6 米，包含山东龙山文化、西周、战国及汉代的地层、

灰坑和墓葬。此外，包含物中还发现有大汉口文化晚期和岳石文化的遗物，但是在发掘范围内未见到相应的地层。此次发掘最重要的收获是发现了 2 座龙山文化的大型墓葬。简报分为：一、墓 202，二、墓 203，三、小结，共三个部分。介绍了这两座墓葬的情况，有手绘图、彩照。

依据这 2 座墓葬出土陶器的特征分析，简报推断应属典型龙山文化的两城类型，亦即目前对两城类型分期中的第四期。墓主人的身份以及当时所处的社会发展阶段，虽然目前尚难以作出准确的判断，但简报肯定他们绝非一般的氏族成员，而应当是具有某种特殊身份、地位显赫、高踞于当时社会组织上层的显贵人物。

简报称，迄今为止，山东龙山文化发现的墓葬数以百计，但是，像这两座墓葬的规模之大、墓室结构之复杂、随葬器物之丰富多彩的，则属首次发现。随葬的玉器等精品，无论是数量、造型及制作工艺，均为已往发现中所罕见。尤其是其色彩有斑斓，出现了面积较大的成片之彩绘，更非其他已知的龙山文化墓葬所能比。

558.山东安丘老峒峪遗址再调查

作　者：郑　岩、徐新华
出　处：《考古》1992 年第 9 期

老峒峪遗址位于安丘县城西南 27.5 公里处，属雹泉镇。该遗址地处泰沂山系东端与胶莱平原的交接地带，遗址分布面积约 20 万平方米。遗址自 60 年代起遭到较严重的破坏，由于扩建民房，文化层几乎全被压在老峒峪村之下，地表随处可见陶片与残骨。

1957 年 11 月，山东省博物馆曾对该遗址进行第 1 次调查并发表了简报。这次调查只将其史前遗存笼统地定为龙山文化。近几年，考古人员通过对该遗址的多次复查发现，除了原来已认识到的龙山文化及少量的商周至汉代遗存外，这里还有大汶口文化和岳石文化的遗存。在遗址中部及偏东一带，农民破土时常发现有大汶口文化和龙山文化的墓葬。在遗址西部则有较多的灰土和红烧土块，估计是居住区。

该遗址由于破坏较严重，难以再进行系统发掘，所以有必要将近年来调查所得的一些资料介绍出来。简报分为：一、石器，二、大汶口文化陶器，三、龙山文化陶器，四、岳石文化陶器，五、结语，共五个部分。有手绘图、照片。

据介绍，老峒峪遗址出土石器数量较多，器类齐全，普遍采用磨光和钻孔技术，造型规整。由于缺少地层依据，多数不易确切指明所属时代。其中的方孔石铲和半月形石刀，大致可定为岳石文化。此外，亚腰形柄的 IV 式石斧在其他遗址曾有发现，似也属岳石文化。

该遗址大汶口文化的陶器，时代属于早中期的基本没有发现，少数器物有中期偏晚阶段的某些特征。其他陶器多属晚期，除实用器外，还有相当数量的明器。

遗址采集到的龙山文化陶器数量最多，种类较齐全，形制变化多样。这批陶器的年代绝大部分属于龙山文化两城类型的早期阶段，大致可以与上述大汶口文化陶器的年代衔接起来。少数器物年代稍晚，但亦不可能晚于中期。

人们对胶莱平原岳石文化长期以来缺乏认识，近年来对一些遗址进行了发掘和重新调查，有了一些新的收获。老峒峪遗址首次调查时，就发现有岳石文化的遗物，这次调查的发现虽不丰富，但几件陶器的特征较明显，陶质、陶色和造型与郝家庄等遗址的发现比较一致。

简报称，老峒峪遗址位于泰沂山系的最东端，再向东便是南北畅通的胶莱平原。由于该遗址所在的地理位置的关系，其文化面貌应同时具备南北两方面的一些特点。实际上，此处所发现的大汶口文化时期的大口尊、背壶、高柄杯等器物，就很明显地与泰沂山系以南，特别是临沂地区一带的同期器物有较多的共性，这是值得注意的。至于龙山文化时期，这里所表现出的胶莱平原南北文化面貌较为统一的特点，还是比较清晰的。

559.山东青州市发现一件刻纹陶器

作　者：青州市博物馆　庄明军
出　处：《考古》1999 年第 1 期

1981 年 11 月，青州市文物普查小组在郑母镇北高村窑场附近的龙山文化遗址上发现 1 件刻划图案的陶器，初步研究表明它属龙山时期的遗物。简报配以照片、拓片予以介绍。

据介绍，该陶器略呈倒圆锥形，顶部圆而平，下端圆而尖，顶端中央有一圆孔，斜着通向下端的一侧。在下部有孔的一侧由顶端向下斜切掉约二分之一，形成一个斜面，上面刻划图案。该件陶器从其形制来看，似为陶拍。

简报称，从目前的考古资料看，龙山时代在陶器上刻划类似图案的现象比较少见，这件刻纹陶器的出土，为研究史前时代的线刻艺术提供了宝贵资料。

560.山东青州市发现龙山文化器物坑

作　者：青州市博物馆　庄明军　王瑞霞
出　处：《考古》2002 年第 1 期

1993 年 3 月初，山东省青州市博物馆在西大厅挖基槽时，发现 1 坑，坑内埋藏着大量陶片和完整的陶罐。博物馆随即对此坑进行了清理。简报配以手绘图予以介绍。

据介绍，根据出土器物的情况看，该坑为一龙山文化器物坑，器物分两次埋藏。通过比较，简报推断这个器物坑与姚官庄遗址一样，都是龙山文化的晚期遗存，属龙山文化两城镇类型遗存。

简报称，通过调查，在器物坑附近没有发现与之有关的龙山文化遗址，周围的环境可能在明代修筑城墙时已被破坏。

561.山东寿光市后胡营遗址试掘简报

作　者：昌潍地区文物组、寿光市博物馆　黄爱华、贾效孔等
出　处：《考古》2005 年第 9 期

后胡营遗址位于寿光城南 6.5 公里处的后胡营村。其东 400 米为寿尧公路（寿光—尧沟），西侧 50 米有 1 条南北向宽 120 米、深 6 米的古河道。遗址南半部被后胡营村覆盖，北半部被 1 条南北向大路分成两段。中间有一路沟，沟的断崖暴露大量红烧土块、墓葬遗迹、陶片等。西段只剩断崖，有高 1～2 米的堌堆，遗迹遗物已无存。遗址发现于 1973 年，当时遗址内涵极为丰富。20 世纪 70 年代初，曾发现人骨 10 多具及遗物数件。1974 年夏，中国社会科学院考古研究所、昌潍地区文物组先后对其进行过调查，并采集了不少遗物。1976 年 5 月，昌潍地区文物组进行了试掘，发现墓葬 7 座。

简报分为：一、地层堆积，二、文化遗存，三、结语，共三个部分。有手绘图等。

据介绍，后胡营遗址的陶器以红陶、褐陶为主，夹砂陶多于泥质陶。在泥质陶中，饰红陶衣者占一定比例，彩陶比较发达。陶器手制居多，个别经慢轮修整。器表多为素面，纹饰单调，有堆纹、划纹、锥刺纹、镂孔等。器类简单，大致有鼎、豆、壶、罐、钵等，其中的主要陶器如折腹鼎、圆腹鼎、深腹鼎、钵形豆等都能在泰山周围及鲁东南地区的大汶口文化遗址中找到近似的类型。简报认为后胡营遗址应属于大汶口文化范畴。但是，将后胡营遗址出土陶器同大汶口遗址所出陶器进行比较，发现二者又有较大区别。大汶口文化特有的代表性器物，如觚、鬶、背壶、盉、高柄杯、大镂孔豆等在后胡营遗址中均不见。另外，鬶极少，墓葬中未发现，仅采集 1 件袋足鬶。大汶口文化器类繁杂，这也与后胡营遗址出土陶器器类简单有些不同。在大汶口文化中晚期，贫富分化已十分明显，主要表现在墓葬随葬品的多寡上；而后胡营遗址的墓葬，随葬品数量少且差别不大，多者 5 件，少者 1～2 件，这种情况说明当时可能还没有发展到明显贫富分化的阶段。

562.山东诸城市六吉庄子新石器时代遗址调查

作　者：山东省文物考古研究所、诸城市博物馆　兰玉富、张　建
出　处：《华夏考古》2007 年第 2 期

2001 年，考古人员对山东诸城六吉庄子遗址进行了考古调查和勘探。发现房址和灰坑等遗迹，采集或征集到陶釜、盆、钵、石斧、磨盘、磨棒等遗物。陶器绝大部分为夹砂红褐陶，不见泥质陶。简报分为：一、地层堆积，二、遗迹，三、采集遗物，四、结语，共四个部分。有手绘图。

据介绍，六吉庄子遗址位于山东诸城市朱解乡六吉庄子村北，西距诸城市区约6 公里。发现于 20 世纪 80 年代末 90 年代初，初步判定文化遗存属于后李文化。碳十四测年数据表明，后李文化的绝对年代在距今 8400 ～ 7500 年。而据发现的陶器和石器分析，六吉庄子新石器时代文化遗存应该处于后李文化晚期阶段，时间距今7500 年左右。这一遗址的发现，为山东早期考古研究提供了重要线索。

威海市

563.山东乳山县史前遗址调查

作　者：乳山县文物管理所　姜树振
出　处：《考古》1990 年第 12 期

乳山县位于胶东半岛的东南隅，南濒黄海，北部靠山，沿海较平坦。县境西部主要有乳山大河，东部主要有黄垒河，2 条大河分别源于中部山区，向南流入黄海。全县总面积 1583 平方公里。近年来通过多次考古调查，已发现古遗址 33 处，其中史前遗址 16 处。简报分为三部分，有手绘图。

据介绍，考古人员在调查中，发现较早期新石器时代遗址有 7 处，其时代相当于大汶口文化。发现龙山文化遗址有北地口、陈家屯、泮家庄、小管村。除北地口外，其余都濒临黄海湾，遗址大部分文化层较厚，采集遗物有石器、陶器等。岳石文化遗址发现 6 处，有马场、堡上、横山后、鲁济、仇家洼和小管村。以上遗址采集到的标本，文化面貌基本与牟平照格庄遗址出土的器物相似。

简报称，乳山境内所发现的史前文化遗址，石器琢制居多，陶器以夹砂云母红褐陶、灰褐陶为主。纹饰主要有刻划堆纹、附加堆纹和乳丁纹。多三足器，不少器物明显地存在着本地区的特点，为进一步探索乳山史前文化的特点提供了线索。

济宁市

564.山东济宁琵琶山新石器时代遗址

作　者：郑　伟
出　处：《考古》1960 年第 6 期

琵琶山遗址位于济宁市东郊，兖济公路南侧的一块台地上。台地中央是 1 座古塚，附近人称其"琵琶山"。过去曾在这里发现过鬲腿。1959 年考古人员在台地中心 2000 平方米的面积内采集过几次标本，共拾得石器、骨器、蚌器、兽骨、兽牙及残陶片 100 多件。简报分为：一、石器，二、骨、角和蚌器，三、陶器，共三个部分。有照片。

简报介绍，石器为斧、锛、锥、纺轮等器型。骨器类兽角发现很多，多为鹿角，也有羊角，根部非常光滑，似为人手常握所致。还发现兽牙 5 颗，骨料 10 余件。陶器类还发现大量的残陶环，其横剖面有正三角形、等腰三角形、正方形、矩形、椭圆形、圆形、半圆形和双圆形等。

565.山东曲阜新石器时代遗址调查

作　者：山东省博物馆　王恩礼
出　处：《考古》1963 年第 7 期

1958 年夏季，有关部门开展了 1 次重点文物复查工作。在复查期间，调查了许多地方，收集到大量的各方面的实物资料。现将曲阜的部分新石器时代遗址的资料整理出来。简报分为：一、尼山遗址，二、东位庄遗址，三、白村遗址，四、韩家铺遗址，五、店北头村遗址，六、大果庄遗址，七、八里庙遗址，八、结语，共八个部分。有手绘图。

第一，尼山遗址位于曲阜城东约 25 公里、沂河北岸。属南辛公社，与邹县、泗水 2 县交界。这处遗址经过几次调查，先后所得标本相当丰富。有陶器、石器等。

第二，东位庄遗址，位于曲阜城东约 13 公里的东位庄村及村西一带。其范围大致南至小林，西到通往沂河的小沙河，南端紧靠通往小沙河的小沟。面积约 11 万平方米。地面遍布陶片和红烧土块，有建筑的平面和白灰面等，沟内可见到数处灰坑。文化层厚约 2.5 米。

第三，白村遗址，在曲阜城东 18 公里、白村西端。南到沂河岸，北面就是断崖，南辛到鲁贤村的公路正在遗址中部通过。面积大约 5 万平方米。

第四，韩家铺遗址，在曲阜城东约 6 公里的韩家铺。没经过复查。收集到的标本主要是陶器。

第五，店北头村遗址，在曲阜城南 9 公里、店北头村北 1 公里许的河沟内。河沟断崖上露有红烧土。得到的遗物很少，只有灰陶敞口碗的底部 1 件，轮制；还有鬼脸式和扁凿式鼎足。

第六，大果庄遗址，位于曲阜城西 10 公里的大果庄北、沂河南岸。这处遗址地面无甚暴露，是群众打井发现的，文化层距地表约 1.5 米。出土的遗物都是素面红色陶，手制。器型有折沿、收颈、腹鼓出，平底，附以斜三角扁凿形足、足之根部都有棱角凸出的鼎；还有敞口碗等。以鼎形器为最多。

第七，八里庙遗址，在曲阜城西 4 公里、八里庙村北端的隆起高地上。发现的遗物皆是打井、挖土时发现的，所得很少。标本有细泥黑陶片，还有夹砂红陶的鼎足，断面作方形的黑陶环等。

简报称，上述 7 处遗址，仅是 1958 年复查的部分新石器时代遗址。还有中王庄、余村、凫村、下庄村、苑庄村、宫家村、梁公林和城东关等遗址，其中几处是复查后才陆续发现的。从这次整理的 7 处遗址就可以看出，曲阜地区新石器时代遗址是非常丰富的。从主要遗物上分析其文化性质，遗址各具有不同时期的龙山文化特征。

566.山东曲阜西夏侯遗址第一次发掘报告

作　者：中国科学院考古研究所山东队　高广仁、任式楠等
出　处：《考古学报》1964 年第 2 期

西夏侯村位于曲阜县城东南约 9 公里。遗址在村西约 200 米处，是一片略微隆起的平地。遗址东北方约 150 米有座孤立的小石山，名叫"管勾山"。乾隆《曲阜县志》记载，曾开凿这里的石材以作为"林庙巨柱丰碑"。现在当地百姓仍旧采石加以利用。西夏侯遗址在 1957 年被发现。其后至 1959 年，考古人员作过几次收集清理。1962 年 4 月复查，同年 9 月 1～21 日进行第 1 次发掘。这次发掘的主要收获是在遗址西南部的墓地内清理了 11 座新石器时代的墓葬。简报分为：一、地层及其包含物，二、灰坑，三、墓葬形制，四、随葬器物，五、结语，共五个部分，有照片。

据介绍，发掘中发现的较奇特之处有：死者手边无一例外地都持有獐牙，其珐琅质都保存完好，这里部分獐牙还连带小块牙骨的情况为别处所未见，所有獐牙恐非用作工具；随葬猪头的情况也值得重视，3 个猪头又都是超过一般畜养食用年岁的

公猪，这些可以为研究当时的畜养业以至财产状况提供点滴材料；从陶器底部布纹可见有较细密的织品，也有助于了解其手工纺织业的情况。

567.邹县野店原始社会晚期的遗址和墓葬

作　者：不详
出　处：《文物》1972 年第 1 期

野店遗址位于山东省邹县城南 6 公里的野店村东南，南临龙河，遗址是 1965 年发现的。"文化大革命"中考古人员进行了多次调查。1971 年 4 月，在遗址的东部偏北开方试掘，发现密集的墓葬 10 余座，有单人葬，也有双人葬。随葬品少的只有几件，也有多达 49 件的。第 15 号墓是 1 座双人的长方形竖穴土坑墓，出土遗物多，骨架间出有生产工具石斧、石纺轮和装饰品玉环、石镯等。各种陶器多置于头部和脚部，特别是脚下。其中有彩陶壶、钵形鼎、红陶鼎、黑陶、瓬、镂孔豆、灰陶瓬形器、尖器圆腹鬶等。在附近的遗址中还采集到白陶高足杯。陶器的种类和形制，说明这批墓葬是属于新石器时代大汶口文化类型。这个文化类型的特点是：墓葬密集，随葬器物的数量差距大，石、玉器磨制精细，陶器器型和纹饰复杂。

568.山东野店新石器时代墓葬遗址试掘简报

作　者：山东省博物馆
出　处：《文物》1972 年第 2 期

遗址位于邹县城南 6 公里、峰山公社野店村的东南。1965 年发现，1971 年 4 ~ 5 月进行了第一次试掘。简报分为：一、遗址概况，二、墓葬，三、随葬器物，四、小结，共四个部分。有照片、手绘图。

据介绍，共发掘墓葬 15 座，随葬品多为陶器、玉器、石器。多者 40 ~ 50 件，少者 1 ~ 2 件，有单人葬和双人葬。简报推断遗址为新石器晚期的大汶口类型，先民应已进入原始社会的末期。

569.山东邹县县城附近发现石锯

作　者：王言京
出　处：《文物》1974 年第 6 期

1973 年 10 月，邹县南关大队农民在刨地时发现石锯 1 个。简报配以照片予以介绍。

据介绍，石锯出土地点在邹县城南 2 公里外，埋在地表下约 33 厘米的沙层中，周围没有被扰乱的现象，附近除找到零星的汉代瓦片外，也没有其他时代的遗物。从石锯磨制方法和钻孔技术来看，简报推断似为新石器时代遗物。离石锯出土地点不远处有野店（南 7 公里）、漆城（西 4 公里）、苏庄（西北 4 公里）、汪庄（东北约 5 公里）等新石器时代遗址。简报认为，这个石锯的出现，可能与这些遗址有关。

570.山东曲阜南兴埠遗址的发掘

作　者：山东省文物考古研究所　何德亮
出　处：《考古》1984 年第 12 期

南兴埠村位于曲阜县城南约 6 公里，隶属小雪公社。遗址在南兴埠村东约 1 公里，是一片略微隆起的平地。地势南高北低，土地肥沃。辽河由南向北流经遗址东部。

钻探表明，该遗址东部地层较浅，西北方向最深。遗址平面呈不规则的椭圆形，面积在 6 万平方米左右，为 1 处大汶口文化遗址，保存较好。遗址的中部挖有 1 条南北向、深约 3 米的地下管道，在地面上能采集到大汶口文化的陶片等遗物。遗址的南侧发现有大量汉代遗物及近现代陶瓷片。为配合铁路修建工程，考古人员从 1982 年 2 月 28 日至 4 月 6 日对该遗址进行了发掘。发掘面积 217 平方米。

简报分为：一、地层与遗迹，二、文化遗物，三、动物遗骸，四、结语，共四个部分。有手绘图、照片。

这次发掘共清理大汶口文化房基 1 处、墓葬 4 座，出土一批石器、陶器等文化遗物。

据介绍，南兴埠遗址发现的墓葬，是这次发掘的收获之一。长方形竖穴土坑、头东脚西的单人葬法，与大汶口、西夏侯墓葬相同。但是，4 座墓葬均为小型墓，其中 2 座墓一无所有。M2 仅随葬 4 件小型陶器；M1 无随葬品，且墓坑狭小，从双腿卷曲的情况看，墓主可能是非正常死亡；M4 为一婴儿墓，随葬品最多，有陶器 7 件，反映出对儿童的疼爱。遗址和墓葬中只出土遗物 56 件以上，有石器、陶器和骨器。南兴埠遗址的文化特征是石器以磨制为主，除 T9 ⑦出土的 1 件斧外，均为通体磨光。铲、凿和锛等制作细致，器形规整，棱角分明，可见当时石器的制作水平是较高的。

通过发掘和初步整理，简报认为南兴埠遗址是一处典型的大汶口文化遗址。南兴埠遗址的绝对年代，经测定，T1 ⑦ F1 出土的木炭为距今 4055±80 年，树轮校正年代为距今 4470±140 年；T1 ⑧出土木炭为距今 4100±100 年，树轮校正年代为距今 4530±150 年。简报称，这与器物断代是吻合的。

571.西夏侯遗址第二次发掘报告

作　　者：中国社会科学院考古所山东工作队　　高广仁、任式楠、吴汝祚等
出　　处：《考古学报》1986 年第 3 期

山东曲阜西夏侯遗址于 1962 年秋作了第 1 次发掘，又于 1963 年 10 月 11 日至 11 月 11 日，进行了第 2 次发掘。简报分为：一、地层堆积，二、大汶口文化遗存，三、大汶口文化墓葬，四、龙山文化遗存，五、商代遗存，六、结语，共六个部分。介绍了第 2 次发掘的资料，有照片、手绘图。

据介绍，第 2 次发掘发现并发掘了大汶口文化墓葬 21 座，其中儿童墓 10 座（6 座有骨架）；龙山文化灰坑 3 座；商灰坑 4 座；出土了一批遗物。此次发掘，对于认识大汶口文化儿童与成人埋葬习俗以及大汶口文化与龙山文化的关系，均有价值。

572.山东省泗水县柘沟镇快轮制陶技术调查

作　　者：栾丰实、方　辉、杨爱国
出　　处：《考古与文物》1992 年第 6 期

山东地区的制陶业，早在史前时期的龙山文化时代，就曾以其精美绝伦的蛋壳黑陶制作技术闻名于世。进入新的历史时期后，这一地区的制陶业趋于衰落，但始终没有绝迹。虽然在长达数千年的发展过程中，制陶技术发生了不少变化，但在一些处于偏僻之域的农村仍然延续和保留下某些原始、古老的制陶方式。1988 年 5～7 月，考古人员对泗水县柘沟镇、莒南县薛家窑村和临沂市岗头村 3 地的当代快轮制陶技术进行了实地考察，获得大量的第一手资料。简报分为八个部分予以介绍，有照片。

据介绍，柘沟镇烧陶历史非常悠久。文物普查发现，该镇及其周围分布有自大汶口文化至汉代遗址多处。是否那时的人们已经认识到埋藏于此的陶土原料并加以开发利用，现在尚不得而知。尽管现在制陶业的规模已不如先前，全镇现仍有陶窑 160 余座，直接从事陶器生产的人员达 700 人，其中除了近年县、镇在这里兴建的几座规模稍大的制陶工厂人数较多之外，绝大多数是小规模的家庭私营作坊和小联合体。每个单位有陶窑 1 座，从业人员 4～5 人。运销人员主要来自附近各乡。当地土质甚黏、不宜农耕，粮食不能自给，长期以来制作陶器的收入是这里居民的重要经济来源。简报介绍了当地的制陶工具、烧制工艺、陶器形制、装饰、用途等，对我们了解龙山时代以降古代制陶方法，多有启迪。

573.山东嘉祥发现一座新石器时代墓葬

作　者：李卫星、贺福顺
出　处：《考古》1993 年第 2 期

1987 年 8 月，嘉祥县大山头镇长直集村村民在村东取土时，发现 1 座墓葬，考古人员进行了清理。简报配以照片、手绘图予以介绍。

据介绍，墓为长方形竖穴土坑，坑口距地表 2.7 米。为 2 人合葬墓，仰身直肢。左边者身高 1.7 米，左手边有 1 石铲，颈部有 1 串骨质串珠；右边者身高 1.65 米，口中含有绿松石饰品 2 枚，左右臂各戴石镯 10 余件。2 尸身下各压十余蚌环。此墓没有发现陶器及其他可以确定时代的遗物，故其时代较难断定。就其墓葬形制和随葬品特点看，简报认为可能为新石器时代墓葬。

574.山东汶上县东贾柏村新石器时代遗址发掘简报

作　者：中国社会科学院考古研究所山东工作队　胡秉华
出　处：《考古》1993 年第 6 期

东贾柏村位于汶上县城东南约 2.5 公里处，村北为兖汶公路（兖州—汶上）。遗址在村庄的东南侧，为一突出的台地。遗址北侧地势较为低洼，并暴露出大片的沙层以及深达 10 余米的沙坑，表明这里过去曾是一条东西向的河流。遗址现存面积约 4 万平方米，而且大部分保存较好。1988 年夏季考古人员对这处遗址进行了考察，明确是 1 处北辛文化遗址。1989 与 1990 年春季在该遗址进行了 2 次发掘。简报分为：一、地层堆积概况，二、北辛文化下层，三、北辛文化上层，四、结语，共四个部分。有照片、手绘图。

据介绍，这里清理出的 10 余座房址，可归纳出以下几个特征：一是均为半地穴式建筑；二是居室平面多近似椭圆形，地面稍下凹；三是居室面积不大，如 F2 也只有 10.8 平方米，有的仅 3.4 平方米。这可能是当时生产力较低下，加之人口数量不多的一种反映。但也不排斥今后有大房址发现。

这次清理的 23 座墓，为研究北辛文化先民的习俗增添了新的资料。其一，在 23 座墓中，除去 7 座儿童墓和 1 座迁出墓，余下的 15 座墓共有人骨 17 具，拔除侧门齿者竟有 10 具，年龄均在 20 岁以上；其二，墓葬头向基本上朝东略偏北，主要流行单人仰身直肢葬，兼有多人同性合葬、二次葬、迁出葬等，多数无随葬品。这些习俗均被大汶口文化早期先民所继承，有的习俗一直延续到其晚期，为阐明两支文化直接承袭关系又添新资料。另外，鳄鱼遗骸的出土，进一步证明这一区域在北辛文化时期应是水域广阔，杂草树木丛生，气候温暖湿润，其生态环境接近于现代长江中游的洞庭湖一带。

一般认为，北辛文化的年代为距今约 7300 ～ 6100 年。

575.山东汶、泗流域发现的一批细石器

作　者：中国社会科学院考古研究所山东工作队　胡秉华、刘景芝
出　处：《考古》1993 年第 8 期

1988 年夏季，考古人员为复查该县苑庄乡东榀柏遗址，在遗址的西侧生产路旁采集到 1 件人工石片，引起高度重视。考古人员前往这一带进行了调查，发现了一批细石器。简报分为四个部分予以介绍，有手绘图。

据介绍，1989 年春夏之际，考古人员在发掘东榀柏遗址过程中，在遗址的东侧地面上陆续采集到 100 余件细石器，从而证明这里确有细石器遗存。发掘工作结束之后，在东榀柏遗址的周围地区开展了调查，先后在西榀柏村、周村、齐村、高村、前小秦村和后小秦村等地发现了细石器。同年秋冬之际，又在邻近地区进行调查。相继在汶上县东北的官庄、大秦村、辛庄、东岗等地以及相邻的兖州县西北部的新驿村、店子街、韩马村、李村、北安村、前邳村、后邳村、后楼、东葛店等地，在宁阳县西南的陈家黄茂村、前学村、前张庄、西张庄等地，均发现了遗址、遗物。根据这批细石器资料的调查和整理，可以看到：这批细石器分布范围广；石核不定型，没有锥状、柱状和船底形状的典型细石核；石片宽大于长者居多，而长大于宽两倍的长石片甚少，更不见细石器中典型的细石叶；石器类型较多，其中刮削器一类占石器总数的首位；石器中第二步加工技术采用从背面向破裂面修理刃口的较多，采用交互打击修理刃口的占有相当的数量；不仅有砸击技术生产的石核和石片，而且有采用砸击技术进行第二步加工的石器；生产石片和加工石器皆采用直接打击法，不见间接打击技术。以上这些特征，使我们看到这批细石器资料不同于北方草原地区标准化的细石器，也不同于山东凤凰岭和黑龙潭所见细石器；就是与中原地区的山西下川文化和陕西沙苑文化相比也不尽相同。因此简报认为它们是山东石器时代文化中的一批新资料。

简报指出，细石器的产生可以追溯到旧石器时代晚期。到了旧石器时代末期和旧石器时代向新石器时代过渡的中石器时代，细石器趋于典型化，如下川文化、沙苑文化等。而到了新石器时代甚至是以后时代，细石器就成了一种区域性文化，如我国北方草原地区的标准化定型化细石器。在山东汶、泗流域发现的这批细石器，无疑为我们研究细石器又提供了一份重要资料。

576.山东兖州市龙湾店遗址的试掘

作　者：济宁市博物馆　赵春生、姜德銮、王　莉等

出　处：《考古》2005年第8期

该遗址位于兖州市谷村镇龙湾店村南，1981年文物普查时发现，简报分为：一、遗址概况；二、出土遗物；三、结语；共三个部分，有手绘图。

据介绍，1982年冬、1983年春，考古人员共进行了2次试掘，共发现龙山文化灰坑5个，出土有陶器、石器、骨器、蚌器等。应属龙山文化中晚期遗存。

577.山东泗水县戈山发现一组龙山文化石器

作　者：山东省文物考古研究所　兰玉富等

出　处：《考古》2008年第5期

2000年1月，为配合菏兖日铁路复线建设工程，山东省文物考古研究所对泗水尹家城遗址进行了抢救性考古发掘。发掘期间得知，戈山村的村民开山凿石时，在岩隙中发现1组石器。

简报分为：一、地理环境和发现概况，二、石器，三、结语，共三个部分。有照片、手绘图。

据介绍，戈山村位于泗水县金庄乡西南约2.7公里处，东北距尹家城遗址约2.8公里。出土石器的地点在戈山村东侧约600米处的岭地上，村民称之为"东岭"。地貌属于泰沂山南麓的剥蚀丘陵，岭地上岩石裸露，缺水少土，多杂草、荆棘。暴露的岩石当地称为"卧牛石"，属于石灰岩。出土石器的岩隙位于岭地北坡近山顶处，在村民采石过程中已遭破坏，故石器出土时的状态已无从查考。考古人员在北距岩隙约5米处发现1个灰坑，残剩坑底一角，内填烧灰和红烧土。在灰坑中采集了夹砂黑陶片1件，纹饰为浅篮纹，器形不可辨；还采集了1块兽骨。出土石器共15件。器型有钺、锛、凿、镰等。

简报称，灰坑中出土的陶片明显具有龙山文化特征，据此推断这批石器的埋藏年代应为龙山文化时期。

简报指出，作为石器出土地的戈山岩体裸露，自然环境恶劣，显然不适宜古人居住。从埋藏环境并结合器物的整体特征看，这组石器应不是生产和生活的实用物，推测可能与先民的祭祀活动有关。据初步统计，目前在海岱地区发现的古代山地祭祀遗址近20处。戈山石器应属于山地祭祀遗址的范畴。戈山石器的发现，为研究海岱地区史前社会的自然崇拜、山地祭祀现象增添了新资料。

泰安市

578.山东肥城市北坦遗址的大汶口文化遗存

作　者：泰安市文物局、山东大学考古系　苑胜龙、程兆奎、徐　基等

出　处：《考古》2006 年第 4 期

北坦遗址位于肥城市北坦村东南，现暴露部分南北长约 400 米，东西宽约 300 米，总面积约 12 万平方米。1974 年年底，在进行农田基本建设时出土了一批大汶口文化遗物，故将该遗址称为"北坦大汶口文化遗址"。北坦大汶口文化遗址出土的遗物共 280 余件，主要有陶器和石器等。年代简报推断相当于大汶口文化中、晚期。

据介绍，尽管时间相当，空间也相去不远，但从北坦遗址的大汶口文化遗物看，二者也有一些差别。如北坦 200 余件陶器中，缺少大汶口墓地中常见的各式陶豆、陶尊，也不见曲腹杯（Ⅰ号），但却有数量众多而又为大汶口墓地所少见的小口圆腹罐式鼎、各式单耳杯等。简报猜测这种差别或为两地先民葬俗不同所致。

日照市

579.日照两城镇龙山文化遗址调查

作　者：山东大学　刘敦愿

出　处：《考古学报》1958 年第 1 期

日照两城镇龙山文化遗址，是我国著名的新石器时代遗址之一。早在 1934～1935 年，当时的"中央研究院"历史语言所就曾进行过两次发掘，因抗战报告未及写成，遗物出土后运往台湾。1949 年后考古人员又多次调查。简报分为：一、遗址所在地及现状，二、遗物，三、余论，共三个部分。介绍了 20 世纪 50 年代山东大学师生的调查情况，有照片。

据介绍，两城镇位于日照县东北 22.5 公里处，龙山文化层土色为深黑色，当地农民称为"万年灰"，拿来当作肥料。所以越是灰土层丰厚之处，往往破坏得越厉害。抗战期间，日伪军又曾在遗址上修筑工事，也造成很大破坏。此次调查，采集、收集有石器、陶器等。

580.山东日照两城镇遗址勘察纪要

作　者：山东省文物管理处
出　处：《考古》1960 年第 9 期

山东日照两城镇龙山文化遗址在镇西北一带漫岗上，抗日战争前曾在遗址的中部作过 1 次发掘，提供了重要的材料。1949 以来，山东省文管处和山东大学都曾作过一些调查，对遗址的面貌有较清楚的认识。1958 年考古人员又进行了 1 次钻探与试掘。简报分为三个部分予以介绍，有手绘图。

据介绍，发现的石器多为磨制，十分精致，未见蚌器和陶鬲。石器上的花纹与后来青铜器上的花纹很相似。简报指出，两城遗址面积很大，遗存也很丰富，是研究我国山东境内龙山文化的重要遗址。

581.记两城镇遗址发现的两件石器

作　者：刘敦愿
出　处：《考古》1972 年第 4 期

1963 年，考古人员在两城镇农民家中看到 2 件石器。该器现藏山东省博物馆，简报配以手绘图、拓片予以介绍。

据介绍，第 1 件是长方形扁平石锛，双面刃，但背面的刃极为窄浅。第 2 件是穿孔扁平大型铲，石质灰绿色，硬度不高，已碎成五片并已残缺，四边均有刃。以上两器出土于两城镇镇的中部偏南处，"官厅汪"的水坑西边。与 1936 年发现的玉坑相去不远，据说玉坑在"官厅汪"之南。是龙山文化时期的遗物，这两件奇特的石器是从工具演化来的，但已脱离实用的范畴，因为都太薄了，可能是一种非实用的象征性工具。另外，石锛上所刻精美纹样，丰富了龙山文化艺术的内容，同时也为中国古代美术史的研究提供了新的资料。

582.一九七五年东海峪遗址的发掘

作　者：山东省博物馆、日照县文化馆、东海峪发掘小组
出　处：《考古》1976 年第 6 期

东海峪遗址是"文化大革命"中新发现的 1 处重要的原始文化遗址。该遗址位于山东省日照县石臼所公社东海峪大队的西北，东临黄海，西有奎山，东北部高出地面 2.5 米左右，渐向西南倾斜，现存面积约 8 万平方米。1973 年春、秋都进行了

发掘，1975 年秋再次发掘。由于水位过高，仅有个别探方发掘完毕（余均只发掘至第三层为止），简报配以手绘图、照片予以介绍。

据介绍，发现有房基、墓葬等遗迹，石器、陶器等遗物。遗址可分 3 个文化层，下层系大汶口文化遗存，但直至上文化层，均应为原始社会晚期遗存。

583.山东日照秦家官庄发现旧石器

作　者：临沂地区文物管理会、日照县图书馆　徐淑彬、杨深富
出　处：《考古》1985 年第 5 期

1983 年，为了解临沂地区沿海地带旧石器时代文化遗存的分布情况，地区文管会会同日照县图书馆对日照沿海山区进行了调查。在丝山公社竹溪村北山和秦家官庄发现打制石器。

由于秦家官庄地点与竹溪村北山及北山后地点所采集石器的数量、石器地点的层位与自然环境等有些差异，简报配以手绘图仅对秦家官庄村南石器地点的石器和自然环境予以介绍。

据介绍，秦家官庄地点旧石器的加工方法以单面修理较多，打片多采用石锤直接打击法，第二步加工修理的石器占半数以上。石器的主要类型为刮削器和砍砸器。由于受采集的局限，还不能了解其文化的全貌。日照秦家官庄地点发现的旧石器，人工痕迹清晰，地层剖面可靠，是目前鲁东南沿海地带首次发现的旧石器时代早期的石器地点。

简报称这个地点的发现，为研究我国旧石器时代早期文化的分布和相互关系，以及与山东沂源猿人之间的关系等提供了新的实物资料。同时，为研究第四纪以来黄海海岸和大陆架的变迁、中日古文化和古交通等问题提出了新的课题。

584.山东日照龙山文化遗址调查

作　者：日照市图书馆、临沂地区文管会　杨深富、徐淑彬
出　处：《考古》1986 年第 8 期

日照市地处鲁东南沿海地带，东濒黄海，海岸线长近 100 公里。日照市境内龙山文化遗址较多，内涵极为丰富。其中，1936 年夏尹达、梁思永等先生主持发掘的两城镇龙山文化遗址，是山东地区最早发现的山东龙山文化遗址之一，是典型的龙山文化两城类型遗址。当时该遗址曾发掘出 50 多座墓葬，有的墓随葬品特别丰富。1949 年前夕，这批重要的发掘资料的主要部分连同报告初稿可能被运往台湾，至今

尚未正式发表。1955 年与 1957 年，山东大学刘敦愿教授曾调查了两城镇龙山文化遗址。1973 年春、秋两季和 1975 年秋对日照东海峪遗址进行了发掘。发掘中找到了大汶口文化与山东龙山文化之间的叠压关系，从而证实了山东龙山文化晚于大汶口文化，并证实二者之间有直接承袭关系。1978 年秋至 1979 年春，在日照尧王城遗址进行了试掘，并发现了一些重要的遗迹、遗物。过去虽然在发掘与调查中作了大量的工作，但对整个日照市境内龙山文化遗址的大体分布情况及其内涵还不甚清楚，故又多次在全市境内进行了调查。调查中除对过去已经发现的遗址进行复查外，还新查出 2 处龙山文化遗址（西林子头与南塔岭）。简报分为：一、两城镇遗址，二、尧王城遗址，三、东海峪遗址，四、苏家村遗址，五、西林子头遗址，六、冯家沟遗址，七、大桃园遗址，八、南塔岭遗址，九、凤凰城遗址，十、结语，共十个部分。有手绘图。

两城镇位于日照市城区东北方向约 20 公里。遗址大部分位于两城镇西北岭一带，部分被压在镇居民区下面。遗址东距胶新公路约 200 米，北面有两城河穿过。整个遗址地处土丘地带，北高南低。面积约 90 万平方米。土质多为黑灰色。

简报指出，日照龙山文化遗存都属于典型龙山文化之两城类型。所调查的 9 处龙山文化遗址，根据所出土的遗物、遗迹分析其年代，较早的有东海峪、尧王城、两城镇、苏家村、冯家沟等遗址，其他遗址略晚，确切的年代有待以后进行考古发掘去证实。关于两城类型龙山文化的分布范围问题，前人已作过论述。据目前资料，其分布范围大致在泰沂山区以南，西至兖州西部，南至鲁东南与江苏交界处，东至黄海，北至胶莱河。

585.莒县大朱家村大汶口文化墓葬

作　者：山东省文物考古研究所、莒县博物馆　何德亮等
出　处：《考古学报》1991 年第 2 期

莒县地处鲁东南地区、泰沂山地的东南缘，东接五莲县和日照市，西连沂水、沂南两县，北与诸城市、南与莒南县毗邻。大朱家村遗址位于县城以东约 7.5 公里，隶属店子乡。遗址在大朱家村西侧，部分被村舍所压。由于历年整地取土，遗址遭到一定程度的破坏。遗址南面是一条季节性河流，每到雨季，河水冲刷侵蚀，河北岸形成高约 1 米的断崖，其上经常暴露出人骨和陶器、石器等遗物，应为墓葬区。该遗址 20 世纪 60 年代发现后，不断有陶器出土。特别是发现的陶尊文字，引起学术界的重视。1979 年秋季，对遗址进行了发掘。共发掘墓葬 36 座，其中大汶口文化墓葬 31 座、战国墓 3 座、汉代瓮棺葬 1 座、时代不明的 1 座，出土陶器、石器等文

化遗物 700 余件。简报分为：一、墓葬分布和形制，二、墓葬举例，三、随葬器物，四、墓葬分期，五、结语，共五个部分。先行介绍大汶口时期遗存，有照片、手绘图。

据介绍，大朱家村大汶口文化的墓葬，均为长方形竖穴土坑，头向东南，葬式为单人仰身直肢，存在拔牙和较普遍的枕骨畸形现象。多数墓葬有数量不等的随葬品。陶器以黑陶为主，红陶次之，灰、白、褐陶较少。主要器型有鼎、鬶、罐、豆、盆、盂、尊、瓮、瓶、背壶、双耳壶和高柄杯等。限于篇幅，简报重点介绍了 M15、M17、M18、M24、M26、M22、M23、M36、M1、M21、M32 的情况。

关于大朱家村大汶口文化墓葬的年代，简报推定大约距今 4800 ～ 4600 年，延续约 200 年。

关于社会性质，简报认为这一时期，生活在大朱家村一带的大汶口文化的居民们，过着以原始农业为主的定居生活，生产力水平较高。随着农业、家畜饲养业、手工业的发展，社会分工的出现，人们创造的劳动产品开始有了剩余，这就具备了私有制产生的物质条件。墓葬中出现的贫富不均现象，就是私有制出现后在葬俗上的反映。在大朱家村墓地，有些墓坑很狭小，仅容尸体，无葬具，有少量随葬品，甚至孑然一身，别无他物。如 M1、M13、M28、M29 无随葬品，M30 仅有 2 件。相反，少数大墓，有葬具，随葬品丰富。如 M15、M17、M18、M24、M26 五座墓共有 335 件，占随葬品总数的 46.5%，每墓平均有 67 件；随葬猪下颌骨 33 个，占总数的 40.74%，每墓平均有 6 个以上。说明当时猪已成为衡量财富的标尺，并作为私有财产进行随葬。

另外，关于大朱家村出土的图像文字，这次新发现 3 个图像（其中 M17 和 M16 各 1 个，采集 1 个），皆刻在陶尊上。这些刻画图像文字的陶尊，都随葬在大墓中，且放在显著位置，中小墓还未发现。这说明陶尊不被普通氏族成员所拥有，更不是常人用于随葬的器物，它与墓主生前的社会地位密切相关，是显示墓主身份、地位的象征物，并非生活用具，可能是一种礼器。陶尊文字的发现，对于探讨我国文字的起源具有重要意义。

586.山东日照市两城镇遗址 1998 ～ 2001 年发掘简报

作　者：中美两城地区联合考古队　栾丰实、于海广、方　辉、蔡凤书、文德安等
出　处：《考古》2004 年第 9 期

山东日照的沿海地带是中国开展田野考古工作较早的地区之一。1934 年，王湘、祁延霈在这一地区进行了为期 3 个月的考古调查，发现了包括两城镇遗址在内的若干处龙山文化遗址。1936 年春夏之交，梁思永、尹达、祁延霈等对两城镇遗址

进行了正式发掘。1949年之后,各级文物考古部门对两城镇遗址又进行过多次调查,并取得一定成果。以往的工作表明,两城镇遗址在这一地区目前所发现的龙山文化遗址中面积最大,各种遗迹十分丰富,出土陶器数量多而且异常精美。历年来这里还陆续发现了数量可观的玉器。所以,两城镇龙山文化遗址在研究中国古代社会方面的重要性是不言而喻的。但令人遗憾的是,1936年发掘的重要资料一直存在台湾,未能正式公布。1994年,山东大学和美国的部分考古学者对两城镇遗址进行重点发掘,对周围部分小遗址进行了解剖性发掘。1995年中美考古人员开始对两城地区进行区域系统调查。这一工作已进行了7年。简报分为:一、概况,二、地层堆积,三、文化遗存的形成过程,四、遗迹和遗物,五、结语,共五个部分。有手绘图等。

据介绍,两城镇遗址是目前所知海岱地区最大的龙山文化遗址。1998～2001年,中美联合考古队对该遗址进行了较大规模的发掘,发现龙山文化的围壕、房址、灰坑、墓葬等遗迹,出土大量陶器、石器等遗物。本阶段的发掘中还对发掘和记录方法进行了许多探索和改进,并利用自然科学方法开展了多学科的综合研究。

587.山东日照苏家村遗址调查勘探简报

作　者:山东大学考古系　聂　政等
出　处:《中原文物》2013年第4期

苏家村遗址位于日照市城区东北10公里处,西侧紧邻苏家村,北及东侧为刘东楼村。遗址位于丝山东侧,地处山间盆地,东距黄海约3公里,南北各有1条小河自西向东流过。苏家村遗址发现于1972年,考古人员曾经对该遗址进行过调查。1992年苏家村遗址被公布为山东省省级文物保护单位。自1995年中美合作在日照地区开始区域系统调查以来,苏家村遗址多次被列入调查及复查对象。2011年4月,考古人员对该遗址进行了细致的调查和勘探,进一步加深了对苏家村遗址的认识。

简报分为:一、地理位置和工作缘起,二、遗迹,三、文化遗物,四、结语,共四个部分。有手绘图。

据介绍,苏家村遗址是1处龙山文化早中期的环壕聚落。本次调查对进一步认识日照地区聚落控制体系及小型中心聚落有重要意义。

莱芜市

临沂市

588.山东临沂新石器时代遗址调查

作　者：刘敦愿

出　处：《考古》1961 年第 11 期

　　临沂市位于山东南部，境内有不少东周古城址，出过大量青铜器。两汉和魏、晋的墓群处处可见，画像石很多。新石器时代遗址和发现石器的地点，据市文化科 1957 年统计，不下 20 处。1959 年 4 月考古人员前往临沂作文物复查工作，共调查 10 个地点，肯定了 6 处是新石器时代遗址（4 处是典型的龙山文化，另 2 处尚待商讨）。它们分布在沂、沭、汤、祊四河附近。简报分为：一、土城子遗址，二、毛官庄遗址，三、援驾墩遗址，四、重沟遗址，五、护台遗址，六、石埠遗址，七、附记零星发现的石器，八、结语，共八个部分。有手绘图。

　　简报指出，根据已经调查过的几处遗址，可见临沂新石器时代文化主要是龙山文化，如土城子、毛官庄、援驾墩、重沟等，但也有少数其他文化性质的或包含着其他文化因素的遗址，如护台和石埠。这些龙山文化遗址彼此间的异同与时代早晚，因遗物过少，又均非发掘品，很难比较。从已知的材料来看，大体是相近的。它们和胶东、鲁西等处的龙山遗址比较，也多少有一些差异。至于护台遗址的遗物，基本上是属于龙山文化的，但出现了低火候的手制的或轮制的褐色陶器，形制也有些特殊。石埠遗址出土龙山类型的少，石器特殊，陶罐形制制法和鼎足类似曲阜夏侯村和滕县岗上村的新石器时代墓葬出土物，而那里的新石器时代遗物类型是与龙山有区别的。

589.山东临沂大范庄新石器时代墓葬的发掘

作　者：临沂文物组

出　处：《考古》1975 年第 1 期

　　1973 年春，临沂县相公公社大范庄村村民在平整土地时，发现了 1 处新石器时代晚期的墓地。考古人员进行了发掘。遗址面积南北 160 米，东西 140 米，上层多周、汉时代遗存，已遭破坏。这次发掘的是遗址中段偏西的地方，自 3 月 25 日至 4 月 15 日，共清理墓葬 26 座。简报分为：一、墓葬概况，二、随葬器物，三、小结，共三个部分。有手绘图。

据介绍，墓葬 26 座（编号 1 ～ 7、9 ～ 27），多数分布在遗址的中部，少数在遗址的南、北部。均为长方形土坑，少数墓有二层台。墓向东和东北。均单身仰卧直肢葬，骨架多腐朽不全。随葬品共计 768 件，以陶器居多，骨、石器较少。各墓的随葬品多少不等，最多的如墓 17 有 85 件，最少的如墓 16 仅有夹砂灰陶盆 1 件。陶器中以措壶为最多，黑陶壶次之。有 7 座墓死者手握獐牙。简报推断此为新石器时代晚期氏族公共墓地，但已出现私有财产和贫富差别。

590.山东临沂县凤凰岭发现细石器

作　　者：临沂地区文物管理委员会　徐淑彬

出　　处：《考古》1983 年第 5 期

凤凰岭在临沂县相公公社王家黑墩村东，西距县城 12 公里，位于鲁东南的临、郊、苍平原上。1982 年在配合铁路建设中发现大量细石器，约 700 件。简报分为三个部分予以介绍，有手绘图。

据介绍，在采集的 700 余件打制石器与石片中，有一小部分是器形较大的打制石器，另有 4 件磨制石器。大部分细石器经过人工二次修治，仅少量小石片二次修治较少或无。简报指出，细石器的大量发现，在山东省还是首次。遗址的细石器造型与江苏东海县大贤庄发现的旧石器时代遗存极其相似，两处遗址相距仅 56 公里。

591.山东省沂水县南洼洞发现旧石器

作　　者：徐淑彬、马玺伦、孔凡刚

出　　处：《考古》1985 年第 8 期

南洼洞位于山东省沂水县诸葛公社范家旺村西南山山顶，海拔约 480 米，高出山下小河约 100 米，西距沂河 6.5 公里。南洼洞最初发现于 1958 年。因洞内石灰岩层中夹有一层氧化铁矿石，当地百姓挖掘矿石时就发现有动物化石，已将洞内的原堆积几乎挖光。1983 年 5 月，地方干部在南洼山洞中发现了些鹿角化石，并送交县文管站。同年 6 月，北京大学考古系到临沂考察旧石器地点时观察到鹿角化石上有人工砍砸的痕迹，遂到南洼洞实地考察。在洞内被挖过的红色黏土中采到 1 件有人工打击痕迹的石核。1954 年 3 月，考古人员在沂水县调查旧石器时再次调查了南洼洞。南洼洞山体基岩为寒武纪石灰岩。洞口和洞的深处尚保留有部分棕红色黏土堆积。在被扰乱的堆积中发现有石制品和 4 个个体以上的斑鹿角化石和一些破碎的哺乳动物牙齿化石。1983 年 6 月和 1984 年 3 月的两次调查中，于洞内和从洞内挖出的堆积中采集到石制品 7 件，主要是石核和石片，石器仅 1 件，石质均为石灰岩，简报配以手绘图予以介绍。

据介绍，南洼洞中发现的石制品虽然全部脱层，但洞内只有一种堆积，即红色黏土（尚有部分保留了原生层位）。从石制品上的红色钙壳看，石制品出自此层堆积是毫无疑问的。在近洞壁的原生堆积中，保存有鹿角化石，经鉴定为葛氏斑鹿。葛氏斑鹿是华北中更新世的典型动物。洞内的棕红色黏土与华北中更新世常见的离石黄土相似，因此简报推断洞内堆积的地质断代为中更新世。石制品的时代应为旧石器时代早期。斑鹿角角柄和表面都有明显的砍砸痕迹，与当时人类活动有关。这是山东省首次发现的旧石器时代早期文化遗存。

简报称，南洼洞中旧石器的发现，表明这一带在中更新世时曾有古人类活动过。为了解旧石器时代早期人类的分布，以及它和沂源猿人的关系（南洼洞与沂源猿人化石地点相距 45 公里，同处于沂河流域上游），提供了重要的实物资料。

592.山东郯城黑龙潭细石器遗址

作　者：临沂地区文物管理委员会、郯城县图书馆　徐淑彬、徐敏生
出　处：《考古》1986 年第 8 期

1982 年 11 月中旬，考古人员对黑龙潭地点进行调查，并在白鸡窝地点进行探沟调查，从地层中获得了部分打制石器和石料。简报分为：一、黑龙潭附近地质地貌概况，二、文化遗物，三、文化性质和年代，共三个部分。先行介绍了黑龙潭地点的情况，有手绘图等。

据介绍，黑龙潭地点位于郯城县东南约 20 公里，西距大尚庄约 1 公里，东与江苏省东海县交界。石器地点位于南北走向的马陵山西侧山坡上。简报初步认为，黑龙潭细石器的时代，应是处在旧石器时代晚期的后一阶段，大体上相当于下川文化的时代。简报称，这些细石器遗存在临沂地区沂、沭河流域的大量发现，为探索山东地区旧石器时代晚期文化向新石器时代早期文化的过渡、为完整地建立山东地区史前文化的发展序列提供了新的线索。

593.山东沂水县晚期旧石器、细石器调查

作　者：临沂地区文物管理委员会、沂水县文管站　徐淑彬、孔繁刚
出　处：《考古》1986 年第 11 期

1984 年春，为了解山东省沂水县旧石器、细石器文化遗存在全县的分布情况，

考古人员对沂水县进行了 3 个多月的田野调查，共发现旧石器、细石器及哺乳动物化石地点 27 处。简报仅对其中 20 处旧石器时代晚期地点和细石器地点进行报道，其他时代的旧石器地点和哺乳动物化石地点拟另文发表或留待以后研究。有手绘图。

据介绍，所发现的旧石器及细石器文化遗存，主要见于沂河流域，其分布范围北自沙沟区野坊村，南到许家湖区的沙窝村、龙泉站村一带。在这南北长约 32 公里、东西宽约 21 公里的范围内，已发现 20 处石器地点。为研究黄河流域细石器文化遗存（中石器时代的细石器文化）相互间的关系，提供了新的资料。

594.山东费县古遗址调查纪要

作　者：费县文物管理所　潘振华
出　处：《考古》1986 年第 11 期

费县位于鲁中南部，蒙山之阳。境内山川河流纵横，主要山脉有蒙山、抱犊山，水利资源丰富，祊河及其支流流贯全县。迄今发现的古遗址，大多分布于上述河流及支流的两岸地带，少数遗址分布在山岭高地近水的地方。到目前为止，共发现古遗址 36 处，这些古遗址大都包含两个时代以上的遗迹、遗物。简报分为：一、翟家村遗址，二、兴富庄遗址，三、防城遗址，四、西西蒋遗址，五、崮子遗址，共五个部分。有手绘图、表格。表格列有各遗址名称、位置、面积、文化遗物、文化性质与时代、保存情况。

简报重点介绍的 5 处古文化遗址当中，除了兴富庄、西西蒋 2 处遗址所含遗物分别为单纯的大汶口文化、龙山文化外，余 3 处所含均为两个时代以上的遗物。与周边遗址遗物基本相同，又略带自身特点。

595.山东苍山县新石器时代墓葬清理简报

作　者：苍山县图书馆文物组　林茂法
出　处：《考古》1988 年第 1 期

1984 年 9 月，庄坞乡发现 1 座晋代石墓并将情况及时报告临沂地区文管会。考古人员对石墓进行了清理。清理过程中，在石墓下层 30 厘米深处发现 2 座长方形土坑竖穴墓。这 2 座土坑竖穴墓，都是东西方向，相距 40 厘米。北边的 1 座墓编号为 M1，南边的 1 座墓编号为 M2。由于受上层石墓的扰乱，两墓坑的高度情况不明。墓内有人骨架各 1 具，骨架基本完整，都是头东脚西，仰身直肢。M1 墓主人右手握 1 獐牙，随葬品有陶器 12 件、高柄杯 2 件、匜 2 件、壶 3 件、背壶 1 件、瓶 3 件、白陶罐1件，这些器物分别置于头部和脚部。M2墓主人左手握1獐牙，脚部只放陶豆2件。简报配以手绘图、照片予以介绍。

据介绍，上述2墓共出土陶器14件，其中1件已残。有夹砂灰陶、夹砂白陶、泥质黑陶和泥质灰陶。以夹砂白陶最少，夹砂灰陶最多。制作方法大部分是轮制，个别是手制。烧制火候一般都较高。白陶罐至今完好，质地比较坚硬。这部分器物在苍山还是第1次发现，从形制上看和本地区的大范庄、东海峪出土的器物基本相似。简报认为这部分器物应属大汶口文化晚期，接近龙山文化。

596.山东临沂王家三岗新石器时代遗址

作　者：冯　沂、杨殿旭
出　处：《考古》1988年第8期

1977年10月，临沂市白庄乡干部周隆昌先生在王家三岗村收集到部分骨器、石器及陶片，并及时报告了市博物馆。随后，考古人员前往进行调查，发现此处为1处新石器时代遗址。遗址未经过钻探和发掘，对多次调查情况，简报分为三个部分予以介绍。

据介绍，王家三岗遗址位于临沂市西南10公里，东距白庄乡政府5公里。遗址在王家三岗村南200米处，总面积达148200平方米。1978年2月，该村在遗址中重修东西大路时，破坏了几处墓葬。接到报告后，考古人员立即前去作了清理。但墓葬的骨架已被铲除，部分器物也被扬弃，从现状来看，应为5座墓葬，其中清理的M4、M5只剩骨架上半身，两墓南北相距约80米。M4骨架南侧腰部有1件夹砂红褐陶实足鬶。M5骨架北侧有红陶鼎1件，黑陶壶、灰陶杯各1件。调查中出土和采集的遗物，简报分为三个部分略作介绍，有手绘图。

据介绍，在该遗址中出土和采集的遗物百余件，有石器、陶器等，以陶器为主。从采集的标本器形方面分析，简报推断王家三岗遗址的文化遗存当属大汶口文化的晚期阶段。简报称，这为研究山东一带大汶口文化的分布、特点和相互关系提供了宝贵的资料。

597.山东莒南化家村遗址试掘

作　者：山东大学历史系考古专业、莒南县文物管理所　崔大勇
出　处：《考古》1989年第5期

化家村遗址位于莒南县城西北，岭泉乡化家村北的土丘上，距县城11公里。考

古人员多次到这里进行调查，采集到的标本全属龙山文化。前几年由于在这里烧砖，遗址遭到破坏，现已列为县级文物保护单位，划定了保护范围。1987 年 9 ~ 11 月，对化家村遗址进行了试掘，发现的遗迹有房基、窖穴、灰坑、墓葬等，遗物有陶器和石器，不见骨器。简报分为：一、地层堆积，二、遗迹，三、遗物，四、结语，共四个部分。有手绘图。

据介绍，化家村遗址的内涵为单纯的龙山文化，根据地层堆积和陶器特征来看，其延续的时间虽没有贯穿整个龙山文化时代，但上下层还是有区别的，其遗存特点在山东地区来讲是偏东部的。死者头向东，其特点与临沂大范庄相同，而与三里河、东海峪以及姚官庄等遗址中死者头向多向西北、北偏东有较大差异。陶器中灰陶和黑陶占绝对优势。关于化家村龙山文化遗址上下限，简报推断处于龙山文化的早期偏晚和晚期偏早阶段。

简报称，经过这次试掘，不仅比较全面地了解了该遗址的内涵，而且为解决沂、沭河流域龙山文化与周围地区的关系提供了证据。

598.山东临沂市后明坡遗址试掘简报

作　者：山东大学历史系考古专业、临沂市博物馆　任相宏
出　处：《考古》1989 年第 6 期

该遗址位于临沂市南坊乡后明坡村东北，1987 年 9 月进行了试掘。发现龙山、岳石文化叠压关系，再次证明了以往学者对这两种文化年代关系的认识，是正确的。

599.山东郯城望海楼发现旧石器地点

作　者：徐淑彬、赵敬民、黄新忠
出　处：《考古》1989 年第 11 期

山东郯城望海楼旧石器地点位于郯城县黑龙潭细石器地点以南约 400 米。1986 年 6 月考古人员在黑龙潭附近考察古生物化石地点时首次发现，并作了标本的采集工作。8 月底和 9 月中旬，再次去该地点工作。在前后 3 次的工作中，于望海楼旧石器地点共采得 222 件石制品。这些石制品均为地层中所出，且只有一个层位，可以肯定为同一时代的遗物。

简报分为：一、石器地点的自然环境和地层，二、文化遗物，三、文化性质与年代的讨论，共三个部分。有手绘图。

据介绍，石器地点在望海楼的北侧，当地名曰"老石塘"。望海楼地点发现的石器文化遗存，全部遗物均为石制品。地层中未见动物化石或全新世以来的任何晚期遗物。由于缺少可以测定年代的材料，在断代上有一定困难。由石核和部分石器的类型与修理技术的分析和从望海楼旧石器地点石器文化遗存中未发现间接技术看，简报推断该石器遗存的时代可能与山西朔县峙峪旧石器时代遗址比较接近，其文化性质也较接近，同属于华北的周口店第一地点（北京人遗址）——峙峪系。是目前华东北部沿海所发现的具有细石器母型的地点，与黑龙潭地点的下文化层相当。

简报称，望海楼旧石器文化遗存发现的意义，就是因为文化内涵具有一个显著的发现——显现了晚期旧石器中是怎样出现早期细石器雏形并如何向典型细石器过渡的机制。

600.山东苍山县发现的石器

作　者：林茂法

出　处：《考古》1989年第12期

1985年秋，苍山县兴明乡小郭村李金章先生，在院内挖地窖时，发现了一批原始社会墓葬的石器，计有石铲、石凿、石指环和骨锥等。简报配以手绘图予以介绍。

据介绍，遗址位于苍山县城西南部，和江苏省的大墩子遗址相邻。出土的器物和临沂的大范庄、日照的东海峪、江苏省的大墩子等出土的器物基本类同，简报推断应属同一文化范畴，即属大汶口文化晚期。这为进一步研究苏北和鲁南地区新石器时代文化的内在关系提供了新的实物资料。

601.山东沂水县新石器时代遗址调查

作　者：沂水县博物馆　孔繁刚、马玺伦

出　处：《考古》1991年第6期

抬头、凤台遗址位于山东沂水县城东北约50公里的富官庄乡。1987年以来，考古人员多次进行了调查，发现两处遗址都包括有几个时代的文化遗存，其中有龙山、岳石、商、周、汉等时期的文化遗物。简报配以手绘图予以介绍。

据介绍，抬头遗址于1987年7月沂水县文物普查时发现，位于沂水县富官庄乡北约2公里抬头村北。凤台遗址与抬头遗址相距3公里。两遗址中陶器种类较为丰富，器型以鼎、鬶、罐、盆居多，壶、碗、器盖、豆、纺轮等也较常见。陶器中黑陶占绝大多数，灰陶、红陶、白陶次之。红陶、白陶多见于陶鬶。陶质有夹砂、泥质2

大类，泥质陶多施黑色陶衣或磨光。另在遗址中还发现有少量的蛋壳陶器残片。

简报称，该遗址应属典型的龙山文化两城类型。

602.山东临沂新石器时代遗址调查简报

作　者：临沂市博物馆　冯　沂
出　处：《考古》1992 年第 10 期

临沂市位于山东省东南部，泰沂山系南侧，沂沭河冲积平原北部，因东临沂河而得名。临沂市的文物考古调查工作，大致从 1956 年开始，此后，于 1966、1973 年又进行了调查。1980 年，开始第 2 次文物普查。1987 年，又组织人力对临沂市进行了全面、细致的复查。历次调查总计发现细石器遗址 11 处，新石器遗址 117 处，商周遗址 129 处，秦汉遗址 290 处。新石器时代遗址中的 10 处。

简报分为"小城后遗址（编号 1）""晏驾墩遗址（编号 2）""中洽沟遗址（编号 5）""后黄土堰遗址（编号 6）""孙家岑石遗址（编号 7）""前城子遗址（编号 8）""青墩寺遗址（编号 20）""王家五湖遗址（编号 21）""后新庄遗址（编号 23）""结语"，共 10 个部分予以介绍，有手绘图。

据介绍，从遗物来看，虽多系采集品，但没有出土层位，缺乏共存关系，个别器物的时代归属可能有误，但通过对比，也能反映各时代文化特征。北辛文化遗存发现甚少。简报将小城后、晏驾墩定为大汶口文化遗址，但从遗址内出土的遗物中，提供了一点北辛文化遗存的线索。能否定为北辛文化遗物，有待于今后进一步调查证实。

大汶口文化遗存，资料较丰富，特点较鲜明。如中洽沟遗址出土的觚形杯底，磨制精致的穿孔石铲等，具有大汶口文化早期的时代特征。中晚期遗物如前城子遗址出土的鼎，小城后遗址出土的豆、高柄杯，晏驾墩遗址出土的背壶等，均具有大汶口文化中晚期特点。与大汶口、西夏侯等遗址出土的同类器物大体类似。

发现的龙山文化遗址较多，遗物非常丰富。龙山文化中晚期的鬼脸形或鸟喙形鼎足，在部分遗址中发现较多，属龙山文化两城类型。

简报称，近年来提出的岳石文化，过去调查并未注意，近几年来在文物复查中，发现部分遗址含有岳石文化遗存。如晏驾墩遗址出土的尊形器底，以及部分遗址中出土的蘑菇状器纽，与东岳石、照格庄遗址出土的同类器物基本一致，应为岳石文化的代表器物。

总之，通过调查，对临沂市古文化概况大致有所了解。

今有《山东史前文化论文集》（齐鲁书社 1986 年版）一书，可参阅。

603.山东沂水县杨庄新石器时代遗址

作　者：沂水县博物馆　孔繁刚、马玺伦
出　处：《考古》1993 年第 11 期

该遗址位于沂水县杨庄镇杨庄村东北角，1987 年 7 月文物普查发现时，已遭严重破坏。此后多次复查，并采集了一批石器、陶器。简报分为：一、遗址地理位置及概况；二、文化遗物；三、小结；共三个部分，有手绘图。

据介绍，该遗址发现有龙山文化、岳石文化遗存。岳石文化仅采集到一些陶片。龙山文化发现有石制生产工具及轮制红陶等。

604.山东沂南县发现一组玉、石器

作　者：山东省博物馆　于秋伟、赵文俊
出　处：《考古》1998 年第 3 期

1988 年 7 月，山东沂南县中高湖乡罗圈峪农民因建房使用炸药清除山石时发现一组玉、石器，遂将其送至县文管所。出土地点罗圈峪地处沂南、蒙阴与沂水三县的交界地带，南距乡驻地中高湖 4.5 公里，东南距县城驻地界湖 33 公里，四面山岭环绕。玉、石器即出土于村西南丘陵缓坡地带上的山石裂缝之中。由于出土地点已遭破坏，因此填土情况不明。这组玉、石器共 16 件。简报配以手绘图、照片予以介绍。

据介绍，综合出土的牙璋及其他石器的特征，可初步断定这组玉、石器的时代属龙山文化。依据其集中埋藏，出土于山石裂缝之中及附近无文化遗址等特征判断，属于灰坑、墓葬、窖藏的可能性较小，而属祭祀坑的可能性较大。

简报称，沂南出土的这组玉、石器保存较好，为进一步研究龙山文化玉、石器及龙山文化时期的礼制、习俗提供了新资料。

605.山东省平邑县新石器时代遗址调查

作　者：山东省平邑县博物馆　王相臣
出　处：《华夏考古》2001 年第 3 期

平邑县地处山东省南部，沂蒙山区的西缘。境内地形较为复杂，北部属蒙山中山丘陵区，中部属河谷平原区，南部属四开山低山丘陵区。主要河流有浚河、祊河，两河自西向东，南北并行，注入沂河。平邑县的文物调查工作始于 1956 年，计历次

调查共发现新石器时代遗址 61 处。这些遗址大多分布在浚河流域，遗址分布以河旁台地居多，次为岭前坡地，洞穴遗址最少，仅有 1 处。简报分为：一、前言，二、遗址，三、结语，共三个部分。有图。

据介绍，大汶口文化遗存较为丰富、分布地广，龙山文化遗址分布普遍，岳石文化遗存较少。简报称，标本全为采集品，个别标本的时代归属可能有误。但从其文化差异看，基本上展现了本地新石器时代的不同的文化面貌，其发展序列为大汶口文化—龙山文化—岳石文化。

606.山东沂水县城北郊新石器时代遗址发掘

作　者：山东省文物考古研究所鲁中南考古队、沂水县博物馆　马玺伦、李玉亭、李鲁滕

出　处：《考古》2002 年第 1 期

1987 年 6 月，山东省沂水县农业局在沂水县城北郊修建花生加工厂时，发现大量灰土和陶片，并及时报告县博物馆。考古人员对遗址进行了抢救性发掘。

北郊遗址位于沂水县城北 1.5 公里的小沂河北岸，面积约 6 万平方米。为了配合工程建设，在遗址南边共清理灰坑 27 个、水沟 2 条、柱洞 8 个及隋唐墓葬 4 座，获得陶、石器 150 多件。简报分为：一、地层堆积，二、遗迹，三、遗物，四、结语，共四个部分。有手绘图、拓片。

据介绍，北郊遗址发掘出土的遗物，以陶器为主，其次是石器。简报推断，北郊遗址可能处于龙山文化早期偏晚至晚期偏早阶段。

简报称，北郊遗址发掘出土的实物资料不十分丰富，但对于了解沂蒙山区腹地、沂河中上游、沭河发源地及其流域的史前文化提供了资料。

德州市

607.山东禹城县邢寨汪遗址的调查与试掘

作　者：德州地区文物工作队　陈　骏

出　处：《考古》1983 年第 11 期

山东禹城县邢寨汪遗址，在自然力的冲刷和农田水利建设用土的过程中，不断出土龙山文化和商、周遗物。其中有灰、黑陶器，石器，骨器，卜甲，铜镞等物。

1978年又采集到带刻划符号的骨匕1件。考古人员多次前往调查。简报分为"地层""遗物""小结"等几个部分予以介绍，有手绘图。

据介绍，禹城地处鲁北平原中部，南距济南市50公里。邢寨汪遗址位于禹城县火车站东北7.5公里处，遗址总面积6000余平方米，主要遗存为龙山晚期。

简报称，邢寨汪遗址的调查与试掘，虽规模较小，遗迹又很单纯，但仍出土了较多的器物，丰富了我们对山东龙山文化的认识，提供了山东龙山文化不同类型的一些资料，为我们进一步弄清其面貌创造了一些条件。

聊城市

608.山东茌平县尚庄遗址第一次发掘简报

作　者：山东省博物馆、聊城地区文化局、茌平县文化馆　王恩田、李盛奎、吴文棋、吴诗池等
出　处：《文物》1978年第4期

遗址位于山东茌平尚庄村东一个隆起的土岗上，当地人称之为"岗子"。东距茌平县城2公里。面积约7万平方米。遗址是农民在1975年春季生产中发现的。同年秋季，进行了第1次发掘。发掘面积为750平方米，主要为大汶口文化类型和龙山文化类型的遗存。简报分为：一、地层堆积与分期，二、尚庄第一期文化，三、尚庄第二期文化，四、尚庄第三期文化，五、结语，共五个部分。有照片。

据介绍，尚庄第一期文化为大汶口文化，大汶口文化在鲁西地区、黄河以北是首次发现，扩大了对大汶口文化分布范围的认识。当时贫富分化已开始，随葬器中玉器、绿松石、螺等应是交换来的。尚庄第二期和第三期文化的发现，是这次发掘的主要收获。这两期文化为山东龙山文化的分期研究提供了重要的依据。有某些接近河南龙山文化因素的存在，与鲁东及沿海地区存在着较明显的区别，与冀南地区的文化面貌有某些类似之处，与鲁西地区的文化面貌相当接近。

609.茌平尚庄新石器时代遗址

作　者：山东省文物考古研究所　吴诗池、吴文祺等
出　处：《考古学报》1985年第4期

尚庄村位于山东省茌平县城西2公里处，北距翟庄0.5公里，地势平坦，属于

黄河冲积平原。遗址坐落在尚庄村东的一块隆起的土岗上。土岗中心高出周围地面约3米，当地百姓称之为"岗子"。1975年春，尚庄大队社员在挖沙中发现该遗址。同年秋季，进行了第1次发掘。1976年春，又进行了第2次发掘。2次发掘共发现大汶口文化墓葬17座；龙山文化灰坑139个，灰沟1条，房址1座；商代灰坑1个；西周灰坑3个，墓葬4座；春秋墓葬2座；汉代砖室墓2座；不明时代的墓葬4座。简报分为：一、地层堆积，二、大汶口文化的墓葬和遗物，三、龙山文化的遗迹和遗物，四、结束语。共四个部分。有照片、手绘图。

尚庄新石器时代文化遗址的发掘，是山东省考古人员在鲁西、黄河以北地区进行的规模较大的科学发掘。文化遗迹、遗物丰富，为探讨大汶口文化和龙山文化的分布、类型和分期以及与邻近诸原始文化的关系，提供了一批新的重要资料。

610.山东阳谷县景阳岗龙山文化城址调查与试掘

作　者：山东省文物考古研究所、聊城地区文化局文物研究室　李繁玲、孙淮生、吴铭新

出　处：《考古》1997年第5期

景阳岗龙山文化城址位于鲁西北黄河冲积平原阳谷县张秋镇景阳岗村，西北距阳谷县城17公里，南距黄河约4公里。

景阳岗遗址发现于1973年，1978年被定为山东省重点文物保护单位。遗址所在地原为一较高沙岗，20世纪60年代以来由于挖沙，遗址遭到严重破坏。1979年，聊城地区博物馆在遗址中部清理灰坑1座，出土陶器30余件和牛骨架1具。1994年，阳谷县在景阳岗村西北建开发区，挖护沟时发现一些夯筑遗迹。考古人员随即对遗址进行调查、钻探。钻探结果表明，遗址为1处龙山文化城址并基本搞清了城址的范围。1994年底，对该城址再次进行钻探，并对遗址进行试掘，于城内发现大小台基2座。为进一步了解城址性质及文化内涵，1995年秋及1996年春季，先后两次对该遗址进行试掘，揭露面积约1200平方米。通过调查与试掘，发现城墙、大小台基、灰沟等一批重要遗迹和遗物。简报分为：一、地层堆积物，二，遗迹，三、遗物，四，结语，共四个部分。介绍了该城址调查、钻探及试掘的主要收获，有手绘图。

据介绍，钻探、试掘结果证明，景阳岗遗址为龙山文化时代的1座城址。通过发掘，基本搞清了城址的范围、面积，城墙的宽度及结构。这是黄河流域目前已发现的龙山城址中规模最大的1座，也是鲁西北地区科学发掘的第1座龙山文化城址。试掘资料表明，这一城址所包含的物质文化内涵相对较为单纯，总体上属山东龙山文化范畴。

简报称，景阳岗龙山城址所处的鲁西北地区，正是中国古代东西文化交汇地带，

它的发现为研究这一地区龙山文化的面貌及其与中原龙山文化的关系乃至中国古代文明起源等问题，提供了新线索。

611.山东茌平教场铺遗址龙山文化城墙的发现与发掘

作　者：中国社会科学院考古研究所山东队、山东省文物考古研究所、聊城市
　　　　文物局　梁中合、金英熙、贾笑冰、孙淮生、周海铎等
出　处：《考古》2005 年第 1 期

教场铺龙山文化城址位于山东省聊城市茌平县乐平铺镇，北距茌平县城 22.5 公里。2004 年 4～7 月，由中国社会科学院考古研究所山东队、山东省文物考古研究所、聊城市文物局组成的考古队，对教场铺遗址进行了第 4 次发掘，发现了属于山东龙山文化晚期的城墙遗存和一批与城墙有关的祭祀遗迹。简报分为：一、城墙，二、与城墙相关的遗迹，三、结语，共三个部分。有彩照、手绘图。

根据钻探结果，初步认定城址平面为东西略长、南北稍窄的椭圆形。城址东西长约 230 米，南北宽约 180 米，城内面积近 5 万平方米。

简报称，2004 年度的发掘还获得了一批龙山文化的陶器、石器、骨器、蚌器、角器等重要遗物。陶器中夹砂陶主要有鬲、篮纹罐、绳纹罐、方格纹罐、菱形网格纹罐、盆形鼎、罐形鼎、鬶、甗等，泥质陶主要有磨光黑陶三足盘、平底盆、圈足盆、磨光蛋壳黑陶杯罐、磨光褐陶豆等。其他遗物有大量蚌刀、蚌镰、蚌铲、骨锥、骨镞、石凿等。最为重要的是六号祭祀坑内出土了 4 件卜骨，年代较早，其中 3 件有明显的灼痕，1 件只是加工了边缘，还未使用。

简报推测遗址当时应该是一处高于当时地表的沙丘，第一批定居于此的人们在到达遗址后即开始修建城墙，即第一期城墙，这与第一期城墙夯土内未出土人工制品的现象相吻合。当第一期城墙使用了一段时间后，城内居民为加高、加厚城墙而再次对城墙进行修筑，由此形成了第二期城墙。由于遗址范围内长期有人类活动，因此第二期城墙用土多为灰土，且内包含有大量陶片等人工制品。两期城墙之间的祭祀坑可以说明当时人们对筑城活动的重视，要举行特别的祭祀仪式。从祭祀坑出土的陶器特征看，均为海岱龙山文化中期晚段或晚期早段的遗物，因此第二期城墙的年代当大体与此相当。

简报认为，鲁西地区是东夷和华夏两大文化集团的交界地带。史前城址的出现，往往在文化圈的边缘地带，而文明起源，也往往首先出现在不同文化集团相碰撞的地区。这些地区常常面临为争夺生存资源而发生的大规模武装冲突，因而以保护自身安全为目的的城址便应运而生。在冲突过程中，需要强权来组织力量，王权逐步

产生，随着社会组织结构、内部权力机构的不断发展变化，最终进入文明社会。教场铺龙山文化城址可能就是在这样一个特定的环境中出现的。中国古代文明的起源是一个漫长的发展过程，在此过程中，龙山文化正是处于文明社会形成之前的最后阶段，有学者甚至认为龙山文化已经进入了初期的文明社会。教场铺作为龙山文化中晚期的城址，对中国古代社会复杂化进程的研究提供了翔实的实证资料。

612.山东东阿县古文化遗址调查

作　者：东阿县文物管理所　刘　荣
出　处：《华夏考古》2008 年第 4 期

东阿县位于山东省西部，自 1956 年来考古人员多次进行过调查，共发现古代文化遗址 13 处。有大汶口文化、龙山文化、岳石文化及战国、两汉、宋元时期文化。简报分为：一、遗址略述，二、遗物，三、结语，共三个部分。有手绘图。

简报重点介绍了香山遗址、王宗汤遗址、前赵遗址、鱼山遗址等 9 处遗址。从史前文化看，这一地区最大特点是正处于山东龙山文化和河南龙山文化的过渡地区。遗址为研讨龙山文化的发展提供了实物资料。

滨州市

613.山东邹平县苑城早期新石器文化遗址调查

作　者：山东大学历史系考古专业　任相宏
出　处：《考古》1989 年第 6 期

苑城，隶属于山东惠民地区邹平县，西南距县城 14 公里。遗址位于苑城西南方向，东北距苑城西南庄约 150 米，北到打箔庄约 100 米，西至孝妇河约 500 米。1981 年，邹平县图书馆在进行文物普查时发现该遗址。1985 年春，惠民地区文物管理所在附近的丁公遗址工作时，曾作过小面积试掘。1985 年秋以来，对此遗址进行过多次调查，采集到大量的早期新石器文化遗物，计有石器、骨角器、蚌器、陶片、红烧土块、动物骨骼、鹿角和蚌壳等。简报配以手绘图予以介绍。

据介绍，临沂周围的龙山文化遗址，20 世纪五六十年代曾进行过一系列的调查，但正式发掘的遗址却不多。这次在后明坡遗址的发掘，发现了龙山文化的地层，并出土了一些遗物，对了解临沂周围龙山文化的情况有一定的参考价值。属于岳石文化的遗物发现也不多，并且完整者甚少，但其特征明显，性质明确。这里发现的龙山、岳石文化地层叠压的关系，再次说明了以往人们对两者相对年代认识的准确性，这次试掘虽然发现遗物不多，但是对于了解沂、沭河流域龙山文化和岳石文化面貌具有重要意义。

614.山东邹平苑城西南庄遗址勘探、试掘简报

作　者：山东省文物考古研究所　王永波、常绪正、徐启中
出　处：《考古与文物》1992 年第 2 期

西南庄遗址地处泰沂山系北侧山前冲积扇前沿、鲁北平原南部。位于邹平县苑城乡西南庄村西。西南距邹平县城约 15 公里，地势平坦。西南庄遗址是 1975 年当地政府取直老坞河河道时发现的，省、地、县等有关部门曾多次作过调查。还作过两次小规模的抢救性发掘。1987 年 2 月 16 ～ 23 日，考古人员又对西南庄遗址进行复查。简报分为：一、遗址概况，二、地层堆积状况，三、遗物，四、小结，共四个部分。有手绘图等。

据介绍，地面到处可见战国、汉时期的砖、瓦残片和部分陶质器皿残片。主要器类有盆、罐、盂、豆、筒瓦等。新石器时代遗存主要为陶片，简报认为该遗址与大汶口文化、北辛文化关系密切。

615.山东邹平丁公遗址第四、五次发掘简报

作　者：山东大学历史系考古专业　栾丰实、方　辉、许　宏
出　处：《考古》1993 年第 4 期

1991 年至 1992 年春，考古人员对丁公遗址进行了第四、五次发掘。2 次发掘历时 5 个半月，实际发掘面积约 630 平方米。揭露各个时期的房基 47 座、灰坑 697 座、沟 9 条、陶窑 1 座、墓葬 42 座，并发现了龙山文化时期的城墙与壕沟遗迹。出土石、骨、蚌、陶、铜器等遗物 2000 余件。简报分为：一、文化层堆积，二、龙山文化遗存，三、结语，共三个部分。有手绘图、照片。

简报称，丁公遗址第四、五次发掘重大收获有二：一是发现了龙山文化城墙与壕沟；二是发现了 1 件刻有多个文字的龙山文化陶片。丁公龙山城址的发现，其重要意义在于使我们认识到龙山时代城址已普遍出现，结合山东考古的情况，龙山城址分布有序，相互之间直线距离在 50 公里左右。每个城址控制的地盘在方圆百里上下，应代表一个古代方国。龙山文化刻字陶片出自探沟 50 的 H1235 之中，是在室内整理

时，由协助工作的民工发现的。系写在一大平底盆底部残片上，此类盆一般盛行于龙山文化晚期。书写习惯似为自上而下，自右至左。简报认为是烧后刻上的。

简报最后强调丁公龙山文化城址和文字的发现，对研究中国文明起源、中国古代城市起源与发展、中国文字起源等课题，无疑具有十分重要的意义。

616.山东博兴县利戴遗址清理简报

作　者：博兴县文物管理所　张淑敏
出　处：《华夏考古》2009 年第 1 期

利戴遗址位于山东省博兴县店子镇利戴村，为省级文物保护单位利城遗址的一部分，整个遗址面积约 60 万平方米。利戴遗址以龙山文化遗存为主，2002 年，考古人员清理了 5 座灰坑及 1 座半地穴式房址，均为龙山文化遗迹，其中出土陶、石、蚌器 38 件。从出土的器物看，该遗址龙山文化遗存的文化面貌与潍坊姚官庄、鲁家口和青州凤凰台类似，其年代约为龙山文化早期偏晚阶段并一直延续到龙山文化晚期。简报分为：一、遗迹，二、遗物，三、结语，共三个部分。有手绘图。

据介绍，此次发现了 5 座灰坑、1 处房址。此次清理的 F1 为 1 处半地穴式房屋，居住面是用红烧土加工铺垫，底部掺杂有大量红烧土、草木灰，当是为防潮而特意铺垫。居住面上环列鬶、甗、盉、鼎、杯、器盖等 10 余件器物，且均为实用器，有炊煮器和盛器等，是一套种类齐全的生活用具。居住面与器物上覆盖有一层灰白色烧灰，有可能是屋顶焚烧塌落所遗留的痕迹。然而从壁上看，没有明显的加工痕迹。从房屋用途分析，不像是常年居住的一般性房址，可能具有临时或特殊的用途。出土遗物主要是陶器，夹砂陶多于泥质陶，陶色以黑、褐陶为主，少量灰、红陶，器表以素面居多。此次发掘，为研究山东龙山文化提供了新的实物资料。

今有李伊萍先生《龙山文化研究》（科学出版社 2005 年版）一书，可参阅。

菏泽市

617.山东曹县莘冢集遗址试掘简报

作　者：菏泽地区文物工作队　郅田夫
出　处：《考古》1980 年第 5 期

莘冢集遗址位于曹县县城西北约 10 公里、莘冢集公社莘冢集村东。公社中学和兰场大队就坐落在遗址上。1976年，考古人员在此调查，经钻探得知遗址为一南北宽 168 米、东西长 192 米的缓坡台地，高出地表约 2 米。1979 年春进行了试掘，简报分为五个部分进行了介绍，有手绘图。

据介绍，莘冢集遗址具有典型龙山文化因素，又有河南龙山文化的某些特征，还有一些自身特点，如圈足盘、三足平底器、带流壶、漏斗形器、镂孔平底器等。先民虽以农业生产为主，但遗物中发现有大量的鱼刺、螺壳、蚌壳和少量的兽骨。可以证明，由于当地地理环境的关系，渔猎和采集经济仍占有相当的比重。